Das Buch

Was auf den ersten Blick wie eine Doppelbiographie der Richthofen-Schwestern aussieht, erweist sich als Abriß einer Kulturgeschichte der deutschen Jahrhundertwende. Nicht die Schwestern, die für zwei entgegengesetzte Ausbruchsversuche aus der
patriarchalischen Bismarck-Welt stehen – für den kritischen Liberalismus und die Bewegung für die erotische Befreiung – bilden den Mittelpunkt, sondern die Männer, die sie liebten: D. H.
Lawrence, der unter Friedas entscheidendem Einfluß einer der
größten Erzähler unseres Jahrhunderts wurde; der große deutsche Soziologe Max Weber, Lehrer und lebensbestimmender
Partner der intellektuellen Else; der heute fast völlig vergessene
Freud-Schüler Otto Groß, eine der faszinierendsten und um-
strittensten Schlüsselfiguren seiner Zeit, Liebhaber beider
Richthofen-Schwestern. Schauplätze dieser Begegnungen sind
in erster Linie das geistig rebellische Heidelberg und das ma-
triarchalisch-künstlerische München um die Jahrhundertwende. Vor diesem Hintergrund erzählt Green Privates aus
dem Leben europäischer Geistesgrößen, zeigt geistesgeschicht-
liche Entwicklungen auf und erfaßt mit diesem vielschichtigen
Porträt des späten wilhelminischen Deutschland ein Stück Zeit-
geschichte in ihrem Ursprung.

Der Autor

Martin Green, 1927 in London geboren, studierte in Cambridge, an der University of London, an der Sorbonne in Paris
und an der University of Michigan. Von 1963 bis 1965 war er
Associate Professor an der Tufts University in Medford, Mass.,
wo er englische Sprache und Literatur lehrte; von 1965 bis 1968
unterrichtete er an der Birmingham University, England. Nach
wissenschaftlichen Publikationen in englischen und amerikanischen Zeitschriften erschienen seine vielbeachteten Bücher ›Ci-
ties of Light and Sons of the Morning, A Cultural Psychology
for an Age of Revolution‹ (1972) und ›Children of the Sun, A
Narrative of ‚Decadence‘ in England after 1918‹ (1976).

W0236713

Martin Green:
Else und Frieda
die Richthofen-Schwestern

Aus dem Amerikanischen übertragen
von Edwin Ortmann

Deutscher
Taschenbuch
Verlag

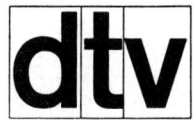

Jim Harvey gewidmet, der diese Begeisterung
und so vieles andere mit mir teilte.

Ungekürzte Ausgabe
Dezember 1980
Deutscher Taschenbuch Verlag GmbH & Co. KG,
München
Lizenzausgabe mit freundlicher Genehmigung der Kindler
Verlags GmbH, München
© 1974 Martin Green
Titel der Originalausgabe: ›The von Richthofen Sisters. The
Triumphant and the Tragic Modes of Love‹ (Basic Books,
Inc. Publishers, New York)
© 1976 der deutschsprachigen Ausgabe: Kindler Verlags
GmbH, München · ISBN 3-463-00657-X
Umschlaggestaltung: Celestino Piatti
Gesamtherstellung: C.H. Beck'sche Buchdruckerei,
Nördlingen
Printed in Germany · ISBN 3-423-01607-8

Ist der Mann, der ewige Protagonist, vom Weibe geboren, aus ihrem Schoße unergründlicher Leidenschaften? Oder ist das Weib und das tiefe Geheimnis ihres Leibes aus der Rippe des aktiven Mannes, des Erstgeschaffenen geboren? Der Mann, der Handelnde, der Erkennende, der Ursprüngliche im *Sein*, ist er der Herr des Lebens? Oder ist die Frau, die große Mutter, die uns aus dem Schoße der Liebe gebar, die höchste Gottheit? Dies ist die Frage aller Zeiten.

D. H. Lawrence*

* D. H. Lawrence: Spiel des Unbewußten, S. 160

Inhalt

ZWEITER TEIL

Konsequenzen, 1930–1970

Drittes Kapitel
Die Schwestern:
Fortsetzung und Vergleich ihrer Lebensgeschichten

Viertes Kapitel
Weber und Lawrence:
Überlieferung und Verwandlung ihrer Lebensgeschich-
ten

Nachdem Bismarcks Preußen im Jahr 1870 Frankreich besiegt hatte, um Deutschland anschließend zuerst zur Nation und später zum Imperium auszubauen, begann in diesem Land ein neuer Schlag höchst patriarchalisch gesinnter Männer heranzuwachsen. Die Siege von Sedan und Versailles brachten eine hochmütige und eindrucksvolle Herrenrasse hervor, an der alle vorherrschend männlichen Züge übertrieben waren. Doch sie brachten auch einen neuen Schlag von Frauen hervor, die dagegen rebellierten und entschlossen waren, humanere Möglichkeiten zu verwirklichen – die Idee der Frau an sich zu verkörpern. Friedrich von Richthofen, einer von Bismarcks Offizieren im Krieg von 1870/71, heiratete unmittelbar nach dem deutschen Sieg; alle seine Kinder kamen in den ersten zwölf Jahren des neuen Deutschen Reiches zur Welt. Zwei seiner Töchter lehnten sich gegen die Welt der Männer auf, sie rebellierten im Wettbewerb gegen- und im Widerspruch zueinander, indem sie zwei entgegengesetzte Wege verfolgten, die sie beide berühmt machten. Jede dieser beiden ungewöhnlichen Frauen inspirierte die andere – das wirkte sich sowohl auf ihr Leben in Deutschland, England und Amerika, als auch auf die Werke aus, zu denen sie die mit ihnen befreundeten Männer anregten. Sie waren beide schön, leidenschaftlich, brillant, all das jedoch auf sehr unterschiedliche Weise. Die Ältere erkämpfte sich Beruf und Unabhängigkeit, sie erkämpfte sich ihr Universitätsstudium und damit den Zugang zu den Sozialwissenschaften; sie erkämpfte sich den Weg zur rationalen Fragestellung und politischen Reform. Die Jüngere glaubte an Liebe und Natur, an die regenerierenden Kräfte ihrer eigenen spontanen Weiblichkeit und ihrer unbewußten Unschuld. Sie heiratete in jungen Jahren einen Mann, der viel älter und ihr sehr unähnlich war, und sie wurde unglücklich mit ihm. Die Ältere heiratete einen Mann mit denselben intellektuellen Interessen, doch auch ihre Ehe war unglücklich. In Freundschaft, Liebe und Wissensdrang wandte sie sich der führenden Elite in Heidelberg, damals Deutschlands geistige Kapitale, und der Person des großen Soziologen Max Weber zu. Sie hieß Else Jaffe – und sie wurde eine Muse der kritischen Intelligenz unseres Jahrhunderts. Die Jüngere verließ Ehemann und Kinder und ging mit einem Mann auf und davon, der jünger war als sie und sich – mit ihrer Hilfe – zu einem der größten romantischen Romanciers der Welt entwikkelte. Sie hieß Frieda Lawrence – und sie wurde eine Muse der erotischen Imagination.

Das vorliegende Buch besteht im wesentlichen aus zwei Teilen. Der erste Teil (die ersten beiden Kapitel) behandelt das Leben der beiden Schwestern bis zum Jahr 1930 und die Ideen von Otto Groß, Max Weber und D. H. Lawrence. Der zweite Teil (das dritte und vierte Kapitel) befaßt sich mit den Biographien der Richthofen-Schwestern von 1930 bis 1970 und setzt sich auseinander mit dem Schicksal der Ideen ihrer Männer nach deren Tod und der Ideen auch jener Männer, welche die Schwestern kannten.

Ich lernte Frieda Lawrence in Taos (Neumexiko) 1955 kennen – ein Jahr, bevor sie starb. Vor allem erinnere ich mich an ihre Stimme, die alles rechtfertigte, was Lawrence über sie geschrieben hatte: Sie war kraftvoll, rauh, voller Leben und ganz ungekünstelte Lebensbejahung. Es war eine hinreißende Stimme, allerdings ohne die geringste Spur keltischen Dunkels; in ihr schwang natürliche Freude und Energie mit, eine Stimme, die in sich das Versprechen der Tiefe, Wahrheit und Reinheit barg und die wie Musik klang.

Diese Stimme »rechtfertigte« Frieda deshalb, weil der Körper, zu dem sie gehörte, von kleinem Wuchs war. Und obwohl diesem Gesicht, das ich vor mir sah, einst jenes löwenhafte Wikingerprofil eigen gewesen sein mußte, dem wir in Zeichnungen von ihr begegnen, und obwohl da immer noch die berühmten lohfarbenen Augen waren, kehrte sie keinen dieser Züge heraus. Vor mir saß eine lebhafte, kleine, alte Frau. Sie widmete ihre ganze Energie der Konversation, und da ich das Pelican-Taschenbuch über den Islam bei mir hatte, unterhielten wir uns angeregt über die Weltreligionen. So intensiv war unser Gespräch verlaufen, daß ich beim Abschied nicht umhin konnte, ihr dieses Büchlein zum Geschenk zu machen. Zwar protestierte sie, doch hatte sie sich so brennend interessiert gezeigt, daß sie sich zur Annahme mehr oder minder gezwungen sah. So kam es, daß ich selbst ein zweites Exemplar erwarb, während sie mein Buch höchstwahrscheinlich nie wieder zur Hand nahm. Ebenso sicher bin ich mir, daß sie sich, als ich gegangen war, mit einem Seufzer der Erleichterung ihrem Gatten – der sich bei meiner Ankunft freundlich selbst hinauskomplimentiert hatte – zuwandte, um nun von jener *Lebensqualität* zu sprechen, von der Lawrence so viel und seine Bewunderer so wenig hatten. Trotzdem nehme ich an, daß sie einerseits über genügend Wohlwollen verfügte, um diesen letzten Punkt nicht allzusehr überzubewerten, und daß sie andererseits genügend Vorstellungsgabe besaß, um einige Spekulationen darüber anzustellen, wer ich wohl gewesen sein mochte.

Diese halbe Stunde vermischt sich mir heute mit Anekdoten und Fotografien. Die Frau, der ich begegnete, hatte wenig gemein mit jenem Mädchen im gefälbelten Satin, das unter seiner

Flachsfrisur klaren und doch schüchternen Blicks zum Fotografen emporblickt. Oder mit jenem bezaubernden Schnappschuß, der sie in einem riesigen schwarzen Umhang zeigt – Frieda als Filmstar. Oder mit dem Bild, auf dem sie mit ihrem Sohn als Säugling zu sehen ist – eine großäugige Madonna mit Kind. Und ebensowenig mit jener lachenden, vollbusigen Matrone, zu der sie sich bald entwickelte, und die einem – zumindest auf einigen Fotos – wie Trug und Betrug des unfreundlichen Schicksals selbst vorkommt. Doch aus all diesen Bildern spüre ich das »Hier bin ich – ja, *ich* bin es« heraus, diese zugleich anmaßende und dünnhäutige Offenbarung ihres Selbst, das tief verwundbar ist, wenn es nicht angenommen, nicht seiner eigenen Wertung gemäß akzeptiert wird. Und Hand in Hand mit dieser Eigenschaft eines verwöhnten Kindes geht ein erstaunliches Maß an Intelligenz, Feingefühl, Mut und Scharfsinn, nur daß eben diese Gaben untereinander und hinsichtlich der fundamentalen Selbstbehauptung dieser Frau allzu dürftig abgestimmt sind. Vor allem stößt man hier auf die Behauptung, daß diese Widersprüchlichkeit unwichtig sei: »Vielleicht drücke ich mich nicht richtig aus, aber *recht* habe ich doch, nicht wahr?« Sie lebt in der Zuversicht (und fordert doch Bestätigung), daß sie im Besitz all dessen ist, was wirklich zählt – warum sich also um die Ordnung der Dinge oder um die treffende Formulierung kümmern? »Sie sollen sich glücklich schätzen, daß ich überhaupt da bin. Und das tun Sie ja schließlich auch, nicht wahr?«

Das ist die Stimme, die ich aus all diesen Fotografien und Erinnerungen heraushöre.

Es war 1971, als ich Friedas Schwestern – Frau Krug in München und Frau Jaffe in Heidelberg – kennenlernte. Nun wußte ich (verglichen mit 1955) eine ganze Menge mehr über Lawrence und Frieda, doch über Friedas Schwestern wußte ich wenig. Die Richthofen-Schwestern sind immer schon sehr diskret gewesen – das gilt sogar für Frieda. Über Otto Groß zum Beispiel äußerte sie sich so wenig wie möglich. Und ich habe den Eindruck, daß sie gegenüber jedem Mann, was dessen Vorgänger betraf, sehr verschwiegen war und daß sie höchstens *ihre* Gefühle offenbarte. Jede der drei Schwestern besaß die bemerkenswerte Gabe, Männer zu beschämen, wenn sie ihnen gegenüber Banalitäten äußerten, während sie selbst sich im Gespräch nur an Gemeinplätze hielten. Der Reiz lag in der Art, wie sie antworteten, und dies geschah fast immer stoßweise, hastig, nicht syntaktisch geglättet.

Frau Krug war immer noch eine beachtliche Schönheit; ihre dunklen Augen waren von einer Klarheit, wie sie bei alten Frauen ungemein selten ist; ihre Haut war mit Ausnahme jener Stellen, wo sie Rouge aufgelegt hatte, fleckenlos, ohne die geringste Rötung oder Verfärbung, weiß wie Wachs. Sie konnte sich kaum noch bewegen, war aber immer noch schlank und hielt sich aufrecht. Und obwohl das, was sie sagte, keinen kohärenten Zusammenhang ergab, vermittelten ihre Worte immer noch jene Magie, die sie – wie man sagt – in ihrer Jugend besessen hatte. Sie funkelte mich mit ihren Augen an, und als sie ihren großen, bemalten, kannibalisch anmutenden Mund öffnete, zeigte sie ein gesundes Gebiß, das immer noch begehrlich aufblitzte. In ihrem Sessel sitzend, wandte sie sich mir mit einer heftigen Bewegung zu, und während sie mir ihre lebhaften Erinnerungen von Boston erzählte, ergriff sie »zerstreut« meine Hand – Boston, so stellte sich später heraus, war ein Mann, den sie glaubte gekannt zu haben. Sie hatte Stil – sie war so phänomenal stilvoll, daß sich auch die leiseste Kritik beschämt in sich selbst zurückzog. Eine reizende alte Dame bedarf keiner anderen Rechtfertigung.

Baron von Richthofen bezeichnete seine Töchter als »die drei Grazien«, Lawrence nannte sie »der Göttinnen drei«, und wenn man ihre Bilder betrachtet, so kommt man sich tatsächlich vor wie Paris, der vor der Aufgabe steht, den Apfel der Schönsten zu verleihen. Denn ihre Art des Liebreizes war völlig verschieden. Frau Krug, also Johanna von Richthofen, war von einer reichen, blühenden ornamentalen Schönheit, verschwenderisch in Farbe und Textur, mit einer Fülle dunklen Haares und rosigdämmrigen Konturen. Ihre Schwestern dagegen waren beide blond und von weißer Haut. Doch während Frieda eine Schönheit war, die sich selbst bestätigte – die Bestätigung eines Selbst, welches mehr als das bloße Ich umschloß –, war Elses Schönheit eine Schönheit fast der Selbstverneinung: eine Form und Linie gewordene Schönheit, ein ästhetischer Triumph, ihr Antlitz ganz Reinheit der Züge und Klarheit des Ausdrucks, ihre Gestalt ganz Gertenwuchs, aufrechter Gang und Elfenbeinkühle. Auf den Fotografien scheint sie sich ganz bewußt dem prüfenden Auge der Kamera auszusetzen. Sie gibt sich nicht, wie sie ist, sie wirft sich nicht zur Kandidatin eines Schönheitswettbewerbs auf und noch weniger zur Dienerin des Eros. Sie ist da, sonst nichts – geprüft zu werden nach jedem beliebigen Maßstab. Frieda und Johanna fordern dich heraus, ihre Schönheit in

Frage zu stellen. Else fordert dich heraus, die ihre zu entdecken – vielmehr: sie überläßt das Problem einfach dir selbst.

Frau Jaffe begegnete ich 1971 in einem Altersheim in Heidelberg, wo sie versuchte, niemandem zur Last zu fallen. Als ich ihr Zimmer betrat, stand sie dort, auf einen Stock gestützt, und dennoch hielt sie sich kerzengerade. Ihre Stimme ähnelte auffällig der von Frieda, nur daß *ihre* Ausdruckskraft nicht vorwärts zum nächsten Wort drängte – Frau Jaffe kehrte gern zum Anfang ihres Satzes zurück, um dem Gesprächspartner ihren Gedanken sozusagen seziert darzulegen. Wir führten mehrere Gespräche, in denen sie es immer wieder ablehnte, mir über das, was ich wissen wollte, Auskunft zu geben; doch obwohl ihre Ablehnung still und nachdrücklich war, unterhielt sie mich königlich. Sie zeichnete sich nicht durch die überwältigende Selbst- und Lebensbejahung Friedas aus, sondern durch ihre herausfordernde Ironie und ihre Einfühlungsgabe, durch ihre Bereitschaft, eine treffende Antwort meinerseits zu würdigen, der die Bereitschaft entsprach, unzulängliche Reaktionen sogleich zu mißbilligen, verbunden mit der Herausforderung, auch ich möge sie nach Möglichkeit mißbilligen. Es waren dies Gespräche, in denen sie mir Fragen stellte – über eine Menge Dinge, die alle darauf abzielten, wer ich nun eigentlich war. Doch was nun die Frage anging, wer *sie* war, so erhielt ich von ihr lediglich einen Abklatsch der öffentlichen Meinung; aber sie gab mir auch zu verstehen, daß wir beide daran unsere Freude haben sollten. Und in ihrer Darstellung der Akademiker, die sie besuchten, sowie ihres Freundes Professor Baumgarten, der »erst siebzig war, ein bißchen um die siebzig«, und den sie hin und wieder »schimpfen« mußte – in dieser Darstellung erkannte ich das strukturierte Bild, das ihre Gegenwart in vollendeter Weise vermittelte. Sie war eine Königin Elisabeth, und wir alle waren vom Schlage der Essex' und Leicesters, einzig und allein dazu da, gehänselt, gefordert, umschmeichelt, geprüft zu werden. Sie wollte erfahren, was wir sie lehren konnten, und sie war bereit zu lernen, doch wollte sie uns auch wissen lassen, daß unserer Macht über sie Grenzen gesetzt waren. Ich halte sie für eine der ironischsten Gesprächspartnerinnen, denen ich je begegnet bin. Als sie mir von einer Schale selbstgebackener Plätzchen anbot, die ihr eben eine jüngere Freundin mitgebracht hatte, meinte sie, sie sähen doch herrlich aus, und: nein, diese Liebenswürdigkeit! Doch als ich ihr überschwenglich zustimmte, bemerkte sie: »Aber sie schmecken nicht gut. Versuchen Sie eins.« Und die ganze Liebenswürdigkeit und Aufmerksamkeit dieser jungen Freundin und der leckere Anblick und Geruch der Plätzchen wurden mit einem unmerklichen Schürzen der Lippen genüßlich ausradiert. Nicht, daß die wertvollen Eigenschaften dieser Freundin nicht existiert hätten. Niemand hätte sie eindeutiger anerkennen können. Doch mit den Werten eines guten Plätzchens hatten sie wenig gemein, nicht wahr?

Auch in Frau Jaffes Fall gibt es Darstellungen, Anekdoten und Fotos, die die Erinnerung an sie komplizieren. Sie war eine wirklich schöne Erscheinung, schlank und elegant, mit stolz gesenktem Kopf und traurig gesenkten Lidern. Es schimmert so viel Verwundung, Kummer und Verzicht durch ihr sardonisches Funkensprühen und durch die reizende Beherrschtheit ihrer Haltung. Immer wieder fühlte sie sich in die Defensive gedrängt von Friedas Begeisterung und von den Männern, die diese Art geradezu vergötterten, ebenso wie Frieda gegen die Eleganz und die Traurigkeit ihrer Schwestern rebellierte, um sich nicht immer fehl am Platze zu fühlen. Nie in ihrem Leben wäre Else auf den Gedanken gekommen, die Leute müßten »sich glücklich schätzen«, mit ihr verkehren zu dürfen, und daß sie das auch noch zugeben sollten – sie hätte das nie verlangt. Doch es gab bestimmte Menschen, »bedeutende Männer«, von denen sie erwartete, daß sie ihren besonderen Wert anerkannten – allein kraft des Zeichens der Anerkennung, die *sie* ihnen zollte. Die Anerkennung durch diese Männer aber mußte voller Achtung sein. »Sie brauchen nicht zu meinen, ich ließe mich von Ihrer Klugheit blenden, denn ich bemerke durchaus, wenn Sie so gar nichts Originelles von sich geben. Auch brauchen Sie nicht zu meinen, ich sähe es nicht, wie klug Ihnen dieser Herr da auf so köstliche Weise widerspricht. Doch auf Unstimmigkeiten wollen wir verzichten, nicht? Und auch die persönlichen Häßlichkeiten eines jeden wollen wir einander ersparen, nicht wahr? Um die sollte sich jeder selbst kümmern«.

So klang in meinen Ohren ihre Stimme.

Diese beiden Stimmen waren insofern reiner Gegensatz, als jede von ihnen immer dann dominierte, wenn die andere zögerte – so aber erklärte die eine die andere. Diese beiden Persönlichkeiten ergänzten einander – wenn man sie im Geiste verglich – wie die Teile eines Puzzlespiels. Sie gehörten in dasselbe Bild, in denselben Lebenskontext; sie gehörten zueinander. Sie waren einander sehr ähnlich. Ungeachtet ihrer unterschiedlichen »Aussage« ähnelten sich die Stimmen der Schwestern in ihrer Stärke, in ihrer Vitalität und in der Kraft ihrer Forderungen an das Leben – das aber war ihre tatkräftige Reaktion auf die Anforderungen des Lebens selbst.

ERSTER TEIL
Abenteuer, 1870–1930

Erstes Kapitel

Else und Frieda von Richthofen:
Heidelberg und München

Der deutsche Hintergrund

Jene Ära der deutschen Geschichte, die mit den siebziger Jahren des letzten Jahrhunderts einsetzt, ist vor allem die Ära Bismarcks. Sie begann mit seinem französisch-preußischen Krieg von 1870/71 und fand ihren Ausdruck in seinem Imperium, dem Zweiten Deutschen Reich unter Wilhelm I. Deutschland wurde zum Land, zur Nation, fähig, Frankreich zu besiegen. Dies geschah unter der Führung eines brutalen, zynischen, anti-idealistischen, anti-ideologischen, anti-liberalen Junkers, der eigentlich nur ein halber Junker war; unter der Führung eines Helden im Stile Lermontows oder Puschkins, der sich zum Junker hochstilisierte, zu einem eingefleischten preußischen Krautjunker, einem einfältigen Scheuklappenprodukt der Tradition, das nur Disziplin und Selbstdisziplin kannte. Unter Führung der Männer von 1848, fortschrittlich gesinnten Männern, Männern von Prinzip, war diese Entwicklung nicht zustande gekommen. Doch nun, 1870, rückte Deutschland zu einer europäischen Macht, zu einer Weltmacht auf; plötzlich wurde das Land reich, mächtig und selbstbewußt; es fühlte sich als »junger Riese«. All diese Möglichkeiten wurden ihm erschlossen durch einen schamlosen Egoisten, einen diabolischen Politiker, einen Diener der rohen Macht, einen Mann, der vor dem Geistesleben nicht die geringste Ehrfurcht hatte. Bismarcks Einfluß auf Deutschland und die Reaktion dieses Landes auf das restliche Europa bestimmten die Geschichte unseres Jahrhunderts.

Er schuf ein Deutschland, das ihm hörig war – und damit war es dem Junkertum hörig, dem Preußentum, einer ausgesprochen männlichen Lebensweise. Er schuf ein Land, das alle patriarchalischen Elemente der europäischen Kultur verstärkte und übertrieb, ein Land, das sich selbst zur Karikatur patriarchalischer Gesinnung machte. Doch obwohl Karikatur, kamen in diesem Land viele Werte des restlichen Europa zum Ausdruck. Es gab vieles, was im Deutschland Bismarcks sinnlos und geschmacklos, reaktionär und veraltet war, doch war dieses Deutschland in wirtschaftlicher und industrieller Hinsicht *erfolgreich*, in militärischer und politischer Hinsicht *mächtig*. So aber kam es, daß sich dieser übertriebene Patriarchalismus auch im geistigen Leben immer stärker durchsetzte.

In der patriarchalischen Familie ist der Ehemann und Vater der Herr; in der patriarchalischen Persönlichkeit sind die herrischen Züge stark akzentuiert; und in der patriarchalischen Kultur überwiegen autoritäre Machtstrukturen (Militär und Strafvollzug zum Beispiel), während Autorität im allgemeinen durch das Militär und die Strafgewalt verkörpert wird. Dies dürfte genügen, um die Vorstellung, wie ich sie bis jetzt benutzt habe, zu definieren; doch da diese Vorstellung in meiner Argumentation einen wichtigen Platz einnimmt, möchte ich noch stärker ins Detail gehen. Unserem Zeitgeist nach verquickt sich das Patriarchat auch mit der Zentralisierung von Macht und mit dem dominierenden Willen unserer (grundlegend patriarchalischen) Zivilisation. Zentren des Widerstands gegen diesen Willen sind regionale, lokale oder dörfliche Überlieferungen und Lebensformen sowie das häusliche Leben, in dem der Mittelpunkt des Lebens die Mutter ist. Das aber ist die Welt der Frau, die sich der Welt des Mannes, der Welt der Gefängnisse und Parlamente, des Militärs und der Politik häufig widersetzt. Und die Welt des Mannes ist auch die Welt der öffentlichen Ereignisse, der öffentlichen Karrieren und Leistungen, eine Domäne, in der Frauen eine unbedeutendere Rolle als Männer spielen, und in der sie, um an ihr teilzuhaben, bis zu einem gewissen Grad in die männliche Denk- und Lebensweise schlüpfen müssen. Else von Richthofen bot dieser Welt des Patriarchats die Stirn und verschaffte sich Zugang zu einer akademischen Laufbahn im Rahmen der Sozialwissenschaften; Frieda unternahm zwar einen Versuch, Zugang zur akademischen Gelehrtenwelt zu finden, entzog sich dieser jedoch bald wieder, um in die Welt der Bauern, der »primitiven« Kulturen überzuwechseln, in eine Welt, in der sogar die Männer noch der weiblichen Lebensform verhaftet sind. Die Welt der Frau lebt den Werten der Liebe und des Lebens selbst, die Welt des Mannes dagegen lebt dem Recht und der Ordnung. Doch braucht der Gegensatz zwischen diesen beiden Welten kein feindseliger zu sein. In hochentwickelten Kulturen ist es üblich, daß sich die Welt der Frau der Welt des Mannes unterordnet und daß die Frau weder versucht, in die Politik des Landes einzugreifen, noch die historische Entwicklung insgesamt zu beeinflussen. Nur in Krisenzeiten pflegten Gruppen zu entstehen, die sich bemühten, die Werte der Frau gegen die des Mannes durchzusetzen. Eine derartige Krise beschwor Bismarck herauf, denn er hatte ein Land geschaffen, in dem die matriarchalischen Werte fast völlig unterdrückt wurden, ein Land, das seine Wertvorstellungen fast ausschließlich vom Vorbild des preußischen Offiziers bezog, kurzum ein Land, in dem der Bismarcksche Geist Institution geworden war.

Otto von Bismarck wurde 1815 in Schönhausen östlich der Elbe geboren. Die Bismarcks waren die Besitzer eines typischen Junker-Landguts, das aus Weizen- und Rübenfeldern bestand, aus Schaf- und Viehweiden mit Wäldern im Hintergrund. Ihre Loyalität gegenüber König, Klasse und Familie war ausgeprägt. So berichtet Robert Lucas, daß die von Richthofens alle sechs Jahre einen »Familientag« abhielten, mit dem Ziel, alle männlichen Mitglieder des weitverzweigten Clans zusammenzuführen und ihnen einen nostalgischen Geschmack von der Ära zu vermitteln, in der sich die Junker ihre Zeit mit der Hirsch- und Wildschweinjagd in den Karpaten und mit der Lachsfischerei an der Oder vertrieben. Diese Junker waren sehr deutsch, sehr protestantisch und im Krieg wie im Frieden ausschließlich die Feudalherren ihrer Pächter. Sie waren patriarchalisch auf eine sehr traditionsverbundene Weise, altmodische, harmlose Kleingeister. Trotzdem identifizierte sich Bismarck mit dem Junker, dem Preußen, dem Soldaten im Dienste des Königs. Ja, eigentlich lag hier das Instrument, mit dessen Hilfe er das mächtige neue Reich errichtete.

Die Bismarck-Familie unterschied sich in mancher Hinsicht von ihren Nachbarn. Otto von Bismarcks Mutter, Wilhelmine Menken von Bismarck, stammte aus einer Beamten- und Professorenfamilie, vertrat modisch-liberale Ansichten und hatte intellektuelle Ambitionen, die sie in ihrem Sohn erfüllt sehen wollte. Doch da sie offenbar keine zärtliche Mutter war, scheint sich ihr Sohn schon früh entschlossen zu haben, in einer Art Racheakt seinem Vater nachzueifern – einer gewaltigen und männlichen, ungeistigen und schwerblütigen Person. Otto von Bismarck war von Natur aus ein äußerst talentierter, reizbarer, unruhiger, gefühlvoller und ruheloser Mensch, aber seine Karriere bestritt er mit den entgegengesetzten Qualitäten – als ein eßgieriges, gewalttätiges, unkompliziertes und traditionelles

Wesen, das Macht im Namen seines Herrn ausübte. Bismarck war patriarchalisch von Grund auf.

In der Geisteswelt, und dazu gehört auch die Welt der politischen Ideen, war er auf radikale Weise pervers. Obwohl er die Anforderungen seiner Zeit auf blendende, ja sogar elegante Weise bewältigte und einen kosmopolitischen, verfeinerten Stil liebte und pflegte, widersetzte er sich dem Geist seiner Zeit – wir meinen dem *ernst zu nehmenden* Geist seiner Zeit. Er war feindselig eingestellt gegen das aufgeklärte, liberale Fortschrittsdenken des 19. Jahrhunderts, das darauf abzielte, mit der Zeit alle Konflikte, Hierarchien und Unterordnung aus der Welt zu schaffen und jede soziale Möglichkeit jedem Bürger zu erschließen, ganz gleich, ob reich oder arm, alt oder jung, Frau oder Mann. Bismarck bemühte sich gar nicht erst um demokratische Gleichheit oder um Frieden mit den anderen. Er *diente* seinem Herrn und Meister, dem Mann, den er zum Kaiser gemacht hatte, und über alle anderen *herrschte* er.

Unter seiner Herrschaft besiegte Preußen Dänemark 1864, Österreich 1866, Frankreich 1870; unter seiner Herrschaft wurde im Schloß zu Versailles das Deutsche Kaiserreich proklamiert. In den folgenden zwanzig Jahren nahmen – so gewaltig war der wirtschaftliche und industrielle Aufschwung – Größe und Reichtum vieler deutscher Städte um das Doppelte zu; und von den achtziger Jahren an begann Deutschland, nach wie vor unter Bismarcks Herrschaft, Kolonien in Afrika, in der Südsee, in Ostindien zu errichten und den »primitiven« Völkern seine Kultur aufzuzwingen.

Bismarcks Persönlichkeit, dazu zählt auch seine körperliche Verfassung, war in Deutschland legendär. Seine Korpulenz, seine verblüffend schrille Stimme, durchsetzt mit dem dunkel grollenden Räuspern der Kehle, sein mit einem langen Griff versehenes Lorgnon, durch das er Freund wie Feind mit derselben Unverschämtheit fixierte, seine wilden Hunde, die alle Besucher erschreckten, und das Riesenglas dampfenden Punsches, den er im Reichstag in gewaltigen Zügen hinunterschüttete – das sind die einzelnen Züge, auf die Heinrich Rickert, Professor für Philosophie in Heidelberg und Freund von Max Weber, hinwies.

Eines Tages, so erinnert sich Rickert, hielt Bismarck eine Rede vor dem Reichstag. Plötzlich glaubte er, als Protest gegen die Politik, die er umriß, den leisen Ruf »Feigheit« zu hören. Er brach ab, musterte empört die Abgeordneten und wollte wissen, wer das gesagt habe. Alles blieb stumm, und so verließ er das Podium und begann, die Abgeordneten fixierend, zwischen den Sitzreihen auf und ab zu gehen. Man hätte eine Stecknadel fallen hören können. Er packte verschiedene Abgeordnete an der Schulter, schüttelte sie und wiederholte seine Frage. Niemand muckte auf. Schließlich schien er selbst überzeugt, daß er sich getäuscht hatte, und so kehrte er zum Podium zurück, um seine Rede fortzusetzen. Doch bevor er damit begann, blieb er noch ein Weilchen stumm, dann sagte er leise: »Seien Sie dem Herrn dankbar, daß *tatsächlich* niemand etwas gesagt hat!«

Eine Gesellschaft, in der solche Anekdoten geläufig sind, ist eine von Macht, von patriarchalischer Macht besessene Gesellschaft. Diese Anekdote aber machte auch im liberalen, akademischen Heidelberg ihre Runde, wo sogar die Professoren von Bismarck beeinflußt und zur Nachahmung angeregt wurden. Alfred Weber, Max Webers Bruder, meinte, Bismarck habe sie mit dem »Machtvirus« infiziert.

Natürlich sollte man vorsichtig sein und nicht zu vieles auf Bismarck zurückführen. Denn das waren die Jahre, in denen die deutsche Universitätsstruktur überhaupt eine Massivität entwickelte, wie das früher oder anderswo nicht der Fall war. Die Professoren bekamen ein wesentlich besseres Gehalt als etwa ihre Kollegen in Amerika. Ihr Lebensstil – das galt vor allem für Häuser wie das Webersche in Heidelberg – war eindrucksvoller als der Stil der übrigen Mittelschicht. Ihr Ansehen war enorm, verglichen mit dem Prestige, das Professoren anderer Länder oder andere gesellschaftliche Bereiche in Deutschland selbst genossen. Die Macht, die sie über ihre Studenten ausübten, war autokratisch, patriarchalisch. In der Tat war sogar der intellektuelle Stil des deutschen Professorenstandes von damals ungemein massiv. In all diesen Eigenschaften waren die deutschen Professoren »typisch deutsch«, doch waren dies Eigenschaften, die nicht direkt Bismarck zugeschrieben werden konnten. Aber sie standen im Einklang mit den politischen Tatsachen – besser noch: die Politik intensivierte das Geistesleben und umgekehrt.

Von großer Wichtigkeit ist die Erkenntnis, daß die »Verpreußung« Deutschlands ein dynamischer Prozeß war. Dieser Prozeß, der in den letzten Jahrzehnten des 19. Jahrhunderts einsetzte, bildete in gewisser Hinsicht den eigentlichen Beginn unseres Jahrhunderts. Es war die Veränderung eines Status quo, die um so dramatischer ausfiel, als sie – das glaubten zumindest die Liberalen – ohne Rücksicht auf die historische Tendenz und den Zeitgeist stattfand.

Es hatte bis dahin viele Deutschlands gegeben, und Preußen war den Männern des Geistes und der Imagination nicht als besonders bedeutend erschienen. Auch nach 1870 gab es noch mehrere Deutschlands, doch hörten diese Deutschlands nun auf, austauschbare Alternativen zu sein. Denn nun gab es *das* Deutschland – das heißt, die Alternativen wandelten sich zur Hierarchie, und Preußen stand an ihrer Spitze. Der Liberalismus Badens und der Romantizismus Bayerns waren unbedeutende nationale Wahlmöglichkeiten. Im politischen Bereich, der den Handel, den Städtebau, die Militärausbildung und so vieles mehr mit sich riß, stellten diese beiden Möglichkeiten Deutschland *nicht* dar; sie konnten lediglich hoffen, den heftigen Druck Preußens abzuwandeln und zu kritisieren. Deutschlands Charaktermerkmal war mehr und mehr sein Preußentum mit seinen ineinandergreifenden Feudal-, Militär- und Beamtenkasten. Die Junker beherrschten die Armee, und da der Offiziersstand in ganz Deutschland zu höchstem Ansehen gelangte, beherrschte der preußische Junker-Stil das Land. Die Mittelschicht mit ihren Wertvorstellungen und ihrem Lebensstil empfand den Offiziersstand als zugleich abstoßend und überlegen. Um einen Streit in Ehren auszutragen, so meinten die Offiziere, müßte man sich duellieren, doch um das überhaupt tun zu können, mußte man den richtigen gesellschaftlichen Status, die sogenannte »Satisfaktionsfähigkeit«, besitzen. Im Ersten Weltkrieg hatte Manfred von Richthofen, ein entfernter Vetter der Schwestern, diesen Stil des Zweikampfes auf die mechanisierte Kriegsführung übertragen, so daß auch in diesem Fall die Junker-Tradition fortgeführt wurde: In den Friedensjahren davor brachten die schlagenden Studentenverbindungen »feudalisierte« bürgerliche Absolventen hervor, und es gab einen hervorragend funktionierenden Apparat, der es den Leuten ermöglichte, sich selbst in den Adelsstand zu erheben, indem sie ein Landgut kauften und zum Fideikommiß erklären ließen. Durch solche Mittel prägten sich die feudal-patriarchalischen Merkmale des Bismarckschen Deutschland noch stärker aus – sogar unter den Intellektuellen.

Eng verbunden mit der zentralen Institution des Militärs war der Zivildienst – die Bürokratie, deren Entwicklung Max Weber in seiner Funktion als Soziologe so aufmerksam verfolgte, weil er in ihr den unvermeidlichen zukünftigen Herrscher der abendländischen Zivilisation und den Tod aller Spontaneität und Freiheit erblickte. In einer Arbeit aus dem Jahr 1910 schätzte Alfred Weber, daß zu jener Zeit in Deutschland auf dem Gebiet des Handels auf 500000 Arbeiter etwa 150000 Büroangestellte kamen, während in der Industrie auf 8 500000 Arbeiter 860000 Büroangestellte (das waren fast zehnmal soviel wie 1882) kamen. Sicher, diese Bürokratisierung mißbehagte auch Bismarck, da dessen autoritärer Stil zum Faustischen, zum Charismatischen neigte. Trotzdem bediente er sich aber der Bürokratie, die einen wesentlichen Faktor seiner Macht und seines Deutschland bildete.

Tatsächlich war das deutsche Beamtentum ein spezifisch preußisches, ein militärstaatliches Phänomen, entstanden im 18. Jahrhundert als ein Mittel, um die Wehrpflicht durchzusetzen und die Militärabgaben einzutreiben. (Damals ging die Redensart, daß jeder Staat ein Land mit einer Armee, Preußen aber eine Armee mit einem Land sei.) Zwar unterstand der Beamtenapparat dem König direkt, doch funktionierte er auf höchst unpersönliche Weise. Er war äußerst spezialisiert, in seinem Status formalisiert und von jeglicher Politik scharf getrennt. Die Zulassung erfolgte durch öffentliche Prüfungen und verlief nach einem Schema, das bemerkenswert frei von Korruption war. Die niederen Positionen bekleideten vor allem einstige Soldaten, während die höheren Positionen – wie in der Armee – für die Junker bestimmt waren, für die, auch im 19. Jahrhundert noch, eine Karriere im Geschäftsleben undenkbar war. Die Beamten in Spitzenpositionen gingen Ehen mit Adligen ein und beherrschten den tüchtigsten Beamtenapparat der Welt. Die Ausbildung des Beamten war eng verquickt mit juristischen Studien und mit der Rechtspflege – verlangt wurde Geschick in Verwaltungsfragen, nicht in der Debatte. So aber fühlte der deutsche Bürger stets die Präsenz der Macht des Staates.

Die militärische und zivile Obrigkeit wurde unterstützt durch den Protestantismus. Der lutherische Glaube ordnete den Bereich der Politik dem Tal der Tränen und dem Gebiet der Sünde und des Leidens zu, die abzuschaffen hoffnungslos war. So überließ man diese Bereiche »der Obrigkeit«. Das aber bedeutete, daß die Vertreter dieser Obrigkeit im Vollgefühl ihrer Macht lebten, während sich das gemeine Volk schon von seiner Religion her genötigt sah, dies alles einfach hinzunehmen. Wenn Gott aber bestimmt hatte, daß die Welt der Politik Sache der Obrigkeit war, so folgte daraus, daß die Vertreter dieser

Obrigkeit allein Gott für ihre Politik verantwortlich waren. Das aber führte dazu, daß sich die hohen Staatsbeamten durch ein extremes Pflichtgefühl auszeichneten. Die lutherische Staatsreligion wurde, so wie sie der größte Teil der Bevölkerung ausübte, zu einer »Religion für Frauen«. Politik war eine Sache der Wenigen. Ein hervorragendes Beispiel für dieses Verhältnis zwischen lutherischem Glauben und deutscher Politik ist Bismarcks Ehe. Er heiratete eine Pietistin, die als Persönlichkeit in keiner Hinsicht mit ihm konkurrieren konnte und der als sehr moralischer Frau Kritik unbekannt war. Seinen Freunden erzählte er, er liebe Pietismus »an einer Frau«, und seine Johanna pries er als »facile à vivre«. Er führte eine patriarchalische Ehe par excellence: Das aber war genau die Art der Ehe, gegen die die Richthofen-Schwestern rebellierten.

Im politischen, wirtschaftlichen und familiären Leben stieß man auf Machtkonzentrationen, die einander ähnelten. Die demokratische Aufteilung von Verantwortung war in Deutschland wesentlich weniger ausgeprägt als in anderen europäischen Staaten. Einer echten parlamentarischen Demokratie blieb es versagt, im Reichstag Wurzeln zu schlagen; das war zum Teil darauf zurückzuführen, daß Bismarck dies zu verhindern wußte, doch zum Teil auch darauf, daß die deutschen Politiker nicht gelernt hatten, in Parteien zusammenzuarbeiten. Außerdem förderte die verbreitete Tendenz, entweder für oder gegen Autorität zu sein, die Entwicklung extremer Ideologien, so daß Marxisten und Reaktionäre eine Blütezeit erlebten, während der Liberalismus dahinvegetierte. Selbstverständlich hatte die Unwirksamkeit des deutschen Liberalismus auch ökonomische Gründe, denn Deutschland, darauf weist der britische Volkswirtschaftler R. H. Tawney hin, machte zwischen 1850 und 1900 eine wirtschaftliche und industrielle Revolution durch, für die England 200 Jahre gebraucht hatte. So aber übersprang die deutsche Wirtschaft das Stadium des kleinkapitalistischen, wirtschaftlichen Individualismus, der andernorts die Grundlagen für die liberalen Theorien der klassischen Nationalökonomie bildete. Deutschland fehlte jene Schicht, die das Bollwerk des liberalen Denkens war.

Welcher Art die Schwächen des deutschen Liberalismus auch immer gewesen sein mögen, feststeht, daß die Nationalliberale Partei (der Max Webers Vater angehörte) 1874 im Reichstag mit 152 Sitzen vertreten war, während diese Zahl bis 1881 auf 45 Sitze zusammenschrumpfte. Im Hause Weber fand 1881 jene

Konfrontation zwischen Bennigsen und Rickert statt, deren fatales Resultat die Spaltung der Nationalliberalen Partei war. Alfred Weber meinte, für sie junge Männer sei es um 1890 eine groteske Vorstellung gewesen, in jener »Schwatzbude« namens Parlament eine Karriere anzustreben. Statt dessen schlossen sie sich der akademischen Union der Sozialisten an.

Im deutschen Gesellschaftsleben war dieser allgemeine Illiberalismus nirgendwo offenkundiger als im ständigen Gebrauch und in der ständigen Anhäufung von Titeln, was zur Folge hatte, daß auch das Privatleben durch die ausgeklügelte Klassifizierung von Status und Beruf hierarchisch geordnet war. Besonders evident wurde dies in ehelichen Angelegenheiten. Ehemänner und Väter besaßen wesentlich mehr Autorität als zum Beispiel in der angelsächsischen Kultur, und sie formten in wesentlich stärkerem Maße die Identität ihrer Familie. Die Ehefrauen übernahmen die akademischen Titel ihrer Männer, so daß sogar heute noch die Gattin eines deutschen Professors mit *Frau Professor* angesprochen wird.

Verbunden mit diesem verstärkten Nachdruck auf der gesellschaftlichen Dimension der Ehe ist offensichtlich die Tatsache, daß der romantische Lebens- und Gefühlsbereich der Liebe als unabhängig von der (oder antithetisch zur) Ehe empfunden wurde. Die angelsächsische Romantik – so erklärt Talcott Parsons, dessen Werk ich viele dieser Ideen entnommen habe – war eine realistische Romantik, die sich sowohl mit der Liebe in der Ehe als auch mit dem beruflichen Erfolg auseinandersetzte. (Frieda von Richthofen war stets der Ansicht, D. H. Lawrences Vorstellung von der Ehe sei spezifisch englisch gewesen.) Die deutsche Romantik dagegen war Flucht vor der Ehe – und in diesem Sinne war sie romantisch durch und durch.

Doch war die Einstellung zur Liebe auch tragisch. In diesem Punkt ähnelte Deutschland allen anderen europäischen Ländern Ende des 19. Jahrhunderts. ›Tristan und Isolde‹, ›Anna Karenina‹ und ›Madame Bovary‹ sind wohl die Hauptwerke über die Art von Liebesleidenschaft, die zunächst Glück und Erfüllung verwirklicht, um am Ende in Leid und Sündhaftigkeit unterzugehen. Das aber war die Rolle, welche die Liebe in der patriarchalischen Weltanschauung spielte. Gegen Ende des 19. Jahrhunderts jedoch begann man – vor allem in Deutschland –, die Erotik auch als moralischen Wert und als emotionalen Zustand des Glücks zu feiern: Sie wurde zur Quelle allen gesunden Lebens.

Freuds Lehre vermittelte später im wesentlichen dieselbe Botschaft, obwohl eben diese Botschaft durch einige andere Ideen Freuds stark abgewandelt werden sollte. Man ist geradezu verblüfft, wenn man das Ausmaß erkennt, in dem die verschiedenen Personen, von denen dieses Buch handelt, an schweren Neurosen litten: Marianne Webers Schlaflosigkeit, Frieda Groß' Beinschmerzen, Max Webers Kopfweh und Erschöpfung, die immer dann einsetzten, wenn er zu arbeiten versuchte, Otto Groß' Drogensucht – all diese Krankheitserscheinungen vermitteln den Eindruck, daß dieses Deutschland Ende des 19. Jahrhunderts ein Land gewesen sein muß, in dem das Leben für feinfühlige Menschen immer unerträglicher wurde.

In seiner ›Religionssoziologie‹ definiert Max Weber Erotik als Verherrlichung der Liebe, die immer dort zutage tritt, wo Liebe zusammenstößt mit dem unvermeidlich asketischen Wesenszug des beruflichen Fachmannes. (Max Weber glaubte, daß die modernen Lebensbedingungen unumgänglich zum Spezialistentum führen müßten). Liebe außerhalb der Ehe scheint folglich das einzige Band zu sein, das den Menschen noch mit »der natürlichen Quelle allen Lebens« verbindet. So aber trägt Liebe ihren freudigen Sieg über allen Rationalismus und jeglichen Erlösungsglauben davon. Diese grenzenlose Hingabe der eigenen Person, meint Weber, stehe in krassem Gegensatz zu aller Funktionalität, Rationalität und Allgemeingültigkeit ... Der Liebende entdecke, daß er verwurzelt sei im Kern des wahren Lebens, der sich jedem rationalen Bemühen, das von außen komme, verschließe. Er wisse sich ebenso total befreit von den kalten Totenhänden der rationalen Ordnung wie von der Banalität der Alltagsroutine. – Erotik dieser Art ist religiöser Glaube.

Die Kunstwerke und Persönlichkeiten, die diesen Glauben damals in Deutschland proklamierten, bilden zusammen ein Ganzes, das wir als die »erotische Bewegung« bezeichnen möchten. Dieser Bewegung werden wir uns immer wieder zuwenden müssen, da beide Richthofen-Schwestern teil an ihr hatten – Else während einer gewissen Zeit und Frieda ihr ganzes Leben lang. Diese Bewegung war in Deutschland deshalb so mächtig, weil der patriarchalische Moralismus und Zynismus, den sie bekämpfte, ungemein stark ausgeprägt war. Vor allem in Bayern und in München spielte sich eine matriarchalische Rebellion ab, die sich in der Idealisierung der Magna Mater oder der Hetärenrolle äußerte – in dieser Rolle fühlte sich die Frau »religiös« berufen, sich viele Liebhaber zu nehmen und Kinder zur Welt zu bringen, ohne sich einem Ehemann, Herrn und Vater unterzuordnen. Diese matriarchalische Rebellion stellte eine der am schärfsten umrissenen Formen der erotischen Bewegung dar, die ihrerseits zum Auslöser jener Bewegung der Lebensphilosophie wurde, welche die Hingabe an die Lebenswerte, die Intuition und das Instinktive verkündete – alles Dinge, die damals in ganz Europa im Dienst der Rebellion gegen den wissenschaftlichen Materialismus und Positivismus standen. In Deutschland waren alle diese Bewegungen deshalb so aktiv, weil das, was sie bekämpften, ungewöhnlich festgefügt war.

Die Familie von Richthofen

Baron Friedrich von Richthofen kämpfte in Bismarcks Kriegen, wurde in dessen Feldzügen verwundet und gestaltete sein ganzes Leben in Übereinstimmung mit dem Aufstieg Deutschlands, der eine Folge eben dieser Kriege war. Mit siebzehn Jahren war Friedrich von Richthofen Berufssoldat geworden. Das war 1862 gewesen, in dem Jahr, in dem der König von Preußen Bismarck mit uneingeschränkter Regierungsgewalt betraut und als Gegengabe das Versprechen einer Herrschaft ohne parlamentarischen Etat erhalten hatte. Das Parlament hatte für sich das Recht beansprucht, die Armee dadurch zu kontrollieren, daß es alljährlich ihr Budget überprüfte. Doch Bismarck bewahrte den König vor dieser Art von demokratischer Kontrolle. In diesem Jahr erklärte der Eiserne Kanzler in einer berühmten Rede auch, daß die großen Probleme des Tages nicht durch Reden und Mehrheitsbeschluß entschieden würden ... sondern durch Blut und Eisen.

Friedrich von Richthofen stammte aus einer alten preußischen Junker-Familie, doch gehörte er zur unbedeutenderen Heinsdorfer Linie. Er unterhielt wenig Verbindungen zu den anderen Familienmitgliedern, auch zu seinem Bruder nicht, der ebenfalls in der Armee diente. Der einzige, in ganz Deutschland berühmte von Richthofen, den seine heranwachsenden Töchter kennengelernt haben, war Oswald, der als Kolonialsekretär und später, nach dem Sturz Bismarcks, als Außenminister fungierte. Oswald von Richthofen war einer der frühesten deutschen Imperialisten. Frieda und Johanna wohnten bei ihm, als sie in den neunziger Jahren in Berlin die Staatsbälle besuchten, bei denen sich der Kaiser über ihre Schönheit geäußert haben soll.

Die Schwestern wuchsen in Metz auf, damals deutsche Garnisonsstadt in Lothringen. Vor dem Krieg war Metz französisch gewesen. Ihr Vater war in der Verwaltung tätig, die sich um die eroberten Gebiete zu kümmern hatte, und gehörte somit zur deutschen Besatzungsarmee. Im Verlauf von nur zwei Kriegsjahren hatte sich ein Viertel der Bevölkerung von Metz über die neue Grenze nach Frankreich abgesetzt, um französisch zu bleiben. Diese Leute wurden ersetzt durch Deutsche, zumeist Militärs, so daß die Stadt 1905 etwa 25000 Soldaten und 35000 Zivilisten zählte. In dem Krieg, durch den Preußen das Kaiserreich schuf, bekam Baron von Richthofen das Eiserne Kreuz verliehen, aber seine rechte Hand war unbrauchbar geworden. Aus dem aktiven Dienst entlassen, wurde er als Ingenieur ausgebildet und mit der Verwaltung der Gebiete um Metz betraut. Sein Zuständigkeitsbereich waren die Kanäle in der Metzer Gegend. Doch sein einstiges Regiment, das in der Stadt stationiert war, bildete nach wie vor die Gesellschaft, in der er sich bewegte. In dieser Zeit, als Garnisonsoffizier, heiratete er und kamen seine drei Kinder in den Jahren 1874, 1879 und 1882 zur Welt.

Viele Jahre später, als Frieda mit D. H. Lawrence auf und davon ging, kamen sie zunächst nach Metz, wo sie auf einem Spaziergang in eine Militärzone gerieten. Lawrence wurde als Spion verhaftet, und Friedas Vater mußte intervenieren, um ihn wieder freizubekommen. Das war die erste Begegnung Lawrences mit dem Baron und seine wichtigste Konfrontation mit dem preußischen Militarismus – ein symbolisch nicht unwichtiges Ereignis. Baron von Richthofen war Soldat, Preuße, Offizier, er war von gehobenem Stand. Lawrence war ein stellenloser Schullehrer und ein angehender Schriftsteller, der aus einer englischen Arbeiterfamilie stammte. Diese beiden Männer verkörperten zwei Welten, die im schroffen Gegensatz zueinander standen, und sie beäugten einander über eine Kluft hinweg, die einzig und allein durch die Tatsache überbrückt wurde, daß die Tochter des einen die Geliebte des anderen war.

Merkwürdigerweise nahm Lawrence den Baron von Richthofen nicht zum Vorbild, als er die Gestalt des preußischen Offiziers schilderte. Die Person von Friedas Vater wird in Gestalt des »Barons« in ›Dorn im Fleisch‹ skizziert, während wir seinem psychologischen Porträt eher im Will des ›Regenbogens‹

und in den ›Liebenden Frauen‹ begegnen, sowie in dem jungen Offizier von ›Wirrsal des Irdischen‹. Demnach war der Baron seinem Temperament nach feurig, ungeduldig und schwierig, in seinen Gefühlen stets echt, während er in seinen Ansichten überaus konventionell war – seine Konvention aber war die des preußischen Offiziers. Er war ein mutiger Mann, doch fatalerweise erwies sich dieser Mut sein ganzes Leben lang als allzu jugendlich – in persönlichen Konfrontationen schlug er sich voller Ungestüm, doch in gesellschaftlichen Situationen und gegenüber gewichtigeren Personen versagte er. Ähnlich wie Will Brangwen war auch er ein begeisterter Gärtner, ein geschickter Modellierer und ein Tier- und Vogelfreund. Frieda verglich ihn einmal mit Franz von Assisi. In seiner Rolle als Autoritätsperson und als ein Mann edlen Geblüts hielten ihn seine Töchter für recht mißraten. Er spielte die Rolle, die ihm die Gesellschaft zudachte, ohne sich je an etwas Neuem zu versuchen, obwohl eben diese Rolle seiner Natur besonders widerstrebt haben muß. Frau Jaffe – Else also – zeigte mir eine Fotografie, auf der er glühenden, blitzenden Blicks, ganz der preußische Offizier, in die Kamera starrt. »Er sieht streng aus, aber er war es nicht«, meinte sie. Sie sagte dies mit einer Zärtlichkeit, die einiges verriet. Alle Richthofen-Schwestern zeichneten sich durch eine gewisse zärtliche Herablassung für die Männer aus, und der erste dieser Männer war ihr Vater. Einerseits liebten sie ihn heiß und innig, andererseits bemitleideten sie ihn, weil er von Natur aus so widersprüchlich war. Noch einmal wird die Bedeutung der Konfrontation zwischen ihm und Lawrence klar: Frieda konfrontierte ihren Vater mit einem Mann, der eben jene radikale Empfindlichkeit und Ungezwungenheit auslebte, die ihr Vater stets in sich bekämpft hatte.

Doch so unbehaglich er sich in seiner Rolle auch fühlen mochte, Baron von Richthofen *war* ein preußischer Offizier, obwohl er sich für diese Rolle nicht eignete. Und preußischer Offizier zu sein, war damals ein Schicksal. Das Jubiläum seiner 50jährigen Zugehörigkeit zur Armee Bismarcks bildete den Anlaß, daß Frieda, die mit Lawrence eben auf und davon gegangen war, ihren Vater besuchte. Diese 50 Jahre aber waren, grob gesehen, die 50 Jahre des Bismarckschen Reiches. Diesem Reich diente der Baron in hervorragender Weise, so wenig es auch ihm selbst diente. (Dieser Widerspruch liegt natürlich den Gesprächen zugrunde, die Ursula im ›Regenbogen‹ mit Skrebensky führt.)

Verglichen mit dem Baron scheint die Baronin die überragende Persönlichkeit gewesen zu sein. Den moralischen Anforderungen, die das Leben an ihn stellte, war er nicht gewachsen. Frau Jaffe erinnerte sich an die Zeit, als sie zwanzig Jahre zählte und als ihr Vater eines Tages nicht aufstehen wollte und erklärte, er sei ruiniert. Er hatte beim Spiel erhebliche Summen verloren. Er müsse ihr Haus verkaufen, erklärte er, doch zuerst müsse sie, Else, den Kommandanten aufsuchen und ihn überreden, ihm das Geld vorzuschießen – er würde ihm einen Schuldschein ausstellen. Else tat, worum er sie gebeten hatte.

Diese Anekdote offenbart nicht nur die krasse Ablehnung von Verantwortung durch den Vater und die Tatsache, daß Else diese Verantwortung übernahm, sie offenbart Dinge, die Else nie unmittelbar aussprach. So spielt zum Beispiel die Baronin in dieser entscheidenden Transaktion keine Rolle, sie wird gar nicht erst hinzugezogen. In gewisser Hinsicht wollte sie mit ihrem Gatten nichts mehr zu tun haben, und so trat Else an ihre Stelle. Dazu kommt noch, daß die anderen Töchter ebenfalls nicht in Erscheinung traten, ebenfalls nicht gefragt wurden. Dies war keine Schwestern-Clique: Die Transaktion spielte sich einzig und allein zwischen Else und ihrem Vater ab.

Doch vielleicht offenbart diese Anekdote vor allem eine Erfahrungskategorie, die später für Frieda wie für Lawrence zu einer wesentlichen Vorstellung werden sollte – zur Vorstellung von »der Männerwelt«, ein unideologischer Begriff, in dem sich die patriarchalischen Aspekte der Gesellschaft spiegelten. Einen wesentlichen Aspekt dieser Männerwelt bildete die Gruppe deutscher Offiziere, die in Metz dem Spiel und der Ehre frönten, die durch »erobertes« französisches Land ritten, vor dessen Fülle und Reichtum sie sich in ihren hellen Uniformen klar abhoben, und die ihre Rekruten ständig auf einen neuen Krieg drillten; und die letztlich nichts Besseres zu *tun* hatten, als zu spielen und zu verlieren, um dann einer Aussprache mit ihrer Frau aus dem Wege zu gehen und sich an ihre Tochter zu wenden, damit diese ihre Narrheit »wiedergutmache«. Das war nicht das einzige Mal, daß Else ihrem Vater oder dem Offiziersgatten ihrer Schwester zu Hilfe eilen mußte, indem sie Geld für sie auftrieb. In einen dieser Skandale war einmal anscheinend eine Geliebte des Barons verwickelt, die Else mit Geld abfinden mußte. Dieser Vorfall ereignete sich, als Lawrence und Frieda bereits zusammenlebten, doch gab es davor noch andere Zwischenfälle, die Frieda in ihrem Roman schildert und die die

Richthofens nötigten, ihr Haus zu verkaufen und sich in ihrem Lebensstil einzuschränken. Die psychologischen Auswirkungen beschreibt Frieda folgendermaßen: »Von diesem Tage an haßten Anna und Friedrich einander. Nichts als die Konvention und die Kinder band sie noch aneinander. Sie lebten jenes Leben, das sich für das Beste im Menschen derart zerstörerisch auswirkt und das so mörderisch ist mit seinem heftigen Haß, der ständig neu geweckt wird durch alltägliche Berührung. Die Kinder fühlten unbestimmt diese Atmosphäre des Haders, ohne sie allerdings begreifen zu können. Besonders in der sensitiven Else zerbrach der Krieg zwischen den Eltern etwas, was in ihrem späteren Leben niemals heilte.«

Die Baronin von Richthofen, geborene Anna Marquier, stammte aus einer soliden bürgerlichen Donaueschinger Familie. Sie wuchs auf in einer Atmosphäre, die typisch 18. Jahrhundert war, und ihre Vorliebe galt ihr ganzes Leben lang ihrer heimatlichen Landschaft und der Natur überhaupt, dem Lesen von Büchern und dem provinziell-aristokratischen Leben, dessen Schwerpunkt die Konversation war – die Konversation mit klugen und interessanten Männern und Frauen. Lawrence beschreibt sie in seinen ›Liebenden Frauen‹ als »eine Baronin vom Lande«. Sie gehörte einem Teil Deutschlands an, der nicht von Bismarck geprägt war, einem Deutschland, das in der Vergangenheit verwurzelt war. Sie bewohnte eine kleinstaatliche, apolitische »Kulturstadt« der Ära vor Bismarck. Ihre Heimatstadt war offenbar ein klein wenig Weimar ohne Goethe, und Bismarcks Reich konnte sie nur dadurch tolerieren, daß sie es ignorierte.

Lawrence hat sie als Anna Brangwen porträtiert, als eine Persönlichkeit, die nichts und niemand herabwürdigen konnte und die genauso intensiv, aber stärker und wesentlich unverwundbarer als ihr Mann war. Die Baronin von Richthofen schien immer siegreich zu sein – als Mutter und als Hausfrau, in ihren Freundschaften und in ihrer Liebe für die Welt der Bücher, der Blumen und Tiere, in der Verwirklichung ihrer Lebenswerte. In die Welt der Männer mochte sie nicht eindringen, da sie sich dort nicht sicher fühlte. Doch in ihrem eigenen Lebensbereich war sie, um eine Formulierung von Lawrence zu benutzen, Anna Victrix. Sie liebte die Gesellschaft, und obwohl sie gewisser Konventionen bedurfte, um ihr Leben äußerlich zu kontrollieren, war sie ihrem Temperament nach äußerst unkonventionell. Sie war eine sehr sinnenhafte Frau, ihrem Wesen nach weniger »christlich« als »heidnisch«. Sie war von höchst gesunder Natur, und ihr Kummer, ihre Freude, ihre Vergnügungen und ihre Langeweile wurden von ihrer Umgebung stets als authentisch empfunden, auch von solchen Menschen, die sich durch verfeinerten Geschmack und überlegenen Geist auszeichneten. Sie hatte einige ergebene Freunde um sich geschart, Männer und Frauen, die auf den Gebieten der Literatur und Malerei Ansehen genossen, doch den königlichen Mittelpunkt dieses Kreises bildete stets sie selbst. Es war eine matriarchalische Welt, die sie sich als Umgebung schuf, eine Welt im Dienst der Liebe und des Lebens.

Sie und Lawrence wurden gute Freunde, und ungeduldig wartete sie auf seine Briefe aus allen Teilen der Welt. Sie teilten dieselben Wertvorstellungen. Bewundernd schalt er sie für die beherrschende Art, die sie gegenüber den anderen alten Damen des Stifts, in dem sie lebte, an den Tag legte, während sie ihrerseits ›Lady Chatterley‹ las. (Auch las sie in ihren letzten Lebensjahren alle Werke Shakespeares.) Vielleicht kann man sagen, daß Lawrence von ihr sogar noch reichlicher beschenkt wurde als von Frieda, oder daß er ihr für das, was ihm Mutter und Tochter zusammen gaben, wesentlich weniger *entgelten* mußte – das aber war das Gefühl einer überströmenden Gesundheit und Fülle, das Gefühl, normalen Lebensgenuß zum höchsten ethisch-geistigen Wert steigern zu können.

Alle drei Schwestern unterhielten, so lange ihre Mutter lebte, eine enge Beziehung zueinander. In den zwanziger Jahren bildeten sie ein Matriarchat zu viert. Die verschiedenen Ehemänner standen außerhalb dieser Gruppe, eines Brennpunkts weiblicher Kraft. Dieser Brennpunkt wirkte vermutlich wie eine zentrifugale Kraft, welche die Männer an die Peripherie abdrängte. Was jedoch am meisten erstaunt, sind die persönlich durchwegs starken Frauen, die dieser eigenwillige Schmelztiegel des Richthofenschen Familienlebens hervorbrachte. Jede in ihrer Art, waren alle drei Töchter von starker Natur, und alle drei waren sie bemerkenswert, unzerbrechlich, erbarmungslos. Ihre körperliche Gesundheit war phänomenal (Lawrence schreibt von einer seiner Gestalten, einer Frau mittleren Alters, sie benutze ihre Gesundheit als eine Waffe), und im psychisch-moralischen Bereich zeichnete sie eine ähnliche Stärke aus. Die Verbindung zwischen Friedrich und Anna von Richthofen war zwar unglücklich, doch für das »Leben« im Lawrenceschen Sinne war sie ein Glücksfall. Das Haus der Richthofens war, wie das der Brangwens im ›Regenbogen‹ ein Heim, wo natürliche Würde, Vitalität und Echtheit hoch geschätzt, schnell anerkannt und reichlichst belohnt wurden. Selbstverständlich war dies eine Art der Macht, die der Bismarckschen Machtvorstellung entgegengesetzt war. Sicher, auch dies war Macht, unter deren Ausübung andere litten, auch wenn sie sie genossen. Doch es war dies Macht, nicht wie sie die Welt des Mannes, sondern wie sie die Welt der Frau schätzt. (Lawrence bezeichnete den Haushalt der Brangwens als Matriarchat.)

Zwischen dieser Mutter und diesem Vater wuchsen die drei Töchter auf. Else, in ihren Geistesgaben wie in ihrem Verantwortungsgefühl ein frühreifes Mädchen, scheint sich ähnlich wie Ursula im ›Regenbogen‹ verhalten zu haben. Das behauptet zumindest Frieda in ihrem Roman. Sie schildert den melancholischen Ausdruck von Elses Kameengesicht, die gesenkten Lider, ihr Verlangen, sich von ihrem Elternhaus durch die Welt der Universität, der Bücher und der Ideen zu befreien. Ein Großteil von Ursulas früher Geschichte scheint in erster Linie die ältere Schwester widerzuspiegeln, und das sowohl im Hinblick auf ihre gesellschaftspolitische Kritik als auch auf ihr rebellisches Wesen im allgemeinen und auf ihre Rebellion gegen das Matriarchat im besonderen. So war sie zum Beispiel überzeugt, daß ihre Mutter die kleine »Nusch« (Johanna) nicht genügend liebte, so daß sie bei der jüngeren Nusch die Mutter zu ersetzen versuchte.

Mit siebzehn wurde sie Lehrerin, und als sie genügend gespart hatte, bestritt sie ihr Universitätsstudium selbst. Nachdem sie ihren Doktor der Volkswirtschaft gemacht hatte, arbeitete sie in Karlsruhe als Gewerbeinspektor. Das war 1900. Sie war die erste Frau, die vom Staat Baden berufen wurde, um die Rechte der Fabrikarbeiterinnen zu schützen. Wie Florence Kelly in Amerika hoffte sie, die Bedingungen, unter denen Frauen damals in Fabriken arbeiteten, zu kontrollieren und zu lindern oder zumindest ans Licht der Öffentlichkeit zu bringen. Es war Weber, der ihr diese bahnbrechende Stellung verschaffte, und in seinem Haus lernte sie die Führerinnen der deutschen Frauenbewegung kennen, Gertrud Bäumer, Helene Lange und Alice Salomon. Ihre Doktorarbeit behandelt die Frage, wie sich die Einstellung der politischen Parteien in Deutschland gegenüber der Gesetzgebung zum Arbeiterschutz seit 1869 verändert hatte. Dieses Thema hatte ihr Max Weber, dessen erste (weibliche) Studentin sie war, vorgeschlagen, und es zeigt deutlich ihren Wunsch, sich für Freiheit und Gerechtigkeit einzusetzen. Ihre Art der Rebellion gegen patriarchalische Unterdrückung verdankt vieles Max Weber und Heidelberg. Sie war liberal, reformistisch, intellektuell und legal. Ihres Studiums wegen ging sie 1898 nach Berlin, im selben Jahr also, in dem Max Weber erkrankte, und in Berlin lernte sie die Familie Weber, darunter auch Alfred, kennen. Doch 1900 kehrte sie nach Heidelberg zurück, wo sie sich fest niederließ. Zwar lebte sie von 1911 bis 1925 in Bayern, gehörte eigentlich aber nach Baden. Ihre Lebensreise ging von Metz nach Heidelberg, wie die der Webers von Berlin nach Heidelberg ging. In Berlin besuchte sie Vorlesungen des Soziologen Georg Simmel und der Volkswirtschaftler Adolf Wagner und Gustav Schmoller; in Heidelberg nahm sie an Seminaren von Paul Hansel und Georg Jellinek teil, ihr Meister aber blieb Max Weber. Dies war für eine Frau von damals eine ungewöhnliche Laufbahn. 1900 immatrikulierten sich nur vier Mädchen in Heidelberg, denn erst im Februar dieses Jahres hatte Baden sich dafür ausgesprochen, daß Frauen als vollwertige Studenten zu gelten hätten. Else von Richthofen erhielt ihren Doktortitel 1901. Sie war die Vorkämpferin einer starken Bewegung – 1909 immatrikulierten sich bereits 139 Frauen.

Die beiden jüngeren Schwestern litten derweil unter dem Gedanken, »nicht so gescheit wie Else« zu sein. Nusch war so jung, daß sie in einer Klasse, in der Else lehrte, Schülerin war – eine Familienanekdote erzählt, daß Johanna als Schwester der Lehrerin besondere Vorrechte beanspruchte, die ihr jedoch strikt verweigert wurden. Diese Anekdote klingt glaubwürdig, denn Johanna beanspruchte stets Privilegien für sich, während Else gern die Lehrerin herauskehrte. Doch gleichzeitig war sie immer auch Schülerin, und ihre Beziehungen zu anderen Menschen waren stets durch eine dieser beiden oder durch beide Rollen geprägt. Sie selbst hat erklärt, daß sie erst mit dreißig Jahren ihre Schwestern voll anerkannt habe – erst da habe sie erkannt, daß sie unabhängige Persönlichkeiten waren, die sich dagegen sträubten, Gegenstand ihrer Fürsorge, ihres Schutzes, ihrer Kritik und ihrer Verantwortung zu sein. Trotz aller spielerischen Übertreibung war sie zu klug, um nicht das Körnchen Wahrheit in dieser Bemerkung zu erkennen, und sie war zu sensibel, um nicht zu bemerken, daß sie von ihren Schwestern in dieser »Lehrerinnenrolle« bestätigt wurde. Das heißt, Frieda und Johanna haben gewiß absichtlich die Rolle gespielt, in der sie sich hübsch, gedankenlos, sorglos und unverantwortlich gaben. Sie waren Geschöpfe einer festlichen Welt, in der sie das Vergnügen liebten und Vergnügen spendeten, und wir können Spuren dieser Mentalität noch in ihrer erwachsenen Persönlichkeit erkennen. Von Johanna kann man sagen, daß sie diese Rolle ihr ganzes Leben lang gespielt hat, während Frieda, obwohl der Welt der Arbeit feindlich gesinnt, stets gegen die Unbedeutsamkeit rebellierte. Sie beschloß, sich selbst als bedeutsames Geschöpf, als bedeutsame *Frau* zu bewähren, und dazu mußte sie dem patriarchalischen Geist Deutschlands die Stirn bieten und eine Entwicklung einschlagen, die der Elses entgegengesetzt war. Diese Entwicklung durchlief sie vor allem dank jener überragenden Männer, die aus ihr im Rahmen matriarchalischer oder antipatriarchalischer Weltanschauungen die sinnbildliche Quelle des Lebens selbst machten.

Frieda war ein wildes Kind – die junge Anna aus dem ›Regenbogen‹. Sie erzählt, wie die Nonnen ihrer Klosterschule hinter ihr herriefen: »Doucement, doucement, ma petite Frieda.« Auch schien sie entschlossen, diesen Zug ihr ganzes Leben lang beizubehalten. Diese Art von Selbstgefühl konnte sich deshalb ungehindert entfalten, weil man im Haus der Richthofens ungehemmte Vitalität genauso schätzte wie Ordentlichkeit. Frieda stellt sich nach Lawrences Tod in der Person Paulas folgendermaßen dar: »Paulas Mutter hatte zu ihr gesagt: ›Du, du bist ein Atavismus‹, und das hatte sie nie vergessen. Nun, mit einem langen Leben hinter sich, wußte Paula, daß ihre Mutter recht gehabt hatte. Ganz gewiß war sie nicht modern.« Frieda bezeichnete sich selbst als »primitiv« in dem Sinne, in dem ihr Mann diesen Begriff verwendet hatte – im Sinne von Lawrences Begeisterung für die primitiven Völker, die sie in der ganzen Welt aufsuchten, für die Völker also, die durch England und durch Bismarcks Deutschland unterdrückt wurden. In dieser Begeisterung der Lawrences für alles »Primitive« war stets ein Element der Selbstidentifizierung enthalten.

Interessant ist, daß Frau Jaffe gegen Ende des Jahrhunderts, mit dem wir uns hier befassen, Lawrence ebenfalls als »atavistisch« bezeichnete, um die völlige Unverträglichkeit der Persönlichkeit Lawrences und der Max Webers herauszustellen. Lawrence, so erklärte sie, stünde im Gegensatz zu allem *Geist*: Er sei atavistisch. Else selbst war selbstverständlich *nicht* atavistisch. Es war die Welt des Geistes, der sie ihr Leben widmete.

Diese Gegensätzlichkeit der beiden Schwestern äußerte sich

natürlich in ihrem Verhältnis zu Goethe, dieser Verkörperung allen *Geistes*. Else hing ganz besonders an dem Barden von Weimar, und während der letzten Jahre ihres Lebens mit Alfred Weber las sie diesem abends stets Goethe vor. Sie schickte Frieda sogar einen Band Goethe-Briefe – eine unnütze Ausgabe, denn für Frieda verkörperte Goethe jene Art von Kunst und Kultur, die sie verabscheute. In ihren Arbeiten kommt sie immer wieder auf Goethe und seinen ›Faust‹ zu sprechen, um ihren Abscheu vor beiden zum Ausdruck zu bringen. Gretchen hält sie für das typische Weibchen des Mannes, für die typische Heldin patriarchalischer Gesinnung, und Iphigenie bedeutet für sie eine schreckliche Idealisierung der Selbstaufopferung. So kritisierte sie Elses Heirat, indem sie sie als Iphigenien-Opfer bezeichnete, und Lawrence lobte sie, weil er als Künstler eine Antithese zu Goethe darstelle und weil er sich selbst immer nur als Mann und als Mensch hingebe, weil er immer nur das hingebe, was seine Haut umschließe – Lawrence habe nichts von dem »Ich-werde-ewig-sein-Gefühl« eines Goethe gehabt, er habe nichts von der kulturellen Selbstinstitutionalisierung und von der künstlerischen Selbstmonumentalisierung des Weimarers gehabt. Und Lawrence stellt sich ganz auf ihre Seite, wenn er ›Wilhelm Meister‹ als »ein Buch von besonderer Unsittlichkeit« bezeichnet.

Indem sie Goethe dergestalt entweder ablehnten oder schätzten, verwarfen beziehungsweise schätzten Frieda und Else die deutsche Kultur insgesamt. Goethe, Kultur, Geist und das Apollinische – an ihnen war die gegensätzliche Haltung der Schwestern zu ermessen. Frieda ergab sich dem Eros und verzichtete auf die Kultur, auch dann, wenn sie erotische Themen beinhaltete. Für Frieda stand ›Tristan und Isolde‹, diese Lieblingsoper von Else und von Alfred Weber, allzusehr unter dem Zeichen von Thanatos.

Eros und Thanatos – Liebe und Tod – bilden eine mythische Polarität, die uns helfen kann, die beiden Schwestern zu verstehen. Es gibt noch andere Polaritäten. So erzählt Leukos von Lesbos, wie Aphrodite Athene um ihr Geschick in der Webkunst beneidete, so daß sie von Cyprus nach dem Olymp eilte, um sich dort neben sie zu setzen, sie nachzuahmen und mit ihr in Wettstreit zu treten. Das Weben, ja bereits das Flechten eines Seils, haben immer schon die Erschaffung von Dingen symbolisiert – daher auch die Vorstellung von der »dädalischen« Erde. Die Mütter am Ursprung des Lebens »weben und spinnen in einem fort«. Doch Aphrodite vermochte nur Fäden zu spinnen, die Weidenzweigen ähnelten, und so löste sich ihr Gewebe ständig auf. Athene verspottete sie, und Aphrodite gab auf und kehrte nach Cyprus, kehrte zu Eros zurück. – Wie wir sehen werden, gibt es viele Gründe, Else mit Athene und Frieda mit Aphrodite, der Göttin der Liebe, in Verbindung zu bringen, doch läßt sich der Mythos, das sollte hier unterstrichen werden, zu Gunsten der einen wie der anderen Göttin deuten.

Tatsächlich konnte Else weder gut nähen, zeichnen noch malen. Ihr Geist war eher »intellektuell« als »ästhetisch«, eher »analytisch« als »schöpferisch«. Sie beneidete, was diese und ähnliche Begabungen anlangt, ihre Kinder, so wie sie ihre Schwestern beneidet hatte. In der Tat besaß ihr Ehemann, der auf den ersten Blick nur begrenzt begabte Edgar Jaffe, mehr Kunstverständnis als sie – er erwarb (noch vor 1910) Bilder von Picasso und Franz Marc, mit denen Else kaum etwas anzufangen wußte. Auch verhielt sie sich keineswegs immer geschickt. Nach dem Krieg verkaufte sie die Gemälde und allen anderen Besitz ihres Mannes zu einem Schleuderpreis; und ihre Tochter bezahlte ihren Analytiker mit einer Picasso-Zeichnung, die in einer Dachkammer herumlag.

Vielleicht bestand die wichtigste Auswirkung, die dieser Geschwisterkonflikt auf Frieda hatte, darin, daß Frieda dem Intellekt überhaupt eine Absage erteilte – jenem Intellekt, der sich in allen Bereichen des Denkens, sowohl in den niedrigen als auch in den erhabenen, selbst karikierte. Frieda war in praktischen Angelegenheiten mehr als ungeschickt – sie konnte nicht einmal richtig mit dem Telefon umgehen –, und sie war außerstande, eine Arbeit systematisch zu Ende zu führen oder gewisse Vorstellungen konsequent auszuarbeiten. Und obwohl sie auf Sprache sehr feinfühlig reagierte, erwies sie sich beim Umgang mit Wörtern häufig als kindisch unzulänglich. Eine in geistigen Dingen ehrgeizige Frau, die für Ideen leidenschaftlich empfänglich war, fehlte es ihr doch an Geschick und Gewandtheit bei der Handhabung der Werkzeuge des Geistes. So aber kam es, daß sie sich häufig blamierte. Das ist auch der Grund, warum sie von vielen Leuten, die sie kennenlernten, für dumm, oberflächlich oder vulgär gehalten wurde. Ein derart ausgeprägtes Verhaltensmuster verlangt eine Erklärung, und in dieser Erklärung spielen auch Absicht und Willenskraft eine Rolle. Frieda karikierte sich selbst, indem sie tatkräftig jeglichen Wettbewerb oder Vergleich mit Else – und später natürlich mit Lawrence –

ablehnte. (Tatsächlich war Lawrence Else in einer gewissen Hinsicht verwandter als Frieda. Doch es war seine Absicht, Frieda zu gleichen.)

Eine kurze Geschichte über die kleine Ursula im ›Regenbogen‹, die Frieda als ihr nachgebildet bezeichnete, vermittelt einen Eindruck von Frieda als Mädchen. Ursula versucht voller Aufregung, ihrem Vater im Garten zu helfen, doch da sie die Aufgabe, die sie sich vorgenommen hat, verwirrt und erschreckt, stümpert sie herum und gibt sie schließlich auf. Als der Vater ihr dies zugleich humorvoll und grob vorwirft, erwidert sie nichts, sondern läuft tief verletzt fort und versteckt sich. Plötzlich ist ihre Seele voller Ablehnung, und in dieser Situation erkennt sie, daß die Welt der Arbeit nicht die ihre ist.

Die Bedeutung dieser Anekdote wird einem erst dann richtig klar, wenn man erfährt, daß Elses früheste Erinnerungen davon handelten, wie sie ihrem Vater mit Freude im Garten half – davon also, wie die beiden wirksam *zusammenarbeiteten.* Indem also Frieda die Welt der Arbeit ablehnte, lehnte sie unter vielen anderen Dingen jede Konkurrenz mit oder Nachahmung von Else ab. Unter der Fröhlichkeit und Spontaneität und unter der »reinen Weiblichkeit«, mit der sie der Welt entgegentrat, verbarg sich das mächtige Gefühl eines tief verletzten Stolzes – eines Stolzes, der bereit war, in leidenschaftliche Dankbarkeit und herausfordernde Größe umzuschlagen, sobald der Mann käme, der ihre Person zu würdigen und anzuerkennen wüßte.

Friedas glückliche Kindheitserinnerungen handeln davon, daß sie von den Schwierigkeiten zu Hause fortlaufen wollte, um sie einzutauschen gegen einen Truppenübungsplatz, wo junge heimwehkranke Soldaten sich trafen, um sich zu unterhalten und zu singen. Frieda aber lernte die Volkslieder, die jeder von ihnen kannte, um sie dann, von einem Tisch oder einer Treppenflucht herab, einer begeisterten Schar junger Männer zum Besten zu geben. Und als sie schließlich nach Hause rannte, folgten ihr Rufe wie »Komm bald wieder«. Auch dieses Erlebnis steht in einem – kausalen oder lediglich symbolischen – Bezug zu Friedas Entwicklung, denn irgendwie suchte sie immer den Beifall von Männern. (Übrigens waren das dieselben Lieder, die sie Lawrence lehrte und die die beiden – anscheinend vor allem in den Kriegsjahren – zusammen sangen. Und diese Lieder waren es auch, die Frieda in der Nacht nach seinem Tod an seinem Bett sang.)

Von den drei Schwestern sollte Frieda als erste heiraten. Sie war erst siebzehn, als sie Ernest Weekley kennenlernte, der an der Freiburger Universität als Lektor für Englisch arbeitete und der fünfzehn Jahre älter war als sie. Er war ein Akademiker, ein Philologe und ein Gentleman, der es durch eigene Kraft zu etwas gebracht hatte. Die Wertvorstellungen, auf die er baute, waren viktorianisch, und jene, die er verteidigte, vermutlich edwardianisch, das heißt, er überließ es der Gesellschaft, dafür zu sorgen, daß den Idealen, die ihm am meisten am Herzen lagen, nichts zustieß. Hier liegt wohl auch der Grund, daß er, als Frieda alle Regeln mißachtete und mit Lawrence auf und davon ging, ein Opfer der Zerstörung und der Reizbarkeit wurde; sein widersprüchliches Verhalten aber bewirkte am Ende seine kleinliche Unnachgiebigkeit, die für seine Person eigentlich nicht charakteristisch war.

Lawrence karikierte die Familie, aus der Weekley stammte, in ›Das Mädchen und der Zigeuner‹, während er die Weekley-Ehe in seiner Erzählung ›Neue Eva und Alter Adam‹ unter die Lupe nahm – obwohl es sich bei dem dargestellten Mann eher um Lawrence selbst als um Weekley handeln könnte. Weekley war eines von neun Kindern einer aufstrebenden Londoner Familie. Durch den frühen Tod eines Bruders wurde er der Älteste, der eine ganze Menge Verantwortung zu tragen hatte. Nachdem er eine Schule, die ein Verwandter leitete, kostenlos absolviert hatte, wurde er mit siebzehn Schullehrer, so daß er sich nun selbst durchbringen konnte. Im Nachtstudium erarbeitete er eine Prüfung nach der anderen. Stipendien führten ihn nach Cambridge und Bern, doch war seine berufliche Laufbahn erst 1898 gesichert – in diesem Jahr erhielt der vierunddreißigjährige Weekley einen Ruf nach Nottingham. Nun gönnte er sich einen Urlaub, den ersten in seinem Leben. Es waren Wanderferien im Schwarzwald, und dort lernte er Frieda kennen. Dieser Urlaub bedeutete einen Höhepunkt in seinem Leben, denn endlich sah er seine eiserne Tugendhaftigkeit belohnt – so zumindest dachten seine Eltern und Brüder. Ernest war ihr Held, er war ein Held der Tugend. Und Frieda, so erkannte er schon bald, war ihm als höchste Belohnung zugedacht. Und welches phantasievolle Mädchen wäre durch diese Rolle nicht betört worden – es war der Roman aller Romane, der Traum aller Träume, der Mythos jener Zeit.

Er heiratete sie 1899 und ging mit ihr nach Nottingham, wo man ihn zum Dozenten ernannt hatte und wo D. H. Lawrence 1906 bei ihm studierte. Eine Anekdote, die Barbara Barr erzählte, beschwört die Atmosphäre des Weekley-Hauses – Frieda hämmerte in ihrem gesucht »künstlerisch« eingerichteten Wohnzimmer Sonaten herunter, und Ernest stahl sich heran und legte zwei Pennies auf das Klavier. Frieda schüttelte den Kopf und fuhr fort zu spielen: Derartige Witzigkeit verachtete sie, denn sie widersprach ihrer Entschlossenheit, aus sich selbst ein Geschöpf von Bedeutung, von Größe zu machen. Weekley setzte zwar seine eigene Laufbahn fort, indem er zum Professor und zum Dekan der Arts Faculty in Nottingham avancierte, doch Friedas Selbstgefühl vermochte er nicht ernst zu nehmen.

Warum heiratete sie einen Mann, der so gar nicht zu ihr paßte? Sie behauptet, was sie angezogen habe, sei seine Würde, seine Gediegenheit gewesen. Als Paula schreibt Frieda über sich selbst: »Zum ersten Mal in ihrem Leben fühlte Paula festen Boden unter ihren Füßen. Das hier war etwas anderes als ihr Leben zu Hause. Dort, in seinem englischen Heim, fühlte sie die Beständigkeit des Familienlebens, einen vertrauten Kreis und ein erstrebenswertes Ideal. Ihr eigenes Familienleben war so zerrissen gewesen. Es hatte keine Ordnung darin gegeben. Nur die Befriedigung des Augenblicks, gute Zeiten, ersehnt natürlich. Paula aber wollte mehr. Sie hatte immer mit ihren Eltern und ihrer hohlen, zynischen Lebensauffassung gekämpft.« Dazu kam, daß er so viel wußte – ein Kriterium, das Frieda immer schon viel bedeutet hatte.

Außerdem könnte sie durch Else als Vorbild beeinflußt worden sein, denn Ernest mag ihr als der Ehemann erschienen sein, den sich auch ihre Schwester gewünscht hätte. Oder vielleicht erschien er Frieda gar als ein männliches »Gegenstück« zu Else. Was sie besonders reizte, war die sexuelle Macht, die sie über ihn ausübte. Aus der Art, wie sie in ihrem Roman die Wirkung beschreibt, die sie auf diesen gelehrten und würdevollen Mann hatte, spricht eine ichbezogene Erregung: »Als sich Paula der Quelle näherte«, schreibt Frieda, »war sie sich ihres rosaweißen Kleids mit dem rosaweißen Sonnenhut, den [er] so mochte, stark bewußt. Sie dachte mehr an die Wirkung, die sie auf ihn hatte, als an ihn selbst. Schließlich erblickte sie ihn, wie er am Eingang zu dem dunklen Tannenwald stand, und die Bäume bildeten einen tiefen Bogengang hinter ihm. Er glich einem Mann, der aus seinem Alltag herausgerissen worden war. Er wußte nichts, und er allein war nichts, und sein ganzes Dasein war verkörpert in diesem sich nähernden rosaweißen Mädchen. Seine Gefühle lähmten ihn fast. Paula fühlte sich etwas unbehaglich, sie ging zu ihm hinauf. Er nahm sie in die Arme, sanft und zärtlich und seine Leidenschaft unterdrückend, als wolle er sie nicht erschrecken. ›Meine Sonnenblume‹, sagte er.«

Doch die Hochzeitsnacht war anscheinend ein Fiasko, und Frieda begann, die Grenzen des Geistes ihres Mannes zu entdecken. Ihre Ehe hatte vieles an sich, das an Masha und Koolygin aus ›The Sisters‹ (›Die Schwestern‹) erinnert.

Johanna heiratete zwei Jahre nach Frieda, im Alter von siebzehn Jahren. Mit achtzehn schenkt sie ihrem Mann, der doppelt so alt war wie sie, ein Kind. Ihr Mann war Stabsoffizier, und zeit ihres Lebens war für sie das Erlebnis, in so jungem Alter auf einem herrlichen Pferd an der Spitze eines ganzen Regiments geritten zu sein, eine ihrer großen Erfahrungen.

Ihr ganzes Leben lang genoß sie die Aufmerksamkeiten der Männer, denn Johanna war die Schönheit der Familie. Auch akzeptierte sie die Rolle, die sie als »frivol« kennzeichnete. Sie war eine Tochter Aphrodites. Einmal, als alle drei Töchter nach Baden kamen, um ihre Mutter zu besuchen, schrieb Lawrence an Frieda: »Liebe für Euch alle, Ihr Göttinnen drei«, eine Bemerkung, die allen drei gerecht wurde. Doch die älteste unter ihnen nahm in diesem Olymp einen besonderen Rang ein.

Heidelberg

Else war nach wie vor unverheiratet, als ihre Schwestern bereits einen eigenen Hausstand und Kinder hatten. Sie war als Gewerbeinspektorin tätig und leistete eine Arbeit, von der sie sich ausgelaugt fühlte. Sie fühlte sich nicht wohl bei den Arbeiterinnen, mit denen sie zu tun hatte. Andererseits gehörte sie durch die Freundschaft, die sie mit Max und Marianne Weber verband, den akademischen Kreisen Heidelbergs an. Als der Dichter Friedrich Gundolf an die dortige Universität kam, war sie eine der ersten, die sich mit ihm anfreundete und die den ganzen Stefan George-Kreis, der den Dichter besuchte, willkommen hieß. Außerdem lernte sie Friedrich Naumann kennen, den politischen Reformer, der mit Literatur zwar nichts zu tun hatte, aber ebenfalls eine Manifestation der Heidelberger Wertvorstellungen von damals war. Naumann war die große Hoffnung der liberalen Intellektuellen der damaligen nationalpolitischen Szene, und in mancher Hinsicht war er ein Schüler von Max

Weber. Einige andere Freunde von Max Weber, zum Beispiel Gertrud Bäumer, die Frauenrechtlerin, gestalteten zusammen mit Naumann dessen Zeitung ›Die Hilfe‹. Marianne Weber, die sich Else in gewissem Maße zum Vorbild nahm, wurde zu einer bekannten Autorin und Rednerin in Frauenfragen.

Die Lebensskizze, die Else in späteren Jahren verfassen sollte, beginnt mit der Überschrift: »Der beherrschende Einfluß Marianne Webers«. Diese Aussage ist so zu verstehen, daß Marianne Else mit der Möglichkeit, mit dem Ideal und mit der Pflicht der Frau vertraut machte, politisch wie intellektuell aktiv zu werden, das heißt, in die Welt der Männer einzutreten. In dem Briefwechsel zwischen beiden Frauen dominiert das Wort *Arbeit* – am häufigsten bezieht es sich auf eine der Arbeiten, an denen die eine oder andere gerade schreibt, manchmal auf ihre Arbeit für einen Professor oder auf Elses Inspektionstätigkeit und hin und wieder auf die Arbeit der »Arbeiter« – immer aber klingt in diesem Begriff etwas nach, das ihn zu einem Symbol ihrer beider Leben macht. Frieda Groß und Frieda Weekley sprachen ebenfalls von ihrem Wunsch zu »arbeiten«, und diesen Wunsch äußerten sie Else gegenüber, die für beide »Arbeit« schlechthin verkörperte. Ihr Wunsch mochte wohl durch Else angefacht worden sein. Else war im kleinen Rahmen eine Heldin der Bewegung. Ende 1901 ging sie auf eine Vorlesungsreise, und Sophie Riehl, Frieda Groß' Tante, schrieb ihr des öfteren, um für andere Frauen Studien- oder Arbeitsplätze zu finden.

Daher zeigten sich einige ihrer Freundinnen aus der Frauenbewegung unangenehm überrascht, als Else ihre Laufbahn schon so bald aufgab. So erzählte zum Beispiel Alice Salomon, die sich ebenfalls stark für die Arbeitsbedingungen von Frauen in Fabriken interessierte, viele Jahre später Elses Tochter, wie überrascht und enttäuscht sie damals von Elses Schritt gewesen sei. Anscheinend wollte sich Else aus ihrem aktiven Leben ins Privatleben zurückziehen. Ihr Leben sollte zwar weiterhin sehr lebendig verlaufen, doch nur insofern, als sie andere inspirierte. Sie wurde zu einer Muse des Geisteslebens. Es ist fast mit Sicherheit anzunehmen, daß sie dies als eine Art Niederlage empfand, da wir einen an sie gerichteten Brief von Sophie Riehl aus dem Jahr 1922 besitzen, in dem sich diese gegen die Anschuldigung Elses verwahrt, sie habe nicht das geleistet, was sie leisten hätte können, und ihre Gaben nicht in den Dienst ihrer gesellschaftlichen Ideale gestellt. Diesen Vorwürfen sollte sich Else wenig später selbst ausgesetzt sehen. Das aber mag bewirkt haben, daß sie sich um so stärker in der moralischen Schuld Marianne Webers fühlte.

Aus welchem Grund auch immer, Else zog sich aus ihrem aktiven Leben in die Ehe zurück. 1899 hatte sie in Berlin Alfred Weber kennengelernt, der sich in sie verliebte. Und im Jahr 1901 war sie kurz verlobt. Doch 1902 heiratete sie überraschend und ohne eine Erklärung abzugeben Edgar Jaffe, einen Schützling von Max Weber und ebenfalls Dozent für Volkswirtschaft. Ihre Schwestern und Freunde waren schockiert über diese Verbindung, die sie gewiß für eine Vernunftheirat hielten.

In Wirklichkeit heiratete Else von Richthofen Heidelberg. Wie immer ihre Motive für das Ja-Wort, das sie Edgar Jaffe gab, beschaffen gewesen sein mochten, aus ihrem gesamten Lebenslauf scheint deutlich hervorzugehen, daß das lohnendste und bleibendste Ergebnis ihres Entschlusses darin bestand, daß sie nun für immer zu einem Teil Heidelbergs wurde, ja in der Tat zu einem der gesellschaftlichen Mittelpunkte des Geisteslebens dieser Stadt. Auf diese Weise drang sie ein in das aktive Zentrum des liberalen und reformistischen Deutschland und nahm sie teil an der Bewegung, die sich gegen Bismarck richtete. Dem Pendant zu dieser Bewegung begegnen wir in München, wohin Frieda von Richthofen ziehen sollte. Doch die Politik in München war in den Augen Heidelbergs, in den Augen Else Jaffes, gefährlich und nebensächlich zugleich. Es war das Land Baden, es waren vor allem die badischen Universitätsstädte, wo sich der ganze vernünftige, nützliche, verantwortungsvolle und ernsthafte Widerstand gegen das Preußentum zu sammeln schien. Wie Heidelberg diesen Widerstand genau verwirklichte, werden wir später sehen, wenn wir uns mit Max Weber, dem großen Helden der Partei Else Jaffes, befassen.

Wenn Else »in Wirklichkeit«, wie wir schrieben, Heidelberg heiratete, so war mit dieser Ehe notgedrungen die Verheiratung mit dem kleinen, langweiligen, reichen Edgar Jaffe verbunden. Der 1865 geborene Edgar Jaffe war eines von vierzehn Kindern einer jüdischen Kaufmannsfamilie, die in Hamburg zu Hause war. Einige Söhne dieser Familie wurden ins Ausland geschickt, um dort das Familienunternehmen, das mit Baumwolle und Leinen handelte, zu vertreten. Edgar hatte einige Zeit in Spanien und über zehn Jahre in Manchester verbracht. In England hatte er ein ansehnliches Vermögen angehäuft. Das Jaffe-Unternehmen in Manchester hatte wegen der Anständigkeit und Liebenswürdigkeit, mit denen es sein Personal behandelte, einen ausgezeichneten Ruf; die Angestellten bekamen für die Aufführungen des ›Messias‹ und des ›Elias‹ Freibillets. Als sein Vater starb, kehrte Edgar Jaffe nach Deutschland zurück, wo er sich dem akademischen Leben verschrieb.

Alle Jaffes dieser Generation waren reich. Sie zogen sich gern früh aus dem Geschäftsleben zurück – manche unter ihnen lebten als Gutsbesitzer auf dem Lande, wo sie Pferde, Forellen und Rosen züchteten –, und verkörperten in jeder Hinsicht jenen erstaunlichen Wohlstand, der sich in den Augen des Historikers mit der Gründerzeit des Bismarckschen Reiches verbindet. Darüber hinaus verkörperten sie den jüdischen Erfolg, der auf so schreckliche Weise den Neid und die Feindseligkeit nicht ganz so erfolgreicher Deutscher erregen sollte.

Indem er die akademische Laufbahn einschlug, brach Edgar Jaffe mit der Tradition seiner Familie. Wie Else von Richthofen war auch er ein etwas waghalsiger Mensch. Doch beide waren von der geistigen Strömung ihrer Zeit beeinflußt. Ungewöhnlich und doch auch typisch für diese Ära war das Studium, dem sie sich verschrieben: die Sozialwissenschaften; ungewöhnlich war auch Max Weber, ihr Lehrmeister. Die Soziologie wurde damals zuweilen auch als die »jüdische Wissenschaft« bezeichnet. Sie war der jüngste akademische Wissenszweig und in bezug auf die gründliche Untersuchung der Kultur des Menschen war sie wohl die apollinischste und wissenschaftlichste. Sie setzte sich eingehend mit dem neuen preußischen Deutschland auseinander und suchte nach vernünftigen Möglichkeiten, um seinen Exzessen entgegenzuwirken.

Da Jaffe sehr vermögend war, konnte er für Else eine prächtige Villa bauen lassen. Else hatte verschiedene Bedienstete und bewirtete alles, was im Geistesleben Heidelbergs Rang und Namen hatte. Doch obwohl Jaffe in intellektueller Hinsicht – und in vielen anderen Lebensbereichen – durchaus von einer gewissen Waghalsigkeit war, machte er, oberflächlich gesehen, einen schüchternen, pedantischen, unansehnlichen und langweiligen Eindruck. In Gesellschaft fühlte er sich zumeist unwohl und redete wenig, doch wenn er einmal zu sprechen begann, wurde gern eine unaufhaltsame, unmodulierte, pedantische Vorlesung daraus.

Darüber, daß Else ihn nie liebte, scheint allgemeine Übereinstimmung bestanden zu haben. Durch ihre Heirat wurde sie zu einem Machtfaktor in jenem Geistesleben, das ihr so viel bedeutete. Doch ein entscheidendes Motiv war wahrscheinlich auch die Macht, die ihr das Geld gab. So unterstützte sie zum Beispiel – mit seinem vollen Einverständnis übrigens – ihre Eltern und ihre Schwester. Sowohl von Johanna und ihrem Mann als auch vom Baron von Richthofen erfahren wir, daß sie in Krisenzeiten von Edgar Jaffe große Summen geliehen bekamen. Am wichtigsten aber war vielleicht, daß Else auch ihrem Mann das gab, was dieser wünschte. Mitleid und Selbstaufopferung waren stets zwei Hauptmotive in Elses Leben, auch wenn ihre Persönlichkeit, oberflächlich betrachtet, kühl und ironisch, unbeirrbar und durchdringend schien. In einem Brief an Frieda Groß bezeichnete sie ihr Verhältnis zu Edgar als »freundschaftlich«. Und einmal erklärte sie sogar, er wäre der bestmögliche Partner in dem Leben, das sie gewählt habe und das sich aus einer unbehaglichen Mischung bohemehafter und bürgerlicher Elemente zusammensetze. (Sie erzählte Frieda Groß, daß sie sich, je stärker ihr Lebensstil voneinander abwich, das heißt je bohemehafter Frieda und je bürgerlicher Else wurde, einander um so näher fühlten.) Edgar, so meinte sie, sei durch seine Nervosität und Unproduktivität für das bürgerliche Leben ungeeignet. Doch die Ereignisse sollten beweisen, daß es seine Vorstellungskraft war, die im stärksten Widerspruch zum bürgerlichen Leben stand.

Durch die Heirat Elses muß Frieda den absoluten Unterschied erkannt haben, den es zwischen ihr und ihrer Schwester gab und den sie schon seit langem gefühlt hatte. Diese Erkenntnis aber speiste ihre zornige Rebellion gegen »geistige« und »intellektuelle« Werte und gegen die zynische Einstellung zum Leben überhaupt – es war dies der insgeheime Zynismus, dem wir im ›Regenbogen‹ bei Winifred Inger oder bei Tom Brangwen junior begegnen. Wie sich dies auf die Beziehung der Schwestern auswirkte, geht aus Lawrences Darstellung hervor: »Mary hatte unrecht, unrecht, unrecht; sie war nicht überlegen, sie war mangelhaft, unvollständig. Die beiden Schwestern standen voneinander getrennt. Sie liebten einander immer noch und sie würden einander lieben, so lange sie lebten. Doch ihre Wege hatten sich getrennt.«

Meiner Meinung nach dürfen wir das als Bemerkung Frieda Weekleys über Else Jaffe interpretieren. Die Tatsache, daß Frieda bereits 1902 verheiratet und Mutter war, machte ihren späteren Anspruch auf Liebe kühner, ungeduldiger und heftiger. Und eben weil sie ihren Professor heiratete, *bevor* Else sich zur Ehe mit Edgar Jaffe entschloß, muß Elses Wahl den Eindruck eines gezielteren, verantwortlicheren und bewußteren Schrittes vermittelt haben. Und so begegnen wir im ganzen Werk Lawrences Friedas Einstellung zu derartigen »geistigen« und »intellektuellen« ehelichen Verbindungen.

Doch der Standpunkt von Frieda und D. H. Lawrence war sehr unzureichend, wenn es darum ging herauszufinden, was an Edgar Jaffe interessant war. Er war eine *sehr* interessante Persönlichkeit, und so darf man sagen, daß ihr Unvermögen, dies zu erkennen, ihren eigenen Standpunkt fragwürdig macht. In der Welt der Frau war er nichts; das aber war alles, was für sie zählte.

Edgar Jaffe habilitierte sich 1904 mit einer Arbeit über das englische Bankwesen, die auch veröffentlicht wurde. Im selben Jahr erwarb er von Heinrich Braun das ›Archiv für Sozialwissenschaft und Sozialpolitik‹, das er dann Max Weber anbot. Mit diesem Schritt leistete Edgar Jaffe einen wesentlichen Beitrag nicht nur zur Entwicklung der Soziologie in Deutschland, sondern auch – auf eine sehr persönliche Art – zur beruflichen Karriere Max Webers. Jaffe, Weber und Werner Sombart waren die Herausgeber, doch blieb Weber eindeutig die dominierende Persönlichkeit in diesem Triumvirat. Unter seiner Führung machte das ›Archiv‹ eine lange und bemerkenswerte Entwicklung durch.

Man kann nur vermuten, daß Else Jaffe dieses Projekt in die Wege leitete, obwohl es natürlich auch möglich ist, daß sich Jaffe einzig und allein durch seine Bewunderung für Max Weber zu diesem Schritt entschloß, und daß Else diesen Entschluß nachträglich guthieß. Edgar Jaffe war ein Mensch, der es liebte zu helfen, vor allem, indem er den Lebensweg von Persönlichkeiten ebnete, die größer waren als er selbst.

In seinen eigenen Arbeiten entpuppt sich Jaffe als klar formulierender Autor und kompetenter Fachmann für wirtschaftliche Fragen, während er sich als weniger tiefer Geist erweist, wenn er sich mit politischen Problemen auseinandersetzt. Auch Else war eine klar formulierende und interessante Autorin, möglicherweise mit einer etwas stärker ausgeprägten Individualität als ihr Mann, doch waren ihr im Grunde dieselben Grenzen gesetzt. Beider Arbeiten lassen einen zugleich bescheidenen und geschulten Geist erkennen, der sich seiner Grenzen bewußt ist und die Regeln der intellektuellen Fairneß achtet. Häufig äußert er Dinge, die auch Lawrence als Thema behandelte, und er tut dies auf zurückhaltende und besonnene Weise. So schreibt er in seinem 1913 entstandenen Essay ›Die Arbeiterfrage in England‹ daß sich die neue Generation der Oberschicht abwende vom rohen materialistischen Konkurrenzkampf und den Wunsch habe, die Früchte der Mühsal ihrer Väter in angenehmen kulturellen Beschäftigungen zu genießen. Lawrence behandelt dieses Thema in ›England, mein England‹. Wir begegnen also auch in Deutschland einer Lockerung der patriarchalischen Denk- und Lebensweise. Jaffe selbst erlebte diese Lockerung von Wertmaßstäben zu jener Zeit in München. Doch interessierte er sich auch für eine Art von Wohlfahrtsstaat-Sozialismus, und begeistert schildert er Lloyd George und seine soziale Gesetzgebung. Obwohl er mit dem Syndikalismus und mit der direkten Aktion unter Umgehung des Parlaments liebäugelte, war sein Denken bis zur Revolution von einem Reformismus geprägt, der für die Heidelberger Politik von damals typisch war.

Auf die Rolle, die er in der Revolution spielte, werden wir am Ende dieses Kapitels eingehen, doch möchten wir an dieser Stelle bereits auf die Tatkraft und den Unternehmungsgeist hinweisen, mit denen sich Edgar Jaffe dem Leben in Schwabing widmete, nachdem er im Herzen der wesentlich pflichtbewußteren und »zivilisierteren« Gesellschaft Heidelbergs gelebt hatte. Er befreundete sich mit Otto Groß, der vielleicht brillantesten Persönlichkeit Münchens. Fanny zu Reventlow, die sich in ihrer Zeit auf ganz bemerkenswerte Weise emanzipiert hatte, war seine Geliebte. Er wurde zum Mäzen der modernen Kunst, indem er neue Gemälde erwarb und die Maler unterstützte. Im Verlauf des Krieges wandelte er sich zum Pazifisten, zum Sozialisten und schließlich zum Revolutionär, der Kurt Eisner half, den König von Bayern zu entthronen. So scheu er in seiner Art auch sein mochte, sein Verhalten war voller Farbe und Kühnheit. Doch zu jener Zeit lebte er bereits von seiner Frau, wenn auch formlos, getrennt.

Die Ehen aller drei Schwestern scheiterten – es sei denn, man nimmt von Johanna an, sie habe nur deshalb geheiratet, um in aller Freiheit ihren Liebesaffären mit anderen Männern nachgehen zu können. Doch während Frieda in der englischen Provinz landete, wo ihr nur ihre Kinder blieben, um ihren stärksten Impulsen und ihrem kühnsten Ehrgeiz dürftigen Ausdruck zu geben, hatte Else Heidelberg, dessen Geistesleben damals in voller Blüte stand. Sogar ihre Ehe muß von vornherein den Eindruck erweckt haben, als sei sie die Verbindung zweier Geister, die als hervorragende Schüler von Max Weber so ganz im

Sinne der Heidelberger Szene waren. So aber kam es, daß Else, auch als diese Verbindung eindeutig gescheitert war, immer noch in Heidelberg blieb.

Die deutschen Universitäten zählten damals zu den größten Europas. So gab es zum Beispiel 1895 an der Sorbonne nur 30 amerikanische Studenten, während sich an der Berliner Universität 200 Amerikaner immatrikuliert hatten. Und die beiden badischen Universitäten in Heidelberg und Freiburg zeichneten sich, vor allem in Philosophie, Geschichte und in den Sozialwissenschaften, vor allen anderen aus. Vor 1870 waren die ausländischen Studenten, das galt zumindest für die Amerikaner, vor allem der Wissenschaft und der Medizin halber nach Deutschland gekommen, während es in den letzten drei Jahrzehnten des 19. Jahrhunderts die freien Künste und die Sozialwissenschaften waren, die viele ausländische Studenten nach Deutschland zogen. An den beiden badischen Universitäten wurden mehr radikale Gesellschaftstheorien entwickelt und diskutiert als an anderen deutschen Universitäten. Da sich die Gesellschaftskritiker wohler fühlten, wenn sie von der Hauptstadt eine gewisse Entfernung trennte, verschob sich der Schwerpunkt des Radikalismus nach Baden, während die Berliner Universität zum Mittelpunkt des offiziellen Chauvinismus der wilhelminischen Ära wurde.

Politisch gesehen war Baden das Zentrum des deutschen Liberalismus. Die herrschende Dynastie war politisch liberal und beim Volk beliebt, die Regierung galt als die verfassungsmäßig liberalste in ganz Deutschland. Fürst Max von Baden wurde – als Zugeständnis an die Liberalen – im Jahr 1918, das die Niederlage der preußischen Armee brachte, zum deutschen Kanzler ernannt.

Zudem verhielt sich Baden Akademikern gegenüber gastfreundlich: Während der preußische Erziehungsminister Althoff – mit dem Max Weber einen heftigen Zusammenstoß hatte – ein wahrer Tyrann war, erwies sich der badische Minister, Sigismund von Reitzenstein, als ein großer Staatsmann von akademischer Bildung. Außerdem war der Großherzog Rektor der Heidelberger Universität, und die Herrscherfamilie interessierte sich für universitäre Angelegenheiten. Und schließlich erhielten die Heidelberger Professoren ein wesentlich besseres Gehalt als ihre Berliner Kollegen und genossen ein höheres gesellschaftliches Ansehen.

Heidelberg war für die deutsche Geisteswelt das, was Weimar

ein Jahrhundert zuvor gewesen war. Einige Professoren gaben Woche für Woche ihre förmliche Einladung, während das bei anderen Bürgern nur ein- oder zweimal pro Jahr geschah. Professor Heinrich von Thode zum Beispiel gab glänzende Empfänge. Seine Frau, Daniela von Bülow, die Tochter von Richard und Cosima Wagner, gab jeden Montag einen Nachmittagsempfang, nachdem die Gäste die kunsthistorische Vorlesung ihres Mannes besucht hatten. Unter den drei bedeutendsten intellektuellen Kreisen Heidelbergs kurz vor dem Krieg – dem Thode-, Stefan George- und Weber-Kreis – war der Konversationston im festgefügten ersten Kreis dogmatisch und förmlich, während der Webersche Kreis seinem gesellschaftlichen Stil nach der schlichteste war.

Im Weberschen Kreis begegnete man verschiedenen prominenten Frauen: Neben Marianne Weber und Else Jaffe verkehrten dort Marie Baum, die Else als Gewerbeinspektorin von Baden ersetzte, Gertrud Jaspers und Gertrud Simmel. Das Geistesleben dieser Stadt scheint sich weniger in Salons als in Form von weniger förmlichen zahlreichen Lesungs- und Diskussionsgruppen abgespielt zu haben. Jedenfalls fand ein ständiger Gedankenaustausch statt, ein Austausch, der Teil war eines jeden gesellschaftlichen Ereignisses und jedes Lebensaspekts.

In der wilhelminischen Ära versammelte sich in Heidelberg eine große Anzahl glänzender Persönlichkeiten: Es waren dies Wilhelm Windelband und Heinrich Rickert in der Philosophie, Ernst Troeltsch in der Theologie, Max und Alfred Weber in der Soziologie, Emil Kraepelin und Karl Jaspers in der Psychologie und Friedrich Gundolf in der Literatur. Heidelberg verkörperte eines der Zentren des Liberalismus der ganzen Welt. 1907 lebte dort Muhammed Iqbal, der Philosoph, Dichter und geistige Führer Pakistans. Bei den stets am Sonntag stattfindenden »jours« der Webers lernte Else Jaffe Simmel, Gundolf, Georg Lukács, Ernst Bloch, die Pianistin Mina Tobler, die Schauspielerin Kläre Schmid-Romberg und viele revolutionär gesinnte russische Studenten kennen. Leviné zum Beispiel, später eine der führenden Persönlichkeiten der Münchner kommunistischen Regierung, war nach 1905 Student in Heidelberg. Max Weber hielt anläßlich der Eröffnung der Lesehalle 1913 eine Rede, und er meinte, daß er, wenn er wieder lehren würde, sich ein Seminar wünschte, das ausschließlich aus Russen, Polen und Juden bestehen sollte.

In Edgar Salins Erinnerungen stoßen wir auf einen der seltenen Kommentare über Frau Jaffe – diese Seltenheit aber belegt die Kraft ihrer Bescheidenheit. Salin, ein Volkswirtschaftler mit breiten Interessen, schildert sie als Mitglied sowohl des Weber-Kreises in Heidelberg als auch des George-Kreises in München. Als sie 1911 nach München zog, wurde ihr Haus dort für die Jünger Stefan Georges zum gesellschaftlichen Mittelpunkt. Unter den Jüngern Georges war es vor allem Karl Wolfskehl, mit dem sie sich befreundete. Else Jaffe bildete also ein Bindeglied zwischen diesen beiden so unterschiedlichen Kreisen. Dies war eine Rolle, die für einen Großteil ihres Lebens typisch war. Salin spricht von ihr als der »schlanken, zarten Frau mit den ausdrucksvollen Gesichtszügen, in denen so viel Freundlichkeit und so viel Leid sich eingegraben hatten«.*

Doch spielte sich ihr Leben selbstverständlich nicht nur in Heidelberg oder München ab. Else spielte eine wichtige Rolle im Leben ihrer Schwestern, im Leben ihrer Eltern und im Leben ihrer Freunde. Ganz besonders kümmerte sie sich um die Kinder von Freunden. So lebte zum Beispiel Peter Groß, der Sohn von Otto und Frieda Groß, als seine Eltern in die Schweiz gegangen waren, einige Jahre bei den Jaffes; auch Camilla, Regina Ullmanns Tochter, lebte bei den Jaffes, und später war es Percy Gothein, der Sohn Eberhard Gotheins und ein Jünger Stefan Georges, der bei den Jaffes wohnte.

Eine wichtige Rolle in Elses Leben spielten die Menschen, um die sie sich kümmerte. 1918 schickte ihr Otto Groß über eine Freundin eine Nachricht mit der Frage, ob sie sich um ihn kümmern würde, wenn er nach München zurückkehrte. Groß war damals, darauf kommen wir noch, in einer schlimmen gesundheitlichen Verfassung. Doch Else lehnte dieses Ansinnen ab, denn um Otto Groß konnte man sich nicht einfach so kümmern. Er war eine Herausforderung – eine Herausforderung, die sich gegen alles richtete, wofür Heidelberg stand und wofür sie selbst sich stets eingesetzt hatte. Zu Beginn hatte sie diese Herausforderung angenommen, später hatte sie sich indes im Namen der Werte dieser Stadt korrigiert, hatte sie ihn zurückgewiesen und abgelehnt. Denn aus diesen Werten hatte sie ihre Identität bezogen, und durch diese Werte, die ein Teil von ihr waren, war sie gewissermaßen sie selbst geworden.

Heidelberg bot Else Jaffe eine Art zu leben, die sie stark, wenn nicht völlig befriedigte. Sie war nicht nur eine kluge Frau,

* Edgar Salin: Um Stefan George, S. 163

die sich für Ideen interessierte und die großes Geschick an den Tag legte, wenn es darum ging, kluge Männer zu inspirieren und ihnen weiterzuhelfen. Sie war auch eine schöne Frau, eine Frau voller Liebreiz, die nie Dummheiten sagte, nie eine Ungeschicklichkeit beging. Marianne Weber erzählte, daß Else »in der Blüte ihres Frauendaseins und durch Anmut und Geist Mittelpunkt ihres Kreises war«, und daß sie, sogar als sie Heidelberg gegen München eingetauscht hatte, »in näherer innerer Gemeinschaft mit ihren Heidelberger Freunden blieb«.* Marianne beschreibt sie als ein Geschöpf, das dem Grenzbereich zwischen Kunst und Gelehrsamkeit angehörte. Else hatte der Gesellschaft vieles zu geben, doch eben das brauchte sie, um ihre Gaben voll entfalten zu können. Etwas in ihr schien die Leidenschaft zur Perfektion zu verkörpern. Doch nicht siegreich wollte sie sein – dazu war sie zu bescheiden, zu melancholisch, zu sehr Verzicht –, sie wollte nur untadelig, vollkommen sein. Heidelberg aber bot ihr mannigfache Gelegenheiten, um derartige Absichten auch zu verwirklichen.

Frieda dagegen half Nottingham nicht weiter. Sie war in jenen Jahren eine Frau, weder anmutig noch »perfekt«. Auf Fotos aus dieser Zeit zeigt sie sich in theatralischer Pose oder mit theatralischem Ausdruck, kurz bevor die Kamera klickt – oder aber sie sitzt da in niederdrückender Schlampigkeit. Sie ist häufig entweder schüchtern oder triumphierend selbstbewußt, während Else stets »perfekt« ist. Diese Vollkommenheit, so möchte man annehmen, stand in kausalem Zusammenhang zu Friedas Unvollkommenheit. Frieda war nicht in der Lage, durch Abendeinladungen, Vorträge und Konzerte einer Universitätsclique oder durch irgendeinen anderen Aspekt des Lebensstils der Mittelschicht in den englischen Midlands Wirkungen zu erzielen, die dem Stil und Ausdrucksvermögen Elses hätten nahekommen können. Sie fühlte sich in einer Falle gefangen, und als sie 1912 mit Lawrence auf und davon ging und mit ihm zu Fuß über die Alpen nach Italien wanderte, war für sie dieses Abenteuer selbst, bei dem sie ihre Schuhe einfach hinter sich warf, ebenso wichtig wie der Gefährte, mit dem sie unterwegs war. (Einmal behauptete sie sogar, Lawrence und sie hätten, als sie zusammen England verließen, keine großartige Leidenschaft füreinander empfunden.) Sie wollte Europa ganz verlassen und gegen noch nicht zivilisierte Länder eintauschen. Sie wollte

* Marianne Weber: Max Weber. Ein Lebensbild, S. 372

diese Länder nicht bloß kennenlernen. Sie wollte dort *sein*. Sie brauchte sie, um ihr eigenes »atavistisches« Selbst zu verwirklichen. Sie brauchte andere Hintergründe, um ihren *eigenen* Stil zu realisieren. Und in diesem Sinne brauchte sie schließlich auch die Berge und die Wüste von Taos.

Doch was sich ihr zuerst anbot, das waren die Cafés und Ateliers von Schwabing, damals vielleicht das *quartier* in Deutschland, das am stärksten von seiner Boheme geprägt war. Schwabing war ein bedeutender Mittelpunkt der Opposition gegen das Deutschland Bismarcks, und für die Richthofen-Schwestern war Otto Groß die Hauptpersönlichkeit dieses Mittelpunkts.

Otto Groß

Im Internat in Freiburg hatte sich Else von Richthofen eng mit Frieda Schloffer aus Graz befreundet. Frieda Schloffer war eine Nichte von Alois Riehl, dem Professor für Philosophie an der Freiburger Universität, und Sophie Riehl, einer gebildeten und fortschrittlich gesinnten Frau. Durch diese Verbindung zur Akademikergesellschaft lernte Else Marianne Weber kennen, mit der sie sich ebenfalls eng befreundete. Ihr mehr oder minder bitteres Los aber war es, daß sie mit den Ehemännern beider Frauen ein Verhältnis hatte. Denn Frieda Schloffer heiratete 1903 den ebenfalls aus Graz stammenden Dr. Otto Groß, der damals als Assistent am dortigen Neurologisch-Psychiatrischen Institut tätig war. Groß war ein bemerkenswerter Mann, der auf beide Richthofen-Schwestern eine tiefgreifende Wirkung ausübte – und durch sie hindurch auf die Männer im Leben der beiden, insbesondere auf Weber und Lawrence. (Frieda Schloffer besuchte die Richthofens häufig in den Schulferien, wobei sie sich auch mit ihrer Namensgefährtin anfreundete, denn ihrem Alter nach stand sie zwischen den beiden Schwestern.)

Frieda Schloffers Mutter hatte an verschiedenen »hysterischen« Krankheiten gelitten, und auch ihre Tochter konnte wochenlang nicht schlafen, litt an Kopfschmerzen, Schmerzen in den Beinen und anderen Beschwerden, von denen sie wußte, daß sie psychosomatisch bedingt waren. Sie führte sie auf ihr unglückliches Leben in Graz und auf ihre Rebellion gegen ihre Rolle als Tochter aus gutbürgerlichem Hause zurück. 1900 schrieb sie Else, daß ihr der Arzt, der sie einmal pro Woche besuche, verboten habe, Klavier zu spielen oder zu schreiben; er habe ihr geraten, der Ruhe und der Heiterkeit zu pflegen. Auch ihre geliebte Tante, »Maman« Sophie, litt an nervösen Ausschlägen und verbrachte einen Großteil ihres Lebens in den verschiedensten Kurorten. Frieda Schloffer aber befürchtete, ein ähnliches Los könnte auch sie ereilen. Sie war ein überaus romantisches und musikalisches Geschöpf, das Wagner über alles liebte und Else von Richthofen geradezu verehrte. Sie bewunderte und fürchtete zugleich Elses Entschlossenheit und Unabhängigkeit. In einem ihrer Briefe, den sie schrieb, kurz bevor sie Otto Groß kennenlernte, spricht sie von ihrem Bedürfnis, Kindern, Kranken und Armen zu helfen, des weiteren davon, wie abgekapselt sie in Graz von solchen Menschen lebte. Als sie 1902 in den Bann von Otto Groß geriet, gab dieser ihrer Rebellion und ihrem Idealismus eine völlig neue Richtung, was jedoch nicht hindern sollte, daß sie Else ihr ganzes Leben lang verbunden blieb.

Otto Groß, der zehn Monate jünger war als sie (und drei Jahre jünger als Else), galt in der Grazer Gesellschaft bereits als ein schwarzes Schaf. Als sie sich kennenlernten, hatte er eben eine Morphium-Entziehungskur hinter sich. Sie heirateten gegen den Widerstand ihrer Familien und lebten in der Grazer Gesellschaft fast völlig isoliert. Sie lasen viel – vor allem die russischen Romanciers und das Alte Testament –, und sie entwickelten zusammen seine, Ottos, Ideen. Frieda Groß schrieb an Else, Otto hätte zwei Lieben – die eine sei sie selbst und die andere sei die zur Theorie. Das stimmte insofern, als Ideen für Otto Groß eine Substanz und innere Kraft besaßen, wie sie von anderen selten empfunden wurden. Seine Beziehung zur Gedankenwelt war voller Leidenschaft. Frieda Groß schrieb auch, daß ihre Liebe zu ihm stark mütterlich gefärbt sei, und daß er sie wegen ihrer Neigung, ihn als Kind zu sehen, gern necke.

Sie waren glücklich miteinander in Graz, aber in ihrer gesellschaftlichen Abkapselung fühlten sie sich nicht wohl. Otto Groß brauchte gesellschaftlichen Umgang, vor allem den Umgang mit Künstlern, und so entschlossen sie sich, nach München zu gehen, obwohl ihm die Assistentenstelle, auf die sie warteten, noch nicht fest zugesagt worden war. 1906 zogen sie um, und Frieda Groß, die gerade ein Kind erwartete, lud Else Jaffe zu sich ein. Anscheinend gingen Else Jaffe und Otto Groß fast von Anfang an eine erotische Beziehung zueinander ein. Doch da die Erotik für Otto Groß eine moralische Doktrin, ja eigentlich eine Religion war, sollten wir diese Beziehung nicht als »Affäre« bezeichnen, insoweit mit diesem Wort ein heimliches, hemmungsloses und unmoralisches Verhältnis gemeint ist. Die erotische Emanzipation war das Gegenteil all dessen, für Otto Groß eine echte Kampfsache. Obwohl bereits Mutter zweier Kinder, glaubte Else Jaffe zum ersten Mal ihre wahre Natur zu entdecken – eine Beobachtung, die sie ihrem Tagebuch anvertraute.

Otto Groß war der einzige Sohn von Hans Groß, dem österreichischen Kriminologen, auf dessen Persönlichkeit einzugehen unerläßlich ist, denn das, was Bismarck für die Öffentlichkeit verkörperte, verkörperte Hanns Groß für das Privatleben seines Sohnes. Als Professor für Kriminologie in Graz sollte er berühmt werden, doch als sein Sohn heiratete, war er noch Professor in Prag. 1905 wurde er nach Graz berufen, im Jahr darauf zog sein Sohn nach München – dieses zeitliche Zusammentreffen war keineswegs zufällig, da Vater und Sohn einander geradezu haßten.

Hans Groß' Familie, die Familie seiner Frau und auch die Familie von Ottos Frau – sie stammten alle aus Graz. Hans und Otto Groß studierten dort, und Hans Groß wirkte 30 Jahre lang als Richter unweit von Graz, bevor er die akademische Laufbahn einschlug. Als Untersuchungsrichter mußte er mit den ansässigen Polizeibeamten zusammenarbeiten, bei denen es sich gewöhnlich um einstige Soldaten handelte. Diese Leute waren wissenschaftlich völlig ungeschult, ja eigentlich waren sie in jeder Hinsicht ungeschult, wenn man von ihrem harten, militärisch-autoritären Auftreten einmal absieht. So aber machte es sich Hanns Groß zur Lebensaufgabe, Untersuchungsrichter und später auch Polizeibeamte in wesentlich genaueren Methoden auszubilden – er wollte die Rechtsvollstreckung rationalisieren und systematisieren und die ganze wissenschaftliche Maschinerie in diesem Bereich zum Tragen bringen: gegen Zigeuner, Landstreicher, Wahrsager, Vagabunden und Obdachlose. Schließlich gelang es ihm, die wissenschaftliche Kriminologie zum Studienfach an der Universität von Graz zu machen.

Graz war die Hauptstadt der Steiermark und nach Wien – allerdings weit hinter Wien – die zweitgrößte Stadt Österreichs. Graz war eine Provinzstadt, friedlich und altmodisch. Es besaß eine Burg aus dem 11. Jahrhundert, einen Dom aus dem 15. Jahrhundert, eine Universität aus dem 16. Jahrhundert, und sein Gesellschaftsleben war offenbar genauso versteinert wie jenes, das Musil im dritten Teil seines Romans ›Der Mann ohne Eigenschaften‹ beschreibt. Doch die Psychiatrisch-Neurologische Klinik der Universität war nach der in Wien die beste im ganzen Land. Geleitet wurde sie von 1873 bis 1889 von Baron Richard von Krafft-Ebing und von 1889 bis 1893 von Wagner-Jauregg – beide Männer gingen anschließend nach Wien, um dort eine Klinik zu übernehmen. Von 1894 bis 1905 leitete Gabriel Anton die Grazer Klinik; unter ihm arbeitete Otto Groß, der sich in seinen frühen Abhandlungen verschiedentlich dankbar auf ihn bezog. Diese Männer waren auf einem Gebiet tätig, auf dem in diesem Jahrzehnt in moralischer wie gesellschaftlicher Hinsicht eine hochexplosive Atmosphäre herrschte, denn die Kräfte, aus denen die Psychoanalyse hervorging, wirkten nicht bloß durch Freud, sondern durch viele andere. Kurz gesagt, Graz war eine altmodische und angesehene Stadt, die eine höchst gefährliche Enklave in sich barg. Otto Groß aber verband sich ausschließlich mit dieser Enklave der psychosexuellen Spekulation und wurde darin zum radikalsten Neuerer.

Hans Groß war in seinem völlig anders gearteten Fachbereich selbst ein Neuerer. Seine deutsch sprechenden Bewunderer feierten ihn als Vater der Kriminologie, denn er war es vor allen anderen, der in den deutschsprachigen Ländern die Kriminologie als eigenständige akademische Disziplin einführte. Sein ›Handbuch für Untersuchungsrichter‹ aus dem Jahr 1893 wurde 1895, 1898, 1904, 1907 und 1913 neu aufgelegt und rasch in alle europäischen Sprachen übersetzt. Es wird auch heute noch als Standardwerk benutzt.

Ein französischer Bewunderer hat Hans Groß folgendermaßen charakterisiert: »Als unermüdlicher Beobachter, als weitsichtiger Psychologe, als Richter, der voller Eifer die Wahrheit suchte, ganz gleich, ob sie für oder gegen den Angeklagten sprach, als geschickter Handwerker, sowie als Zeichner, Fotograf, Modellierer und Waffenmeister, der er war und der aufgrund langjähriger Erfahrung ein gründliches Wissen über die Praktiken von Verbrechern, Räubern, Landstreichern, Zigeunern und Betrügern erworben hatte – durch diese vielfältige Begabung also erschließt er uns die Forschungsarbeit und die praktischen Erfahrungen vieler Jahre. Sein Werk ist keine trockene oder rein technische Abhandlung; es ist ein lebendiges Buch, weil es erlebt worden ist.« Was uns in diesem Zusammenhang am stärksten fesseln dürfte, ist Hans Groß' gründliches

Wissen über Verbrecher – ein Wissen, das sein Sohn teilte, nur daß eben Otto Groß den Asozialen *Sympathie* entgegenbrachte. Tatsächlich wurde *er selbst* zum Kriminellen, zum Landstreicher, zum Betrüger und so weiter.

In seinem Werk ›In Search of Criminology‹ (›Studien zur Kriminologie‹) schreibt Professor Radzinowicz, Hans Groß habe eigentlich nicht die Kriminologie, sondern die Kriminalistik, die Wissenschaft der Verbrechensaufklärung, ins Leben gerufen. Ihn interessierte weder die Lehre vom Strafvollzug noch die Soziologie des Verbrechens; was ihn fesselte, war einzig und allein, Verbrecher zu überführen und weitere Verbrechen zu verhindern. Von der Methode her gesehen war er ein Linnaeus auf seinem Gebiet, der zahllose Fälle sammelte und klassifizierte, aber ein guter Theoretiker war er nicht. Er hegte die recht naive Überzeugung, daß aus seiner Arbeit von selbst wissenschaftlich wertvolle Verallgemeinerungen hervorgehen würden. 1926 bezeichnete Hans Gruhle Groß' ›Kriminalpsychologie‹ als ein übles Stück Populärwissenschaft. (Gruhle, ein Freund von Weber und Else Jaffe in Heidelberg, gehörte zu den Leuten, die den verhungernden, ja sterbenden Otto Groß in Berlin in einem Durchgang zu einem Lagerhaus fanden.) Ungeachtet dieser Kritik Gruhles schreibt Professor Radzinowicz die Einführung dieser Wissenschaft in Österreich Hans Groß zu, das heißt »den beharrlichen Bemühungen eines einzelnen, der seinen Feldzug lange Zeit so gut wie völlig isoliert führte«. Zudem hält sich sein Institut in Graz auch heute noch – also nach zwei Weltkriegen – an die Richtlinien, die ihm Hans Groß, »diese starke Persönlichkeit«, mit auf den Weg gab.

Sein Werk ›Kriminalpsychologie‹ erschien 1897. Da es viele Fälle mit Querverbindungen zwischen psychischer Anomalität, Verbrechen und sexueller Anomalität enthielt, trug es natürlich zum wachsenden Interesse an der Psychopathologie bei. Vater und Sohn teilten dieses Interesse. Die zweite Auflage von 1905 zitiert zweimal Otto Groß, und die amerikanische Auflage von 1911 bezeichnete Otto Groß als bekannten Spezialisten auf dem Gebiet der Geistesstörungen, der mit seinem Vater zusammenarbeite. Hans Groß veröffentlichte neben vielen anderen Büchern zwei Bände mit kriminologischen Essays. Und 1899 gründete er das ›Archiv für Kriminalanthropologie und Kriminalistik‹, eine Zeitschrift, die er bis zu seinem Tod 1915 herausgab. Alles, was er unternahm, hatte auf die eine oder andere Weise mit Verbrechen zu tun.

Ein Merkmal, das seine Kriminologie von anderen Gattungen dieses Namens unterschied, war ihre eklektische Vielfalt, das heißt, Hans Groß versuchte die verschiedensten spezialisierten Wissensgebiete, angefangen von der Wissenschaft des Fingerabdrucks bis hin zu Röntgentechniken und psychologischen Theorien, unter ein und denselben Hut der Kriminalistik zu bringen. Dabei wagte er sich sogar an einen Gegenstand, der so spekulativ war wie die »Psychologie der Frau«. Doch dem Geist und der Intention nach war seine Arbeit stets positivistisch. Er nahm Augenzeugenberichte für »wissenschaftliche« Evidenz, und sein Augenmerk galt weniger der Natur des Verbrechens als der des Verbrechers. Unter den Begriffen »kriminell« und »krimineller Typus« ordnete er auch Personen ein, die unter bestimmten Umständen Verbrechen begehen *würden*. Er war Wissenschaftler, Militär und Polizist in einem. Und schließlich liebte er, so erfahren wir von einem seiner Bewunderer, das Amt des Richters, und er hatte den Wunsch, den Rechtsprozeß stärker der Obrigkeit unterzuordnen, damit eben dieser Prozeß weniger behindert würde durch formale und demokratische Verfahrensweisen.

In einem Essay aus dem Jahr 1905 über ›Degeneration und Deportation‹ vermittelt Hans Groß einen Eindruck von der brutalen Energie seines Denkens. Wir müssen Degenerierte deportieren, um unsere Gesellschaft zu erhalten, so argumentiert er. Degenerierte seien gefährlicher als Kriminelle, da es den letzteren, bisweilen zumindest, nicht an Lebenskraft mangle. Außerdem gebe es viele Degenerierte, die, obwohl sie eine Gefahr für den Staat darstellen, nicht als kriminell verfolgt würden. Ihre Bestrafung sei zwecklos. Bestrafung sei etwas, das wir zu dem motivationalen Parallelogramm der Kräfte hinzufügen, um sicherzugehen, daß der resultierende Vektor sozial gesehen gut ist. Doch der Geist des Degenerierten ist verkrüppelt und für Bestrafung unempfänglich. Der Landstreicher, der Revolutionär, der Gewohnheitsdieb, der Päderast, sie alle können weder bekehrt noch geheilt werden. Das ist der Fehler der Gesellschaft, das ist der Fluch, den die Kultur für die Zivilisation mit sich bringt. Die kulturellen Prozesse verkehren die natürlichen Prozesse in ihr Gegenteil, indem sie die schwächeren Typen stärken und züchten. Diese Typen aber müssen wir aus der Kultur und somit aus der Gesellschaft entfernen. Wir müssen sie lebenslänglich nach den Kolonien verschicken. Die einen werden untergehen und die anderen – das geschah in Australien –

regenerieren. Südwestafrika wäre der geeignete Ort für *unsere* Degenerierten. (Um 1913 verfaßte er eine Arbeit zum Thema ›Kastration und Sterilisierung‹. Die Tatsache, daß er seinen Sohn im selben Jahr verhaften ließ, erklärt dieser als Racheakt dafür, daß er, Otto Groß, kurz davor für eine psychoanalytische Zeitschrift einen Essay über die sozialen Funktionen des Sadismus verfaßt hatte, in dem er das öffentliche und private Leben seines Vaters als Musterbeispiel angeführt hatte.)

Otto Groß war die lebende Antithese zu seinem Vater. Sein ganzes Denken war auf totale Freiheit ausgerichtet, und er lehnte jegliche patriarchalische Autorität ab. Im Gegensatz zu allen anderen Hauptfiguren, denen wir in diesem Buch begegnen, wuchs Otto Groß in einem Zuhause auf, in dem der Vater die Mutter völlig überragte. Das ging so weit, daß Otto seine berufliche Laufbahn in Zusammenarbeit mit seinem Vater begann. Er studierte Medizin und spezialisierte sich auf Neurologie und Psychiatrie. Seine ersten Arbeiten veröffentlichte er – in sehr jungem Alter – im ›Archiv‹ seines Vaters. Eine glänzende Laufbahn schien ihm bevorzustehen, die sich von der seines Vaters unterschied und zugleich auch gewisse Parallelen aufwies. Doch bereits in seinem ersten veröffentlichten Essay, sich mit den Hemmungsmechanismen der Gesellschaft befaßte, setzt sich Otto Groß mit den emotionalen Problemen der Gerechtigkeit auseinander. Obwohl unerläßlich, seien die Strafen der Gesellschaft grausam und »ungerecht«. Die Unglücklichen, deren Psyche nicht die richtigen Hemmungen bereithalte, müßten zum Wohl der anderen leiden. Obwohl zum Verbrechen geradezu verurteilt, müßten sie für das, was sie tun, bestraft werden. Und obgleich es ein Vergeltungstrieb sei, der den Ursprung aller »Gerechtigkeit« bilde, müsse Gerechtigkeit geübt werden. Der Begriff »Gerechtigkeit« berge einen unvereinbaren Widerspruch in sich.

Das aber erklärt, wieso sich Otto Groß von Anfang an im Widerstreit zu dem befand, was sein Vater darstellte. Seiner Erscheinung, seinem Temperament und seinem Lebensstil nach war er tatsächlich die lebende Antithese zu seinem Vater – Otto Groß war so ganz glühender Idealismus und ästhetisches Gefühl, so ganz Überempfindlichkeit und gefühlsbetonter Extremismus.

Daher überrascht es nicht, daß er in seinem ersten Buch die Gegensätzlichkeit zwischen seinem Vater und sich selbst anhand ihres jeweiligen psychologischen, kulturellen und histori-

schen Typus definierte. Das fünfte und letzte Kapitel dieser
Arbeit behandelt die Unterschiede der Individualität in verschiedenen Epochen. Der Autor differenziert zwischen zwei
psychischen Typen, denen man sowohl unter normalen als auch
anormalen Personen begegnet. Auf der einen Seite gebe es das
breite und oberflächliche Bewußtsein, das Tatsachen aller Art
rasch begreife, um sie dann vorteilhaft in den Dienst kurzfristi-
ger Ziele zu stellen, und auf der anderen Seite begegneten wir
dem schmalen und tiefen Bewußtsein, dem es nur langsam
gelinge, Tatsachen zu begreifen und zu nutzen, das stark
beeinflußt werde durch Bedeutungen und das voller Gefühlstiefe sei.

Beim ersten Typus, so meint Otto Groß, sei das Gefühlsleben
stets primitiv. Manche dieser Menschen hätten Ideale, für die sie
sich heroisch aufopferten, und in diesem Sinne dürfe man ihr
Gefühlsleben als idealistisch bezeichnen. »Aber immer ist es
banal«, ergänzt er. Denn vor allem mangle es diesen Menschen
stets an der vielfältigen und eng verquickten Beziehung zwischen Bewußtsein und erotischer Imagination. Diese enge Beziehung zwischen dem erotischen Faktor und den höheren Vorstellungen von ästhetischen, ethischen und gesellschaftlichen
Dingen aber verleihe eben diesen Vorstellungen ihren entscheidenden Einfluß und ihre ursprüngliche Schönheit. Doch bei
dem Typus, dessen Bewußtsein in die Breite gehe, bewege sich
die Sublimierung des erotischen Triebs immer nur in den Grenzen der Trivialität.

Bei dem Typus, dessen Bewußtsein in die Tiefe gehe, gebe es
dagegen einen starken Trieb zur Harmonie und zur einheitli-
chen Erfahrung, zur symbolischen Abstraktion und zur Verein-
fachung des Komplexen. Das aber führe zu jenem »feinfühligen« Menschen, der unfähig ist zu achtloser und ungehemmter
Selbstäußerung und der eher zum ästhetischen denn zum gesellschaftlich wirksamen Handeln neigt. Von solchen Menschen
werde die Welt auf symbolische und visionäre Weise erfaßt, und
die Begabtesten unter ihnen setzten neue Ideale in die Welt.
(Natürlich lassen sich sowohl Otto Groß als auch D. H. Lawrence diesem Typus zuordnen.)

Die Gegensätzlichkeit dieser beiden Typen lasse sich anhand
der Antithese zwischen dem Zivilisationsmenschen und dem
Kulturmenschen beschreiben – oder zwischen dem Mann der
Praxis und dem der Ideen oder zwischen dem realistischen
Kämpfer und dem einsamen Bildner von Ideen. Der erste Typus

eigne sich für stürmische Zeiten, in denen Imperien errichtet werden, während der zweite Typus das Ergebnis der Hochkultur sei, die aus Imperien entstehe. (Otto Groß sah diese Polarität zweifellos belegt einerseits durch die Gründerjahre der Bismarckschen Ära und andererseits durch die neue Ära einer Hochkultur, verkörpert in Rilke und Kafka – die er später kennenlernen sollte. Max Weber hätte ihm natürlich dargelegt, daß die »stürmische Zeit« nie vorüber sei.)

In den Perioden der Hochkultur aber verlieren die alten naiven Wertvorstellungen, von denen die Gesellschaft beseelt worden war, ihren Wert, so daß neue Werte entwickelt werden müssen. Die moderne Kunst veranschaulicht diesen Trend. Dort, wo andere Zeiten einst oberflächliche Ornamente forderten, wollen wir heute Einfachheit und Tiefe. Im Gegensatz zum Menschen von heute war der Mensch damals unfähig, in ein großes, einfaches, einzigartiges und in seiner ganzen Fülle verwirklichtes Bild einzutauchen. So variierten zum Beispiel die großen Architekten von einst ihre Details im Ornament, während das bei den Architekten von heute nicht der Fall ist; das Haus der Wiener Sezession zeichnet sich durch eine Tonskala-Allegorie aus, auf der ein und dieselbe Figur in zwanzig verschiedenen »Modulationen« erscheint. Wir mögen diese Wiederholung von Linien. Wir sprechen an auf das Ideale und das Symbolische. Durch Schlichtheit zur Harmonie – das ist das Ziel jeglicher Hochkultur-Kunst, das Ziel jeglicher modernen Kunst. So ungefähr lauten Otto Groß' Ausführungen.

Er identifizierte sich stillschweigend nicht nur mit dem Stil der Wiener Sezession, einer Variante des Jugendstils und der Art Nouveau, sondern mit den damaligen künstlerischen Wertvorstellungen überhaupt – somit aber auch mit München-Schwabing, dem Hauptzentrum des deutschen Jugendstils und einem wesentlichen Zentrum moderner Kunst überhaupt. Seine Gedanken über die Kunst ähneln stark den Äußerungen Kandinskys, die dieser 1910 in seinem Werk ›Über das Geistige in der Kunst‹ niederlegte und 1912 veröffentlichte. Dieses Werk Kandinskys wird als eines der entscheidenden Manifeste der modernen Kunst betrachtet, und Otto Groß' Essay greift ihm auf verblüffende Weise vor. Da er 1897 und 1898 in München Medizin studiert hatte, kam er mit allem in Berührung, was am Münchner Geistesleben am fortschrittlichsten war. Daher bedeutet der Nachdruck, den er auf das Erotische legt, mehr, als man zunächst glauben möchte, denn die Erotik war damals in

Schwabing eine ausgefeilte, einflußreiche Lebensphilosophie. Tatsächlich sollten sich die Werte, welche die alten simplen Werte der patriarchalischen Gesellschaft ersetzten, als die matriarchalischen Werte Schwabings entpuppen. Doch möchten wir uns zunächst noch eingehender mit Otto Groß' Leben befassen.

Offenbar äußerte sich bereits in seiner Kindheit seine glänzende Begabung, und der Vater erzog seinen einzigen Sohn »wie einen Prinzen« – so formulierte es zumindest Frau Jaffe. Seine Erziehung empfing er sowohl durch Privatlehrer als auch durch Schulen, und so wuchs er heran – ein übergescheiter und eigenartiger Junge. Wein und Fleisch lehnte er ab – »Fort mit euren Kadavern« –, doch wurde er schon früh kokain- und opiumsüchtig. Er war ein hübscher, athletisch wirkender Bursche – manche Autoren erwähnen seinen federnden, weitausholenden Schritt –, doch wurde er für den Militärdienst wegen einer Schulterverrenkung für untauglich erklärt. Als Student war er still, fleißig, wohlerzogen. Frieda Schloffer erzählte Else, daß Otto, bevor er sich mit ihr verlobt hatte, stets vor jenen intimen Beziehungen, von denen er so glühend träumte, angewidert oder enttäuscht zurückgewichen war. Seine intellektuellen Interessen galten der Botanik und Biologie. Ein glänzender Redner und ein noch besserer Zuhörer, war er zugleich von sanfter und empfänglicher Wesensart. Als er promoviert hatte, reiste er als Schiffsarzt häufig nach Südamerika, und Frau Jaffe erinnert sich noch 1971 an seine Erzählung von Punta Arenas – wie er dort auf den Pazifik hinausblickte und sich am Ende jeglicher Zivilisation fühlte. In Patagonien setzte er seine botanischen Studien fort, die er jedoch noch vor 1900 um der Psychoanalyse willen aufgegeben zu haben scheint; durch die Psychoanalyse aber gelangte er zur kulturellen und politischen Theorie. Dieser hochgewachsene, blonde und blauäugige Mensch mit den leicht geöffneten Lippen, der auch mit vierzig noch sein jungenhaftes Aussehen bewahrt hatte, äußerte in seinen Gesichtszügen und in seinem Benehmen zugleich große Offenheit und Vornehmheit. Sein Profil regte mehrere Autoren zum Vergleich mit einem Raubvogel an, genauer gesagt mit einem fanatischen Falken, denn seine Nase war – im Gegensatz zu seinem fliehenden Kinn – groß und gekrümmt. Doch Teint wie Linienführung waren sehr fein, erinnerten an zerbrechliches Porzellan. Viele Leute, die ihn kannten, erinnerten sich an den zugleich liebevollen und ernsten Blick, mit dem er sich dem

Gesicht seines Gegenübers zuwandte, um darin aufrichtig und aufmerksam zu lesen.

Später entdeckten manche in seinen Gesichtszügen und in seinem Benehmen überhaupt die Schärfe des Fanatismus und die erschütternde Zerstörung. Zurückzuführen war dieser Eindruck auf die grausigen Spuren seiner Drogensucht – die Flekken auf seiner Kleidung und die blutenden Nasenlöcher. Er war immer schon unordentlich gekleidet gewesen. Er war oder schien verantwortungslos, undiszipliniert, gleichgültig gegenüber gewöhnlichen Annehmlichkeiten. Drängte es ihn nicht dazu, aufzustehen, so blieb er den ganzen Tag im Bett; auch konnte es vorkommen, daß er sich tagelang nicht wusch. Brauchte er Geld, bat er den nächsten Freund darum. Und seine Frau, so wußte einer seiner Zeitgenossen zu berichten, pflegte seine Stammkneipen abzuklappern, um seine anstehenden Rechnungen zu bezahlen.

Man kann sich vorstellen, wie sehr diese Lebensweise Frieda Weekley beeindruckte, die eigentlich ebenso »undiszipliniert« war. Ihre Schwester dagegen, die ihn als »sehr diszipliniert« hinstellte, weigerte sich zu glauben, daß er – »*dieser* Otto Groß« – die Bücher und Artikel verfaßt haben könnte, die ihm zugeschrieben wurden, denn für sie wie natürlich auch für Max Weber bedeutete »Disziplin« eine Hauptkategorie. Produktivität war eine *ihrer* Leistungen, eine Leistung, die dem Undisziplinierten nicht gegeben sein konnte.

Selbstverständlich machte Max Weber aus der Disziplin sowohl eine deutende als auch eine wertende Kategorie. In ›Die Bedeutung der Disziplin‹ schreibt er: »... von allen Kräften, die die Wichtigkeit des individuellen Handelns verringern, ist die unwiderstehlichste die *rationale Disziplin*«. Ähnlich wie die Bürokratie, ihr rationaler Sprößling, ist Disziplin unpersönlich, unvermeidlich neutral, ihre Ethik eine Frage der Pflicht. Sie hat zu tun mit dem Pflichtbewußtsein und mit dem Gewissen der breiten Masse – doch Otto Groß war seinem Wesen nach Aristokrat. Er verachtete die plebejische Moral, und fast jeder, der ihn kennenlernte, scheint ihn als »edel« bezeichnet zu haben – sogar Max Weber, der durch Frau Jaffe von ihm hörte. Er benutzte im Zusammenhang mit Otto Groß das Wort »Charisma«, das für ihn eine Art des Machteinflusses bezeichnete, die der Disziplin entgegengesetzt war. Der charismatische Führer, so schreibt Max Weber in ›Die Soziologie der charismatischen Autorität‹, werde von seinen Anhängern als Meister »erkannt«. Er weise sich aus nicht durch etablierte Prüfungskriterien und nicht durch ebenso etablierte Obrigkeiten, da die charismatische Autorität »jeglicher patriarchalischen Herrschaft entgegengesetzt ist«. Er lebe in, jedoch nicht von der äußerlich vorhandenen Ordnung. Er sei der Revolutionär, der alles umwerte. All das trifft auf Otto Groß zu. Aus verschiedensten Berichten erfahren wir, daß der Einfluß, den er auf seine Anhänger ausübte, ganz gleich ob Männer oder Frauen, absolut war. Er verfügte über ihr Leben mit ihrem völligen Einverständnis.

So schreibt zum Beispiel Franz Jung, der selbst eine überragende Persönlichkeit war, in seiner Autobiographie ›Der Torpedokäfer‹: »Für mich bedeutete Otto Groß das Erlebnis einer ersten und tiefen, großen Freundschaft, ich hätte mich ohne zu zögern für ihn aufgeopfert. Dabei stand ich ihm wahrscheinlich äußerlich, genau gesagt, nicht einmal besonders nahe. Es war eine Mischung von Respekt und Glaube, das Bedürfnis zu glauben und zu verehren, aufzunehmen und zu verarbeiten, was er uns ständig einhämmerte. Für Groß selbst war ich vielleicht nicht viel mehr als eine Figur auf dem Schachbrett seiner Gedankenkombinationen, die hin- und hergeschoben werden konnte.«* Das aber ist die Art, wie ein Jünger über seinen charismatischen Meister spricht.

Doch ungeachtet seines Mangels an konventioneller Disziplin scheint Otto Groß auf intellektuellem Gebiet nicht nur ungemein aktiv, sondern auch produktiv gewesen zu sein. Er verfaßte vier Bücher und eine Fülle von Artikeln. Darunter befand sich ein Manuskript mit einem Entwurf für eine neue Ethik, das allerdings zur Zeit seiner Verhaftung im Jahr 1913 verloren gegangen oder zerstört worden zu sein scheint. Übrigens ist ein Großteil seiner Arbeiten durchaus als *diszipliniert* zu bezeichnen. Otto Groß hatte eine Ausbildung als Wissenschaftler genossen, und seine psychologischen Essays sind sehr »wissenschaftlich«. Er kennt den Gegenstand seiner Forschungen genau, und sein Bemühen geht dahin, theoretische Alternativen zur Deckung zu bringen. Bestes Beispiel hierfür ist ›Das Freudsche Ideogenitätsmoment und seine Beziehung zum manisch-depressiven Irresein Kraepelins‹, eine Arbeit, die nicht nur Freuds Theorien mit denen Kraepelins und folglich die Psychoanalyse mit der Psychiatrie aussöhnt, sondern die auch Wernik-

* Franz Jung: Der Torpedokäfer, S. 91

kes und Antons Theorien und andere Meinungen unter einen Hut bringt. Bemerkenswert ist zum Beispiel auch, daß er Hans Drieschs Vitalismus mit großem Mißtrauen begegnete. Diese vitalistische oder Goethesche Auffassung von der Biologie erwies sich als natürlicher Verbündeter der *Lebensphilosophie* und wurde als solcher unter anderem von Alfred Weber aufgenommen. Groß dagegen war zu sehr Wissenschaftler, um die mit dieser Auffassung verbundenen Ideen anerkennen zu können. Sein Wortgebrauch ist stets abstrakt, seine Modellvorstellungen sind mechanisch konzipiert und seine Philosophie ist ausdrücklich monistisch.

Doch gilt unser Interesse in erster Linie seinen nicht ganz so technischen, seinen lebensnaheren psychologischen Ideen und der Art und Weise, wie er diese in die Praxis umsetzte. Diese Ideen unterscheiden sich stark von seiner »wissenschaftlichen« Arbeit, einer Arbeit, die Otto Groß – das erfahren wir von Franz Jung – mit der Zeit als Heuchelei empfand, weil sich in ihr lediglich sein starker Wunsch äußerte, von seinen Kollegen anerkannt und geachtet zu werden. Und aus derselben Quelle erfahren wir, daß Otto Groß eine Menge Manuskripte, die er unter diesem Gesichtspunkt verfaßt hatte, zerstörte, da er sich selbst wesentlich mehr für einen Redner und praktischen Analytiker denn für einen Schreiber hielt – das heißt, er glaubte an sich selbst nicht als Wissenschaftler, sondern als Revolutionär.

Eine von Simon Guttmann verfaßte Kritik über eines seiner Bücher umreißt den besonderen Charakter seiner Psychoanalyse vielleicht am besten. Guttmann erklärt, Otto Groß zwinge die untergründigen Neigungen des Patienten an die Oberfläche, indem er diese tatkräftig unterstütze. »Noch im wurmstichigsten Holzkopf erkennt Groß einen Menschen, eine Bedeutungssphäre, ein Gehirn, eine Metaphysik; so wird er zum Philosophen jedes Patienten. Alles Handeln von Herrn Dr. Groß leitet sich aus dem Gedanken her, daß im Menschen selbst der Ort ist, wo es gilt, die Welt bei den Hörnern zu packen.« Diese Kritik stammt aus dem Jahr 1913, und sie belegt, wie sehr Otto Groß für seine Zeit das war, was für uns heute R. D. Laing oder Timothy Leary sind. Franz Jungs Roman ›Sophie‹, der Groß' Leben behandelt, erhärtet Guttmanns Darstellung. Und so wird verständlich, warum so viele junge Leute ihre ganze Hoffnung auf Otto Groß setzten.

Das soll nicht heißen, daß Groß nicht auch von orthodoxen Psychoanalytikern überschwenglich gelobt wurde. Er war das glänzendste Mitglied jenes Künstlerkreises, mit dem Ernest Jones in München 1908 in Berührung kam, und Jones beschreibt ihn als »die näheste Annäherung an die romantische Vorstellung vom Genie, der ich je begegnet bin … Derart durchdringende Kräfte, die innersten Gedanken anderer zu erraten, sind mir nie wieder begegnet.« Wilhelm Stekel erklärte, Otto Groß' frühe Arbeiten seien ihrer Qualität nach geradezu genial. In einem Nachruf – möglicherweise dem einzigen, der Otto Groß zuteil wurde – schreibt er: »Ich weiß nur, daß ich niemanden kenne, der seine eigenen Kräfte so schrecklich zerstörte, niemanden, der Größeres hätte leisten können.« Erich Mühsam beschreibt Otto Groß als »den bedeutendsten Schüler Sigmund Freuds, dem es wohl zu danken ist, daß die Psychoanalyse aus der einseitigen Betrachtung des Lebens von der sexualen Seite herausfand zur Erkenntnis der sozialen Bedingtheit des seelischen Erlebens«.* Freud selbst schrieb am 28. Februar 1908 an C. G. Jung, er [Jung] und Groß seien die einzigen originellen Köpfe unter seinen Schülern. Doch ein Jahr später schrieb er an Karl Abraham, daß die extreme Haltung Groß' falsch und für die ganze Bewegung gefährlich sei; vielleicht waren es Groß' Kokainsucht und sein sexueller Libertinismus, von denen Freud fürchtete, die Gesellschaft könnte sie für Spiegelbilder seiner eigenen Lehre halten. C. G. Jungs frühe Arbeiten enthalten ebenfalls mannigfache Hinweise auf Otto Groß – so zum Beispiel seine Abhandlungen ›Über die Psychologie der Dementia Praecox‹ und ›Die Bedeutung des Vaters für das Schicksal des einzelnen‹ aus den Jahren 1906 und 1908. Die letztgenannte Arbeit geht mit ziemlicher Sicherheit auf C. G. Jungs Analyse von Otto Groß zurück, bei der es sich effektiv um eine gegenseitige Analyse handelte; in den frühen Ausgaben seiner Arbeiten fühlt sich C. G. Jung tief in der Schuld von Otto Groß, doch läßt er diese Danksagung später streichen, ebenso wie Freud die Titel Otto Groß' aus der Bibliographie der Psychoanalyse entfernt. Doch was noch mehr ist: C. G. Jungs 1921 veröffentlichte Arbeit ›Die psychologischen Typen‹ bedient sich ausgiebig der bereits erwähnten Zwei-Typen-Theorie von Otto Groß – tatsächlich war es Groß, von dem C. G. Jung seine berühmte Klassifizierung Introversion-Extraversion bezog.

Obwohl es keinen Essay über Otto Groß' Werk gibt, wissen

* Erich Mühsam: Namen und Menschen, S. 117

wir doch eine ganze Menge über den Menschen Otto Groß. Zurückzuführen ist das auf den starken Eindruck, den er bei vielen phantasiebegabten Schriftstellern hinterließ, die ihn in ihren Romanen porträtierten. Man erkennt ihn leicht wieder, den großen, blonden Arzt mit dem weitausholenden Schritt, der den ganzen Tag im Café verbringt, wo er in einem Kreis von Schülern psychoanalysiert und philosophiert. So waren es unter anderem Leonhard Frank, Johannes R. Becher, Franz Jung, Karl Otten und vor allem Franz Werfel, die ihn in ihr erzählerisches Werk eingehen ließen. Regina Ullmann war ebenfalls eng mit ihm befreundet, und Kafka zählte auf jeden Fall zu seinen Bekannten, doch hat keiner dieser beiden Autoren über ihn geschrieben.

Diese Romane vermitteln uns eine Vorstellung nicht nur von seiner äußeren Erscheinung und seiner Lebensweise, sondern auch von seinen Ideen.

Franz Werfel beschreibt in seinem Roman ›Barbara‹, wie Otto Groß (alias Dr. Gebhart) bereits im Wien von 1917 Babylon gegen die Zivilisation des jüdisch-christlichen Europa eintauscht. Einer literarischen Darlegung dieser Idee begegnen wir in einem Artikel von Otto Groß mit dem Titel ›Die kommunistische Grundidee in der Paradiessymbolik‹, der 1920 im ›Sowjet‹ erschien. Dieser Essay enthält eine matriarchalische Neuinterpretation der Genesis, wobei vorauszuschicken ist, daß Otto Groß die Bibel gern als Quelle für antichristliche Mythen benutzte. In einem Brief an Frieda Weekley zum Beispiel bedauerte er Else Jaffe wegen ihrer melancholischen Moral, indem er erklärte, daß jene, die Sklaven in Ägypten gewesen seien, nicht ins Gelobte Land heimkehren durften. (Alle seine Vorfahren waren Protestanten gewesen, nur sein Vater war zum Katholizismus übergetreten, so daß Otto in Ablehnung seines Vaters zur Bibel zurückkehrte.) Wäre Jezabel nicht durch Elias besiegt worden, so läßt Werfel den Helden in seinem Roman sagen, hätte die Weltgeschichte einen anderen und besseren Verlauf genommen. Denn Jezabel war Babylon, die Religion der Liebe, Astarte, Aschtarot. Die jüdische monotheistische Moral habe die Lust aus der Welt vertrieben. (Werfel legt diesen Mythos Otto Groß in einem weiteren, allerdings unvollendeten Roman in den Mund, der ›Die schwarze Messe‹ heißen und die Gestalt Otto Groß' zum Mittelpunkt haben sollte.) In dem Artikel im ›Sowjet‹, in dem Groß selbst zu Wort kommt, bezeichnet er als den ersten Weißen Terror dieser Welt die Tatsache, daß Juden, Griechen und Moslems die Frau aus der Religion verstoßen hätten.

Wenn wir Franz Werfel, der sich sehr eng an die nachprüfbaren Tatsachen hält, Glauben schenken, so forderte Otto Groß eine sexuelle Revolution, mit dem Ziel, die Welt von heute zu retten. Auf einer Versammlung von Revolutionären in Wien 1918 forderte er ein Staatsministerium mit der Aufgabe, die bürgerliche – das heißt patriarchalische – Familie und die bürgerliche Sexualität auszumerzen. Die Tatsache, daß sich das Sexualleben auf die orthodoxen Formen der »anständigen« genitalen Monogamie beschränkte, war ihm genauso Tyrannei wie die Ehe selbst. Lust sei der einzig echte Ursprung von Werten. Und in seinem ›Sowjet‹-Artikel erklärt er, der Mensch könne sich nur dadurch erneuern, daß er von neuem ins Verlorene Paradies der polymorphen Perversität eintrete. Er befürwortete und praktizierte eine orgiastische Therapie, die er als den »Kult der Astarte« bezeichnete. Von Werfel erfahren wir, daß er ein Werk über die Adamiten des Mittelalters verfaßt haben soll, und Adamit war er – seinem Temperament nach – selbst. Sein gelbliches und doch auch junges Gesicht, dieses zerstörte Gesicht eines Jungen, glich auch dem Gesicht eines Mönches, der einige Jahrtausende Geschichte ausradieren wollte. Jedes Kind im Alter zwischen ein und drei Jahren sei ein Genie, meinte er, und er verurteilte die bürgerliche Familienstruktur, in der jedes Kind zum individuellen Besitz seiner Eltern wird. Die eheliche Häuslichkeit aber zerstöre alle Genialität.

Werfels Groß behauptet, die primitiven Völker hätten alle großen Entdeckungen gemacht, während unsere Zivilisation verdorben bis an die Wurzeln sei. Die christliche Kirche sei das absolute Patriarchat. Die ›Genesis‹ aber müsse ein Priester des alten echten Glaubens verfaßt haben, denn sie räume ein, daß die Frau dadurch vom rechten Weg abgekommen sei, daß sie vom Geist des Bösen überredet wurde, ihre Würde gegen Behaglichkeit und Bequemlichkeit einzutauschen. Das gemeinsame Essen des Apfels bedeute jene Übereinkunft, derzufolge der Mann versprach, das Weib und seine Kinder zu erhalten, um als Gegengabe dafür das Weib als persönlichen Besitz zugesprochen zu bekommen – die Konsequenzen hätten notgedrungen darin bestanden, daß auch die Kinder zu seinem Besitz gehörten, daß die Ehefrauen Keuschheit geloben mußten und daß alle Frauen vorgeben mußten, sexuell passiv zu sein, nichts als Preis und Beute, um die Habgier des Mannes anzustacheln.

Dadurch, daß sich der Mann zum Herrn über die Frau aufschwang, seien Sünde und Scham in diese Welt gelangt. Otto Groß, der in Franz Werfels Roman die Gestalt eines unheilvollen Genies annimmt, schildert seine Vorstellung von der damaligen Wende der Weltgeschichte: Eine Horde ehrgeiziger Halbaffen bricht aus dem Busch und wirft sich auf nackte und ahnungslose Weiber. (Diese Deutung entspricht so gar nicht der Freudschen Auffassung von der Erbsünde, in der die Frau keine wichtige Rolle spielt.) Diese Halbaffen aber sind kriegsbesessene Kreaturen mit Professorenbärten und Auszeichnungen auf der Brust – Groß sah seinen Vater, vielleicht auch Max Weber auf diese Weise –, die in den unschuldigen Tempeln der Sinnenliebe ihre Gesetzestafeln und ihre Waffen aufhängen.

Es ist klar, daß ein Mann mit solchen Ideen nicht bloß »der frühe Freudsche Analytiker« war, als der Otto Groß gewöhnlich hingestellt wird. Gewiß war Freud für Otto Groß eine entscheidende Erfahrung – zum einen, weil die Freudsche Theorie seine eigenen Probleme erklärte, zum anderen, weil ihm die Technik der Psychoanalyse Macht über seine Mitmenschen gab. Ernest Jones erzählt, Otto Groß habe Tag und Nacht, wo immer er auch war, Analysen durchgeführt. Doch in ethischen und weltanschaulichen Fragen bedeute für Otto Groß Freud weniger als Nietzsche. Die Techniken Freuds und die Werte Nietzsches – das war Groß' Formel von 1913. Er stellte Freuds Werk des öfteren als Erweiterung und Anwendung der Einsichten Nietzsches dar.

Sein Verhältnis zu Freud war ein tragisches. Aus dem Briefwechsel zwischen Freud und Jung geht klar hervor, daß Freud Otto Groß' Arbeit bewunderte – ja er war auf seine Arbeit sogar etwas eifersüchtig, während er sich über seine Person mokierte. Auf dem Salzburger Treffen der Psychoanalytiker von 1908 hielt Otto Groß einen Vortrag über die »kulturellen Perspektiven« der Wissenschaft, und Frieda Weekley erzählte er, die von ihm in diesem Vortrag entwickelten Ideen seien die ersten Früchte ihrer beider Begegnung. Doch Freud tadelte ihn, indem er erklärte: »Wir sind Ärzte, und Ärzte müssen wir bleiben.« Otto Groß dagegen glaubte, sie sollten Philosophen, ja Revolutionäre werden. Er glaubte, die Heilung individueller Neurosen müßte im gesellschaftlichen und kulturellen Wandel wurzeln. Bei der derzeitigen gesellschaftlichen Verfassung muß der Mensch krank sein – und je feinfühliger er ist, desto kränker ist er. Er war selbst krank und verhehlte dies seinen Patienten nicht; seine Krankheit war ein wesentlicher Teil seiner Persönlichkeit. Er versuchte, die Übertragung zu vermeiden, weil er der Ansicht war, daß Übertragung – symbolisch gesehen – die Befürwortung der Monogamie sei, während er glaubte, daß er seinen Patienten zur sexuellen Immoralität verhelfen müsse.

Um 1909 gelangte Freud zu der Überzeugung, daß diese Ideen der psychoanalytischen Bewegung schaden könnten. So wurde Otto Groß zum Häretiker der Bewegung, und sein Freund Franz Jung weiß zu berichten, Groß' Schwierigkeiten mit der Schweizer Obrigkeit 1912 seien durch orthodoxe Freudianer ausgelöst worden, die um Groß einen Skandal machten und sich schließlich an die Polizei wandten. Otto Groß' Vaterbeziehung scheint sich in seiner Beziehung zu Freud wiederholt zu haben, und tatsächlich erklärte C. G. Jung nach Groß' Analyse, daß dieser gar nicht anders könne, als jeden wichtigen Mann in seinem Leben mit seinem Vater und jede wichtige Frau mit seiner Mutter zu identifizieren. Und so schloß sich auch in diesem Fall der ersten Bewunderung, Anhängerschaft und Unterordnung die Herausforderung an, die sich gegen die beherrschende Gestalt richtete, und der Herausforderung folgte die Ablehnung und der Ablehnung schließlich die Zerstörung.

Otto Groß war sich seiner Probleme völlig bewußt, und genauso wußte er, daß die konventionelle Analyse unfähig war, sie zu lösen. In Salzburg hatte er 1908 Freud erzählt, seine früheste Erinnerung wäre die an seinen Vater, der Besucher warnte: »Gebt acht, er beißt.« Doch war sein Verhältnis zu Freud sowohl weltanschaulich als auch persönlich geprägt. Freud preßte Erkenntnisse, die in bezug auf ihre gesellschaftlichen Auswirkungen eigentlich recht radikal beziehungsweise revolutionär waren, in ein rigoros »wissenschaftliches« System, das politisch neutral und folglich konservativ war. Von Otto Groß' Standpunkt aus war Freud »zu den Vätern hinübergewechselt« und hatte sich der patriarchalischen Seite angeschlossen. Und Max Weber erkannte Freud eben wegen dieser »wissenschaftlichen« Wertneutralität an (was natürlich darauf hinauslief, daß er Otto Groß' Auffassung ablehnte).

Jene Person indes, die – so glauben wir – die Hauptgestalt in Otto Groß' Leben darstellt, muß noch eingeführt werden. Durch Freud hatte er sich zwar von seiner Vaterbindung befreit, doch versuchte der Schüler diese rettenden Wahrheiten nun so umzusetzen, daß er freudscher als Freud selbst wurde – ein Prozeß, dem wir in der Geschichte der psychoanalytischen

Bewegung öfter begegnen. Dadurch aber sah er sich plötzlich einer weiteren eifersüchtigen Vaterfigur gegenüber. Wer aber sollte Otto Groß vor diesem neuen Ungeheuer erretten? Er selbst behauptete, es sei Frieda Weekley gewesen, die den Schatten Freuds aus seinem Weg geräumt habe. Endlich war das Patriarchat besiegt – durch das Matriarchat. Derartige Epigramme sind zwar gefährlich, doch drängt sich einem der Eindruck auf, daß Otto Groß' Sprache in den letzten 10 Jahren wesentlich mehr Begriffe enthält, die nicht mehr auf Freud, ja sogar nicht mehr auf Nietzsche, sondern eher auf Bachofen zurückweisen.

Otto Groß' Mutter, an der dieser sehr hing, scheint von ihrem Mann völlig unterdrückt worden zu sein, was für die damaligen deutschen Ehefrauen nichts Ungewöhnliches war. Da ihnen alle »öffentlichen« Möglichkeiten der Selbstbestätigung versagt blieben, boten sich ihnen nur zwei Möglichkeiten – Unterwürfigkeit oder Verschlagenheit. Viele literarische Anhänger von Otto Groß (zum Beispiel Becher, Otten, Hasenclever) stammten aus solchen Familien. In sehr begrenztem Maße galt das auch für Max Weber. Allerdings scheint Frau Groß *ganz und gar* nachgiebig, sanft, scheu und farblos gewesen zu sein. Frieda Weekley war die triumphierende Frau, eine Anna Victrix, und Otto Groß' Lebensaufgabe bestand von nun an darin, Frauen wie seine Mutter in Frauen wie Frieda zu verwandeln. Denn sogar Frieda triumphierte zum Teil nur deshalb, weil Otto sie in ihrem Unabhängigkeitsstreben unterstützte. Er sorgte für die ethische Begriffswelt, die ihren Stolz auf sich selbst untermauerte und vertiefte, was um so nötiger war, als dieser Stolz von ihrem Ehemann, von ihrer Schwester und von der Welt keineswegs bereitwillig anerkannt wurde. Diese von Otto Groß übernommene Begriffswelt sollte später von Frieda als ideologische Mitgift an D. H. Lawrence weitergereicht werden.

Otto Groß' Briefe an Frieda Weekley

Die Vorstellung, die Otto Groß von Frieda Weekley entwickelte und die Frieda von ihm übernahm, ist uns deshalb vertraut, weil einige Briefe von ihm an Frieda noch existieren. Diese Briefe fanden ihren Weg in eine amerikanische Universitätsbibliothek. Sie machen uns sowohl mit ihrer Liebesbeziehung als auch mit seiner Beziehung zu Else Jaffe vertraut. Da diese Briefe bislang nicht veröffentlicht wurden, werfen sie ein neues Licht auf das Leben von Absender und Empfängerin. Frieda Weekley hütete diese Briefe ihr ganzes Leben lang wie einen Schatz – sie bedeuteten für sie die Bestätigung ihrer eigenen Identität. Als sie 1912 mit D. H. Lawrence auf und davon ging, schickte sie die Briefe, um ihr Verhalten zu erklären, Ernest Weekley – sie sollten ihm die echte Frieda offenbaren, die in Nottingham innerlich fast zugrunde gegangen wäre. Wohlgemerkt: nicht Lawrences, sondern Otto Groß' Briefe schickte sie ihrem Mann.

Die uns überlieferten Briefe von Otto Groß – es mag andere gegeben haben, die jedoch verloren gegangen sind – weisen kein Datum auf und handeln so ausschließlich von Gefühlen und Ideen, daß es unmöglich ist, sie chronologisch zu ordnen. Wir wissen lediglich, daß einige von ihnen 1907 und andere 1908 verfaßt wurden, wobei ich selbst allerdings vermute, daß manche erst 1910 geschrieben wurden. Doch sind die Gefühle und Gedanken, die diese Briefe wiedergeben, an sich schon so aufschlußreich, daß die fehlende Datierung nicht ins Gewicht fällt.

In diesen Briefen erklärt Otto Groß Frieda, er habe von »der Frau der Zukunft« geträumt, und in Friedas Person seien seine Träume Wirklichkeit geworden. »Meine lähmendsten Zweifel hinsichtlich der Zukunft der Menschheit und meines eigenen Ringens sind vorbei«, schreibt er. »Denn nun können sie keine verwundbare Stelle mehr an mir finden – nun weiß ich, daß ich die Frau erlebt und geliebt habe, die ich mir für die kommenden Generationen erträumte ... Ich weiß nun, wie die Menschen beschaffen sein werden, die nicht mehr befleckt sind von all den Dingen, die ich hasse und bekämpfe – ich weiß es durch Dich, den einzigen Menschen, der unbeeinflußt geblieben ist von der Keuschheit als moralischem Kodex und vom Christentum und von der Demokratie und all diesem Unsinn ... Wie ist Dir dieses Wunder gelungen, Du goldenes Kind – wie ist es Dir gelungen, den Fluch und Schmutz zweier düsterer Jahrtausende von Deiner Seele fernzuhalten mit Deinem Lachen und Deiner Liebe?«

»Gold« und »Sonne« und »Lachen« und »Kind« – das alles sind genau die Begriffe, mit denen Lawrence Frieda beschreiben sollte. Die wichtigste Metapher, deren sich Otto Groß bedient, ist das Bild von der Sonne – die Sonne ist die Quelle aller Kraft, aller Schönheit und aller Erhabenheit. Frieda glücklich zu machen, bedeutete für ihn, der Welt eine Sonne zu schenken: »Laß mich die Sonne sehen!« flehte er sie an. Dieser Verherrlichung der Sonne begegnen wir auch bei D. H. Lawrence, vor allem in seinen Arbeiten aus der Neu Mexiko-Periode, und wir begegnen ihr bei Klages und Schuler, den Schriftstellern der »Kosmischen Runde«.

Der Ton seiner Briefe an Else ist völlig anders; ihre beredte Sprache viel konventioneller. Aber auch in ihnen kommt seine Vorstellung von der Frau stets klar zum Ausdruck. So schreibt er zum Beispiel: »Du namenlos Geliebte Du! Du, gestern am Telephon, das war eine furchtbare Tantalusqual – ich habe mich so verzweifelt in Deine Stimme verliebt – ich sah und fühlte Dich – den Zauber der feinen Nuancen und diese neue Klarheit, die schöne Sicherheit, die neu dazukommt – so rein und treu war Deine Stimme gestern und in ihr war ein Vibrieren aus neu erschlossenen Tiefen ... das ist mein leitendes Ideal: die große seelische Elementarkraft, die Erotik muß wie das Wasser sein – segnend, befruchtend, geliebt, beherrscht – und das ist mein leitendes Wissen: wer die Erotik vergewaltigen will, den vergewaltigt die Erotik. – Erst wer die Erotik erkennt und bejaht, so wie sie ist – erst der beherrscht sie auch soweit, daß er versprechen kann, immer er selbst zu sein.« Demselben ethischen und methaphysischen Empfinden begegnen wir natürlich in seinen Briefen an Frieda: »Aufrichtigkeit in unserem wechselseitigen Geben – die Menschen sind nicht oft damit vertraut gewesen, daß diese Dinge die ersten Blüten in einem neuen Weltfrühling sind ... Ist es nicht das Erblühen für die Schönheit unserer Liebe? Oh dieser neue Frühling des Wiedererwachens zu neuer zuversichtlicher Unschuld – ist dies nicht der Kuß, der Dornröschen erwachen läßt?« Doch die Beziehungen, die sich hinter diesen beiden Briefwechseln verbergen, unterscheiden sich voneinander, und der Ton, den Otto Groß in seinen Briefen an Else anschlägt, ist zwar leidenschaftlich und zärtlich, doch auch ermahnend. Otto Groß zeigt sich häufig um sie und ihren »Glauben« besorgt. Denn was die Erotik anlangt, so war er vor allem Elses Lehrer, während Frieda, das beweisen seine Briefe, seine Geliebte war.

Wenn er in seinen Briefen an Frieda von Else spricht, dauern ihn ihr Kummer und ihre Niedergedrücktheit, obwohl er zugleich soviel Schönheit, Größe und Adel – ja soviel Freiheit von jeglichem Neid auf Frieda erkennt: »Ich kann es nicht verstehen – das heißt doch: ich kann Else aus ihrem Leben heraus verstehen, heraus aus der Traurigkeit und Verdrießlichkeit, die in ihr und um sie herum sind – sie hat sich ihr ganzes Leben lang den Unterdrückten und der Liebe Beraubten zugewandt – ›sozialer Asketizismus‹, wie wir schon sagten – jahrelang hat sie im Erbarmen gelebt – es scheint, als müßte sie noch lernen, *mit anderen glücklich zu sein*. Wahrscheinlich weiß sie immer noch nicht, *daß das wahrhaft Beste von allen Dingen nur auf den Höhen und in der Sonne gedeiht* ...«

Er liebte beide Schwestern und beide liebten sie ihn. Doch vermutlich hat sich in ihrer beider Verhältnis zu Otto Groß auch die unter Geschwistern häufige Rivalität gemischt. Zum ersten Mal unterwarfen sich die beiden Schwestern in einem sehr wesentlichen Punkt demselben Lehrer und derselben Prüfung – und es war Frieda, die siegreich daraus hervorging. *Sie* war zur Frau der Zukunft ernannt worden. Die Zeiten hatten sich geändert, denn nun waren es Friedas Eigenschaften, an denen sich die Vorstellungskraft brillanter Männer entzündeten. Else erzählt selbst, daß sie erst 1904, also mit dreißig Jahren, die Unabhängigkeit und Bedeutung ihrer beiden Schwestern erkannt habe. Sie war nicht darauf vorbereitet, mit ihnen zu rivalisieren, und gerade im Bereich der Erotik befand sie sich Frieda gegenüber im Nachteil. Es war ein bitterer Konflikt. »Unsere letzte Begegnung in Heidelberg war so ganz im Stil von ›Brunhild und Kriemhild‹«, schrieb Frieda an Otto; sie sei »dramatisch, aber nicht gut« gewesen.

Doch lassen wir im Augenblick außer acht, welche Bedeutung Otto Groß selbst für die Beziehung zwischen den beiden Schwestern hatte, und wenden wir uns zunächst der Gefahr und Verheißung zu, die Otto für Frieda verkörperte. »Du, *mein helles Feuer*«, schrieb er ihr, »laß nicht zu, daß man Dich auslöscht, halte Deine Glut um jeden Preis, es ist so dunkel auf meinem Weg – Du, meine hilfreiche Kraft und Leidenschaft, verzehre Dich um Gottes willen nicht in einem *unterdrückten* Feuer ...« – »Frieda ist eine starke Natur«, erklärt er, und sei sich ihrer Schönheit sehr wohl bewußt; ihr eigne die Freiheit und Ungezwungenheit einer Adligen, denn sie gehöre »das sei gewiß, sei eine Tatsache, zu einem Adel der schönen und natürlichen Gewißheit«. Nicht er habe sie, sondern Frieda habe ihn gewählt: »Du erwähltest mich auf Deine herrliche, überragende Weise.« Als sie ihm ein Foto sendet, schreibt er ihr: »Weißt du eigentlich, was dieses Bild offenbart? – Daß Du gesegnet bist mit einer großen Gebärde und mit einer Kunst, die Schönheit

ständig aus Deiner eigenen Schönheit heraus neu erschafft ...
Die Kunst, Glück zu verschenken in der größten Einfachheit
und zugleich in dem Wissen, daß Du ein unschätzbares Geschenk machst ... Das ist so unvergleichlich großartig an der
Gebärde dieses Bildes – ein so unvergleichlich reiches, leidenschaftliches und verschwenderisches Geben Deiner selbst und
so viel Vornehmheit und Majestät ... dein so ungemein stolzes
und reines Auftreten ... – Du bist herrlich, Geliebte ... so
wunderbar neu – für immer neu und immer wieder neu ... eine
wunderbar reine Seele ist in Dir, rein erhalten durch einen Genius, *damit Du zu Dir stehst.*«

Der Spiegel, den er Frieda vorhielt, zeigte ein Spiegelbild, das
genauso war, wie sie es sich wünschte. Inwieweit sie dieses Bild
von sich selbst, noch bevor sie ihn kennenlernte, entwerfen
hätte können und inwieweit dieses Bild *der Wahrheit entsprach* –
das heißt, inwieweit sie es *verwirklichen* konnte –, das wissen
wir nicht. Doch eines wissen wir ganz bestimmt: Otto Groß
bewirkte, daß sie sich, als sie Lawrence kennenlernte, ihres eigenen Wertes zutiefst bewußt war.

In seinen Briefen erzählt Otto Frieda, sie habe ihn zu seiner
Lebenskrise gebracht, zur Prüfung des Werts seines Daseins. Er
bittet sie, auf ihre nächste Reise nach Deutschland ihre Kinder
mitzunehmen, damit sie nie mehr nach England zurückkehren
müsse. »Du bist in meinem Leben die Bestätigung des blühenden und fruchtbaren Ja – die Zukunft, die mich aufgesucht hat.«
Einmal glaubt er, sie sei schwanger von ihm, und er ist enttäuscht, als sich diese Vermutung als falsch erweist. »Doch
komm nie zu mir aus Mitleid ...«, schreibt er ihr, »... meine
Frau der Zukunft ... geh mit mir auf meinen Wegen, und Dein
Lachen sagt mir, wie Deine überreiche Stärke und Freude hoch
hinauf in die Regionen der Sonne sprudelt.«

Frieda hatte ihm einen Ring geschenkt, dessen Stein drei
weibliche Gestalten zierten. Diese drei Frauen, so meinte sie,
sollten sie selbst, ihre Schwester und Otto Groß' Ehefrau symbolisieren, und der Stein sollte ihn daran erinnern, wie bemerkenswert alle drei waren. Die beiden anderen Frauen, die in den
Ring (»Er besitzt den Schimmer Deiner sonnenhaften Augen«,
meinte er) als Symbolfiguren eingraviert waren, tauchen in den
Briefen immer wieder auf. Durch Frieda, seine Frau, erklärte
Otto Groß, habe er gelernt, an die Welt als Wert zu glauben,
und durch Frieda Weekley habe er gelernt, an sich selbst zu
glauben.

Später schreibt er Frieda, seine Frau sei wieder bei ihm, sie sei tief resigniert und voller Skepsis und müsse dem blühenden Leben zurückgewonnen werden. Er bittet Frieda, ihr dadurch zu helfen, daß sie ihr schreibe, und Frieda schreibt ihr. »Man kann zu Frieda nur als starker und stolzer Mensch kommen«, schreibt er über seine Frau, als er sein eigenes Unvermögen, ihr zu helfen, zu erklären versucht. Man müsse diese Gabe einfach mitbringen, »doch mit Dir wird man das, was man sein hätte können ... *Du befreist einen von der Vergangenheit*«. Frieda Groß, so klagt er, habe an seine Ideen, die er leidenschaftlich als sein wahres Ich verteidigt, nie wahrhaft geglaubt. Frieda Weekley dagegen, das geht sowohl aus seinen als auch aus ihren Briefen klar hervor, glaubte an sie ebenso leidenschaftlich wie er selbst. Tatsächlich wird uns Friedas Lebenslauf immer wieder vor Augen führen, daß sie fähig war, einen Mann als Verkörperung seiner Ideen zu lieben.

Otto Groß hatte nicht immer an der Stärke gezweifelt, mit der diese drei Frauen von seinen Ideen überzeugt waren. 1906, als die erotische Bewegung ihren Höhepunkt erreicht hatte, waren ihm Zweifel noch unbekannt. Doch als er sich bei Frieda darüber beklagte, daß seine Frau seinen Ideen zu wenig Glauben schenke, wußte er bereits, daß er auch Else verlieren würde. »Nun ist es, das habe ich erwartet, zwischen mir und Else zu einem Ende gekommen. Aber ich habe das Gefühl, daß mein Schicksal noch nicht beschlossen ist – das war lediglich der Anfang ...«

Er glaubte, wenn er eine dieser Frauen verliere, würde er alle drei verlieren, zumindest glaubte er, wenn er Frieda Weekley verliere, würde er ganz gewiß auch seine eigene Frau verlieren, denn Frieda Groß bat, wenn sie es mit ihrem Mann nicht mehr auszuhalten glaubte, Else und Frieda Weekley um Rat. Er ist sehr deprimiert. Er hatte allzuviel Freude gehabt, allzuviel schöpferische Kraft und allzu viele hochgegriffene Pläne: »Es gibt einen Satz von Heraklit, der auf brutale Weise wahr ist. Die Sonne kann die Grenzen ihrer Bahn nicht überschreiten, da sie sonst von den Furien überwältigt wird ... Sie sind im Begriff, mich zu fangen, ich spüre es. Sie haben bereits Else von mir fortgenommen und haben diesen Schlag mit einer satanischen Ironie der Mittel und mit vergifteten Waffen geführt ... Du besitzt das goldene Strahlen, das alle bösen Geister bannt ... Ich fühle, daß dieser erste Schlag mich nicht hätte treffen können, wenn Du mich dieser letzten Tage geliebt hättest ...«

Er stellt Elses neue Affäre folgendermaßen dar: »Ein alter Freund tauchte auf, der das demokratische Prinzip in Person ist und der mir immer schon unendlich widerwärtig war – ihm aber in irgendeiner Weise zu nahe zu kommen, bedeutete eine Besudelung der natürlichsten und höchsten Lebensregel, der Regel, zu trennen zwischen der List und dem goldenen Strahlen, das alle bösen Geister bannt ... Ich spüre, daß sie Herr und Diener im selben Boot haben will – *doch sie kann nicht zugleich Ja zu ihm und Ja zu mir sagen.*«

Anscheinend wollte auch sie ihre Beziehung zu Otto erhalten. Wäre es irgendein anderer Mann gewesen: Otto hätte begeistert reagiert. Bevor er erfuhr, wer dieser Mann war, und noch bevor er wußte, daß dieser Mann »das demokratische Prinzip« verkörperte, hatte er ihr, um sie zu beglückwünschen, weiße Lilien geschickt. Doch als er erfuhr, wer dieser Mann war, versuchte er mit allen Mitteln, sie in ihren früheren höheren Geisteszustand zurückzuholen. »Aber nun steckt sie wieder ganz in ihrer *Demokratie* und glaubt, das stehe im Einklang mit ihrer Natur – wieder dieser soziale Asketizismus – Alles in allem hätte ich heruntersteigen müssen von meiner Lebensregel, hinab ins Tal und hinab ins demokratische Tiefland, nur um bei ihr zu bleiben ...« In dieser »Mesalliance«, so erklärt er, äußere sich Elses Haß gegen ihre – Ottos und Friedas – Liebe; sie sei ein Akt der »Rache«, ein »verheerender, trostloser und verkrüppelnder Akt«.

Dabei hat man das Gefühl, daß er mit diesem Rachedurst Elses gar nicht so unrecht gehabt haben könnte. Denn noch 1971 erinnerte sich Frau Jaffe an ihre letzte Begegnung mit Otto Groß, bei der dieser sie um 25 Mark gebeten hatte. Und im selben Maße, in dem sie triumphierend über diesen Vorfall berichtete, dürfte sie in der Situation selbst triumphiert haben. Frieda dagegen hatte ihm zu seiner Identität verholfen, als sie zu ihm sagte: »*Du bist Erotik.*« Sie hatte noch vor ihm selbst erkannt, daß dies jenes Element war, das all seine Ambitionen und Sehnsüchte zur Einheit verschmolz. Doch »die Macht der Erotik selbst gab mir *nicht* die Kraft, das edle Wesen in ihr [gemeint ist Else] zu schützen ... das ist das Gift, welches mich schwächt ... Ich wurde verlassen von dieser ganz besonderen Kraft, von der im Grunde alles Gute stammt, das ich erfahren oder in die Tat umsetzen kann«.

Als ihm Else erzählte, daß sie im Begriff sei, eine Liebesbeziehung einzugehen, hatte er geglaubt, ihre Askese, ihre Mißgunst

und ihre Verneinung würden nun der Fülle neuer Lebensbejahung weichen. Doch da überkam ihn eines Nachts ein eisiger
Gedanke, eine böse Vorahnung, wer dieser Liebhaber sein
könnte. Und tatsächlich war es jener Mann, »dessen bloße Anwesenheit im Zimmer mich bedrängte und störte«. Else, »diese
verfeinerte stolze Seele, die mir Geliebte und Schwester zugleich gewesen«, hatte gegen nobles Wesen, Adel und *Distanz*
rebelliert. Gewiß hatte sie das aus Haß, Eifersucht und Rache
getan, die sich gegen seine Liebe für Frieda richteten. »Nur
daran zu denken, daß man wählen müssen könnte zwischen
dem höchsten Gebot des ›noblesse oblige‹ und einer Frau, die
genau dieses Gebot in wirklich jeder Bewegung zu verkörpern
schien ...« Else war in *seine* Welt getreten und hatte der Liebe
ein Fest bereitet, doch nun verließ sie sie um einer Welt willen,
in der er ein Fremder sein würde – um einer Person willen, »der
alles, was wertvoll für mich ist, unbekannt und unverständlich
sein muß«.

Durch diesen Verrat war es Else gelungen, ihm Zweifel an der
Macht der Erotik selbst einzuflößen. Sie kämpfte mit »vergifteten Waffen«, die natürlich auch Frieda trafen. Diese erklärte
später, der religiöse Ansatz zur Sexualität sei ihr spärlicher persönlicher Beitrag zur ›Lady Chatterley‹ gewesen. Das aber beweist, daß es Else nicht gelang, Friedas Überzeugung, die diese
zunächst mit Otto Groß und später mit D. H. Lawrence teilte,
zu entkräften. Otto schrieb ihr in Worten, die später bei Lawrence ähnlich ausfallen sollten: »Du selbst kannst Dir wahrscheinlich gar nicht vorstellen, welch geniale Begabung Dir eignet, welch wunderbare Kraft und Wärme all die Dinge verströ-
men, denen Du etwas von Deinem Leben eingehaucht hast – es
ist, wie wenn die Wärme Deines Körpers aus Deinem Brief eine
Welle befreiender Sinnenfreude in mich schießt.«

Wenn Otto großzügig einräumte, daß Frieda ihn befreit habe,
wußte er doch auch, daß der eigentliche Befreier in dieser Beziehung er selbst war. »Frieda, es ist den Kampf wert, daß Du Dich
befreist – die Welt ist weit und tief und wunderbar in ihrer
Verjüngung – vor allem heute, vor allem für *Dich* – die Welt
belohnt eine vertrauensvolle Liebe – was sind tausend ›gute
Menschen‹ mit ihrem ganzen Sein und Tun gegen einen, der sein
innerstes Werden dem kommenden Unbekannten hingibt? Und
Du und *ich* lieben einander in dieser verschwiegenen und leidenschaftlichen Liebe, hingerissen von dieser schweren, leidenschaftlichen Frühlingsekstase von Menschen, die zu früh gebo-

ren – Komm, Frieda, komm zu mir – Ich liebe Dich, so wie ich diese Zeit und die Zeichen der Zukunft liebe.« Ihre Liebe war bemerkenswert geprägt von einer Weltanschauung. Jeder von ihnen liebte die Identität des anderen und jeder verkörperte eine Idee des anderen.

Wie oft und für wie lange sie sich trafen, wissen wir nicht. Wir wissen nur, daß sie planten, sich in Amsterdam anläßlich eines Kongresses, der dort eines Sommers stattfand, zu sehen. Frieda schrieb Else, sie und Otto, Edgar Jaffe und eine Freundin Friedas namens Madge hätten sich dort verabredet. Ernest Weekley erzählte sie, sie würde dort Else und Edgar treffen. Und in späteren Briefen Ottos stoßen wir auf Hinweise darauf, daß er und Frieda die Nacht einer Überfahrt von Amsterdam nach London zusammen verbrachten. Vermutlich war es in diesen Tagen, daß sie jenen Amsterdamer Kongreß besuchten, bei dem es sich entweder um den Kongreß für Neuropsychiatrie im September 1907 handelte, auf dem Otto Groß Freuds Hysterie-Theorie gegen orthodoxere Auffassungen verteidigte, oder aber um den internationalen Anarchistenkongreß, der im selben Jahr stattfand und zu dem auch Emma Goldman als Delegierte erschien. Die Anarchisten bildeten natürlich die Partei, die einer matriarchalischen Revolution am positivsten gegenüberstand.

Otto versuchte Frieda zu bewegen, zusammen mit ihren Kindern ihren Mann zu verlassen und sich ein Heim ohne Herrn zu schaffen. Zwar wissen wir nicht, in welchem Jahr das genau war, doch gab es eine Zeit, in der Frieda fest dazu entschlossen war. Das erfahren wir aus einem aufgewühlten Brief an sie, in dem man sie anflehte, diesen Schritt nicht zu tun. Bei diesem Brief handelt es sich um ein Fragment ohne Unterschrift, doch er kam aus Heidelberg, und seine Handschrift wurde von einem Familienmitglied als die Elses erkannt. »Du mußt die gewaltigen Schatten um das Licht herum sehen – siehst Du denn nicht, daß er fast das Leben Friedas [gemeint ist seine Frau] zerstört hat? Daß er nicht fähig ist, sich auch nur für eine Viertelstunde selbst zu bezwingen, sei's nun für einen Menschen oder für einen objektiven Wert?« (Dieser letzte Nebensatz erinnert besonders stark an Else und an die Welt der Webers.) »Als ›Geliebter‹ ist er unvergleichlich, aber ein Mensch besteht nicht allein daraus. Mein Gott, es ist nutzlos, darüber etwas zu sagen. Du stehst unter jener gewaltigen Suggestionskraft, die er ausstrahlt und die ich selbst erlebt habe.« Die Verfasserin dieses Briefes beschwört Frieda, daß Ernest Weekleys Liebe für sie trotz ihrer ganzen Unzulänglichkeit stärker sei als die Ottos. Entscheidend dabei ist natürlich die Frage, welche Art von Liebe für Frieda oder auch für Else die wahre war. Else hat in dieser Frage einen klaren Standpunkt bezogen: Sie lehnt die erotische Bewegung unwiderruflich ab.

Wie immer Friedas entscheidende Argumente geartet sein mögen – in ihren Erinnerungen schreibt sie, sie habe erkannt, daß Otto »nicht mit beiden Beinen auf dem festen Boden der Wirklichkeit steht« –, fest steht jedenfalls, daß sie Ernest Weekley nicht wegen Otto Groß verließ. Wir besitzen einen Brief, den sie an Frieda Groß schrieb, kurz nachdem sie mit Lawrence auf und davon gegangen war. Darin erklärt sie, sie fühle sich von einem Brief, den sie eben von Otto erhalten habe, auf traurige Weise ungerührt. Auch schreibt sie, sie würde gern Ernst Frick wiedersehen, jenen Maler und Anhänger von Otto Groß, dem dieser seine Frau (also Frieda Groß) anvertraut hatte, in der Überzeugung, Frick sei ein geeigneterer erotischer Partner für Frieda als er selbst. Wie D. H. Lawrence stammte auch Frick aus der Arbeiterschicht, und so hatten denn beide Friedas eine Wahl getroffen, welche die Klassenschranken überwand. Die beiden Männer ähnelten einander auch insofern, als beide Otto Groß' Ideen zu verwirklichen suchten – allerdings auf wesentlich weniger riskante Weise als Groß selbst. Frieda schreibt in dem erwähnten Brief, sie und Lawrence hätten ein Buch geplant, bei dem Frick und Lawrence zusammenarbeiten sollten.

Obwohl sie Groß' letzte Briefe »ungerührt« ließen, bewahrte sie sie auf, und obwohl sie sich ihrem Verfasser zusehends entfremdete, legte sie doch großen Wert auf die Identität, die sie durch Otto Groß erfahren hatte. Sie war für Lawrence eindeutig bereit – sie war bereit für den Mann, der diese Identität erkennen würde, der auf alle weltanschaulichen Schwingungen dieser neuen Realität reagieren und der auch vor dem damit verbundenen Risiko nicht zurückschrecken würde.

Es ist nur angemessen, daß die Liebesbeziehung zwischen Frieda und Otto diese weitreichenden Folgen haben sollte, obwohl es nicht Ottos, sondern das Leben anderer Männer war, das durch diese Folgen geprägt wurde. Wir haben es hier, das belegen die Briefe, mit einem Sieg der erotischen Bewegung zu tun. »Du bist Erotik« war eine wesentliche weltanschauliche Feststellung, hinter der sich die Überzeugung verbarg, daß Erotik ein philosophischer, ein metaphysischer und vor allem ein lebensschöpfender Wert sei. Das aber ist die Crux einer weltanschaulichen Revolution, die sich zwischen 1890 und 1910 offenbar in ganz Europa abspielte und die anscheinend die wesentlichste Hoffnung im Widerstand gegen die patriarchalische Zivilisation bildete. Bis dahin war Erotik eine Sache der Natur gewesen, mit der sich Kunst und Philosophie realistisch auseinandersetzen konnten; oder sie war vor allem eine Quelle der Inspiration für die Idylle oder für die Komödie gewesen, die man nicht ernst zu nehmen brauchte; oder sie war auf ihrem Höhepunkt im 19. Jahrhundert eine Quelle der Tragödie gewesen, eine Kraft, die eng verquickt war mit dem Bösen, mit dem Tod. Diesem Aspekt begegnen wir in ›Madame Bovary‹, in ›Anna Karenina‹ und in ›Tristan und Isolde‹.

Doch nun wurde Erotik plötzlich zu einer Lebenskraft an sich und zur Quelle aller Werte. Die Wertvorstellungen, die der tragischen Auffassung von der Erotik zugrunde lagen, erfuhren einfach ihre Umkehrung. Ein Musterbeispiel für diese neue Sicht ist Mabel Ganson (die spätere Mabel Luhan), die sich 1895 in Buffalo das Theaterstück ›Iris‹ ansah und vom tragischen Los der Heldin tief berührt war; trotzdem oder gerade deshalb beschloß sie, ihr ganzes Leben nicht zuzulassen, daß die Gesellschaft sie um die Erfüllung in der Liebe betröge oder daß sie sie für die unerlaubte Erfüllung in der Liebe bestrafte. Sie mochte nicht einsehen, daß dies die einzigen Wahlmöglichkeiten sein sollten.

Ähnliche Reaktionen sind vorstellbar im Leben einer Frieda von Richthofen, Alma Schindler und Isadora Duncan, die um diese Zeit herum alle um die sechzehn Jahre alt waren und denen das tragische Moment der Erotik vermutlich ebenfalls widerstrebte.

Der neue Glaube hatte sein »Stammquartier« in Schwabing, von wo er – das erfahren wir von Marianne Weber – nach Heidelberg gelangte – vermutlich dadurch, daß sich Else von Otto Groß bekehren ließ. Marianne Weber beschreibt diese Veränderung als einen neuen Lebensstil, der sich am geistigen Horizont von Heidelberg abzeichnete – als eine unkonventionelle Lebensweise, wie sie bis dahin nur in den Künstlerkreisen Münchens anzutreffen gewesen war. Die Webers – so spricht sie stets von sich und ihrem Mann – machten nun die Bekanntschaft von »antibürgerlichen« Menschen, von Anhängern des Eros und von Gegnern der Ehe. Es kam zu zahllosen Konfrontationen mit den Verfechtern der »psychiatrischen Ethik«. Der Kopf dieser Bewegung war selbstverständlich Otto Groß, der im Frühjahr 1907 bei den Jaffes zu Gast war und Edgar Jaffe zu seinem »Glauben« bekehrte. Frieda Groß hatte ihren Sohn Peter zur Welt gebracht, und Else war nun ebenfalls von Otto schwanger – ihr Kind, es war ein Sohn, der ebenfalls Peter hieß, kam 1907 zur Welt. Die beiden Mütter hingen auch weiterhin aneinander und an den beiden Halbbrüdern. Frieda Groß sandte dem »geliebten Paar« in Heidelberg Grüße. (Wesentlich weniger großzügig verhielt sie sich gegenüber Frieda Weekley, doch muß dazu gesagt werden, daß sie Else *liebte* und daß Else ihr eine ganze Menge gab.) Dies war der »Weltfrühling«, von dem Otto Groß gesprochen hatte, der Triumph der erotischen Bewegung.

Max Weber begann Freud zu lesen, um sich der Herausforderung zu stellen. Beide Webers, erklärt Marianne, sympathisierten mit den unglücklich Verheirateten. Doch »um nicht durch Selbstqual zerrieben zu werden, übernehmen die in ihr Schicksal Verstrickten vorerst auch bestimmte Gedanken des Freudjüngers, die alle bisherigen Anschauungen auf den Kopf stellen. So verblendet dies alles den Gefährten [gemeint sind die Webers] erscheint – sie vermögen nicht, sich entrüstet abzuwenden. Die beteiligten Menschen sind zu adligen Wesens und zu liebenswert.«* Dabei dachte sie in erster Linie sicher an Else Jaffe. Doch Else hat erotische Dinge nie auf die leichte Schulter genommen. So schrieb sie zum Beispiel an Frieda Groß: »Otto hatte recht, als er sagte, ich sei für die erotische Emanzipation nicht geschaffen.« Und aus Ottos Briefen geht klar hervor, daß er sich ihrer nie ganz sicher war, und in der Tat schrieb sie ihm bald nach seinem Heidelberger Aufenthalt, daß sie sich entschlossen habe, mit einem Arzt, zu dem sie sich hingezogen fühle, eine Beziehung einzugehen. Wir wissen sehr wenig über diesen Mann, den Otto als Feind betrachtete – offenbar wegen seines Wesens, das Otto für »plebejisch« und »gemein« hielt. Edgar war derselben Meinung wie Otto, und sogar Else selbst spricht in ihrer Lebensskizze von der »schamlosen« Obsession, von der sie im Hinblick auf diesen Mann erfüllt war, und sie fragt sich, ob diese Obsession nicht darauf zurückzuführen gewesen sei, daß dieser Mann sie an ihren Vater erinnerte. Was sie für diesen Mann empfand, war völlig anderer Art als das, was sie mit Otto Groß oder auch mit Max Weber verband, denn der *Geist* dieses Mannes blieb ihr fremd. In allen anderen Beziehun-

---

* Marianne Weber: Max Weber. Ein Lebensbild, S. 384

gen, die sie einging, waren die *Leistungen* der Männer von großer Bedeutung. In ihrer Lebensskizze bezeichnet sie die Enttäuschung über die *Leistungen* Edgar Jaffes als den emotionalen
Grundtenor ihrer ersten Ehejahre.

In dieser etwas absonderlichen Wahl dürfen wir den Wunsch
nach Bestrafung vermuten – entweder sie wollte sich selbst oder
sie wollte Otto Groß und durch ihn die Erotik überhaupt treffen. Was uns erstaunt, ist die Tatsache, daß sie sich auch von
Max Weber, dessen Leidenschaft sie erregte, abwandte (selbstverständlich unter einem moralisch edlen Vorwand), um sich
seinem Bruder Alfred zuzuwenden – gerade dem Mann also,
den ihr Max Weber um alles in der Welt versagt hätte. Wir
haben es hier sicherlich mit einer wichtigen Duplizität zu tun.
Und schließlich dürfen wir – auch hierin einer Andeutung Ottos folgend – vermuten, daß sie auch auf ihre Schwester Frieda
und auf deren Erfolg bei Otto eifersüchtig war. Otto Groß
spricht Else in einem Brief überschwengliche Anerkennung dafür aus, daß sie seiner Liebe zu Frieda nichts in den Weg legte,
doch es ist zugleich augenfällig, daß Otto dieser hochgepriese-
nen Großzügigkeit mißtraute.

Durch Marianne war Max Weber in die Liebesaffären beider
Schwestern mit Otto Groß eingeweiht, die er mißbilligte. Vermutlich waren seine Gefühle für Else nicht nur mehr freund-
schaftlicher Art. Wie auch immer, jedenfalls schickte Otto
Groß 1907 an Webers ›Archiv‹ einen Essay, in dem er die Freiheit der Frau gegen die Zwänge des Patriarchats verteidigte.
Max Weber lehnte diesen Essay in einem langen Brief ab. Diesen Brief adressierte er zwar an Edgar Jaffe, doch er schickte ihn
an Else. Es war dies eine indirekte und doch offenkundige Zu-
rückweisung der Person Otto Groß', verbunden mit dem
Wunsch, auch Else solle diesen Mann ablehnen. In diesem Brief
unterscheidet Weber zwischen dem Denken Groß' und Freuds,
wobei er Freuds Werk mit dem Argument anerkennt, daß es
»wissenschaftlich« und nicht »prophetisch« sei. Er erkennt
keine pseudowissenschaftlichen Ideen an, da diese nicht wertfrei seien und der Forderung nach Vernunft und Objektivität
nicht genügten. Er setzt Groß mit Nietzsche und dem Grundsatz von der »Elite« gleich und verteidigt zugleich auf gehässige
Weise den »bourgeoisen« Charakter, das heißt die feige Selbst-
verhätschelung jener Moralphilosophie, die Otto Groß dem
eben erwähnten Grundsatz zuordnet. Max Weber setzte also
Otto Groß gleich mit »Elite«, während Groß Max Weber mit

»Demokratie« identifizierte – Weber erhob den Anspruch, im Namen der Wissenschaft zu sprechen, während Otto Groß im Namen des Lebens selbst sprach. Eilig und höflich machte sich Weber daran, zwischen Lehre und Person zu unterscheiden, denn all das »kann nicht dazu führen, daß ich, nach dem kurzen Eindruck in *Ihren* Erzählungen, den adeligen Zug seiner Natur verkenne, die sicher zu den liebenswürdigsten gehört, die einem heute begegnen können. Um *wie viel reiner* aber würde der Adel seines persönlichen Charismas und jener ›Akosmismus‹ der Liebe, vor dem ich tief den Hut ziehe, wirken, wenn er nicht verdeckt wäre von ...«* – und weiter geht die Attacke.

Vermutlich veranlaßte Else Jaffe Groß, den Artikel an das ›Archiv‹ zu senden, und wahrscheinlich war sie es gewesen, die Max Weber ein Treffen mit Otto Groß vorschlug, das jener in diesem Brief in aller Ausführlichkeit ablehnt. Abgesehen von dem Wunsch, diese beiden Gestalten, die eine so wesentliche Rolle in ihrem Leben spielten, miteinander zu konfrontieren, spielte bei Else sicher auch die Hoffnung mit, Otto Groß, dieser hervorragende Psychoanalytiker, könnte Max Weber von seiner lähmenden Neurose befreien. (Webers Brief weist auch eine gehörige Portion Sarkasmus auf, wenn er sich gegen die Vorstellung wendet, Monate hindurch in psychoanalytischen Sitzungen auf Freuds Couch Kindheitserlebnisse wiederzukäuen.) Doch da Weber alles ablehnte, wofür sich Otto Groß einsetzte, sah sich Else Jaffe gezwungen, zwischen den beiden Männern zu wählen, und offenbar sah sie keine andere Wahl als Max Weber. Zumindest hat es heute den Anschein, daß es Max Weber hatte sein müssen.

Ein oder zwei Jahre später erhielt Otto Groß von Else einen Abschiedsbrief, der voller Ablehnung ist. Diesen Brief möchten wir in voller Länge zitieren, denn aus ihm klingt so ganz Elses Stimme – auch insofern, als sie Max Webers Vokabular benutzt: die Vorstellung vom »prophetischen« Menschentypus bildet einen Teil von Max Webers Religionssoziologie.

Lieber Otto,
ich will wenigstens Dir nicht Grund zu dem berechtigten Vorwurf geben, »wir« antworteten nicht einmal auf Deine Briefe. Freilich wirst Du von mir ja auch nichts, was diesem Zustand des Nicht-Ein-und-Aus-Wissens ein Ende macht, hören, denn

* E. Baumgarten: Max Weber, Werk und Person, S. 648

ich kann Dir ja nur schreiben, wie mir als Zuschauer die Situation erscheint – über Frieda kann ich schon gar nichts sagen, das muß sie selbst tun, Du weißt ja selbst, wie schwer es für einen anderen ist, sich in ihr auszukennen! Du darfst aber nichts von dem, was ich schreibe, als indirekt von ihr stammend auffassen – daß Du's doch tun könntest, hat mich dazu gebracht, Dir nicht schon gleich zu schreiben.

Du irrst Dich wohl, wenn Du glaubst, ich *wünsche* so sehr, Dich inkonsequent zu sehen, ich glaube nur nicht, daß uns das Leben es gestattet, ganz ohne Kompromiß zu leben. Ich will Dir aber gern zugeben, daß ich zuerst fand, man müsse Dich irgendwie dazu bringen, die Beziehung mit Rega U.* aufzugeben. Jetzt sehe ich den Konflikt doch anders – diese Beziehung, Deine – wie wir von uns aus es sehen müssen – Rücksichtslosigkeiten gegen Frieda sind nur Symptome einer tief in Deiner Natur begründeten Entwicklung.

Das Friedele hatte ganz recht, als es mir im Sommer sagte: »Siehst Du nicht, daß Otto der Prophet ist, für den es nur heißen kann: wer nicht für mich ist, ist wider mich.«

Jetzt hat der Prophet gewissermaßen den letzten Rest vom Menschen Otto ganz in seinem Feuer verbrannt, hat ihm auch die Fähigkeit genommen, einen Menschen, ein Individuum individuell, dessen Eigenart angepaßt, zu lieben. Eine alte, alte Geschichte ist das – auch jener andere Prophet hat von seinen Brüdern gesagt: Ich habe keine Brüder. Ihr (die Jünger) seid meine Brüder! – Es gibt für Dich jetzt *nur* noch (etwas davon war ja immer da) Nachfolger Deiner Lehre, nicht mehr ein bestimmtes, um *seiner* Eigenart willen geliebtes Weib. Es kann kaum anders sein. – Nun läßt sich natürlich denken, daß ein Weib auf die persönliche Note in der Liebe verzichtet und, ganz mit ergriffen von dem heiligen Feuer, jedes Opfer bringt, um neben dem zu bleiben, an dessen Ziele sie ganz glaubt. – Wenn sie aber nicht *ganz* glauben kann, Otto?

* Als Regina Ullmann Otto Groß erzählte, daß sie schwanger von ihm sei, brach er offenbar jede Beziehung zu ihr ab. Er scheint es einfach hingenommen zu haben, daß sich sein Vater weigerte, ihr die finanzielle Unterstützung, die ihr zugestanden hätte, zuteil werden zu lassen. (Otto selbst hatte kein Geld, und sein Vater schickte ihn zu einer weiteren Kur außer Landes, um sich jener legalen Verpflichtung zu entziehen.) Sie ließ sogar durchblicken, daß er sie ermutigte, sich selbst zu töten, da er Gift in ihrer Reichweite zurückließ. Das war einer der Hauptgründe für Frau Jaffe, die sich mit Regina Ullmann angefreundet hatte, Otto Groß für pathologisch unzurechnungsfähig zu halten.

Wenn sie nicht *ganz* glauben kann, könnte sie vielleicht noch um ihrer eigenen Liebe willen bei dem *Menschen* bleiben – aber würde der Prophet das ertragen, ohne ständig mit ihrer Seele zu ringen, ohne sich selbst zu zerfasern in diesem Kampf? So sehe ich die Situation – ich will nicht einmal mit Bestimmtheit behaupten, daß du Frieda weniger lieb hast als früher, obgleich – mit den üblichen Maßstäben gemessen – das gar nicht zu bezweifeln wäre. Die *Qualität* des Gefühles hat sich jedenfalls geändert. (An Dein Peterle denkst Du schon gar nicht mehr!)

Eines muß ich aber noch sagen. Es scheint doch auch deshalb so nutzlos, Dir oder Deiner Sache Opfer zu bringen, weil Du selbst durch das sinnlose Wüten auf Deine Gesundheit Deine Leistungsfähigkeit zerstörst. Wir wissen ja gar nicht, wie viel von dem, was uns Deine Ideen unannehmbar macht, die Kritiklosigkeit, der gänzliche Mangel an Nuancierung und Unterscheidungsfähigkeit den einzelnen Menschen gegenüber, am Ende vom Morphium kommt. – Wie dadurch auch die äußeren Seiten des Zusammenlebens erschwert werden, weißt Du ja. –

Ich bin traurig, Otto, wenn ich an Dich denke – Du gehst immer weiter fort, scheint mir, und selbst die Hoffnung, hie und da mit Dir als mit einem Freund zusammen sein zu können, wird so klein, wenn ich denke, wofür alles Du eine bejahende Stellung fordern würdest. Und über alle gewesenen Dinge legt sich das Leben und macht sie ganz tot – ist das nicht furchtbar!

Deine Else.

Dieser Brief ist nicht ohne Würde, und in einem Punkt hat Else gewiß recht: Verschiedene Augenzeugen wissen zu berichten, daß Groß auf seine Anhänger in München und Ascona tatsächlich einen fast schon religiösen Einfluß ausübte, einen Einfluß, der die damaligen moralischen Wertvorstellungen geradezu herausforderte. Das änderte jedoch nichts daran, daß seine Antwort auf Elses Brief, was Rhetorik und Logik anlangte, überlegen war. Wir werden diese Antwort teilweise zitieren, weil sie die Qualität seines Denkens belegt und weil wir es hier mit dem einzigen vollständig erhaltenen Gedankenaustausch zwischen zwei unserer Hauptpersonen zu tun haben. Die Stellen dieses Briefes, die wir weggelassen haben, zeichnen sich hin und wieder dadurch aus, daß er einen Gesichtspunkt Elses geschickt analysiert, um das Argument dann gegen sie zu kehren.

Meine Else,

es macht mich grenzenlos traurig, mich hineinfinden zu sollen, daß *Du* in diesem Glauben bist, für den Du so düstere Worte findest – daß sich mein Bild in Dir so mehr und mehr verändert – Else, das bin ja doch nicht ich! Else, schau mich doch einmal ganz unmittelbar an – ich trage doch um Gotteswillen nicht diesen grauen Nebelmantel da! Das wäre eine gar zu schlechte Tracht für mich – und lange hielt' ich es gewiß nicht darin aus ... Ich weiß, ich bin durch ein Entwicklungsstadium hindurchgegangen, das ziemlich nah an eine Art »Prophetentum« gestreift hat – und das gerade war durch seine Wesensfremdheit für mich vielleicht der stärkste Druck, mich selber endlich als der Revision bedürftig zu empfinden. Ich habe an mir selber wahrgenommen, daß jeder *Ansatz* zum »Prophetentum« der Ausdruck einer Selbstbelügung ist – wenn man die Wahrheit, die man principiell als segensreich und zukunftsträchtig kennt, gerade an sich selbst durch Illusion ersetzt. Von diesem Zwiespalt bin ich freigekommen – und damit vom »Prophetentum« jetzt wieder weiter weg als je. – Else, ich habe ja sonst nichts zu »lehren« als immer dieses Eine – daß nur durch die Erkenntnis der eigenen Entwicklung die Individualität sich wirklich frei macht. Damit vollendet sich ja auch im Einzelfall, was ich in meinem Beruf zu thun habe: den eigensten persönlichen Stil des Einzelnen von allem Fremden, Störenden, Sich-Widersprechenden zu befreien. – Else, das kraftverleihende Moment, die Leidenschaft in dieser Thätigkeit kann doch allein die Freude am Individuellen sein, die Freude an der Schönheit, die jeder in sich selbst geschlossenen Persönlichkeit zu eigen ist. Gerade diesen Beruf zu lieben – das heißt doch, alles Individuelle um seiner selber willen zu lieben ... Ich war auf einem solchen Weg – in Holland – ich habe dort mit dem fatalen Fanatismus, mit der fatalen Geste des »Propheten« gewirkt – mein einziger suggestiver Erfolg* – und das war möglich, weil ich dort so unbeschreiblich einsam, so unverstanden, so übervoll von Ekel und Verachtung war ... Else, es ist so schwer für mich – und so unrichtig, Else, wenn Du mir schreibst »Du gehst immer weiter fort« ... Ich weiß, was mich an Menschen bindet, das ist gerade ihr Persönlichstes – das ist das Eigenste und Tiefste und unverlierbar Individuelle, das sich mit Worten niemals nennen läßt,

---

* Groß bezieht sich auf den Psychoanalytischen Kongreß in Amsterdam, wo er als Schüler Freuds sprach

das niemand in Begriffe ordnen kann – der Rhythmus, der in einem Menschenleben, in allen spielenden Bewegungen des Körpers und allen ungewollten Äußerungen verfließender Gefühle schwingt, das unvergänglich Eigenste, das sich nicht ändern kann ... Nur dann kann das Gefühl für einen Menschen sich in einem Menschen ändern, wenn er das Tiefste, Bleibende verkennt ... Ich will doch weiter keine Bejahung und keinen Glauben bekommen – gerade nur den Glauben an die Berechtigung von soviel Freiheit, als nöthig ist für die Entwicklung von individueller Art und eigener Einsicht in die eigene Art ... Else, sieh' mich als den, als den Du mich einmal gesehen hast – ich bin derselbe – lass das Gewesene nicht sterben, Else!

Dein Otto.

In späteren Jahren erinnert sich Else voller Bedauern an Otto. Er sei der einzige gewesen, so meinte sie zu Frieda Groß, der »diese schwere Last der Trauer von meiner Seele zu nehmen vermochte«; und als sie sich allmählich Max Weber zuwandte, bestand sie – voller Abwehr – auf ihren eigenen anders gearteten Auffassungen, und sie sehnte sich nach einem gesunden Otto Groß, nach *seiner* Weltanschauung. »Wir werden nur nach und nach erkennen, was an ihm verloren ging. Und Du hattest ihn jahrelang. Du kannst ruhig sagen: ›Er war den Verdruß wert, den er bereitete.‹ Häufig beneide ich Dich um ihn.« Bemerkenswert ist auch, daß sie im Rahmen ihrer eigenen Familie eine ganz besondere Zuneigung für Peter, Ottos Sohn entwickelte und daß sie gern seine anderen Kinder um sich scharte – Peter Groß und Camilla Ullmann waren häufig bei den Jaffes zu Besuch. Es traf sie schmerzlich, ja sie fühlte sich schuldig, als Peter Jaffe 1915 starb. Trotzdem besteht kein Zweifel daran, daß sie ihre Ablehnung der Persönlichkeit Otto Groß' nie bereute, und daß sie sich stets bewußt war, daß ihrer beider Wege nicht zusammengingen. Sie hätte sich entscheidend ändern müssen, um zu Otto Groß zu »passen«.

Frieda Weekley dagegen war es vorherbestimmt, Groß und Schwabing zu wählen. Doch band sie sich nicht für immer, und der Mann, den sie nach Otto Groß wählte, war »verläßlicher«, weniger radikal und für ihre Person weniger gefährlich. (Als sie Lawrence mit ihren Schwestern bekannt machte, fanden diese ihn »zuverlässig«, und gewiß verglichen sie ihn insgeheim mit Otto Groß.) Lawrence glaubte an die Ehe und an das häusliche Leben – beides Dinge, die Schwabing ablehnte. Er war kein

Revolutionär. Doch mit Hilfe der erotischen Weltanschauung der »Kosmischen Runde« entwarf er ein neues Bild vom häuslichen Leben und von der Ehe. Obwohl sich Frieda häufig gegen die Ehe auflehnte, zog sie es vor, mit einem Mann zu leben, der an die Ehe glaubte.

Frieda Weekley verließ ihren Mann nicht wegen Otto Groß. Ihr sei bewußt gewesen, so erklärt sie, daß Otto nicht »mit beiden Beinen auf dem Boden der Wirklichkeit stand«. Ein wichtiger Charakterzug war ihre Schüchternheit gegenüber ihrer Umgebung. Auch sie war kein Revolutionär. Die Lawrences waren Radikale, doch Radikale in der Welt der Frau, die sich von der Welt des Mannes absetzen wollten, anstatt sie zu erobern. Sie spannten die neuen Kräfte der erotischen Bewegung für die alten Formen der Häuslichkeit ein, und so gesehen waren sie sehr konservative Radikale. So gesehen übten sie auch Verrat am Erbe Otto Groß'.

Lawrence erwähnt Otto Groß ein einziges Mal – er tut dies in seinem Buch ›Italienische Dämmerung‹, das in vieler Hinsicht sein am wenigsten »verschlüsseltes«, sein aufschlußreichstes Werk ist. Doch sogar dort noch geschieht die Anspielung verdeckt. Im Jahr 1913, als er allein durch die Schweiz nach Italien wanderte, traf er beim Tee zwei alte Damen, denen er erzählte, er sei Österreicher. »Ich sagte, ich sei aus Graz, mein Vater sei Arzt in Graz und ich wanderte zu meinem Vergnügen durch die Länder Europas. Ich sagte das, weil ich einen Arzt aus Graz kannte, der immer unterwegs war, und weil ich für diese beiden alten Damen nicht ich selbst, weil ich für sie kein Engländer sein wollte. Ich wollte jemand anderer sein.« Wie es bei solchen Phantasien stets der Fall ist, erscheinen verschiedene Züge bunt durcheinander gewürfelt; trotzdem zeichnet sich Otto Groß' Person ab: Graz, ein Arzt, immer unterwegs und dessen Vater; und auch Lawrences Verhältnis zu Groß zeichnet sich ab: »Ich wollte nicht ich selbst sein«, »Ich wollte jemand anderer sein«, ja: »Ich wollte kein Engländer sein.«

Kurz davor beschreibt Lawrence seine Begegnung mit einigen Anarchisten, die in der Schweiz in einer Art Kommune zusammenlebten. Einer unter ihnen erläuterte ihm ihre Ansichten und erhoffte sich seine Zustimmung. »Aber ich wollte nicht, daß er fortführe: ich wollte nichts erwidern. Ich spürte einen neuen Geist in ihm, etwas Fremdes und Reines, das mich leicht erschreckte. Er forderte etwas, das über mich hinausging. Und meine Seele vergoß irgendwo Tränen und weinte hilflos wie ein

Kind in der Nacht. Ich konnte nicht auf ihn eingehen: ich konnte nicht antworten. Er schien von mir, einem Engländer, einem gebildeten Menschen, mit seinen Blicken Bestätigung zu erheischen. Doch ich konnte ihn nicht bestätigen. Ich wußte um die Reinheit und um das erneute Ringen um die Geburt eines wahren Geistes, strahlend wie ein Stern. Doch in seiner Äußerung konnte ich ihn nicht bestätigen: meine Seele konnte nichts erwidern. Ich glaubte nicht an die Fähigkeit des Menschen, sich zu vervollkommnen. Ich glaubte nicht an die unbegrenzte Harmonie unter Menschen. Das aber war sein Stern, sein Glaube.«

Dies ist eine merkwürdige Stelle, teilweise deshalb, weil Lawrence es sich nirgendwo sonst gestattet, eine Haltung einzunehmen, die ihn angesichts des Ringens eines anderen passiv und damit schuldig erscheinen läßt. Nachher, so fährt Lawrence fort, habe er die Zeitung, die sie ihm gegeben hatten, nicht lesen und noch weniger habe er über diese Menschen nachdenken können. »Aus irgendeinem Grund blieb mein Geist stehen wie ein Uhrwerk, wenn ich über sie und darüber nachdenken wollte, wie ihr Leben, wie ihre Zukunft beschaffen sein könnte ... Sogar jetzt noch gelingt es mir eigentlich nicht, mir Gedanken über sie zu machen. Ich schrecke unwillkürlich davor zurück. Ich weiß nicht, warum das so ist.«

Vermutlich war es deshalb so, weil damals in der Schweiz ein Geist, wahr und strahlend wie ein Stern, Anarchismus predigte und praktizierte, die Gesetze schwer verletzte und die Vergeltung der Gesellschaft erfuhr – kurz nachdem Lawrence Lerici und Frieda erreicht hatte, wurde Otto Groß verhaftet, für geisteskrank erklärt und eingesperrt. Und vermutlich war es deshalb so, weil sich Lawrence als Kompromißler, als Literat, als Unterhalter der Gesellschaft und als Friedas sicheres Faustpfand betrachtete.

Als Frieda mit Lawrence auf und davon ging, hatte sie ihm gesagt, er sei ein zweiter Otto Groß, ein zweiter Ernst Frick. Das schrieb sie auch an Frieda Groß, die Else erklärte, sie (also Frieda Groß) hielte den Augenblick, *ihr* Schicksal nachzuahmen und einen Liebhaber nach *ihren* Vorbildern zu beurteilen, für schlecht gewählt. Denn 1912, als Frieda und Lawrence nach Deutschland kamen, befand sich Frick in der Schweiz in Haft, weil man ihn anarchistischer Geheimbündelei beschuldigt hatte. Frieda Weekley bat Frieda Groß, zur Gerichtsverhandlung kommen zu dürfen, was diese jedoch ablehnte. Frick wurde freigesprochen und kehrte nach Hause zurück, aber nur, um dort sofort wieder verhaftet zu werden, weil Mithäftlinge ausgesagt hatten, er habe eine Bombe bei sich getragen. Wir dürfen sicher sein, daß diese Ereignisse ebenso wie Otto Groß' Verfolgung durch Polizei und Ärzte (Frieda schrieb nach München und warnte ihn, die Schweizer Grenze zu überqueren, da man ihn dort festnehmen würde) und die Prozesse, die Hans Groß gegen seinen Sohn und dessen Frau Frieda anstrengte, Lawrence in jenen ersten Wochen ihrer gemeinsamen Flucht von Frieda eingehend geschildert bekam.

Von den Briefen Friedas an Otto Groß existieren nur mehr wenige. Darin bekennt sie sich zu ihrer Liebe für »Dich-und-Deine-Lehre«, was sie jedoch nicht hindert, ihm zuweilen vorzuwerfen, er setze diese Lehre nicht hinreichend in die Tat um, er sei nicht genügend spontan und idealisiere sie, Frieda. Sein Denken war, wie er selbst einräumte, bemerkenswert abstrakt. Sogar nahen Freunden gegenüber schilderte er seine Auseinandersetzungen mit Hans Groß als Vater-Sohn-Konflikt; und Frieda weiß er zu berichten, daß ihre Schwester Else ein Verhältnis mit einem Mann habe, der das demokratische Prinzip verkörpere – den Namen des Mannes aber erwähnt er nicht.

In ihren Briefen an Otto Groß bringt Frieda ihren Ärger darüber zum Ausdruck, daß Elses Verständnis für Otto ohne Enthusiasmus sei und daß sie es Gott nicht jede Stunde danke, »Dir und Deiner Lehre« begegnet zu sein. »Versteht sie denn nicht die Größe, die Schönheit der herrlichen Neuigkeit? Manchmal bin ich von ihr völlig überwältigt – ›wo Du stehst, ist der Boden heilig – zieh Deine Schuhe aus‹ – etwa in dieser Art.« Sie beklagt sich des öfteren, daß Else sie nicht liebe. »Fällt es so schwer, mich zu mögen – mich, der ich jedem vom Grunde meines Herzens das Beste wünsche?« Und bei einer anderen Gelegenheit: »Wir dürfen mit Else nicht den Mut verlieren, Liebster. Wir müssen gewinnen.« Es war eine überaus pädagogische und erlösungsgläubige Unternehmung, ihre Art von Erotik. Sie wollten Else *erretten* – das muß für Else nicht leicht zu ertragen gewesen sein.

Doch war ihre Erotik natürlich auch das, was wir gewöhnlich darunter verstehen. Frieda erzählt Otto von ihrer Freundin Madge und derem Verlobten, und sie weiß ihm zu berichten, daß sie die beiden »befreit« habe. »Wenn Du kommst, wirst Du sie und sie werden Dich lieben. Sie ist so ganz meine Schöpfung und ich mag sie sehr und sie würde alles für mich tun ...« Und Madges Verlobten »habe ich ebenfalls für Dein Denken gewonnen. Sie sollten Dir dankbar sein, die beiden, und ich werde, so hoffe ich, etwas Hübsches mit ihm erleben.« Offenbar hat Frieda versucht, in Nottingham etwas Schwabinger Atmosphäre mit ein bißchen sexueller Befreiung zu erzeugen. Wie wir uns erinnern, enthält die Gestalt der Ursula Brangwen Anspielungen darauf. Und es ist schon recht symbolisch, daß die Schutzpatronin der Kirche von Schwabing die heilige Ursula war und ist.

Otto Groß' Ideen

Da ihn Freud enttäuscht hatte, suchte Otto Groß Ideen zu entwickeln, die ihn noch vollständiger von der väterlichen Autorität loslösen würden. Diese Ideen scheint er zum Teil aus den Lehren Nietzsches und zum Teil aus dem Anarchismus bezogen zu haben, beides sehr lebendige Geistesströmungen im damaligen Schwabing. Den Ideen Nietzsches begegnete man vor allem in der »Kosmischen Runde«, auf die wir bald näher eingehen werden, während die Ideen des Anarchismus von Erich Mühsam, Gustav Landauer und anderen Freunden Otto Groß' im Rahmen der »Gruppe Tat« oder der »Aktionsgruppe« entwickelt wurden. Oskar Maria Graf schildert, wie er Franz Jung und Erich Mühsam in dieser Gruppe um 1912 herum kennenlernte (Otto Groß weilte damals bereits in Ascona) und wie sie zusammen Landauers ›Ruf zum Sozialismus‹ und die Werke von Nietzsche, Kropotkin und Stirner lasen. Diese Gruppe stand der politischen Aktion näher als die Mitglieder der »Kosmischen Runde«, die stark von Bachofen und von »kosmischen« Ideen generell beeinflußt war. Doch Otto Groß war ein Revolutionär, ein anarchistischer Revolutionär, und das unterschied ihn sowohl von den Leuten der »Kosmischen Runde« als auch von D.H. Lawrence. Ludwig Klages, der ebenfalls der »Kosmischen Runde« angehörte und dem Otto Groß am nächsten stand, hatte mit D.H. Lawrence in ideologischer Sicht vieles gemeinsam. Otto Groß ähnelte mehr Landauer und Mühsam, die beide in der Münchner Revolution von 1918 und in der Revolutionsregierung kurz danach eine entscheidende Rolle spielten. Kurt Eisner, der Ministerpräsident dieser Regierung, war mit ihnen befreundet, und zusammen mit vielen anderen Freunden kamen er und Landauer im Dienst der Revolution ums Leben. Otto Groß hielt sich um diese Zeit in Wien auf, und obgleich er in die dortige Revolution verstrickt war, spielte er in ihr eine Rolle, die keineswegs so überragend war wie jene, die er in München gespielt hätte. In seinem letzten Lebensjahr waren seine Schriften überwiegend politischer, genauer gesagt kommunistischer Natur, und sie erschienen in Publikationsorganen wie dem ›Sowjet‹ oder der ›Rätezeitung‹. Doch war dieser Kommunismus stark anarchistisch gefärbt.

Otto Groß zitiert Kropotkin und Stirner, der ihn anscheinend sehr stark beeinflußt hat. Stirner glaubte, die ideale Gesellschaft sei jene, die aus einem Verband von Egotisten bestehe, in dem jeder seine eigene Individualität kraftvoll behaupten könne. Das echte Individuum sah er notgedrungen als Staatsfeind, die Vorstellung von »Rechten« betrachtete er als ein Betrugsmanöver des Staates. Er glaubte nicht an die Revolution, sondern an die Rebellion – an Individuen, die sich zusammen erheben, aber eben als Individuen und nicht als Masse. Stirner war gegen den Intellekt und gegen die Moral, und seine Schriften scheinen einen Großteil des späten Otto Groß vorwegzunehmen.

Innerhalb der anarchistischen Bewegung repräsentierte Otto Groß die Gruppe, die den stärksten Nachdruck auf die sexuelle Befreiung und darauf legte, daß die orgiastische Sexualität den anarchistischen Grundsätzen am meisten entspräche. Darüber geriet er in öffentlichen Konflikt unter anderem mit Gustav Landauer, der gewöhnlichere Ideale verfolgte und sich der Psychoanalyse mit dem Argument widersetzte, sie führe zu einer Emanzipation wie zum Beispiel die der Homosexualität. Landauers Anarchismus war mehr eine Sache der praktischen Politik, die Sache eines machbaren Idealstaats, so daß er der persönlichen emotionalen Freiheit nicht diesen Vorrang einzuräumen vermochte. Groß' matriarchalische Revolution hätte zu überhaupt keinem Staat geführt, sondern eher dazu, daß jeglicher Zwang, zu arbeiten und die eigenen Energien zu sublimieren, entfallen wäre.

Otto Groß' eifrigste Anhänger waren Praktiker der Schönen Künste und der Lebenskunst ganz allgemein, doch sein Einfluß wirkte sich, welches gesellschaftliche Kriterium man auch immer anlegen mochte, zersetzend aus. Es gibt die verschiedensten Zeugen, die zu berichten wissen, daß er seine Anhänger zum Rauschgift verführte, daß er ihre sexuellen und gesellschaftlichen Hemmungen beseitigte, daß er sie von ihren Gewissensbissen befreite und daß er sie sogar dazu brachte, Selbstmord zu begehen. Über Jahre hinweg übte er einen starken Einfluß auf viele Männer und noch mehr Frauen aus – das geschah in der künstlerischen wie anarchistischen Boheme des damaligen Deutschland, und 1919 versuchte er diese Kreise zum Kommunismus zu bekehren.

Bereits 1902 lebte Groß' Freund Erich Mühsam in Friedrichshagen, einer anarchistischen Gemeinschaft am Stadtrand von Berlin, die zu jener Zeit auch John Henry MacKay beherbergte, einen Anhänger des Anarchismus Stirnerscher Prägung. Irgendwann im ersten Jahrzehnt des neuen Jahrhunderts entdeckte Erich Mühsam Ascona, eine kleine Stadt am Ostufer des Lago Maggiore, in der sich einige neu gegründete anarchistische Gemeinschaften niedergelassen hatten. Und Ascona war es, wohin sich Otto Groß 1910 von München aus begab. Das Städtchen war damals bevorzugter Zufluchtsort für Freigeister aus Schwabing und aus aller Welt. Isadora Duncan kam 1913 nach Ascona, und Kropotkin verbrachte damals die Winter dort und im nahe gelegenen Locarno. Diese beiden Persönlichkeiten hätten in der Anarchistenschule, die Otto Groß in Ascona gründen wollte, sicherlich eine wesentliche Rolle gespielt. In dieser Schule versuchte Otto Groß seine Schüler mit den Mustern der patriarchalisch-autoritären Einstellung und den daraus resultierenden neurotischen Komplexen, die die Zivilisation des Westens durchdrangen, vertraut zu machen. Als Max Brod angesichts der Desillusionierung von 1919 seinen antianarchistischen Roman ›Das große Wagnis‹ schrieb, schilderte er eine anarchistische Gesellschaft, die in eine Sackgasse geraten war. Diese Gesellschaft nannte er »Liberia«, ihr Diktator hieß Dr. Askonas.

Kropotkin war ursprünglich von Dr. Raphael Friedeberg, einem Berliner Anarchisten und einstigem Mitglied des Reichstags, nach Ascona eingeladen worden. Dort behandelte er seine Patienten gratis und nahm anarchistische Gäste auf, von denen ein Teil begann, die Ortsansässigen zu bestehlen. Leonhard Franks Roman über Otto Groß schildert einige der Diebstähle und wie das Stehlen unter Groß' Anhängern zur Epidemie wurde; aus anderer Quelle erfahren wir, daß Groß' Leute auch damit beschäftigt waren, Sacharin nach Österreich zu schmuggeln. Schon Stirner hatte das Mißlingen der Revolution vorausgesagt und an ihrer Stelle das Verbrechen gefeiert. In der individualistischen Faktion der anarchistischen Partei, also unter jenen, die von 1905 bis 1914 ›L'Anarchie‹ herausgaben, gab es viele, die vom Verbrechen lebten. Marius Jacob und seine Bande operierten mit Erfolg von 1900 bis 1905, und die aus Neu-Stirnerianern bestehende Bonnot-Bande, deren Mitglieder großenteils in Feuergefechten mit der Polizei ums Leben kamen, begann 1913 mit großangelegten Verbrechen.

Curt Riess erzählt, Otto Groß habe eine leerstehende Scheune gemietet, in der er mit Hilfe von Rauschgift sexuelle Orgien veranstaltet habe, welche die Empörung der Öffentlichkeit erregt hätten. Dabei handelte es sich natürlich um Sitzungen gezielter Selbsterforschung, in deren Verlauf die Teilnehmer die eigenen wie die fremden Hemmungen bewußt abbauten. Der Astarte-Kult, zerstört durch die eifersüchtigen Propheten Judas, sollte neu begründet werden. Franz Jung berichtet, es seien die orthodoxen Freudianer gewesen, die mit ihrer feindseligen Einstellung die Zivilbehörden gegen Groß mobilisiert hätten. Wie dem auch sei, Groß kam in schwere Bedrängnis, als seine Geliebte, Sophie Benz, mit Hilfe von Gift, das er ihr verschafft hatte, Selbstmord beging.

Man kann sich leicht vorstellen, wie Hans Groß diese Dinge aufgenommen haben mag. Schon 1909 und vielleicht sogar bereits drei Jahre früher übte Hans Groß Druck aus, um seinen Sohn, den er finanziell unterstützte, dazu zu bewegen, München zu verlassen, sich auf seine Tätigkeit an einer Universität vorzubereiten und sich der Medizin zu widmen. Anfang 1906 hatte Otto Groß Fräulein Lotte Chatemmer in Ascona Gift verschafft, mit dem sie sich das Leben nahm. Er entschloß sich zu diesem Schritt, nachdem sie sich geweigert hatte, zur psychiatrischen Behandlung zu ihm nach Graz zu kommen, und um sie vor einem noch schmerzhafteren Tod zu bewahren. Das geht zumindest aus seiner eigenen Darstellung hervor. Es ist ziemlich sicher, daß er strafrechtlich verfolgt worden wäre, wenn sich sein einflußreicher Vater nicht eingeschaltet hätte und den Sohn nicht gezwungen hätte, sich selbst einer psychiatrischen Behandlung zu unterziehen. Dr. Stekel und später C. G. Jung diagnostizierten ihn – der eine als schwer neurotisch, der andere als schizophren. (Über diese Diagnosen berichtet Kurt Eissler in seinem Buch ›Talent und Genius‹, in dem er eine Parellele zieht zwischen Otto Groß und Viktor Tausk, die beide von der Freudschen Bewegung abfielen. Diese Parallele ist insofern wichtig, als Groß und Tausk zu den glänzendsten Schülern Freuds gehörten und als beider tragisches Schicksal – Tausk beging 1919 Selbstmord – die tragische Entwicklung der psychoanalytischen Bewegung kennzeichnet.) Wenig später ging Otto Groß von Graz nach München, wo seine Beziehung zu den beiden Richthofen-Schwestern begann.

In München war er offiziell Assistent in Kraepelins Psychiatrischer Klinik, die Ende 1904 eröffnet worden war. Emil Kraepelin war damals der führende Psychiater in der ganzen Welt, und er war es gewesen, der 1899 den Unterschied zwischen den beiden Hauptgruppen der Geisteskrankheiten, der Dementia praecox und dem manisch-depressiven Irresein, formuliert hatte. Diese Unterscheidung sollte für die ganze spätere Entwicklung der Psychiatrie zur Grundlage werden. Seine Klinik war ein großer, hübscher Bau, in dem alljährlich mit den modernsten wissenschaftlichen Methoden zwischen 1500 und 2000 Patienten behandelt wurden. Diese Klinik diente auch als Lehr- und Forschungsinstitut mit Schwerpunkt auf der klinischen Psychiatrie. Doch so aufgeschlossen Kraepelin auch sein mochte, es gab doch eine Entwicklung, mit der er *nicht* sympathisierte. Das war die Psychoanalyse, der er »mit Energie und Sarkasmus« den Zutritt in die Klinik verwehrte. So war nicht einmal dafür gesorgt, daß Ärzte mit ihren Patienten vertrauliche Gespräche führen konnten.

Kraepelin war die physische wie moralische Gesundheit selbst, ein kämpferischer Antialkoholiker, ja sogar Antierotiker, der den Geschlechtsverkehr allenfalls als Mittel zur Fortpflanzung und zur Linderung von Appetenzspannungen »billigte«. Das aber ist ein hervorragendes Beispiel für die Einstellung zur Sexualität, die von der erotischen Bewegung angegriffen wurde. Es war dies stets die patriarchalische Einstellung. Vor allem aber fehlte ihm jedes religiöse oder philosophische Empfinden, obwohl er andererseits die Natur liebte und es nicht für unter seiner Würde hielt, Gedichte darüber zu schreiben. »Kraepelin war Verstandes- und Willensmensch«, so erfahren wir. Freud bezeichnete ihn als »einen groben Burschen«, und Ernest Jones meinte, seinen Patienten habe er weder Feingefühl noch warmherziges Verständnis entgegengebracht.

Ernest Jones erzählte auch, daß er Otto Groß einmal gewaltsam daran hindern mußte, Kraepelin vor Gericht zu bringen, um seine Ignoranz in bezug auf die Psychoanalyse zu beweisen. Diese Ignoranz war in den Augen Otto Groß' für einen Mann in einer derartigen Stellung ein Verbrechen. Eine wesentliche Ursache dieses Ärgers dürfte darin gelegen haben, daß Kraepelin ähnliche Züge wie Hans Groß aufwies. Beide waren sie wesentliche Manifestationen der patriarchalischen Lebensweise im intellektuellen Deutschland von damals – einer Lebensweise, deren wichtigster, wenn auch zwiespältigster Vertreter Max Weber darstellt.

1908 war er an dem öffentlichen Skandal um Elisabeth Lang beteiligt. Die neunzehnjährige Tochter eines Münchner Bildhauers war durch die Unterdrückung ihrer Familie, vor allem ihres Vaters, geisteskrank geworden. Otto Groß behandelte sie – ohne Wissen ihrer Familie – erfolgreich, doch entzog man das Mädchen dieser Behandlung, um sie schließlich in die Psychiatrische Klinik von Tübingen einzuweisen. Otto Groß aber behauptete, daß in Tübingen niemand ihre Probleme begreifen würde, weil dort niemand in der Freudschen Methode ausgebildet sei. Ihre Probleme, darauf bestand er, seien durchwegs darauf zurückzuführen, daß ihre Familie ihre starke Persönlichkeit unterdrückt habe. Durch Briefe an die Presse gelang es ihm, sie freizubekommen.

Anfang März 1911 beging seine Geliebte, Sophie Benz, Selbstmord. Für diese Handlung war er, so lautet seine eigene Darstellung, insofern verantwortlich, als er sich geweigert hatte, sie in eine Anstalt einzuweisen, obwohl er um ihre Neigung zum Selbstmord gewußt hatte. Diese beiden Euthanasie-Fälle, bei denen Lotte Chatemmer und Sophie Benz ums Leben kamen, waren für die österreichische Obrigkeit Grund genug, ihn 1913 für »gesellschaftsschädlich« zu erklären; es ist anzunehmen, daß es Sophies Tod war, der ihn Anfang 1913 zwang, die Schweiz zu verlassen und nach Berlin zu gehen. Der tragische Verlauf seiner Liebesbeziehung zu Sophie scheint die künstlerische Boheme des damaligen Deutschland stark beeindruckt zu haben; Frieda Groß schreibt kurz nach dem Vorfall an Else und erzählt, ganz Schwabing rede über diese Geschichte, und es gehe bereits das Gerücht um, daß auch sie, Frieda Groß, Selbstmord begangen habe. Franz Jung behandelte das Thema in seinem fast authentischen Roman ›Sophie‹ von 1915, und Leonhard Frank setzt sich mit dem Gegenstand in seinem 1952 erschienenen autobiographischen Roman ›Links, wo das Herz ist‹ auseinander. Diese Affäre begann insofern eine wesentliche Rolle in Otto Groß' Leben zu spielen, als sich Frieda Weekley bereits von ihm distanziert hatte. Und indirekt führte sie auch zu seiner Festnahme. 1913 ließ Hans Groß seinen Sohn als gefährlichen Psychopathen (so lautete das entsprechende Attest von C. G. Jung) von der Berliner Polizei verhaften und nach Österreich überführen, wo man ihn in eine Irrenanstalt sperrte.

Hans Groß hatte 1912 ein Testament abgefaßt, in dem er seinen Sohn mit der Begründung enterbte, er sei lange geisteskrank gewesen und nicht in der Lage, mit Geld oder Wertsachen umzugehen. Dieses Testament nennt die Zeitabschnitte, die Otto Groß in Heilanstalten zugebracht hatte, und definiert seine Geistesverwirrungen als Störungen, die sich in Form von Anarchismus, freier Liebe und der Überzeugung manifestierten, daß es seiner eigenen (Otto Groß') Ehefrau freigestellt sei, Kinder zu bekommen, von wem es ihr beliebte. Hans Groß setzte seinen Enkelsohn Peter zum Alleinerben ein, indem er fest behauptete, dies sei Ottos einziges Kind, womit er die anderen drei Kinder indirekt für illegitim erklärte. Otto, so führte er aus, sei ein Psychotiker, ein unheilbar Rauschgiftsüchtiger, und er riet, ihn nach seinem eigenen Tod in Verwahrung zu nehmen und für immer in eine Irrenanstalt zu stecken.

Doch wie wir sahen, besann sich Hans Groß eines anderen und gelangte zu der Überzeugung, daß Ottos Internierung noch vor seinem Tod stattzufinden habe. 1913 unternahm er entsprechende Schritte; daneben leitete er einen Prozeß ein, der das Ziel verfolgte, Frieda Groß ihre Rechte als Mutter und Ehefrau abzusprechen. (Frieda war zu einer Art Propagandistin der psychosexuellen Freiheit geworden und lebte damals mit Ernst Frick zusammen.) Hans Groß wollte, daß man ihm seinen Enkel Peter anvertraue und daß den anderen Kindern das Recht, den Namen Groß zu tragen, abgesprochen werden solle. Es war ein klassischer Fall von patriarchalischer Tyrannei, bei dem der Vater sogar die sexuelle, eheliche und väterliche Rolle seines Sohnes attackierte. Es ist etwas paradox, daß sich gerade Max Weber (und kein Anhänger des Bachofenschen Mutterrechts) in diesem Fall zum Verteidiger der Rechte der Mutter aufwarf, doch wird diese Handlungsweise verständlicher, wenn wir uns vor Augen führen, daß Weber eigentlich stets der Brutus des Patriarchats, der tugendhafte Rebell war.

Die Verhaftung von Otto Groß löste einen Tumult aus – zum Teil deshalb, weil er in Berlin auf österreichischen Befehl hin von preußischer Polizei festgenommen worden war. Otto Groß wurde zum Märtyrer und zum Propheten des Kampfes zwischen Vater und Sohn, dem wir in den literarischen Werken der Expressionisten immer wieder begegnen. Die führenden Zeitungen brachten Artikel zu dem Fall, mit dem sich auch Sondernummern der kleinen Zeitschriften ›Aktion‹, ›Revolution‹ und ›Kain‹ beschäftigten. In der ›Aktion‹-Sondernummer widmete Franz Jung Otto Groß ein Prosastück mit dem Titel ›Morenga‹, das sich mit der Unterdrückung der Hereros in Afrika durch die deutschen Kolonialherrn befaßte – diese Parallele zwischen der kolonialen Situation und der Situation Otto Groß' zeigt, welchen ideologischen Widerhall diese Verhaftung hatte.

Später borgte sich Franz Jung von Johannes R. Becher die Zeitschrift ›Revolution‹* und erbat Beiträge von einer Reihe von Intellektuellen, die Otto Groß unterstützten und seinen Vater angriffen. Blaise Cendrars bezeichnete Otto als »un esprit des plus appréciés en France de l'Allemagne contemporaine«. Und Ludwig Rubiner schrieb: »Wir Geistigen, wir Unterproletarier sind stark – der Professor in Graz ist nur ängstlich ... Die Irrenwärter, Vermögensverwalter, Staatsbeamten halten zusammen ... [Doch] unsere Pamphlete sind mächtiger als ihre Verbindungen.« Außerdem bediente man sich ironisch Hanns Groß' Titel – »der bekannte Kriminalprofessor Hans Groß in Graz ...« Franz Jung verfaßte einen treffenden Leitartikel, in dem er schrieb:

»Hans Groß lebt die Tragödie des Vaters, dessen Genialität an der des Sohnes sich zerreibt und im Erleben unproduktiv wird. Hans Groß muß arbeiten aus der Verdrängung einer Verneinung seiner Existenz, der Mann, der im Gegensatz zu Aschaffenburg [ein zeitgenössischer Psychiater] mit einer bewundernswerten Zähigkeit für die Jugend eintritt und allem sich Durchsetzenden Unterstützung angedeihen läßt. [Beide Männer, so fährt Jung fort, seien genial, und eben aus diesem Grund müsse der Vater den Sohn hassen. Doch sei der Sohn psychisch der Stärkere, und der Sohn habe vom Vater die Disziplin gelernt.] Er [Otto Groß] sublimiert die neue Ethik, die Idee, den Zwang zur Idee, er verabscheut den Kompromiß. Er gibt dem Vater die Waffen. Er will keine Anpassung an die Normalität, er wütet gegen sich, er braucht Rausch, Kokain, Opium. Er vernichtet sich – solange der ›Vater‹ lebt. – Der Vater indessen vernichtet sich, indem er die Waffen annimmt. Er bezahlt zur Beobachtung Detektive, Budiker, Portiers, Plätterinnen, Bäcker, Barbiere, Waschfrauen. Er frißt in sich hinein die Witterung von Huren und Erpressern. Er erstickt in Brutalität, er sperrt den Sohn ein ...

* ›Revolution‹ Nr. 5 vom 20. Dezember 1913, Sondernummer für Otto Groß

Hans Groß ist all sein Leben in Angst. Man soll auch gerecht sein.

Wir, die wir einen erheblichen Teil der intellektuellen Jugend darstellen, wollen das. Wir stellen eine Frist. Wir sind bereit, für den Professor Hans Groß einzutreten ...

Aber wir wollen Otto Groß wiederhaben.«

Franz Jung schickte 1000 Exemplare dieser Nummer der ›Revolution‹ nach Graz und Wien. Der Akademische Verband für Literatur und Musik in Wien ließ 10000 Handzettel mit der Aufschrift »Freiheit für Groß« drucken, und die Wiener ›Neue Freie Presse‹ veröffentlichte ebenfalls einen Leitartikel gegen Hans Groß. Dieser Druck von allen Seiten hatte zur Folge, daß Otto Groß freigelassen wurde, mit der Auflage, sich bei Stekel einer Analyse zu unterziehen. Doch in einem Brief an die ›Zukunft‹ vom 28. Februar 1914 schrieb Otto, das ›Wiener Amtsblatt‹ habe verlautbart, daß er vom 9. Januar an der Vormundschaft seines Vaters unterstehe. Er wandte sich an die Leser mit der Bitte, dafür zu sorgen, daß seine Frau Frieda das volle Recht über seine Kinder zugesprochen bekomme. Frieda habe immer schon befürchtet, daß Hans Groß etwas in dieser Richtung unternehmen würde. »Helft ihr! Diese Kinder sind in Freiheit geboren und großgezogen worden. Bedenkt ihr Schicksal, wenn sie meinem Vater in die Hände fallen.«

In den Monaten, die seiner Verhaftung vorausgingen, verfaßte Otto Groß eine neue Ethik, aber das Manuskript wurde bei seiner Festnahme offenbar zerstört. Allerdings veröffentlichte die Zeitschrift ›Aktion‹ neben einigen anderen Essays eine Passage daraus. Auch kündigte er eine Monatszeitschrift mit dem Namen ›Sigyn‹ an, die er und Franz Jung von 1914 an herauszugeben gedachten und die den Grundsätzen der Psychoanalyse verpflichtet sein sollte, mit dem Unterschied allerdings, daß sie sich vom individuellen Problem ab- und kulturellen wie wirtschaftlichen Symptomen zuwenden wollte. Ihr Ziel sollte es sein, den Gedanken der neuen Ethik als ersten Schritt zu seiner gesellschaftlichen Verwirklichung zu verbreiten.

Tatsächlich realisierten Franz Jung und Richard Öhring während und nach dem Krieg als Herausgeber der Zeitschrift ›Die Freie Straße‹ einen Teil dieses Vorhabens. Otto Groß steuerte die achte Nummer dieses Organs bei, die der dadaistischen Bewegung gewidmet war. Franz Jung wurde zu einem der Organisatoren des Berliner Dadaismus, der politischer war als der in Zürich, und durch Jung wurde die Bewegung mit Otto Groß'

Ideologie vertraut. So aber hat der deutsche Dadaismus, zu dem Künstler wie George Grosz gehörten, das entscheidende intellektuelle Erbe Otto Groß' angetreten, was übrigens bis zu einem gewissen Grad für die ganze expressionistische Bewegung in Deutschland zutrifft, und in diesem Zusammenhang vor allem für die Werke, die sich mit der Revolte der Söhne gegen die Väter und der Ehefrauen gegen ihre Männer auseinandersetzten.

Otto Groß behauptet in seinen in der ›Aktion‹ erschienen Essays, die Psychologie des Unbewußten sei die Philosophie der Revolution. Die Psychoanalyse wird aufgerufen, den Menschen Mut zur Freiheit zu geben und die gärende Revolte gegen das beherrschende Ich zu unterstützen. Die Umwertung aller Werte, durch die die kommende Zeit ihre Erfüllung erfahren werde, beginne mit dem Denken Nietzsches und den Techniken Freuds. Wir *können* uns kennenlernen; das aber erfordert eine neue Ethik, die auf dem moralischen Imperativ beruht, daß wir unser Selbst und das Selbst unserer Nachbarn *tatsächlich* kennenlernen. Auf diesem Weg aber werden wir erkennen, daß das, was wir heute sind, nur ein Fragment unseres vollen psychischen Potentials ist. Wir sind durch Konflikte fragmentiert, die sich in unserem Sexualleben manifestieren. Alle diese Konflikte sind auf die Zwänge zurückzuführen, welche die Außenwelt dem einzelnen auferlegt – diese Zwänge werden in der Kindheit in Form von *Autorität* introjiziert. Schwachen Charakteren gelingt die Anpassung, sie gelangen zu einer scheinbaren Gesundheit, während die starken Charaktere innerlich zerrissen werden und in der Folge voller Entsetzen als Tiere oder voller Verehrung als höhere Wesen oder voller Erbarmen als Kranke angesehen werden. Sie müssen in Zukunft als die Gesunden betrachtet werden, als die Vorkämpfer, als die Vorhut der Menschheit. (Vielleicht dachte er dabei an Menschen wie Frieda Weekley.) Revolutionen haben bisher deshalb keinen Erfolg gehabt, weil die Revolutionäre die *Autorität* verinnerlicht hatten, so daß diese Revolutionen lediglich weitere patriarchalische Staaten zur Folge hatten. Es ist die Familie, die den Ursprung jeglicher Autorität bildet. Und die Erbsünde der Gesellschaft ist die Versklavung der Frau. Der Revolutionär von heute kämpft gegen die Unterdrückung in ihrer elementarsten Form – er kämpft gegen Vater und Patriarchat. Die Revolution der Zukunft ist eine Revolution für das Matriarchat.

Später sollte Otto Groß behaupten, er habe es sich zur Lebensaufgabe gemacht, zu zeigen, daß jeder Mensch aufgrund der bestehenden autoritären Institutionen krank sei und daß der bedeutende Mensch im Verhältnis zu eben dieser Bedeutung um so kränker sei. Dies erkennen heiße, Revolution als menschliche hygienische Notwendigkeit fordern, und diese Forderung laufe hinaus auf die Forderung nach der inneren Befreiung des revolutionären Individuums, die klinisch vorbereitet werden müsse. Diese Ethik macht den Lebensanspruch jedes Individuums zur Grundlage schlechthin und definiert Gesundheit als die volle expansive Entwicklung des Potentials, das dem Individuum eingeboren ist. Nur der Erzähler der Turm-von-Babel-Legende habe die Psychose der Menschheit begriffen – die Furcht, der Versuch einen Turm zum Himmel zu bauen, könne mit dem Wahnsinn bestraft werden. (In einem späteren Artikel im ›Sowjet‹ setzt Otto Groß diesen Turm mit der »echten Kultur« gleich, die es noch zu schaffen gelte.) Der Titel eines weiteren Essays, ›Die Einwirkung der Allgemeinheit auf das Individuum‹, erinnert zwar an Max Stirner, doch zitiert Groß in dieser Arbeit hauptsächlich Nietzsche und bezeichnet Freuds Werk als die direkte Fortführung der Gedanken Nietzsches. Die sexuelle Auswirkung der Verinnerlichung der Gesellschaft durch das Individuum läßt sich am beeindruckendsten an den hysterischen Frauen nachweisen, die erhebliche Energien darauf verwenden, entweder ihre Sexualität zu unterdrücken oder ihr eine unnatürliche Form zu geben, die von der Gesellschaft gebilligt wird. Bei den Männern ist das Äquivalent zum Sexualtrieb der Aggressionstrieb; das der Unterdrückung gleichwertige Resultat ist die pathologische Feigheit.

Der Staat, so behauptet Otto Groß, ist von Natur homosexuell; seine hierarchische Autorität bewirkt, daß der eine vom anderen beherrscht wird. Diese sekundäre Homosexualität, in der die Korruption der Sexualität durch den Machttrieb zum Ausdruck kommt, ist genauso schlimm wie die Ehe. Die primäre Homosexualität dagegen ist eine Erfahrung, die zur emotionalen und sexuellen Gesundheit unerläßlich ist. Erotisch zu lieben bedeutet, sich nicht mit der anderen Person, sondern mit der dritten Wesenheit, der Beziehung selbst, zu identifizieren. Nur die erotische Liebe kann am Ende die Einsamkeit des Menschen überwinden. Die Beziehung, die als jener dritte Faktor begriffen und als höchster Wert verehrt wird, erlaubt es dem Liebenden, die erotische Vereinigung mit einem kompromißlosen Trieb zur Individualität zu verbinden. (In diesem

Punkt kommt Otto Groß der Lehre von D. H. Lawrence sehr nahe.)

Nachdem Otto Groß 1914 aus der Troppauer Anstalt entlassen worden war und sich bei Stekel einer kurzen Behandlung unterzogen hatte, arbeitete er bei Ausbruch des Kriegs zunächst in einem Kinderkrankenhaus und später in einem Krankenhaus für epidemische Erkrankungen in Vinkovici in den Karpaten. Abgesehen von ein oder zwei medizinischen Arbeiten, die er von dort aus veröffentlichte, hören wir in dieser Zeit – in der seine Lebensweise, das erfahren wir von Franz Jung, vergleichsweise konventionell war – kaum etwas von ihm. Otto Groß tritt erst 1917 in Prag wieder in Erscheinung, wo er in literarischen Kreisen verkehrte und sich mit Max Brod, Franz Werfel, Franz Kafka und deren Freund Schreiber anfreundete.

Sie alle hatten seine Essays in der ›Aktion‹ gelesen, und für Kafka waren diese Arbeiten eine wesentliche Einführung in die Theorien der Psychoanalyse gewesen. 1917 plante Otto Groß zusammen mit Brod und Schreiber eine Zeitschrift, die den Namen ›Daimon‹ tragen und kulturelle Probleme vom psychoanalytischen Standpunkt aus angehen und eine neue Ethik entwickeln sollte. Kafka, der mit Groß zwar nicht auf dem vertrauten Fuß wie seine Freunde stand, erklärte sich trotzdem bereit, sich Groß im Kampf gegen die Väter dieser Welt anzuschließen. Seit Anfang der zwanziger Jahre stoßen wir in seinen Büchern auf Groß' Theorien.

Es war Franz Werfel, der sich von Groß zunächst in Prag und später in Wien am stärksten beeindruckt zeigte und der am meisten mit ihm zu tun hatte. Er scheint Groß mit dem Geist der Wiener Revolution von 1918 identifiziert zu haben. Im Verlauf dieser Ereignisse sahen sie einander häufig, doch als sich Werfel danach gegen Revolution und radikale Politik wandte, wandte er sich auch gegen Groß. Für diesen waren die Monate der Revolution eine einzige hektische Anspannung, seine Theorien wie seine Lebensweise waren jeglicher Schicklichkeit diametral entgegengesetzt. Aus Werfels Romanen und Alma Mahlers Erinnerungen geht hervor, daß sich Alma Mahler und Otto Groß den Einfluß auf Werfel streitig machten. Alma Mahler schildert voller Ekel den Schmutz, die Unordnung und die Verderbtheit des Kreises um Franz Blei und Otto Groß, in dem sie Franz Werfel begegnete. (Es ist interessant, daß sich sowohl Alma Mahler als auch Frieda Lawrence von diesem wichtigsten Theoretiker ihrer erotischen Revolution abwandten. Beiden

Frauen haftete etwas durch und durch Konservatives, etwas Demeterhaftes oder Demetrisches an, und beide erkannten Züge der Aphrodite in ihm. Sie schafften ihre Liebhaber, beide nervöse, kleine Männer, fort aus diesem Einflußbereich und steckten sie sozusagen in Schutzhaft, damit sie dort *produktiv* sein konnten.)

Nachdem er in der Revolution in Wien seine Rolle gespielt hatte, kehrte Groß nach Berlin zurück. Von dort schickte er eine Botschaft an Frau Jaffe, mit der Frage, ob sie sich um ihn kümmern würde, wenn er nach München zurückkehrte. Nun schrieb er wieder, und seine Ideen waren noch radikaler geworden. Sein Freund Franz Jung wurde Kommunist und zum führenden Kopf des Berliner Dadaismus. Durch seine Vermittlung begannen nach Groß' Tod dessen Ideen die Dada-Bewegung in ihren späten Phasen zu inspirieren. Der Berliner Dada Club wurde im April 1918 von Jung, Huelsenbeck, Raoul Haussmann und John Heartfield gegründet. ›Die Freie Straße‹, eine Zeitschrift, zu deren Mitbegründern Groß gehörte, widmete ihre achte Nummer Dada. Die Gruppe übernahm nun Groß' Theorie vom unvermeidlichen Gegensatz zwischen dem Ich und dem Nicht-Ich als Grundlage ihrer Ideologie und als Abwehr gegen den Konservatismus der Freudschen Psychologie. So aber könnte man Surrealismus wie Expressionismus als künstlerische Ausdrucksformen von Groß' Ideen betrachten.

1919 erschienen zwei Essays von Otto Groß in der Zeitschrift ›Die Erde‹. Der eine ist ein Angriff gegen den Parlamentarismus, in dem Groß argumentiert, daß jeder durch seine Antwort auf die Frage: »Billigen Sie Parlamente in *irgendeiner* Weise?«, erfahren könne, ob er ein echter Revolutionär oder ein Bourgeois sei. Die revolutionäre Seele stehe im ewigen Konflikt mit der Demokratie, da diese untrennbar verbunden sei mit dem Glauben an den Fortschritt und dem Vertrauen in die Mehrheit, die für jede wichtige Entscheidung die Verantwortung trägt. Dies leite sich entweder von dem Wunsch her, alles beim Alten zu belassen, oder von dem Widerwillen dagegen, Verantwortung zu übernehmen. Die Revolution versuche, eine neue Idee durchzusetzen. Sie benütze eine Elite, um die Massen zu zwingen, gegen die Mächtigen dieser Welt, gegen die Privilegierten aller Art, zu kämpfen. Groß schließt den Essay mit einem Zitat aus dem ersten Buch der Chronik: »Aber Gott ließ mir sagen: ›Du sollst meinem Namen nicht ein Haus bauen; denn du bist ein Kriegsmann und hast Blut vergossen‹ ... Dein Sohn Salomo soll mein Haus bauen.«

Der zweite Essay beginnt mit dem Mythos von Kain, dessen Mord an Abel Otto Groß als Geburt des revolutionären Protests interpretiert. Nicht Hoffnung, sondern Unzufriedenheit ist das einzig Positive, das uns in einer Welt ohne Werte bleibt. Diese Unzufriedenheit verbirgt sich hinter Kains Tat, auch wenn diese direkt dem Unbewußten entsprang. Mit dieser Behauptung bezieht Groß einen Standpunkt, der stark dem Stirnerschen ähnelt. Die klassische Psychoanalyse baut auf den Status quo, den sie nicht zu stören gedenkt; sie rechtfertigt das altherkömmliche Unterbewußtsein, indem sie die »Häßlichkeit« der »perversen« Vorstellungen des Unterbewußten aufzeigt. Doch indem wir den Drang zum revolutionären Protest freisetzen, können wir die Leute von ihrer derzeitigen Selbstsabotage loslösen. Nun, da die Stadtkultur vollentwickelt ist, sind Patriarchat und Ehe (beides ländliche Einrichtungen) nicht mehr zu rechtfertigen. Wir sind wieder frei wie die Menschen der primitiven Vorzeit, nur eben auf einer höheren kulturellen Ebene. Diese Freiheit gilt es in den Schulen zu lehren: Wir müssen, um der Erfüllung der Menschheit willen, den absolut kompromißlosen Widerstand lehren gegen alles und jedes, das heute für Autorität, Institution, Macht und Moral steht.

Kurz nachdem diese Essays erschienen waren, lief Otto Groß von seinen Freunden fort, und als man ihn endlich fand, war es zu spät, um ihn noch zu retten. Er starb am 13. März 1920 in einem Sanatorium in Berlin-Pankow.* Um genau diese Zeit inszenierte Leopold Jessner seinen expressionistischen ›Wilhelm Tell‹ in Berlin. Jessner hatte in diesem Jahr die Leitung seines Theaters übernommen, und der ›Tell‹ war seine erste Inszenierung. Die antimilitaristische Konzeption und die groteske Übertreibung des Theaterstils lösten im Theater einen Aufruhr aus. Und im Februar 1920 kam der Film ›Das Kabinett des Dr. Caligari‹ in die Kinos – er war der Vorläufer einer ganzen Reihe von Filmgrotesken, in denen der Geist von Otto Groß auf triumphierende Weise zum Ausdruck kam. Das Thema der Revolte des Sohnes gegen den Vater, das immer mit Otto Groß

---

* Es muß eine unruhige Zeit gewesen sein, die auch später noch die Gemüter verwirrte. Franz Jung, der als Freund vielleicht am besten informiert war, läßt Otto Groß an »einer Lungenentzündung, verschärft durch völlige Unterernährung« sterben, während derselbe Dr. Groß in Curt Riess' ›Ascona‹ in Zürich stirbt – an einer lächerlichen Grippe. (Anm. d. Ü.)

verbunden sein wird, beschäftigte auch weiterhin die Schriftsteller, ja man darf behaupten, daß es die deutsche Kultur des nun folgenden Jahrzehnts entscheidend mitprägte. Unter Groß' Anhängern in München war es Leonhard Frank, der einen Roman gegen die Väter schrieb, und Karl Ottens Freund, Walter Hasenclever, verfaßte das berühmteste Theaterstück zum Thema Vaterhaß. Wie man sich erzählt, soll Hasenclever ein Freund von Groß gewesen sein; gewiß ist, daß er Otten in jener Zeit besuchte, als dieser Groß sehr nahe stand. Auch Franz Werfel schrieb antipatriarchalische Romane und Stücke, und so war es plötzlich eine ganze Reihe von expressionistischen Schriftstellern, die dieses Thema um die Gestalt des Otto Groß ansiedelte. In diesen zwanziger Jahren folgte auf Hasenclevers ›Der Sohn‹ Arnolt Bronnens ›Vatermord‹, und die Rebellion Friedrichs des Großen gegen seinen Vater wurde wieder und wieder behandelt. Doch Groß selbst war tot. Und obgleich in Deutschland auf kulturellem Gebiet der Geist Schwabings triumphierte, war die große Zeit von Schwabing vorbei.

In seinen Ideen wie in seinem Schicksal spiegelte Otto Groß ein Schwabing wider, das die patriarchalische Welt auf radikale Weise attackierte. Franz Jung meinte in diesem Zusammenhang, Otto Groß' Leben sei wie ein exemplarisches Drama vor den Augen der Künstler und Bohemiens abgerollt, und diese Künstler und Bohemiens hätten aufmerksam jeden Schritt Otto Groß' verfolgt, ganz gleich, wie sehr sie ihn auch ablehnten, wie feindselig oder wie verräterisch sie sich ihm gegenüber auch verhielten. Er war Schwabings Kulturheld, so wie Max Weber der Kulturheld Heidelbergs war. Er war sowohl ein Produkt Schwabings als auch sein Held. Er repräsentierte die Schwabinger, weil er unter ihnen er selbst wurde. Und die »Kosmische Runde« war der Teil von Schwabing, der ihn am stärksten beeinflußt hatte.

Die Kosmische Runde

Die »Kosmische Runde« war ein Sammelbecken von Ideen, der Alfred Schuler, Ludwig Klages, Karl Wolfskehl und zuweilen auch Stefan George angehörten. Diese Männer lernten einander in Schwabing zwischen 1897 und 1903 kennen; sie diskutierten viele Fragen, bei denen es vor allem um Mythologie, Anthropologie und Kulturgeschichte ging. So entwickelten sie eine Weltanschauung, die im radikalen Gegensatz stand zu der patriarchalischen Zivilisation Westeuropas. Sie plädierten für Lebenswerte, Erotik, für den Wert von Mythos und Primitivkulturen, für die Überlegenheit des Instinkts und der Intuition über die Werte der Wissenschaft, für den Primat der matriarchalischen Lebensweise. Der wesentlichste Anstoß zur Entwicklung ihrer Ideen kam von dem Schweizer Gelehrten J. J. Bachofen, während diese Ideen ihrerseits Otto Groß und letztlich auch D. H. Lawrence beeinflußten.

Die bekannteste Persönlichkeit unter ihnen war Stefan George, der jedoch offenbar am wenigsten zur Ausarbeitung der Ideen beitrug, um die es uns hier geht. In erster Linie Dichter, verwandelten sich diese Ideen in seinen Händen in ästhetisches Material. Die anderen Mitglieder des Kreises waren – zumindest wenn man sie mit George vergleicht – anti-ästhetisch eingestellt, da sie ihre Ideen vor allem als weltverändernde Kräfte betrachteten.

Wolfskehl, ein Jude, war Professor für deutsche Literatur an der Münchner Universität und ein begeisterter Erforscher von Mythen, Legenden, Runen, kurzum aller Spuren untergegangener Kulturen. Er war selbst ein ekstatischer Dichter, eine dionysische Persönlichkeit, ständig verliebt und voller Leidenschaft. Klages war ausgebildeter Chemiker, bestritt aber seinen Lebensunterhalt als Graphologe und Dozent, der über Charaktertypen und Ausdruckstheorie las. Als junger Mann schrieb er Gedichte, doch widmete er sich später der Ausarbeitung eines philosophischen Systems, dem die Ideen der »Kosmischen Runde« zugrunde lagen. Schuler läßt sich gesellschaftlich am schwierigsten einordnen, denn weder arbeitete er noch schrieb er irgend etwas Nennenswertes, noch widmete er sich irgendeinem speziellen Studium. Irgendeiner klassifizierbaren Aktivität am nächsten kam er, wenn er bei irgendwelchen Leuten improvisierte Vorlesungen über das Leben im alten Rom hielt. Diese Beschwörungen des religiösen oder sexuellen Denkens von damals entbehrte natürlich jeglicher Evidenz. 1897 war Schuler, der Älteste der Gruppe, zweiunddreißig; George war neunundzwanzig; Wolfskehl achtundzwanzig und Klages fünfundzwanzig. Diese Jahre bildeten den Gipfel ihrer jugendlichen Vitalität.

Wir sollten kurz bei dem scheinbaren Paradox verweilen, daß sich unter den wichtigen Persönlichkeiten der von mir so genannten erotischen Bewegung viele befanden, die persönlich gar nicht so erotisch waren – oder die, falls sie es doch waren, keine Frauen liebten. Schuler und George waren eindeutig homoerotisch, Klages war von einer steifen, schwerfälligen Männlichkeit, und D. H. Lawrence liebäugelte lediglich mit der Bewegung. Wolfskehl und Groß liebten zwar Frauen, doch könnte man leicht *Gegner* der erotischen Bewegung finden, die tatkräftigere Diener des Eros waren als diese ganze Gruppe zusammen. Die Erklärung ist darin zu suchen, daß sich die erotische Bewegung in erster Linie *gegen* etwas richtete – sie rebellierte gegen Dinge wie Autorität, Industrialismus, Militarismus und so weiter. Dem Eros und der Frau zu huldigen war ein Mittel zu diesem Zweck; diesem Zweck konnte, ja *mußte* man leidenschaftlich verpflichtet sein, während das Mittel selbst nicht unbedingt Leidenschaft erforderte.

Ludwig Curtius stellt Klages wie Alfred Schuler als Persönlichkeiten dar. Klages war eine stattliche und redegewandte Erscheinung – blond, blauäugig und von ebenmäßiger Gestalt, ein Redner, dessen wundervoller Stimme man stundenlang zuhören konnte. Schuler war ein kleiner, gedrungener Mann, und seinen riesigen Schädel mit den großen, hervorquellenden Augen zierte bereits in jungen Jahren eine Glatze: Richtig jung hat er wohl nie ausgesehen. Er vergötterte seine Katze, kleidete sich in einen dunkelblauen, bis zum Hals geknöpften Gehrock, der an einen Priester erinnerte, und wenn es regnete, hüllte er sich in einen Umhang mit Kapuze. Er und Klages setzten sich mit Ludwig Curtius in Verbindung, als sie dessen Essay über Goethe gelesen hatten. Curtius lernte die beiden in einem sakristeiartigen Raum kennen, wo Schuler sofort eine Prophezeiung wagte, deren schwerwiegender Inhalt besagte, daß Curtius, ob er es nun wüßte oder nicht, zu den wenigen Eingeweihten gehöre, die zum »Sehen« berufen seien – das heißt durch zivilisierte und rationale Erscheinungen hindurch die Realität zu sehen.

Ähnlich wie Otto Groß benutzte auch Schuler häufig den Babel-Mythos, und seine Deutung lief darauf hinaus, daß es die Eifersucht eines Gottes gewesen sei, die den Menschen davon abgehalten habe, einen Turm in den Himmel zu bauen. Und wie Groß glaubte auch Schuler, das Leben in der Stadt sei ein positiver Wert. Der Mensch könne nur auf dem Lande durch die Landwirtschaft versklavt werden, die ihn an die Erde binde. Die erste große Stadt sei Troja gewesen, in dessen Mitte Helena versteckt gewesen sei, Helena, die neben der Klugheit auch den

Eros verkörperte, denn sie war die Tochter eines Gottes, der der fleischlichen Lust gehuldigt hatte. Für Schuler war die Geschichte, nach der Helena aus ihrem einstigen häuslichen Leben von den Trojanern fortgelockt worden sein soll, eine typisch griechische Lüge. Da sie rationalistische Barbaren waren, wollten sie lediglich die Stadt zerstören und Helena selbst rauben. Die nächstgelegene große Stadt war Alexandria, die Heimat der Gnostiker. Sowohl bei Schuler als auch bei Groß stoßen wir auf einige gnostische Züge, da sich im Denken beider Männer die gnostische Richtung mit der matriarchalischen deckte. Wie die frühen Gnostiker machte auch Groß Kain zu einem seiner Helden.

Schulers Denken ähnelte den Vorstellungen von Otto Groß auch insofern, als er die patriarchalische Gesellschaft haßte, die in seinen Augen das republikanische Rom verkörperte. Zwar war für ihn das kaiserliche Rom die dritte große Stadt, doch hatte er für die Römische Republik, in der Frau und Kind dem Gatten, Herrn und Vater völlig untertan waren, in der die Frau nichts besaß und keinerlei Rechte hatte, nur Verachtung übrig. Seine Zeit war das späte kaiserliche Rom, das eben wegen seiner sexuellen Dekadenz und seiner sinnlichen Intensität der Herold einer neuen Weltordnung gewesen war. Petronius und Nero waren Gestalten, in denen er sich selbst wiedererkannte, und er liebte es, römische Feste zu geben, auf denen er manchmal als Nero, manchmal in Frauenkleidung als Magna Mater selbst auftrat. Diese Feste waren die größten Ereignisse des Schwabinger Faschings, und ihre orgiastische Berechtigung lag in ihrer religiösen Rebellion gegen die patriarchalische Tugendhaftigkeit. Auch D. H. Lawrence fühlte sich von der Idee angezogen, daß die Dekadenz seiner Zeit eine neue Ära ankündigen könnte – das beweisen seine beiden Werke ›Die Schwestern‹ und ›Italienische Dämmerung‹.

Klages' und Lawrences Denken weisen verblüffende Ähnlichkeiten auf. Wie H. E. Schröder in ›Klages: Die Jugend‹ behauptet, entspricht das Bild von den männlich-weiblichen Gegensätzen, das Herman Daleski in ›The Forked Flame‹ (›Die gespaltene Flamme‹) entwirft, um damit D. H. Lawrence zu erklären, auf erstaunliche Weise den Vorstellungen von Klages. Doch möchte ich hier nur einige Punkte herausarbeiten.

Klages' Hauptwerk, ›Der Geist als Widersacher der Seele‹, enthält bereits in seinem Titel das Hauptargument der Lawrenceschen Ethik und Metaphysik. Leib und Seele seien die beiden Pole des natürlichen Lebens des Menschen. Der Geist, der durch Abstraktion und Logik wirke, vergegenständliche und fixiere die Bewegungen, die durch diese Polarität entstünden, und erzeuge dergestalt eine künstliche Welt der Vorstellungen, die dem Leben feind sei, ein System der Bedeutungen, das die unmittelbare Erfahrung verzerre und zerstöre. Das Blut besitzt für die »Kosmische Runde« dieselbe Bedeutung und dieselbe Wichtigkeit wie für D. H. Lawrence. Die »Blutleuchte«, die in Schulers System zentralen Rang einnimmt, hat vieles gemeinsam mit Lawrences »Blutweisheit«, obwohl Schulers Begriff in erster Linie die besonderen Erkenntnisse besonderer Personen meint. Lawrences Begriff dagegen bezeichnet normales nicht-rationales Wissen, obwohl er diesen Begriff natürlich am häufigsten für *wichtige* Beispiele dieses Daseinszustandes gebrauchte – »Blutweisheit« stand für ihn im Widerspruch zum rationalen Wissen. Dieser Unterschied ist symptomatisch für alle anderen Unterschiede zwischen Lawrence und der »Kosmischen Runde«; anders ausgedrückt: Lawrences Erkenntnisse standen immer mehr im Dienst und in stärkerer Beziehung zum »common sense«. Schuler wie Klages nahmen einen radikaleren Standpunkt ein als Lawrence, wenn es um »Blut« und Sexualität ging. Wenn Klages die blutenden Stigmata des heiligen Franz von Assisi als Beweis für den Vampirismus des Christentums anführt, indem er behauptet, der Geist habe dem Körper des Franziskus bewußt das Blut ausgesogen, dann geht uns auf, wie gemäßigt Lawrence eigentlich war.

In seinem Werk ›Der Mensch und das Leben‹, ein Beitrag für die Festschrift anläßlich des Treffens der Freideutschen Jugend 1913, beklagt Ludwig Klages die Zerstörung von Tierwelt und Landschaft durch die immer weiter um sich greifende Zivilisation. Er wendet sich gegen Fortschritt und Technologie und preist die chthonischen Mächte, die in die Unterwelt getrieben worden seien. »Kein Zweifel, wir stehen im Zeitalter des Unterganges der Seele«, verkündete er, denn der Geist habe bereits über das Leben triumphiert (S. 23). In seinem Essay ›Goethe als Seelenforscher‹ greift er die abendländische Kultur an, die auf dem Denken fuße, das im Gegensatz zur Weisheit stehe; diese Art von Rationalismus aber führt er auf die übertriebene Maskulinität des Abendlandes zurück. Die ältesten Weisheiten der Menschheit seien Besitz und Vorrecht der Frau gewesen, behauptet er und führt als Beispiele das Pythische Orakel, die Sibyllen, die Walküren und die Schwanenjungfrauen an.

Das Werk, das uns hier am meisten interessiert, ist Klages' Buch ›Vom Kosmogonischen Eros‹. Darin unterscheidet Klages radikal zwischen Eros einerseits und Sexualität und Liebe andererseits, ebenso wie Lawrence zwischen Begierde einerseits und Verlangen und Liebe andererseits unterscheidet. Nur beim Menschen begegnen wir einem tödlichen Kampf zwischen dem Leben und einer entgegengesetzten Macht, die ein Abstraktum ist, unabhängig von Raum und Zeit, eine Kraft, welche die Pole des Leibes und der Seele voneinander trennt, welche die Seele entleibt und den Leib entseelt. Diese Kraft aber nennen wir Geist (Logos, Pneuma, Nus), und sie wirkt durch »unterscheidende Besinnung« und durch »bezweckenden Willen«. Das gemeinsame Ziel dieser beiden Kräfte aber ist die Schaffung des Ich oder Selbst, das im Leben eines jeden Menschen zur »exzentrischen Mitte« wird. So aber wird das Individuum zum Selbst (S. 44).

Wir entdecken eine verblüffende Ähnlichkeit zwischen Klages und Otto Groß, bei der es um den Haß beider gegen Moses und die Propheten, gegen Platon und Aristoteles geht, die alle in ihren Augen die Seele an den Geist verrieten. Tatsächlich gehörte zu der Einweihung in die neue Bewegung die Entweihung der bildlichen Darstellung dieser Begründer der Kultur des Abendlandes. Dieser Zug berührt uns besonders stark, weil wir wissen, daß sich Max Weber gern mit den jüdischen Propheten, insbesondere mit Jeremias, und daß sich Freud gern mit Moses identifizierte.

Der prähistorische Mensch sei von der Seele beherrscht worden, der historische Mensch werde vom Geist beherrscht, und der posthistorische Mensch – dessen Zeitalter gerade beginne – werde nur mehr eine leere Maske und ein Roboter ohne echtes Leben sein. (In Lawrences ›Letzten Gedichten‹ heißt der moderne Mensch »Maschinenroboter«.) Doch schreckliche Rache bereite sich im Schoß der geschändeten Erde vor. Sie werde alle ihre gottlosen Kinder vernichten. Die nordischen Völker Europas zeichneten sich durch eine stark »sympathetische« Wesensart aus, und so werde bei ihnen Erotik leicht zu gefühlhafter Seelenliebe, die ihrerseits zum posterotischen Spektrum einer umfassenden Menschenliebe werde. Solchen Ideen begegnen wir natürlich auch bei D. H. Lawrence – zum Beispiel in seinen Werken ›Italienische Dämmerung‹, ›Die Krone‹ und ›Spiel des Unbewußten‹. Lawrence wie Klages diagnostizieren sich selbst und andere als »übertrieben sympathetische« Geschöpfe und damit als Individuen, die Probleme sowohl mit der Erotik als auch mit der Aggression haben. Und sich selbst diagnostizieren sie als Menschen des Willens und des Geistes.

Klages empfand einen tiefen Respekt vor allen »Naturvölkern« und vor den Primitiven, die noch vor den Griechen lebten – sie hätten wesentlich besser gelebt als wir heute leben. Indem sie den Tod liebten und anerkannten, gelüstete es sie weder nach Unsterblichkeit und Abstraktion noch nach Besitz, Herrschaft und Familienleben, denn all dies seien Dinge gewesen, die es erst gab, als wir aus dem Paradies vertrieben wurden. Klages interessierte sich auch für Blutsbrüderschaft. »Der Eros des Abendlandes«, so schrieb er, »steht im Zeichen der ›Blutsbrüderschaft‹.« Die Rückkehr zur erotischen Ganzheit müsse die Polarität des menschlichen Wesens anerkennen.».. . die erotische Umarmung ist gar niemals Vermischung: sie verknüpft zwar die Pole, aber ohne sie aufzuheben.« (S. 63, 65) Auch bestand er auf der Unpersönlichkeit der Leidenschaft, denn je mehr Egotismus der Geliebte besäße, desto mehr werde seine Persönlichkeit in der Liebesbeziehung idolisiert oder vergöttlicht. Daraus aber gehe die Tragödie des Eros hervor. Und ähnlich sei seine Liebe um so mehr bloße Sexualität, je mehr sie durch Begehren gekennzeichnet sei. Je mehr sie jedoch durch »Preisgabe« gekennzeichnet sei, desto näher komme sie dem wahren Eros.

Für Klages war die Hingabe der Frau an den Mann natürlich keine echte Hingabe. Im Gegenteil, die traditionellen weiblichen Tugenden der Nachgiebigkeit und Treue waren für ihn die Bestätigung der Selbstsucht des Mannes; sie verwiesen unzweideutig darauf, daß die Frau ihre Rolle als Besitz des Mannes und ihre Verherrlichung des Mannes als Besitzer akzeptierte. Goethes Gretchen ist das Musterbeispiel dieser Art von Hingabe, und genau hier liegt auch der Grund, weshalb Lawrence und Frieda die Gestalt des Gretchen stets als eine typische Heldin der Welt der Männer verurteilten. Denn sie war völlig passiv, ganz und gar Opfer.

Die Hingabe des Mannes an die Frau kehrt dieses patriarchalische Muster jedoch um. In Lawrences Sicht einer Welt der Frau sind es zum Beispiel die Frauen, welche die sexuelle Initiative ergreifen, während die Männer aufgerufen sind, sich ihnen hinzugeben. »Du bist der Ruf und ich bin die Antwort«, ist eine typische Äußerung des Mannes gegenüber der Frau. So ist es zum Beispiel Anna Brangwen, die Will entkleidet und liebkost.

Die Männer sind jung, erinnern an Gestalten wie Adonis oder Osiris. Sogar Miriam in ›Söhne und Liebhaber‹ läßt ihre Hände an Pauls Seiten hinabgleiten und murmelt: »Wie schön du bist.« Das ist eine Geste, die wesentlich authentischer scheint, wenn wir ihr in den Gedichten begegnen, wo sie Frieda zugeschrieben wird und wo sich Lawrence darüber beklagt, wie ungezwungen sie Besitz von ihm ergriffen und wie sehr sie, die Magna Mater, ihn zum Sexualobjekt reduziert habe. Diese Verstimmung war bis zu einem gewissen Grad unvermeidlich, denn sie war ein Teil des Preises, der bezahlt werden mußte für jene kühne Umkehrung des patriarchalischen Musters der Sexualität, welche die neue Lehre vom Eros begleitete.

Für Klages war der Stoff, aus dem die Welt gemacht ist, nicht die Materie, wie sie die Wissenschaft definiert. Die Gegenwart war für ihn ein Bogen, der sich zwischen Vergangenheit und Zukunft spannt – ein zerbrechlicher und unwirklicher Regenbogen. Daher sollten die großen Schöpfungen der Kultur und die Leistungen der Persönlichkeit nicht als Besitz genommen werden; Symphonien, Epen und Liebesbeziehungen sollte man nicht halten wollen, denn sie werden alle vergehen. Man muß dem Lebensprozeß, dem *Leben selbst* vertrauen. Vernunft und die Kultur der Vernunft vergegenständlichen das Leben, indem sie alles wiegen, zählen, messen. Doch das Leben ist ein Fließendes, ein nicht zu Messendes. In diesem Argument präsentiert Klages die meisterhafte Strategie der modernen Phase jener Metaphysik, die sich gegen das Denken und die Kultur des Abendlandes wendet – es geht hier um die Metaphysik des Matriarchats. D. H. Lawrence entwickelte mit Friedas Hilfe seine eigene Fassung. Er und die »Kosmische Runde« waren enge Verbündete.

Die »Kosmische Runde« zerbrach Anfang 1904 wegen eines Streits zwischen Klages und Alfred Schuler auf der einen und Stefan George und Karl Wolfskehl auf der anderen Seite. Ursache dieses Zerwürfnisses waren offenbar die antisemitischen Gefühle, die Klages und Schuler gegenüber Wohlfskehl äußerten. Wichtig in diesem Zusammenhang muß auch gewesen sein, daß die Gräfin Reventlow Ende 1903 ihre Gunst nicht mehr Klages, sondern Wolfskehl schenkte, daß Georges ›Blätter für die Kunst‹ immer größeren Erfolg hatten und daß zu dem Kreis um George immer mehr Anhänger stießen. Klages und George waren einander in ihrem Führungsanspruch zu ähnlich, sie mußten miteinander in Konflikt geraten und zu erbitterten

Feinden werden. Klages warf George vor, die Ideen der Runde zu stehlen – die, so glaubte er, vor allem Schuler zu verdanken seien – und sie in rein ästhetische Lehren zu verwandeln. Ihre Absicht wäre es, so betonte er, das Leben als Ganzes zu erneuern.

George und Wolfskehl beschuldigten Schuler und Klages zu Recht ihres Antisemitismus, denn beide verkündeten öffentlich, daß es sich bei dem Modernismus, den sie bekämpften, um ein im wesentlichen jüdisches Phänomen handele. Tatsächlich beharrte Klages auch dann noch auf seinem Antisemitismus, als dieser in eine effektive Politik des Mordes und des Massenmordes ausgeartet war. All diese Dinge beeinflußten insgeheim und dennoch entscheidend die Gefühle, die man gegenüber Lawrence hegte, dessen geistige Einstellung der Ideologie von Klages und Schuler so stark ähnelte.

In den Jahren, die dem Krieg vorausgingen, war der Antisemitismus der »Kosmischen Runde« kaum ernst zu nehmen. Die allgemeine gesellschaftliche Rebellion der »Runde« schien zu gewährleisten, daß sie sich nicht herablassen würde, gesellschaftliche Kräfte gegen die Juden zu mißbrauchen. Die Anhänger der »Runde« waren Nietzscheaner und keine Wagnerianer; tatsächlich war ihnen alles, wofür ›Parzifal‹ stand, ein Greuel, denn schließlich waren sie nicht bloß antisemitisch, sondern gegen alles eingestellt, was Christentum hieß, ja sogar gegen alles, was mit Musik und Theater zusammenhing. Stefan George nötigte seine Anhänger, Musik und Schauspiel zu verachten. Wagner aber war der offizielle Geschmack. Der Kaiser war ein begeisterter Bewunderer seiner Musik. Nietzsche und nicht Wagner zu bewundern schien ein gesundes geistiges Interesse zu beweisen.

Dazu kommt noch, daß ein echter und unleugbarer Unterschied bestand zwischen den Theorien der »Kosmischen Runde« und den Ideen Alfred Rosenbergs und der eigentlichen Nazis. Das Hauptsymbol der Philosophie der Runde war das Blut – die dem Geist entgegengesetzte Kraft also –, doch war dieses Symbol so zu verstehen, wie es Lawrence verstand und nicht, wie es die Nazis verstanden. Für die »Runde« war das Blut der Ort, an dem die kosmischen Energien im Menschen zusammenströmen, jene Energien, die gewöhnlich so verfälscht und korrupiert sind, daß sie sich überhaupt nicht mehr manifestieren und das Leben nicht mehr beeinflussen. Trotzdem hatte Marianne Weber recht, als sie 1938 schrieb, daß die

Schwabinger vor dem Kriege die reichhaltigste Quelle für all die antichristlichen und antibürgerlichen Tendenzen waren, mit denen sich Deutschland in den späten dreißiger Jahren auseinandersetzen mußte. Die Schwabinger waren ganz Hohn und Spott bei der Vorstellung, daß der »höhere Mensch« sich bemühen sollte, auch wirtschaftlich zu Ansehen zu gelangen. Sie waren ganz Hohn und Spott, wenn es um technischen Fortschritt, um Stolz auf die eigene Arbeit oder um Sexualmoral ging, denn all diese Werte und die damit verbundene Entsagung schienen ihnen unvereinbar mit dem schöpferischen Geist. All die Dinge, mit denen wir heute konfrontiert sind, erklärte Marianne Weber, wurden in die Welt gesetzt von diesen hochbegabten Menschen. Sie verherrlichten die Kreativität des heidnisch-kosmischen Prinzips, das sie im Gegensatz sahen zum lebensfeindlichen jüdisch-christlichen Prinzip. Gefühl und Instinkt wurden mit allen Mitteln propagiert, damit sie Vernunft und Klarheit des Verständnisses überrollten und besiegten.

Sieben Jahre später benutzte Alfred Weber, eine weitere Persönlichkeit Heidelbergs, ähnliche Worte, um die Schwabinger Nietzsche-Anhänger zu verurteilen. In dem ›Nietzsche und die Katastrophe‹ betitelten Kapitel seines Werkes ›Abschied von der bisherigen Geschichte‹ stellt er die Frage: »Aber was geschah, gesehen vom *Gesamtdasein* her?« Und seine Antwort lautete: »Es bilden sich in einzelnen Orten geistige Herde von starker gegenseitiger Befruchtung, voll von innerem Reichtum und aufgeschlossensten menschlichen Beziehungen, gesättigt mit geistiger Universalität und Verfeinerung. Keiner dieser Herde, auch der in der Hauptstadt nicht, aber hatte die geringste Beziehung, den geringsten Einfluß auf Politik und praktisches Dasein. Eine Mauer der Fremdheit lag dazwischen. Dort regierte – ja, was dort eigentlich regierte, das wußten diese geistigen Kreise zum guten Teile gar nicht genau. Höchstens, daß sie es einmal in einem guten Witzblatt in gewissen seiner Symptome belachten, um doch alles praktisch zu belassen, wie es war.« (S. 213 f.)

Das traf auf die »Kosmische Runde« zu nicht wegen ihrer Frivolität, sondern wegen ihrer totalen und kompromißlosen Ablehnung der patriarchalischen Kultur überhaupt. Die Runde traf sich, um prähistorische, matriarchalische Kulturen zu diskutieren, weil sie überzeugt war, daß hier die große lebensspendende Alternative läge. Tatsächlich war die Autorität, auf die sie sich am liebsten berief, nicht Nietzsche, sondern Bachofen, den niemand sozialer Brutalität bezichtigen könnte. Ihre gemeinsame Lektüre des Bachofenschen Werkes war ihr großes geistiges Abenteuer. Klages stieß 1900 als erster auf den Altertumsforscher und schloß sich fünf Wochen lang ein, um ihn zu studieren, und als er dann wieder auftauchte, fühlte er sich als neuer Mensch. Wolfskehl besaß eine in Schlangenleder gebundene Ausgabe von Bachofens Werk über Gräbersymbolik, das er Klages feierlich überreichte.

Johann Jakob Bachofen wurde 1815 als Sohn einer Basler Patrizierfamilie geboren. Seine Mutter war erst zwanzig, als sie ihn zur Welt brachte, und der junge Bachofen hing so sehr an ihr, daß er erst mit über fünfzig Jahren heiratete. Erschüttert vom intellektuellen Radikalismus seiner Zeit und von der Gewalttätigkeit der Revolutionen, die ganz Europa erschütterten, unternahm er 1848 eine intuitive Rekonstruktion des europäischen Kulturerbes, von dem er befürchtete, es könnte zerstört werden. Als er römische Gräber untersuchte, stieß er auf Spuren früherer Religionen und Kulturen, die er als matriarchalisch interpretierte. 1859 veröffentlichte er seinen ›Versuch über die Gräbersymbolik der Alten‹. Obwohl das Buch heftig kritisiert wurde, setzte er seine Spekulationen in diese Richtung fort, und zwei Jahre später erschien sein Hauptwerk.

›Das Mutterrecht‹ wurde mitleidlos lächerlich gemacht. Im selben Jahr veröffentlichte Henry Maine in England sein Werk ›Ancient Law‹. Diese im wesentlichen patriarchalische Behandlung derselben Themen war genau das, was die Leute glauben wollten, denn so waren sie erzogen worden. Bachofens große Idee ging davon aus, daß der patriarchalischen Gesellschaft überall eine matriarchalische Gesellschaftsform vorausgegangen sei, die sich auf das »Mutterrecht« gestützt habe, und daß es tatsächlich drei Stufen der Kulturentwicklung gegeben habe – die tellurische, die lunare und die solare, wobei die ersten beiden matriarchalisch gewesen seien, während erst die letzte patriarchalisch gewesen sei. Die tellurische Stufe bedinge eine primitive Nomadengesellschaft, die von der Jagd und von der Nahrungssuche lebe. Die Landwirtschaft sei noch unbekannt, auch gebe es keine Ehe. Das politische System, falls dieser Begriff überhaupt zutreffe, bestehe aus einer undifferenzierten gemeinschaftlichen Demokratie; Recht und Gesetz basierten auf dem Grundsatz: »Aug um Aug und Zahn um Zahn«. Die Göttin dieser Ära sei Aphrodite mit ihren Symbolen Hündin und Sumpf. Bachofen bezeichnet diese Phase auch als die hetärische, weil die Rolle der Frau promisk und un-beherrscht sei und weil die Frau weder einen Ehemann noch einen Vater für ihre Kinder kenne.

In der lunaren Phase habe sich als ökonomische Grundlage die Landwirtschaft entwickelt. Es sei eine Gesellschaftsordnung entstanden, die in der Lage gewesen sei, Gesetze zu schaffen, die allen Schaden, der dem körperlichen Leben zugefügt wurde, mit besonderen Strafen belegten. Das größte aller Verbrechen sei der Muttermord gewesen. In dieser besonders religiösen Kultur sei die wichtigste Gottheit Demeter gewesen. Die Religion habe nicht abseits gestanden, sondern das alltägliche Leben durchdrungen. Die matriarchalischen Völker hätten die Einheit allen Lebens stärker empfunden als die Völker der nachfolgenden Kulturen. Sie hätten den Prinzipat der Nacht über den Tag gekannt, die »Auszeichnung des Mondes vor der Sonne, der empfangenden Erde vor dem befruchtenden Meere, der finsteren Todesseite des Naturlebens vor der lichten des Werdens«. In allen Dingen gehorsam den Gesetzen des körperhaften Daseins, hätten die Menschen ihren Blick auf die Erde geheftet, hätten sie die chthonischen Kräfte über die Kräfte des uranischen Lichts gesetzt.

Bei der solaren Phase handelt es sich um unsere zivilisierte Kultur, die gekennzeichnet ist durch Ehe- und Vaterrecht, durch Arbeitsteilung und durch den Besitz des einzelnen. Das imaginative Leben wird beherrscht von Apollo.

Bachofen war ein Evolutionist, der seine Vorliebe für jene patriarchalischen und apollinischen Werte bekundete, die am Ende den Sieg davontrugen. Doch sein Geist und seine Phantasie reagierten wesentlich stärker auf die matriarchalischen, demetrischen oder aphrodisischen Tugenden, die schließlich untergingen. Es liegt auf der Hand, daß er die häretischen Vorstellungen, die er insgeheim bewunderte, unter ein negatives Vorzeichen setzen mußte. Doch im Innersten liebte er die pelasgischen Zivilisationen, die er beschrieb und die existiert hatten, noch bevor sich die Agrikultur durchsetzte und noch bevor sich die Frau dem Manne unterwarf.

Für Bachofen konnte die ganze Menschheitsgeschichte mit Hilfe des Konflikts zwischen den männlichen und weiblichen Prinzipien beschrieben werden. So stellte er auch den Sieg Oktavians über Kleopatra als den historischen Triumph dar, den die patriarchalische Männlichkeit und Tugend über das Hetärentum errang. Das erinnert stark an ›Aarons Stab‹, wo Lawrence die Marchesa mit Kleopatra identifiziert, während Aaron eine Art Antonius ist, der in der Zeit zurückkehrt zu Rawdon Lilly/Lawrence/Oktavian. Es war also in erster Linie Bachofen, von dem die »Kosmische Runde« ihren Glauben bezog, daß das Dionysische in ihrer Zeit, so wie einst im alten Griechenland, das Leben des patriarchalischen Staates schwächen und das aphrodisische Hetärentum wieder in seine Rechte einsetzen könnte. Die Hierarchie und die mit ihr verbundenen Schranken würden fallen, und an die Stelle von patriarchalischem »Blut und Eisen« würden wieder »Wein und Flöte« treten, denn das Dionysische – das hatte Bachofen ausdrücklich klar gemacht – war unvereinbar mit Politik und Moral – die Versinnlichung des Daseins fiele überall zusammen mit der Auflösung der politischen Organisation und dem Niedergang des politischen Lebens. Der thrakische Gott Dionysos würde den griechischen Apollo besiegen. Und genau das hoffte die »Kosmische Runde« mit Hilfe jener Feste, die in Schwabing so berühmt waren, zu erreichen.

Die Anhänger Aphrodites, auf deren Seite auch Otto Groß stand, standen der Ehe feindlich gegenüber, denn sie institutionalisierte die Liebe um der Kinder und um der Produktivität willen. In der Ehe verschleiere sich die Frau, unterdrücke sie ihre Ansprüche, verzichte sie auf ihre Herrschaft über das Leben, die ihr eigentlich zustehe. Die Frau sei die Erde, die Erde aber sei das Leben. Die Frau sei der Baum, und die Männer seien die Blätter daran – die Blätter aber könnten kein Mehr an Leben erzeugen. Die Bienenkönigin (ein Bild, das Lawrence für Frieda verwendet) verkörpere die demetrische Erde in ihrer höchsten Reinheit. Bachofen aber weist darauf hin, daß die Drohnen nach der Begattung getötet würden.

In seiner radikalsten Periode erinnert Lawrences Denken stark an den Verfasser des ›Mutterrechts‹. Hier ein Zitat aus Lawrences Vorwort zu seinem Roman ›Söhne und Liebhaber‹ aus dem Jahr 1913, in dem er die Schöpfungsgeschichte umwertet:

»Der Vater ist das Fleisch, das ewige und unzweifelhafte, der Gesetzesgeber, nicht aber das Gesetz; der Sohn aber ist der Mund ...

Und da das Ende für den Anfang gewählt wurde, ist die ganze Zeitengeschichte von oben nach unten gekehrt: Das WORT schuf den MANN und der MANN legte sich darnieder und brachte das WEIB zur Welt, wogegen wir wissen, daß das

WEIB in Wehen lag und den MANN zur Welt brachte, der zu seiner Stunde sein Wort sprach ...

So nehmen wir den Samen für den Ausgangspunkt in diesem Zyklus. Das Weib ist das FLEISCH. Sie erzeugt alles andere Fleisch, auch die Zwischenstücke namens Mann ...

So aber gibt es den VATER – den wir MUTTER nennen sollten – und dann den SOHN, der der WORTESPRECHER ist und schließlich das WORT. Und das WORT ist das des VATERS, das ausgestoßen wird durch den SOHN ...

Und GOTTVATER, den UNERFORSCHLICHEN, den UNKENNBAREN, kennen wir im FLEISCHE, im WEIBE. Das WEIB ist das Tor unseres Hineingehens und Herauskommens. Im WEIBE kehren wir zurück zum VATER: doch wie die Zeugen der VERKLÄRUNG, blind und unbewußt.

Ja doch, wie Bienen hinein und herausfliegen aus dem Bienenstock, kommen wir her und gehen wir hin zu unserem Weibe ...

Und die Biene, die ein SOHN ist, kehrt heim zu ihrer KÖNIGIN wie zu ihrem Vater, dienstfertig und demütig, aufgeschlossen der Erneuerung und dem Erkennen, und der Höhepunkt ihrer Glorie ist die Zeugung ...

Doch wenn der Mann nicht heimkehrt zum Weibe ... wenn er eintritt in ihr Haus und nicht einfach zum Manne ihres Fleisches wird, wenn er nicht eintritt in ihr Haus wie in ihren größeren Körper, um von dem Vorrat, den der Tag ihnen beschert, sich zu wärmen, zu kräftigen und zu nähren, dann soll sie ihn als die Drohne, die er ist, ihres Hauses verweisen ...

Denn im Fleische des Weibes verlangt GOTT nach SICH SELBST.«

Man vergleiche damit folgende Stelle aus Bachofens ›Urreligion‹ (Band II, S. 356–59):

»Das Weib geht voran, der Mann folgt; das Weib ist früher, der Mann steht zu ihr im Sohnesverhältnis; das Weib ist das Gegebene, der Mann das aus ihr erst Gewordene. Er gehört der sichtbaren, aber stets wechselnden Schöpfung an; er kommt nur in sterblicher Gestalt zum Dasein. Von Anfang an vorhanden, gegeben, unwandelbar ist nur das Weib; geworden und daher stetem Untergang verfallen der Mann. Auf dem Gebiete des physischen Lebens steht also das männliche Prinzip an zweiter Stelle, es ist dem weiblichen untergeordnet. Darin hat die Gynäkokratie ihr Vorbild und ihre Begründung. Darin wurzelt auch jene der Urzeit angehörende Vorstellung von der Verbindung einer unsterblichen Mutter mit einem sterblichen Vater. Jene ist stets dieselbe, aber auf Seite des Mannes folgt sich eine unabsehbare Reihe von Geschlechtern. Mit stets neuen Männern paart sich die gleiche Urmutter ...

Aus dem Weibe entsteht alsdann der Mann durch wunderbare Metamorphose der Natur, wie sie in jeder Knabengeburt sich wiederholt. In dem Sohne erscheint die Mutter zum Vater verwandelt. Aber der Bock ist doch nur Aphrodites Attribut, also ihr untergeordnet und zu ihrem Dienste bestimmt. – Eine ähnliche Bedeutung haben die Tochtersöhne Entorias in Eratosthenes' Gedicht Erigone bei Plutarch Parall. 9. – Wird aus des Weibes Schoß der Mann geboren, so staunt nun die Mutter selbst ob der neuen Erscheinung. Denn auch sie erkennt an der Bildung des Sohnes die Bildung jener Kraft, deren Befruchtung sie ihr Muttertum zu verdanken hat. Mit Entzücken weilt ihr Blick auf dem Gebilde. Der Mann wird ihr Liebling, der Bock ihr Träger, der Phallus ihr steter Begleiter. Kybele überragt als Mutter den Attis, Diana den Virbius, Aphrodite den Phaeton. Das stoffliche, weibliche Naturprinzip steht voran; es hat das männliche, als das sekundäre, gewordene, nur in sterblicher Form vorhandene und ewig wechselnde, gewissermaßen, wie Demeter die Cista, auf seinen Schoß genommen.«

Wie wir sehen, zielte Lawrence unverkennbar in dieselbe Richtung und verfolgte er dieselben Gedanken wie Bachofen. Höchstwahrscheinlich hatte er ›Mutterrecht‹ und ›Urreligion‹ nie gelesen, doch da Frieda die matriarchalische Idee, die sie von Otto Groß übernommen hatte, verkörperte und auslebte, lebte auch Lawrence ein Leben im Bachofenschen Sinne. Er setzte jenen weiblichen Daseinsmodus, den Bachofen so indirekt und theoretisch empfohlen hatte, in alltägliche Praxis um. Genau das hatten auch Klages und Wolfskehl 1900 zu verwirklichen begonnen, allerdings mit weniger Glück und Erfolg. Die »Kosmische Runde« beschrieb die Frau, die ihr vorschwebte, und Frieda Weekley war es, die diesen Ruf aufnahm – allerdings zu einer Zeit, da sich die Runde längst aufgelöst hatte. Lawrence aber trat ihr Erbe an. Es war größtenteils purer Zufall, daß Lawrence und Frieda das große Experiment ihres Zusammenlebens in Beuerberg beziehungsweise Icking begannen – vor den Toren genau der Stadt, auf welche die »Kosmische Runde« so große Hoffnungen gesetzt hatte.

All diese Ideen bildeten das Herz des intellektuellen München, das Herz von Schwabing. Hier entstand der mächtigste und geistig fruchtbarste Widerstand gegen das patriarchalische Deutschland Bismarcks. In diesem Schmelztiegel vermischten sich die Ideen von der Bedeutung des Lebens, der Erde und der Frau, die Otto Groß zu seiner Mission im Namen des Lebens selbst inspirierten, die Frieda Weekley ihre glorreiche Identität verliehen und die D. H. Lawrence die Ideengrundlage für sein Werk lieferten. Und im unverarbeiteten Rohstoff dieser intellektuellen Möglichkeiten liegen auch jene häßlichen politischen Keime verborgen, die den Abscheu von Beobachtern wie Else Jaffe und Max Weber rechtfertigen, denn zwischen dem Schwabing von damals und der aufkommenden nationalsozialistischen Ideologie besteht ganz ohne Zweifel eine Verbindung. Es ist einfach, mit der Wahl, die jede der beiden Schwestern traf, zu sympathisieren; weniger einfach ist es jedoch, zu entscheiden, was vorzuziehen gewesen wäre – ein Kompromiß zwischen beiden Auffassungen oder eine kühle, durch keine Wahl belastete Objektivität gegenüber diesen Ideen.

München

Als Otto Groß Frieda Weekley vorschlug, sie solle ihren Mann verlassen, war es München, wo sie zu ihm stoßen sollte. »Möchtest Du nicht nach *München* kommen? Du liebst doch *München*, oder?« München besaß damals für viele Menschen symbolischen Stellenwert. Ernest Jones meinte, es liege auf halbem Wege zwischen Berlin und Rom – auf halbem Wege also zwischen preußisch-maskulinem Chauvinismus und italienisch-femininer Lebensweise –, auf halbem Wege auch zwischen Wien und Paris. Jones entdeckte 1908 eine Stadt der Jugend, der Romantik und des Vergnügens. »Es war das einzige Mal in meinem Leben«, so berichtet er, »daß das Vergnügen vor der Arbeit kam.« Das Vergnügen aber hieß Musik und Tanz in den Cafés von Schwabing. Und die brillanteste Persönlichkeit, die er dort kennenlernte, war Otto Groß.

1893, als Klages nach München kam, zählte die Stadt 390 000 Einwohner. Sie war größer als Leipzig und doppelt so groß wie Hannover. Trotzdem hatte sie wenig von einer Großstadt an sich. Sie schien kein Teil von Bismarcks Deutschland zu sein, und Klages verliebte sich sofort in sie. Außerdem war München eine »Kunststadt«, eine Stadt der Künste, in der Industrie und

Handel wenig galten, während die Kunstsammlungen, die Konzerte und die Theater berühmt und die Bauten und Parks ungemein geschmackvoll waren. Und nicht zuletzt besaß München sein katholisches Hinterland, das geschätzt wurde wegen seiner landschaftlichen Schönheit, seiner altherkömmlichen Volksfeste und seines Faschingstreibens.

Einen ähnlichen Eindruck gewann Ludwig Curtius, der sich später eng mit Alfred Weber befreundete und der 1894 als Student nach München kam. Er hatte Verwandte in nahegelegenen Dörfern und schilderte den klaren Blick und den Humor der bayrischen Landbevölkerung, der er eine besondere Schönheit und Sinnlichkeit zuschrieb. Curtius fühlte sich von diesen Leuten zunächst recht grob und spöttisch behandelt, doch es dauerte nicht lange, und man machte ihn vertraut mit einer »fröhlichen, blühenden Welt«, in die er von nun an rechtens gehörte. Rang und Name galten bei diesen Menschen wenig. Sie hatten einen starken Sinn für das Dekorative, der sich in blumengeschmückten Fenstern, in Kirchen und Trachten niederschlug. Ein russischer Freund, dem er einige Bauernhäuser zeigte, konnte nicht glauben, daß sie einfachen Bauern gehörten. Das war auch die Landschaft, die Lawrence erlebte, als er mit Frieda auf und davon ging, und die Fülle dieser Landschaft fand ihren Niederschlag in ›Söhne und Liebhaber‹ und im ›Regenbogen‹.

Die sinnenfrohe, humorvolle und aufrichtige Art der Oberbayern war natürlich auch in München vertreten, wo man einer menschlichen Wärme begegnete, wie sie keine andere Großstadt der Welt kannte – so sagte zumindest Curtius. Die Künste aber waren hier zu Hause – nicht nur bei den reichen Brauereifamilien, sondern in allen Klassen. Dasselbe galt für das Geistesleben. Als der »Herr Doktor«, so entdeckte Curtius, konnte er in der Trambahn ruhig einmal vergessen, seinen Fahrschein zu lösen, das verzieh man ihm leicht – in Berlin, dem ohnehin jeglicher Charme und jegliches Geheimnis abging, wäre das völlig undenkbar gewesen.

Moritz Julius Bonn wurde 1906 als Privatdozent an die Münchner Universität berufen. München, so meinte er, sei nie eine Großstadt, sondern immer nur eine »Hof- und Residenzstadt« gewesen. Die Zweite Kammer des Parlaments war der Reichsrat der Krone von Bayern, und bei Staatsempfängen herrschte spanisch-burgundische Etikette. Unter dieser Ebene war die Stadt fast klassenlos, zumindest gab es keine sehr reiche Oberschicht. Das Leben war billig, und wurde man zu jemandem nach Hause eingeladen, ging das Dienstmädchen Bier und Würste holen, die man selbst bezahlte. Das eigentliche Gesellschaftsleben spielte sich in den Bierkellern und Biergärten ab, wo es keine Standesunterschiede gab. An Ständen kaufte man dort Brot und Käse, und das Bier schenkte die Brauerei aus, welcher der Biergarten gehörte.

König Otto von Bayern war geisteskrank, so wie Ludwig II. vor ihm schon geisteskrank gewesen war. 1910 löste Prinz Ludwig den Prinzregenten Luitpold ab. In diesem Jahr geschah es auch, daß der erst siebenunddreißig Jahre alte Bonn zum Rektor der neuen Technischen Hochschule ernannt wurde, und Bonn wiederum holte Edgar Jaffe als Dozent für Nationalökonomie nach München. Es ist nicht uninteressant, die beiden miteinander zu vergleichen. Zwar nicht miteinander befreundet, waren doch beide Juden und standen als solche zugleich außer- und innerhalb der Gesellschaft. Als Rektor der Hochschule mußte Bonn bei besonderen feierlichen Gelegenheiten anwesend sein, und Jaffe war während des Krieges sogar der offizielle Finanzberater des Königs. Doch im Gegensatz zu Jaffe bewegte sich Bonn nicht in Schwabinger Kreisen. Für ihn wikkelte sich das Münchner Gesellschaftsleben im Kreis der Brentanos und der Pringsheims ab. John Buchan und der amerikanische Millionär James Loeb zählten zu seinen Freunden. In seiner Arbeit, ja in seinem ganzen Leben eiferte Bonn ganz bewußt Lujo Brentano nach, dem urbanen und gesellschaftlich brillanten Professor für Volkswirtschaft an der Münchner Universität, der vor der tragischen Vehemenz eines Max Weber zurückschreckte. Bonn verkörperte wesentlich stärker als Jaffe den Juden, der mit den glänzendsten Erscheinungen seiner Stadt wie mit Gleichgestellten verkehrte.

Unter Bismarck wurde München zu einem Mittelpunkt der liberalen Opposition, Schwabing zu einem Zentrum der Radikalen. Später, im Verlauf des Krieges, veränderte sich die Stadt, und der verschwommene Radikalismus der Vorkriegszeit verwandelte sich in politischen Sprengstoff. Die bayrische Revolution von 1918 wurde von einem Großteil der Mittelschicht und von den nationalistisch Gesinnten unterstützt, was vor allem auf die Abneigung gegen die preußische Wirtschaftspolitik zurückzuführen war, die unter anderem zur Folge hatte, daß es den Brauereien an Gerste fehlte. Dazu kam noch, daß die bayerischen Regimenter an der Front schwere Verluste erlitten hatten; eine allgemeine Bitterkeit herrschte, weil Bayern zwar das

Recht für sich in Anspruch nehmen durfte, die eigene Armee sowie das eigene Post- und Bahnwesen zu kontrollieren, doch dieses Recht wurde während des Krieges untergraben mit dem Ergebnis, daß nicht Kronprinz Rupprecht die bayrischen Armeen im Feld befehligte. Doch wurde die Revolution von 1918 nicht nur durch diese Beschwerden der Mittelschicht ausgelöst – sie war auch eine proletarische Revolution, die sich auf Bevölkerungsteile stützte, welche der bayrischen Gesellschaft fremd waren. Die Unruhen begannen unter den Arbeitern der Krupp-Werke, die 1916 nach Bayern verlegt worden waren, das heißt vor allem in den stark vergrößerten Rapp-Motoren- und in den Bayrischen Flugzeugwerken. Angeführt wurde die Revolution von Schwabinger Intellektuellen.

Bis 1914 hätte niemand geglaubt, daß so etwas möglich wäre. Schwabing war ein Ort der Muße, eine Welt der Frau, der Kunst und des Eros, entschlossen, sich von der Welt des Mannes zurückzuziehen, nicht aber, diese Welt zu ersetzen. Die Fastnacht auf dem Land und die Volksfeste, die von Thomas Mann und Hugo von Hofmannsthal als typisch bayrisch gerühmt wurden, fanden ihre Gegenstücke in der Stadt selbst, vor allem im Münchner Fasching. Nach Erich Mühsam kannte München nur zwei Jahreszeiten: »Die erste umgab, anfangend mit der Eröffnung der Eisbahnen und endend mit dem Abschluß der Skisaison beim Schmelzen des Bergschnees, den Fasching; die zweite begann mit dem Abschluß der Starkbierzeit und hörte auf, wenn die Vorbereitungen zum Fasching zur Besinnung mahnten.«[*] Das Oktoberfest fand auf der Theresienwiese statt, und dort war es auch, wo Kurt Eisner und Edgar Jaffe vor der Protestversammlung, die sich zur Revolution auswachsen sollte, 1918 ihre Reden hielten. Während dieser Feste war es Sitte, sich Faschings- beziehungsweise Wiesenbräute zuzulegen, Mädchen, die einem die Faschings- und Wiesenzeit verschönten. Zwischen diesen beiden Höhepunkten des Münchner Lebens gab es den »Maibock« und den »Salvator«, beides Starkbierfeste, und im nahen Pullach gab es das Habenschadenfest und in Geiselgasteig das Sommerfest. In Wirklichkeit feierte man das ganze Jahr hindurch einen zugleich erotischen und fidelen Karneval, in dem sich Leute aller Schichten, darunter sogar Bauern, als Gleiche unter Gleichen zusammenfanden.

* Erich Mühsam: Namen und Menschen, S. 201

Schwabing war vor allem ein Künstlerviertel. 1892 war dort die »Sezession« zu Hause gewesen, eine Künstlervereinigung, die mit der Tradition der deutschen Kunst gebrochen hatte. 1898 fand in München eine Ausstellung der »Sezession« statt – also fünf Jahre vor der entsprechenden Wiener Ausstellung. Und die Armory Show von 1913 in New York war ein Abklatsch derselben Sache. Fritz von Stuck, der Gründer der »Sezession«, lebte in Schwabing, ebenso wie Hermann Obrist, der bedeutende Wegbereiter des Jugendstils. Matisse besuchte die Stadt in den Jahren 1908 und 1910, Kandinsky wie Jawlensky wurden durch ihn stark vom Fauvismus beeinflußt. Zwischen diesen beiden Besuchen von Matisse wurde die »Neue Künstlervereinigung« ins Leben gerufen. Kandinsky und Jawlensky hatten sich 1896 in München kennengelernt. Sie waren beide aus Rußland gekommen, um hier Kunst zu studieren. Sie entdeckten wieder die bayrische Volkskunst der Hinterglasmalerei, an der sich auch Fanny zu Reventlow versuchte. Kandinsky lebte in Schwabing von 1897 bis 1908, Paul Klee von 1898 bis 1921, Franz Marc von 1904 bis 1910. Sie alle gehörten dem »Blauen Reiter« an, wohl der wichtigsten Künstlervereinigung Deutschlands vor 1914.

Diese Bewegung wandte sich gegen das fade Spießbürgertum Berlins. Eines der Hauptsymbole des wilhelminischen Geschmacks war die Siegesallee, eine Doppelreihe pompöser und bedeutungsloser Marmorstatuen in Berlin. Ein weiteres Symbol war die Kaiserin selbst, die in Theaterangelegenheiten und Fragen der öffentlichen Moral einzugreifen pflegte. So ließ sie die Inszenierung der ›Salome‹ ändern und verhinderte die Erstaufführung des ›Rosenkavalier‹, da sie Strauss' Erotik als allzu gefährlich für die wilhelminische Moral empfand. Bismarcks Liebe für die Künste und sein Kunstgeschmack waren ebenso kläglich. Das Spielerische der künstlerischen Intuition war für den patriarchalischen Geist, der damals in Deutschland herrschte, alles andere als wichtig. Aus dieser Sicht aber konnte man die Künstler von Schwabing fast alle als ernst zu nehmende Revolutionäre betrachten.

Das erste Münchner Künstlerkabarett, »Die Elf Scharfrichter«, wurde im April 1901 eröffnet. Die Wände waren schwarz verhangen, und auf der Bühne sah man einen Schandpfahl, ein Beil und den Kopf eines Toten. Aufführungen fanden dreimal pro Woche statt, und die Absicht, die ihnen zugrunde lag, bestand stets darin, die Tugenden des wilhelminischen Bürgers zu verspotten. Bruno Walter saß am Klavier, Frank Wedekind und Erich Mühsam sangen und spielten, Hofmannsthal, Richard Dehmel und Thoma schrieben Sketche und Songs. Das Scharfrichterlied, gesungen von elf scharlachfarbenen Masken, wurde zur Hymne von Schwabing.

Der »Simplizissimus«, eine Kneipe, die ihren Namen von der gleichnamigen satirischen Zeitschrift bezog, war in mancher Hinsicht noch typischer für Schwabing. Kathi Kobus war die Besitzerin, und Mühsam, Groß, Jaffe und Fanny zu Reventlow saßen dort häufig zusammen. Zwischen 1908 und 1910 trafen sich diese Schwabinger Gestalten sehr oft, ja es kam sogar zu einem flüchtigen Verhältnis zwischen Jaffe und Fanny, dem personifizierten Geist Schwabings.

Als Otto Groß Frieda Weekley bat, zu ihm nach Schwabing zu kommen, sollte sie ihm ein Telegramm schicken – entweder nach Hause oder in das Café Stephanie, dieses berühmteste Café Schwabings, wo man ihn zu jeder Tages- oder Nachtzeit antreffen konnte. Dieses Café im Wiener Stil mit seinem schweren Friesvorhang hinter der gläsernen Eingangstür und seinen Marmortischen bestand aus zwei Räumen – der größere beherbergte zwei Billardtische und eine Theke, die auf einer Art Podest stand, und im kleineren standen am Fenster Schachtischchen. Das Café war durchgehend geöffnet und immer voll von Künstlern und Leuten, die über Kunst oder Revolution diskutierten. Das Café Stephanie war der Reichstag von Schwabing.

Dort gab es noch eine andere Gruppe, deren Treffen uns in Form einer Postkarte aus dem Jahre 1907 überliefert ist. Diese Postkarte ziert auf der einen Seite ein Bild des Marienplatzes, auf der anderen Seite steht Else Jaffes Heidelberger Adresse, stehen Grüße und Nachrichten im Telegrammstil von Edgar Jaffe, Otto Groß, Frieda Groß, Erich Mühsam, Regina Ullmann und Frieda Weekley, die alle zusammen an einem der Tische im »Stephanie« diese Karte schrieben. – Regina Ullmann stammte aus der Schweiz und trat vier Jahre später zum Katholizismus über. Unter der Führung von Rilke entwickelte sie sich zur Autorin einer religiösen und verinnerlichten Prosa. 1907 aber ließ sie sich noch von Otto Groß analysieren, der einen starken Einfluß auf sie ausübte. 1908 bekam sie ein Kind von ihm. Einmal glaubte auch Frieda Weekley, sie sei von Groß schwanger, und Else Jaffes drittes Kind, das 1907 zur Welt kam, war Groß' Sohn, während Frieda Groß wenig später ein Kind von Ernst Frick, dem Anhänger ihres Mannes, zur Welt bringen sollte. So gab es also in der Gruppe, die sich auf jener Postkarte verewigte, mehrere Frauen, die auf Groß' Vorschlag hin die Kinder ihrer Geliebten zur Welt brachten. Regina Ullmann, fünf Jahre jünger als Frieda Weekley, war völlig anders geartet als diese; sie war von Natur aus körperlich wie seelisch benachteiligt, und so blieben ihr die gewöhnlichen Formen des Glücks versagt. Sie schielte und stotterte und hatte eine verwachsene Nase; als Kind war sie in der Schule zurückgeblieben und hatte Visionen gehabt. Ihre einzigen besonderen Gaben lagen auf geistigem Gebiet. So aber hatte Otto Groß vom Kaffeehaustisch aus eine Zelle geschaffen, eine Zelle des neuen Lebens, deren Mitglieder völlig verschieden waren und die nur eines verband, ihr Glaube an Otto Groß.

Erich Mühsam, der Schwabing in- und auswendig kannte, meinte, wenn er an diesen Stadtteil dächte, dächte er »an zahllose Stunden der Vergnügtheit, der Besinnung und des künstlerischen Genusses. Ich denke an Faschingsnächte von maßloser Ausgelassenheit und an Menschen von seltsamem Gehaben, aber genialer Beweglichkeit des Geistes, so an den Psychiater Dr. Otto Groß, den bedeutendsten Schüler Siegmund Freuds«.* Mühsams anarchistische Zeitschrift ›Kain‹ war unter denen, die sich des Falles Otto Groß annahmen, als dieser 1913 verhaftet wurde. Erich Mühsam, eine zugleich geniale und brillante Persönlichkeit, spielte im Schwabinger Gesellschaftsleben eine wichtige Rolle. Mühsam war der Ansicht, Lotte Pritzl, die berühmt war wegen der Wachspuppen, die sie modellierte – was D. H. Lawrence möglicherweise zur ›Hauptmannspuppe‹ anregte –, habe die besten Atelierfeste organisiert. In der Faschingszeit konnten sie und ihre Freunde sich zunächst bei Edgar Jaffe treffen, um dann weiterzuziehen zu Georg Hirschfeld. Emmy Hennings, die Kabarettistin, und Marietta, das berühmte Aktmodell, das gegen ein Uhr beim Tanzen seine Hüllen fallen ließ, waren stets mit von der Partie.

Schwabings Freiheit lag natürlich auch eine gewisse moralische Einstellung zugrunde. So konnte zum Beispiel Frieda Weekley Otto Groß telegraphisch sowohl zu Hause als auch im Café Stephanie erreichen. Abgesehen von Friedas englischem Ehemann wußte alle Welt von ihrem Verhältnis. Otto Groß, seine Frau, Else, Edgar und Frieda – sie alle wußten, was im

---

* Erich Mühsam: Namen und Menschen, S. 117

Leben der jeweils anderen vorging. Einer der wichtigsten ethischen Grundsätze von Otto Groß und von Schwabing überhaupt war die errettende Kraft der sexuellen Befreiung. Besitzanspruch und Eifersucht, so glaubte Groß, könnten durch das moralische Bemühen um sexuelle Selbstbefreiung überwunden werden. Keuschheit und Treue, Aufopferung seiner selbst und Selbstverleugnung, all dies bedeutete in seinen Augen die Korruption des ethischen Empfindens.

Doch die neue matriarchalische Moral konnte nur aus dem Niedergang der alten patriarchalischen Kultur hervorgehen. So schrieb Otto Groß an Frieda Weekley: »Du kennst meinen Glauben, daß eine neue *Lebensharmonie* nur durch *Dekadenz* entstehen kann – und daß die wundervolle Zeit, in der wir leben, dazu bestimmt ist, *als Zeitalter der Dekadenz* zum Schoß der großen Zukunft zu werden.« Auch Alfred Schuler glaubte das, und Lawrence stellte seine Zeit zuweilen als das Ende dar, das nötig sei, bevor ein neuer Anfang gemacht werden könne, doch vertrat er diesen Standpunkt nie mit dem Enthusiasmus eines Otto Groß. Vielmehr war es charakteristisch für Lawrence, daß er die Möglichkeit (und Notwendigkeit) unterstrich, hier und jetzt zur Gesundheit zu gelangen, indem man alte, schlechte Gefühlsgewohnheiten ablegte. Er fühlte sich nicht wohl in der Dekadenz, und so ist es nur logisch, daß er und Frieda nicht in Schwabing – wo Lawrence nie gewohnt hat –, sondern in Irschenhausen bei München zusammenzuleben begannen. Wenn er in seinen ›Liebenden Frauen‹ das Café Pompadour beschreibt, gibt Lawrence ein Urteil ab über Lokalitäten wie das Café Stephanie, und der Künstler Loerke, der in diesem Roman vorkommt, verkörpert einen Aspekt der Münchner Dekadenz. Der Unterschied zwischen Lawrences und Groß' Einstellung zu Schwabing ist der Unterschied zwischen Demeter und Aphrodite, denn Lawrence schätzte als schöpferischer Künstler, der er war, Produktivität, Disziplin und Ordnung höher ein als Groß. Doch ist dieser Unterschied natürlich eingebettet in die starke Ähnlichkeit, die beide deshalb auszeichnete, weil sie beide Anhänger des Matriarchats waren.

Aber Lawrence war nicht der einzige große Schriftsteller, der Schwabing ablehnte. Thomas Manns Erzählung ›Beim Propheten‹ ist für uns deshalb interessant, weil sie ein Stadtviertel schildert, »wo junge, bleiche Genies, Verbrecher des Traumes, mit verschränkten Armen vor sich hinbrüten, von innen verzehrt, Künstler, hungrig und stolz ... Hier ist das Ende, das Eis, die

Reinheit und das Nichts. Hier gilt kein Vertrag, kein Maß und kein Wert. Hier ist die Luft so dünn und keusch, daß die Miasmen des Lebens nicht mehr gedeihen. Hier herrscht der Trotz, die äußerste Konsequenz, das verzweifelt thronende Ich, die Freiheit, der Wahnsinn und der Tod ...« (S. 275) Interessant an diesem Zitat ist das durchschimmernde schlechte Gewissen des Autors. Thomas Mann fühlt sich bei diesem Thema nicht wohl, weil er Tatkraft und Geistesfreiheit und seine rebellischen Künstlerkollegen kritisiert. Schwabing bevorzugte denn auch Heinrich Mann und hielt Thomas für einen Bourgeois, der für die Bourgeoisie schrieb. Und Franz Werfel läßt in seinem Roman ›Barbara‹ Dr. Gebhart (alias Dr. Otto Groß) einen seiner zugleich funkelnden und teuflischen Monologe über die Freiheit halten, während eine Kriegerwitwe ihren Körper auf diesem Fest einem der Männer nach dem anderen anbietet; doch wird er in seiner Rede unterbrochen, weil einer dieser Männer, ein Kriegskrüppel, seine Prothese abschnallt und die Frau damit verprügelt, und beide schlagen sich splitterfasernackt blutig, während der Redner seinen Monolog fortsetzt. Thomas Manns Beschreibung vermittelt dieselbe Angst vor dem Chaos, doch ist sie lange nicht so lebendig.

Doch Schwabing wurde auch zahllose Male gefeiert. Schwabing war, ebenso wie Webers Heidelberg, eine der großen symbolischen Stätten des damaligen Deutschland. Schwabing, Heidelberg und Berlin sind die drei Brennpunkte unserer Untersuchung. Berlin stand für die (patriarchalische, systematische) Macht, Heidelberg für die (politische und kulturelle) Aufklärung und München für die (vor allem individuelle, aber auch politische) Revolution. Die beste Schilderung Schwabings gab möglicherweise Klages. Wie gut sich er und Groß kannten, wissen wir nicht, doch erfahren wir durch Ernest Jones, daß der brillante Kreis von Künstlern und Intellektuellen, den er 1908 in München kennenlernte, Otto Groß und Ludwig Klages zum Mittelpunkt hatte.

Das eigentliche Schwabing, behauptet Klages, habe nicht aus der üblichen Ansammlung von Künstlern bestanden, sondern aus einigen wenigen bedeutenden Persönlichkeiten (wobei er natürlich an die »Kosmische Runde« dachte), sowie einigen Kreisen junger Leute. Nietzsche und Ibsen hätten zwar dazu beigetragen, daß man sich gewisser Themen bewußt geworden sei, doch wirklich entscheidend sei gewesen, daß sich in der Vitalität bestimmter Gruppen eine noch unbewußte Veränderung vollzog ... Schwabing sei im wesentlichen der Angriff gegen die bürgerliche Welt gewesen, mit dem Ziel, sie zu revolutionieren, bevor sie ihr schlimmes Werk vollenden und die Katastrophen der Gegenwart herbeiführen könne. »Wir haben es mit einem Phänomen von weltweiter Bedeutung zu tun«, schrieb Klages. Dieses Phänomen war im wesentlichen der Versuch, einen neuen Lebensstil zu entwickeln, der mit jener veränderten Vitalität übereinstimmen sollte, eine neue Philosophie, Kunst, Kultur zu schaffen, in denen sich dieser Lebensstil äußern und spiegeln konnte. Die echten Schwabinger wußten, daß ein sozialistisches Experimentieren die Welt nicht retten würde. Der Sozialismus war ein alter Hut, im Grunde genauso patriarchalisch wie der Kapitalismus. Und sie begnügten sich nicht damit, mit den Ideen einfach herumzutändeln, wie das die Literaten anderer Bohemes taten. Zwanzig Jahre, nachdem er Schwabing verlassen hatte, lehnte Stefan George Montmartre im Vergleich dazu ab: »Hier waren Kräfte«, so schrieb er über Schwabing, »vereint im Wissen darüber, daß die Dinge nicht so weitergehen konnten, daß sich die Menschheit zugrunde richtete und daß kein gesellschaftliches Utopia, sondern nur *Wunder, Aktion* und *Leben* helfen könnten.« Genau in diesem Sinne erklärte Klages, daß zwischen 1893 und 1904 das Schicksal der Welt in Schwabing, diesem wahren »Weltvorort«, entschieden worden sei. Hier und nur hier seien die Würfel gefallen, und der Dreißigjährige Krieg von 1914 bis 1945 sei nur die Erfüllung des Schicksals gewesen.

Die zentrale Gestalt von ganz Schwabing war vielleicht Fanny zu Reventlow. Sie war befreundet mit Groß wie Jaffe, und neben Groß ist sie die einzige Schwabinger Persönlichkeit, die von Frieda Lawrence in ihrem autobiographischen Roman erwähnt wird – zumindest scheint die Anspielung ihr zu gelten. Auf alle Fälle kannte Frieda sie und wußte vieles über sie; auch halte ich es für möglich, daß Frieda in vieler Hinsicht Fanny zu Reventlow nacheiferte. Die Gruppe im »Simplizissimus« – bestehend aus Fanny, Mühsam, Groß und Jaffe – bedeutete den Richthofen-Schwestern viel. Wenn wir auf Fanny zu Reventlow und ihr Verhältnis zu Klages und zur »Kosmischen Runde« eingehen, geben wir automatisch einen Abriß von dem Schwabing, das sich hinter Groß verbarg.

Gräfin Franziska zu Reventlow (»die tolle Gräfin«, »die tolle Fanny«) wurde 1871 in Husum geboren und starb 1918. Ihre Lebensdaten entsprechen also genau denen des Bismarckschen

Reiches, und ihr Leben selbst war ein fortwährender Protest dagegen. Da Fannys adliger Familie Preußens Machtzunahme mißfiel, zog sie mit ihr, als sie noch ein Mädchen war, in die unabhängige Stadtrepublik Lübeck. Als Kind war sie, genau wie Frieda von Richthofen, ein Wildfang, eine kleine Rebellin, und sie hatte die heftigsten Auseinandersetzungen mit ihrer Mutter. Mit einundzwanzig Jahren riß sie schließlich von zu Hause aus und wurde daraufhin enterbt. Ihre Rebellionen waren heftiger als die Friedas, und innerlich war sie wesentlich unruhiger, war sie wesentlich mehr Schwabingerin als Frieda.

Der intellektuelle Schauplatz, von dem ihre jugendliche Rebellion ausging, war der Lübecker Ibsen-Club, und es gab viele Dinge in ihrem jungen Leben, die nach Ibsen schmeckten. In diesem Club bekam sie das Gefühl, als sei die Gesellschaft der Erwachsenen ein Gewebe aus gelebten Lügen, als werde die Sexualität überall verzerrt und unterdrückt. Auch bekam sie ein Gefühl für die Notwendigkeit der Befreiung der Frauen und der Künstler. Von ihrem einundzwanzigsten Lebensjahr an lebte sie in Schwabing, wo sie sich zunächst als Malerin versuchte, doch ihren Lebensunterhalt verdiente sie mit Übersetzungen, später mit satirischen Sketchen und schließlich mit Romanen.

In diesem Zusammenhang sollten wir ›Ellen Olenstjerne‹ erwähnen, einen autobiographischen Roman über ihre frühen Rebellionen, der seinem Ton nach ernsthafter und melodramatischer ist als das meiste, was sie schrieb; ferner ›Herrn Dames Aufzeichnungen‹, eine satirische Schilderung Schwabings und seiner Gestalten, die zum Höhepunkt jenen Zwist zwischen Klages und Wolfskehl hat, durch den sich die »Kosmische Runde« auflöste.

Fanny zu Reventlows Romane blieben nicht ohne Erfolg. Doch ihr eigentlicher Werdegang stützte sich, noch stärker als der von Otto Groß, nicht auf die Arbeiten, mit denen sie sich durchs Leben brachte, sondern auf ihr Leben in Schwabing selbst. Das aber war das Leben in den Cafés, war Kunst in Leben verwandelt, waren Diskussionen über Ideen, waren die Abenteuer des Künstlerlebens, war die Herausforderung der bürgerlichen Welt, war vor allem die sexuelle Befreiung. Zwar liebte und heiratete sie ihren Mann, doch konnte sie ihm nicht treu bleiben. Der Schwabinger Lebensstil war ihr wichtiger. Rilke und Mühsam, Derleth und Stern, Klages und Wolfskehl, sie alle gehörten zu Fanny von Reventlows Bewunderern und

Geliebten. Ihr ganzes Leben lang war sie auf der Suche nach Liebe. Es klingt plausibel, wenn Klages behauptet, daß die Liebe, die ihr ihre Mutter vorenthalten hatte, einen Hunger in ihr erzeugte, den nichts später zu stillen vermochte. Sie hatte eine ganze Menge Liebhaber – sie war eine schöne, charmante Frau –, und gelegentlich verkaufte sie ihre Gunst für Geld. Trotzdem hatten die meisten Beobachter den Eindruck, daß sie in erotischen Dingen sauber und aufrichtig war. Sie gebar einen Sohn, dessen Vaterschaft sie nicht preisgab und den sie selbst großzog, und diese Beziehung zu ihrem Kind mit ihrem Gefühlsreichtum sollte ihr zur stärksten Stütze werden.

Fanny zu Reventlow und ihr uneheliches Kind waren zwei exemplarische Gestalten Schwabings. Als sie ihr Verhältnis mit Klages begann, das für beide zur entscheidenden Lebenserfahrung wurde, erklärte Adam Hentschel, einer ihrer früheren Liebhaber, Fanny zur bedeutendsten Frau und Klages zum bedeutendsten Mann des Jahrhunderts. Wenn sich diese beiden verbänden, so sagte er, würde die Welt des Heidentums ein revolutionäres Erwachen feiern, würde das Heidentum auf der ganzen Erde neu geboren werden. (Die Schaffung einer heidnischen Kolonie, einer heidnischen Insel in der Welt war eines ihrer halb ernst gemeinten Vorhaben, eine Idee, die auch Lawrence verfolgte.) Ungeachtet ihrer späteren Ironie nahm Fanny zu Reventlow die kosmischen Ideen von damals anscheinend ernst. Sie umriß Schwabing als »eine geistige Bewegung, ein Niveau, eine Richtung, einen Protest, einen neuen Kult oder vielmehr einen Versuch, aus uralten Kulten wieder neue religiöse Möglichkeiten zu gewinnen«.* Sogar die Männer, die sie in ihrem Roman verspottete, erklärten, Fanny hätte sie und ihre Tätigkeit immer verstanden.

Klages nannte Fanny zu Reventlow »eine heidnische Heilige«. Diese Bezeichnung war nicht oberflächlich gemeint, denn die »Kosmische Runde« besaß eine voll entwickelte Vorstellung vom Heidentum. Da das Christentum unter verschiedenen Gesichtspunkten betrachtet, der Hauptfeind dessen war, woran es zu glauben vorgab, bedeutete die Tatsache, daß Fanny als »heidnische Heilige« bezeichnet wurde, daß sie heidnische Eigenschaften besaß, die den christlichen Tugenden der Keuschheit, Sanftmut und Selbstlosigkeit entgegengesetzt waren. Diese Bezeichnung erschließt uns den moralischen Ernst, der diesem

* Zitiert von Marianne Weber in: Die Frauen und die Liebe, S. 181

Heidentum zugrunde lag. Fanny zu Reventlow war eine Heilige voller Sinnlichkeit, Stolz, Kraft, Lebenshingabe und Selbstbejahung. Mit ihrem Kind war sie eine heidnische Madonna, in der Promiskuität die Keuschheit ersetzte und die trotzdem dieselbe Fülle an Mutterliebe kannte. Sie verdiente es zu Recht, auf heidnische Weise verehrt zu werden.

Fanny zu Reventlow fühlte in sich eine besondere Lebensbegabung. Häufig personifizierte sie dieses Leben, wenn sie sagte: »Wir sehen uns Aug in Aug, das Leben und ich.« Und oft hatte sie das Gefühl, mehr aufnehmen zu können als alle anderen Menschen. Obwohl sie ihren Ehemann liebte, bedauerte sie es, daß er nicht stark genug war, mit ihrer Vitalität, mit ihrer »Selbstsucht« (»wie er es nennt«) zu Rande zu kommen. Gleichzeitig war sie in geistiger Hinsicht sehr ehrgeizig – »aber immer das Gefühl, als müßte ich noch etwas Großes zusammenbringen«*.

Klages' Beschreibung von Fanny als »heidnische Heilige« erinnert auffallend an die Art und Weise, wie Otto Groß Frieda schilderte. Und sicher hätte auch Lawrence sie als »heidnische Heilige« bezeichnet. Wie für Fanny zu Reventlow war es auch für Frieda Weekley sehr wichtig, ihre Kinder für sich zu haben; tatsächlich war dies einer der Beweggründe, warum sie von ihrem Mann fortlief. Erst ein Jahr, nachdem sie ihn verlassen hatte, mußte sie erkennen, daß er die Kinder behalten würde – es war eine der großen Krisen in ihrem Leben. Hier lag wohl auch der Grund, warum Lawrence die Sorge um ihre Kinder so verärgerte, denn er wußte, daß hier in gewisser Hinsicht das tiefere Motiv dafür lag, daß sie sich auf Gedeih und Verderb mit ihm verbunden hatte. Sie beklagte sich häufig bitter darüber, daß sie, wäre sie eine Prostituierte gewesen, ihre Kinder hätte behalten können. Da sie aber nicht bei ihr waren, wurde sie von Lawrence noch abhängiger.

Klages und Fanny zu Reventlow stellen insofern eine interessante Parallele zu Lawrence und Frieda dar, als sich die Beweggründe beider Beziehungen – und übrigens auch der Beziehungen dieser Frauen zu Otto Groß – stark ähneln. Die Tatsache, daß Klages und die Gräfin nicht heirateten und daß ihre Beziehung nicht von Dauer war, dürfte auf die wesentlich trockenere und voluntaristische Eigenart von Klages' Schaffen zurückzuführen sein, die sich vor allem in späteren Jahren herausschälte.

---

* Zitiert von Marianne Weber in: Die Frauen und die Liebe, S. 188

So lange ihre Beziehung jedoch anhielt, sprach Klages von Fanny in einem ähnlichen Ton wie Lawrence von Frieda. Wie wir erfahren, erhob er Fanny zu einer Art Halbgöttin, und er offenbarte ihr Geheimnisse über ihr eigenes Ich, die sie bis dahin nur vage geahnt hatte. Sie, die immer auf der Suche gewesen war nach jemandem, der die Grenzen ihrer Möglichkeiten ausweiten könnte, sagt von ihm, er sei der einzige Mann gewesen, mit dem man fliegen konnte. Sogar die Mißstimmungen zwischen Fanny und Klages entstammten derselben Quelle. Zwar liebte sie den Geschlechtsakt als solchen, doch ließ sie es nicht zu, daß er sie liebkoste, ihr Haar oder ihre Hände streichelte und aus ihr etwas machte, worum er sich sorgen konnte. Im Grunde behielt sie sich die erotische Initiative vor oder überließ sie zumindest nicht ihm.

Fanny zu Reventlows Rolle als Symbolfigur beschränkte sich nicht auf Schwabing – ihr Einfluß war in ganz Deutschland zu spüren. Marianne Weber befaßte sich in ihrem Buch über die verschiedenen Möglichkeiten der Liebesbeziehung* mit Fanny zu Reventlow als Vertreterin der freien Liebe. Für uns wird sie, ähnlich wie Lou Andreas-Salomé, eher zu einer schillernden Gestalt des Übergangs. Sie trat an als Ibsensche Rebellin gegen die Verlogenheit der Gesellschaft und forderte die gleichen Rechte für die Frau – zwar keine politischen Rechte, aber Rechte nichtsdestotrotz. (Diesen Weg schlug zunächst auch Else von Richthofen ein.) Angeregt von Klages, verfaßte sie später ihren autobiographischen und ebenfalls etwas an Ibsen erinnernden Roman ›Ellen Olenstjerne‹.

Im Laufe der neunziger Jahre gab sie jedoch diese Rollen mehr oder weniger auf, und als Eros seine Triumphe feierte, begann auch sie sich in stärkerem Maße als erotische Frau und Mutter zu fühlen. Doch im Gegensatz zu Frieda Lawrence oder Alma Werfel bemühte sie sich nie um eine wesentliche Deutung dieser neuen Rolle. Vielleicht ist der Grund darin zu suchen, daß ihr Liebesverhältnis mit Klages scheiterte; dies aber wiederum hängt zusammen mit ihrem frühen Unglück, durch das ihr jeder Sinn für Häuslichkeit verloren ging. Sie war eine Abenteuerin. Ihr späteres literarisches Werk war frivoler, satirischer, »französischer«. Und ihre Art, ja ihre ganze Persönlichkeit schienen aristokratischer geworden zu sein und entsprachen in diesen letzten Jahren mehr einer *femme du monde,* einer

* Marianne Weber: Die Frauen und die Liebe, S. 180–195

Frau von Welt. Sie wurde unduldsam gegenüber den weniger sauberen und bohemehaften Aspekten Schwabings.

Einige Einzelheiten über die Veröffentlichung von ›Ellen Olenstjerne‹ veranschaulichen den Zusammenhang, der zwischen verschiedenen Revolutionären, die in Schwabing lebten, bestand. Julian Marchlewski, ein mit der Gräfin befreundeter polnischer Marxist, wollte den Roman veröffentlichen. Doch 1905 – der Roman war bereits im Druck – brach die russische Revolution aus, und Marchlewski ging von München nach St. Petersburg, wo er mit Lenin zusammenarbeitete. (Übrigens hatte Lenin 1901 zusammen mit der Krupskaja und Alexander Helphand selbst in Schwabing gelebt; Helphand schrieb unter dem Pseudonym Parvus und schloß sich in der Revolution eng an Trotzkij an.) Die Gräfin selbst war, ebenso wie die Personen, um die es uns hier geht, überhaupt nicht politisch, doch waren Revolutionäre jeder Art in Schwabing willkommen. In der Münchner Revolution von 1918/19 trat das Paradoxe der Situation zu Tage. So war einer der nahen Freunde, welche die Gräfin in ihren letzten Jahren in München hatte, der anarchistische Dichter, Kabarettkünstler, politische Journalist und Politiker Erich Mühsam. In den Tagen der Revolution gelangte er zu Ansehen, ja zu Macht, aber dies war eine sehr unangemessene Entwicklung in den Augen jener, die ihn bis dahin als einen recht harmlosen Menschen gekannt hatten; das waren sowohl seine Mitschwabinger als auch die soliden Münchner Bürger. Sein ebenfalls anarchistischer Genosse Gustav Landauer, der in der Revolutionsregierung eine wichtige Stellung innehatte, wurde von den Regierungstruppen, die die Stadt zurückeroberten, verhaftet und im Gefängnis Stadelheim zu Tode getrampelt. Mühsam hätte durchaus dasselbe Los ereilen können, wenn man ihn nicht aus der Stadt geschickt hätte, kurz bevor es zu spät war. Fünfzehn Jahre später wurde er von den Nazis im KZ Oranienburg ermordet. Er und Otto Groß, Fanny zu Reventlow und Edgar Jaffe waren in den Jahren vor 1910 Schwabinger Gefährten, und ihre unterschiedlichen Schicksale symbolisieren, wenn man sie zusammennimmt, das endgültige Schicksal Schwabings.

In diesen Jahren versuchte die Gräfin ihr Leben zu ändern, wobei sie zwischen zwei Möglichkeiten schwankte. Die eine bestand darin, daß sie Edgar Jaffes Privatsekretärin hätte werden und sich zugleich von Otto Groß hätte psychoanalysieren lassen können, denn Otto Groß war überzeugt, er würde sie von ihren Zwängen und ihrem Unglück befreien können. Die zweite Möglichkeit war, nach Paris zu gehen und dort zu leben. Schließlich entschloß sie sich für Paris, wo sie sich jedoch nur kurz aufhielt, um dann nach Ascona weiterzureisen. Die erste Möglichkeit hatte sie verworfen, weil sie zwei unverkennbare Nachteile aufwies: Erstens erfüllte sie die Psychoanalyse mit Skepsis, und zweitens hätte sie Edgar Jaffe gegenüber, den sie als Mensch, nicht aber als Liebhaber schätzte, Verpflichtungen eingehen müssen. (Dazu ihre Tagebucheintragung vom 9. August 1908: »Wäre fast wahnsinnig geworden und schrie vor Abscheu. Lieber Gott, laß diesen Becher an mir vorübergehen.« Das ist übrigens genau die Art von Reaktion, die Lawrence Frieda in den ›Töchtern des Vikars‹ zuschrieb.) 1910 fragte Edgar Jaffe die Gräfin, ob sie eine Reise mit ihm nach Korfu machen wolle. Sie fühlte sich sehr versucht und wäre sofort gefahren – allerdings nur ohne ihn.

Um diese Zeit lebte Jaffe von Else formlos getrennt – Else wohnte mit den Kindern in Irschenhausen, während Edgar in München seine eigene Wohnung hatte. Sein vergeblicher Versuch, mit Fanny ein Verhältnis anzufangen – wieder einmal war er allzu ehrgeizig, allzu waghalsig –, bedeutete den »Höhepunkt« seines Werdegangs *in eroticis*. Dann kam der Krieg, und er wandte sich wieder völlig der Politik zu. Doch nach Heidelberg kehrte er nicht zurück. Die nächsten Jahre sollten ihn als einen Führer von Schwabing, als einen Helden der Schwabinger Revolution erleben.

Einem Ruf der Technischen Hochschule in München folgend, hatte er 1910 Heidelberg verlassen. Sein Münchner Vorgesetzter, Moritz Julius Bonn, schilderte ihn als einen Mann von zugleich sanfter und gewinnender Wesensart. Diese leutselige Äußerung enthält mehr Aussagen, als man sie je über Edgar Jaffe hätte erwarten dürfen. Davon abgesehen kennen wir nur Müller-Meiningens Bemerkung, er sei heuchlerisch und deshalb das verhaßteste Mitglied des Eisner-Kabinetts gewesen. Niemand schien für diesen Mann Sympathie empfunden zu haben, der so viele bemerkenswerte Rollen spielte, so viele bemerkenswerte Leistungen vollbrachte.

Im August 1915 war er in der Verwaltung des besetzten Belgien beschäftigt, und er war es, der Max Weber für eine Stellung vorschlug, in der dieser einigen Einfluß auf die belgische Wirtschaft hätte nehmen können. Weber hatte eben seine Arbeit für die Heidelberger Krankenhäuser aufgegeben und reiste nach

Brüssel, in der Hoffnung, einen entscheidenderen Beitrag zum Kriegsgeschehen leisten zu können. Diese Hoffnung wurde zwar enttäuscht, doch ist diese Episode ein weiteres Beispiel für die wichtige ergänzende Rolle, die Jaffe in Max Webers Leben spielte – sogar noch nach dessen Affäre mit Else. Es sei in Belgien gewesen, erzählt Jaffes Tochter, wo Jaffe den deutschen Militarismus hassen lernte. Er kehrte bald nach München zurück, wo er eine Wochenzeitschrift gründete, als deren Herausgeber er fungierte, und wo er eine politische Diskussionsrunde ins Leben rief. Sein Mitarbeiter bei beiden Unternehmungen war Heinrich von Frauendorfer, ein finsterer, selbstbewußter Mann mit einem Blick voll verhaltener Leidenschaft, ein einstiger bayrischer Minister, den die katholische Zentrumspartei aus seiner Position verdrängt hatte und den – so wußten manche zu berichten – eine starke Rachgier gegen den König erfüllte. 1918 war Jaffe der erste in München, der die Absetzung des Kaisers forderte. Und als Kurt Eisner am 7. November 1918 die Wittelsbacher Dynastie verjagte, wurde Jaffe Finanzminister der Bayrischen Räterepublik – übrigens der einzige Akademiker im Kabinett.

Es war eine Schwabinger Revolution, und es waren Schwabinger Persönlichkeiten, die die Kontrolle über ganz München, ja über den ganzen bayrischen Staat übernahmen. Leute voller Ideen vertrieben die Leute des Geschäfts, Leute der Spekulation vertrieben Leute der Erfahrung, Leute aus der Welt der Kunst vertrieben Leute aus der Welt der Politik, Leute aus den Cafés vertrieben Leute aus den Behörden. Weder Max Weber noch Else Jaffe vermochten dieses Ereignis politisch ernst zu nehmen. Edgar Jaffe war um diese Zeit Heidelberg entfremdet, er war von seinen alten Göttern verlassen, er war isoliert.

Seine Tochter erinnerte sich, wie sie ihn zum verlassenen Königspalast begleitete, wo er über das Los des im obersten Stockwerk liegenden Königlichen Wintergartens zu entscheiden hatte, der die mageren Kohlenreserven der Stadt stark strapazierte. Sie stiegen hinauf, geführt von verstimmten Bediensteten des Königshauses, vorbei an Räumlichkeiten voller chinesischer Vasen, vergoldeter Möbel und griechischer Statuen, bis sie in einen Raum gelangten, dessen Dach vom tropischen Blätterwerk eines riesenhaften Baumes verdeckt war und wo ständig ein Wasserfall plätscherte. Dann stiegen sie ins Kellergeschoß hinab, um nachzusehen, wieviel Kohlen noch vorrätig waren. Der vielversprechendste Haufen entpuppte sich als ein Haufen von Handgranaten. Und schließlich mußte der gewissenhafte kleine Finanzminister – schweren Herzens, da er alle lebendigen schönen Dinge verehrte – den Untergang dieser üppig wuchernden Welt verordnen.

Obwohl Jaffe für die Werte, die der Krieg in den Vordergrund des deutschen Alltags rückte, durchaus Verständnis zeigte, war er ein engagierter Pazifist. In seinem pazifistischen Vorhaben hatte er sich mit den Professoren F. W. Foerster und Ludwig Quidde zusammengetan; auch stand er 1917 in Verbindung mit amerikanischen Repräsentanten in der Schweiz. (Else Jaffe und Max Weber waren während des Krieges militant patriotisch. Sie hängte in ihrem Wohnzimmer eine Fotografie von Hindenburg auf und bedauerte es sogar, keinen Sohn zur Verteidigung des Vaterlandes an die Front schicken zu können.) Im selben Jahr trat er der Unabhängigen Sozialistischen Partei bei, und 1918 schickten Jaffe und Kurt Eisner, sein Parteiführer, an George D. Herron in Genf, den sie für Präsident Wilsons persönlichen Beauftragten hielten, ein Telegramm, in dem sie um einen Sonderfrieden für Bayern baten, das sie aus dem Deutschen Reich herauszuführen im Begriff waren.

Gemessen an allen anderen Rebellionen gegen Bismarck und Preußen war dies die hervorstechendste Einzelleistung. Doch wurde sie, inspiriert vom Geiste Schwabings, von den am wenigsten brillanten Persönlichkeiten vollbracht, mit denen wir uns hier auseinandersetzen. Es ist typisch für Edgar Jaffes Leben überhaupt, daß er sich seiner Frau und jenen hervorragenden Männern, mit denen er so eng verbunden gewesen war, in dieser Zeit entfremdet hatte, und irgendwie typisch ist es auch, daß die von ihm geführte bayrische Revolution in wenigen Monaten niedergeworfen wurde und eine breite Reaktion zur Folge hatte. Dieser Reaktion ist es auch zuzuschreiben, daß der Nationalsozialismus in Bayern Fuß fassen konnte. 1920 war es wieder eine katholische Partei, die in München an die Macht kam, die Ludendorff eine Zuflucht anbot und versuchte, sich zum Mittelpunkt der Reaktion von ganz Deutschland zu machen. Die Revolutionäre wurden grausam bestraft, und Jaffe schwebte ebenso in äußerster Gefahr wie Frauendorfer, der unter Eisner ebenfalls Minister gewesen war. Frauendorfer beging Selbstmord, ohne seinen Prozeß abzuwarten, Jaffe erlitt 1919 einen Nervenzusammenbruch, von dem er sich nicht mehr erholte. (Am 10. Juli 1919 schrieb seine Frau an den Staatsanwalt, daß er zu krank sei, um im Toller-Prozeß auszusagen.) 1921 starb er. Viele unter den Ministern, die in diesem Schwabinger Regime vertreten gewesen waren, begingen Selbstmord oder starben in Anstalten oder Kliniken, obwohl nur die Radikalsten unter ihnen, so zum Beispiel Ernst Toller, Webers Schüler und Freund, vor Gericht gestellt wurden. Unter all diesen Gestalten ist Edgar Jaffe die stillste, die friedlichste und vielleicht sogar die ergreifendste.

Ernst Frick und die Gräfin zu Reventlow waren 1910 von München nach Ascona gegangen, ungefähr zur selben Zeit tat das auch Frieda Groß (die jetzt nur mehr selten mit Otto zusammen war). Frieda Weekley besuchte sie dort 1911 und lud Frick nach England ein, der im selben Jahr auch kam. Und im Frühling des Jahres 1912, als sie mit D. H. Lawrence England verließ, schlug sie Frieda Groß einen weiteren Besuch in Ascona vor.

Ascona war das Schwabing von Schwabing, wo man in einem Rahmen, der von großstädtischen Einflüssen kaum berührt war, auf noch radikalere Persönlichkeiten, noch radikaleres Verhalten und noch radikalere Ideen stieß. Dieses Schweizer Dörfchen am Lago Maggiore, das die meisten Anarchisten anzog, zählte nur an die 1000 Seelen, als 1899 Henri Oedenkoven, der Sohn eines reichen Antwerpener Industriellen, dort eine Naturheilstätte errichtete, in der die Männer kurze Hosen, Sandalen und Tuniken trugen; anstatt eines Hutes begnügten sie sich mit einem Band um ihr schulterlanges Haar. Wenig später gründete Karl Gräser dort eine ähnliche Einrichtung, die er »Fort von der Zivilisation« taufte. Gräsers Bruder freundete sich mit Raymond Duncan an, und durch diese Beziehung kam Isadora Duncan nach Ascona. Es gab dort Modern Dance, exzentrische Kostümierungen, langes Haar, Sonnenbäder und Vegetariertum. Erich Mühsam entdeckte Ascona für Schwabing, und 1909 stieß er dort auf eine Ideallösung der ständigen Geldprobleme von Fanny zu Reventlow – eine Lösung, die vollkommen den zwischen Komödie und Farce schwankenden Stil ihres späteren Lebens veranschaulicht. Ebenfalls in Ascona lebte ein Baron Rechenberg, ein einstiger Seemann, der sich in eine italienische Wäscherin verliebt hatte. Dieser Baron wollte das Vermögen seiner Familie erben, um ihre Kinder beschenken zu können, und es schien ihm nichts auszumachen, daß sie bereits mit jemand anderem glücklich verheiratet war. Um die Erbschaft anzutreten, mußte er jedoch heiraten, und so brauchte er eine Frau, die ihn für einen Teil dieses Vermögens ehelichen würde.

Mühsam unterbreitete die Möglichkeit der Gräfin, die einverstanden war. Die Hochzeit fand statt, der Vater des Barons zeigte sich von seiner Schwiegertochter entzückt – aber nur, bis ihm jemand die List verriet. Ein Teil des Geldes der Familie befand sich bereits im Besitz der Jungvermählten, doch ging dieser Teil durch einen Bankkrach verloren; von der Familie aber kam nichts mehr nach. Als 1914 der Krieg ausbrach, plante die Gräfin eine Weltreise mit einem chinesischen Akrobaten, dem sie als Messerwurfziel diente.

Das war der operettenhaft anmutende Lebensstil, vor dem Lawrence Frieda großenteils bewahrte. Allerdings nicht völlig, denn Taos war, vor allem nach Lawrences Tod, Ascona nicht unähnlich. Auch hätte die Wahl, die Frieda mit ihrem dritten Mann traf, der Gräfin wahrscheinlich gefallen.

Für Fanny zu Reventlow war der Krieg ein Fluch, vor allem deshalb, weil ihrem Sohn der Militärdienst drohte. Ihre Gefühle in dieser Hinsicht waren so stark, daß sie mit ihrem Bruder, einem bekannten Chauvinisten, Verfechter der Annexion und Mitglied der Pangermanischen Liga, nichts mehr zu tun haben wollte. Ja, sie suchte sogar Max Weber auf, um ihn – da sie die Nationalität ihres Sohnes ändern wollte – um juristischen Rat und Beistand zu bitten. Vermutlich nahm sie mit Max Weber Verbindung über Frieda Groß auf, die 1910 mit ihrem Mann nach Ascona ging, wo sie sich auch nach 1913, als Otto nach Berlin reiste, aufhielt.

1918 starb Fanny zu Reventlow in Ascona. Zwei Jahre darauf starb Otto Groß in Berlin an Unterernährung und Erschöpfung – er hatte sich der Fürsorge seiner Freunde, die sich um ihn kümmerten, entzogen, weil sie ihm nicht mehr bei der gewaltsamen Beschaffung von Rauschgiften helfen wollten. Er war fortgelaufen und hatte sich in einen Durchgang zu einem Lagerhaus geschleppt, wo man ihn zwei Tage später fand – so entkräftet, daß man ihn nicht mehr retten konnte. Und 1921 starb Edgar Jaffe, der sich von seinem Nervenzusammenbruch nach dem Scheitern der Revolution nie wieder erholt hatte. Diese drei Todesfälle aber kündigten auch das Absterben Schwabings an.

Zweites Kapitel

Max Weber und D. H. Lawrence:
Berlin und Nottingham

Einleitung

Max Weber und D. H. Lawrence bilden einen Gegensatz. Lawrence war nicht nur einer der größten englischen Romanschriftsteller des 20. Jahrhunderts, sondern auch ein kühner Denker, dessen Ideen über Ehe, Erziehung, Religion und Literatur einen Protest der Kultur gegen die Zivilisation zum Ausdruck brachten. Und Weber war nicht nur einer der größten Soziologen Deutschlands, sondern auch ein kühner Denker, der aufgrund seiner Ideen über Politik, Wirtschaft, Religion und die ganze Breite der Sozialwissenschaften zu einem der wichtigsten Vertreter des modernen Liberalismus wurde. Ihr Denken führte sie – und ihre Bewunderer – in entgegengesetzte Richtungen, und auch die Gründe für ihre überragende Art sind einander entgegengesetzt. Alle Merkmale aber, die sie voneinander unterschieden, finden wir in ihren entgegengesetzten Einstellungen zur Erotik, zur erotischen Bewegung ausgeprägt.

Ihre Lebensumstände unterschieden sich natürlich stark voneinander. Weber wurde 1864 und Lawrence 1885, also eine Generation später, geboren. Wäre Weber 1907 wie Lawrence zweiundzwanzig und nicht dreiundvierzig Jahre alt gewesen, hätte er auf die Herausforderung der erotischen Bewegung vielleicht anders reagiert. (Weber war zehn Jahre älter als Else Jaffe, und Else war fünf Jahre älter als ihre Schwester Frieda, Frieda wiederum sechs Jahre älter als Lawrence. Diese Altersunterschiede prägten den Stil ihrer Beziehungen.) Und während Lawrence aus der untersten Mittelschicht beziehungsweise aus der Arbeiterklasse stammte, gehörte Weber zur oberen Mittelschicht, deren gesellschaftliche Macht wesentlich stärker war, so daß Weber von früh an vor Augen hatte, wie Macht funktioniert und welche Wege sie einschlägt. Außerdem wurde Weber in Deutschland und Lawrence in England geboren – ein Umstand, dessen Folgen wir bereits zum Teil durchleuchtet haben.

Interessant wird der Vergleich zwischen den beiden Männern, wenn wir all diese Unterschiede beiseite lassen und von der

Behauptung ausgehen, daß ihre Gegensätzlichkeit vor allem dort sichtbar wird, wo ihre Entscheidung der »Erotik« galt – Erotik aber verkörperten für sie die beiden Richthofen-Schwestern. Natürlich galten ihre Entscheidungen nicht bloß den Schwestern, und ihre Entscheidung für Frieda beziehungsweise Else war nur ein wesentlicher Punkt in ihrem Leben, denn Max Weber war Max Weber schon vor 1910 und D. H. Lawrence war D. H. Lawrence schon vor 1912. Doch die Persönlichkeit ist immer auch eine Sache der Entscheidung oder der *Selbst*gestaltung, und ein Teil der frühesten Selbstgestaltung dieser Männer hängt damit zusammen, welche erotische Persönlichkeit sie bevorzugten, welche Art zu lieben sie wählten, welche Beziehung sie zu ihren Müttern unterhielten und welche weiblichen Elemente sie in ihre eigene Persönlichkeit integrierten. Der eine wählte die Lebensweise der Welt des Mannes, der andere die der Welt der Frau.

Ihre erotische Entwicklung zurückverfolgend, entdecken wir, wie aus ihnen die Männer wurden, die sich schließlich mit den Richthofen-Schwestern verbanden. Darüber hinaus entdecken wir, wie jeder von ihnen seine einzigartigen Vorstellungsgaben entwickelte, die er dem kollektiven Geist Europas als bleibendes Erbe hinterließ. Im Falle von Lawrence scheint klar auf der Hand zu liegen, daß die beiden Daseinsmodi – der Mann und die Imagination – einander gründlich beeinflußten. Seine erotische Beziehung zu Frieda steigerte die Kraft und die Qualität seines Schaffens und steuerte sie in andere Richtungen. Im Falle von Max Weber wissen wir viel weniger, und vermutlich waren auch die entsprechenden Auswirkungen geringer. Dazu kommt noch, daß seine Liebesbeziehung seinen Überzeugungen auf tragische Weise entgegengesetzt war. Liebe steigerte nicht sein Bewußtsein, sondern belastete sein Gewissen. Doch da Frau Jaffe diese Überzeugungen *teilte,* bestärkte ihn moralisch ihr gemeinsamer Verzicht auf das Glück der Liebe, genauso wie sich Lawrence durch sein zusammen mit Frieda verwirklichtes Glück bestärkt sah.

Wenn wir die beiden Männer unter diesem Gesichtspunkt betrachten, entdecken wir hinsichtlich der Beweggründe ihrer Entscheidungen gewisse Ähnlichkeiten. Vor dem Hintergrund, vor dem jeder der beiden Männer sich entschied, zeichneten sich dieselben Perspektiven ab, ungeachtet der Tatsache, daß der eine die Welt der Männer und der andere die Welt der Frau wählte. Bei dem gemeinsamen Hauptmerkmal handelt es sich um die Struktur der Familien, in die sie hineingeboren wurden, und um den ödipalen Konflikt, unter dem beide in diesen Familien litten. Dieser Konflikt stellt im Leben beider Männer einen wesentlichen und vielschichtigen Faktor dar, der viele andere wichtige Ähnlichkeiten bedingte – so auch den ähnlichen Mädchentypus, dem sie sich zuerst zuwandten. Ja, es gibt sogar, vor allem in politischer und historischer Hinsicht, Ähnlichkeiten in bezug auf Einstellung und Theorie, die einen ähnlichen intellektuellen Hintergrund vermuten lassen. Wir werden diese Gemeinsamkeiten herausarbeiten, um den grundlegenden Unterschied, ja die Gegensätzlichkeit zwischen beiden Entscheidungen zur Liebe klar zu machen. Diese Gegensätzlichkeit im Hinblick auf ihre Einstellung zum Eros, auf die Wahl ihrer Liebespartner und auf ihre Art zu lieben kann alles übrige erklären, vor allem angesichts der Ehen einer Else Jaffe und einer Frieda Weekley.

Max Weber war ein Geist, der – wie Nietzsche, Marx und Freud – gern »demaskierte« und der mit seinen ätzenden Analysen das ganze Spektrum der deutschen Innen- und Außenpolitik von damals und der deutschen Geschichte zur Zielscheibe nahm. Er war ein beeindruckender öffentlicher Redner und ein polemischer Geist, dem man in Zeitungen und Pamphleten begegnete, und es kam immer wieder vor, daß er sich gegen die Mehrzahl seiner Akademikerkollegen, ja sogar gegen die Kaiserliche Regierung selbst stellte. Durch sein persönliches Vorbild versuchte er in allen Bereichen der deutschen Kultur eine Atmosphäre der heroischen Debatte zu schaffen. Und sein Beitrag zur Geistesgeschichte bestand vor allem darin, daß er die modernen Sozialwissenschaften entwickelte und ihren bewundernswert abstrakten Ansatz schuf. All das aber tat er, obwohl er an nervlich bedingten Problemen litt, die einen Geringeren unfähig gemacht hätten – und ihn selbst tatsächlich in verschiedenen Perioden seines Lebens zur Unfähigkeit verurteilten. Ein großer, vollbärtiger Mann mit mächtiger musikalischer Stimme und einer dominierenden Persönlichkeit, die in der Debatte vernichtend argumentieren konnte – das ist der Mann, den wir uns im Geiste neben D. H. Lawrence vorzustellen haben. Auf der einen Seite also der eher schmächtige, bewegliche und behende Engländer, dieser überragende Künstler und Lehrer in erotischen Dingen, auf der anderen Seite der wuchtige Deutsche, der vielleicht die überragendste Persönlichkeit der liberalen Politik war – sie bilden für uns eine lebendige Polarität.

Max Weber wurde in Erfurt geboren, doch bald nach seiner Geburt siedelten seine Eltern nach Berlin über, so daß seine Erziehung in jeder Hinsicht die eines Berliners war. Darüber hinaus fielen seine entscheidenden Jugendjahre in eine Zeit, in der die Tatsache, Berliner zu sein, fast schon schicksalhaft war; es war die Zeit, in der die Annexion Schleswig-Holsteins, der Sieg über Österreich, die Niederlage Frankreichs, die Vereinigung Deutschlands und vor allem die überragende Gestalt Bismarcks – des größten europäischen Staatsmannes – die einzigartige, berauschende Atmosphäre Berlins erzeugten. Die Familie Weber aber war in der Lage, von dieser berauschenden Atmosphäre mehr in sich aufzunehmen als die meisten Menschen von damals.

Max Weber senior (1836–1897) war Berufspolitiker mit Sitzen im Reichstag, im Preußischen Landtag und im Stadtrat von Berlin. Er war mit allen Führern der Nationalliberalen Partei befreundet. Zwar besuchte Bismarck selbst nie das Webersche Haus, doch weilten dort viele seiner nächsten Untergebenen, und die Unterhaltung drehte sich gewissermaßen immer um Bismarck. Die Freunde des alten Max Weber hielten sich für die Baumeister – oder zumindest für Gehilfen *des* Baumeisters – eines modernen Deutschland. Sein Sohn Max erinnerte sich stets an den Ausbruch des Krieges gegen Frankreich, den er mit sechs Jahren erlebte und der mit freudiger Begeisterung begrüßt wurde. Das war in Heidelberg, auf dem Familienbesitz seiner Mutter, im selben Haus und im selben Zimmer, wo er den Ausbruch des Krieges von 1914 erfahren sollte.

Das Webersche Haus in Charlottenburg wurde nicht nur von Parteiführern wie Rudolf von Bennigsen besucht, sondern auch von Professoren wie Heinrich von Treitschke, Heinrich von Sybel und Theodor Mommsen. Die Professoren standen den Politikern als Vertretern des neuen Deutschland kaum nach, und auf Europas »geistiger Landkarte« bildeten sie eine Macht, die sich in vieler Hinsicht mit der politischen und militärischen Macht des neuen Staates vergleichen ließ. Die »Patrioten« wie Treitschke und ihre »Kritiker« wie Mommsen verkörperten ihrem geistigen Temperament und Stil nach in der damaligen Geisteswelt *Machtgrößen*.

Die Professoren erschienen gleichermaßen Frau Webers (1844–1919) wie ihres Gatten wegen. Sie war selbst eine Intellektuelle oder zumindest die richtige Gesprächspartnerin für Intellektuelle; als geborene Helene Fallenstein stammte sie aus einer bemerkenswerten Familie, die bereits eine ansehnliche Zahl von Professoren hervorgebracht hatte. Ihr Vater, Georg Friedrich Fallenstein (1790–1853), hatte sich im Krieg Preußens gegen Napoleon, in dem Deutschlands Nationalstolz erwachte, begeistert geschlagen. Er war ein Dichter, der eine romantische Ehe einging – er war neunzehn und sie fünfzehn, als er um ihre Hand anhielt, und er mußte seine Mutter und die Familie seiner Frau unterhalten. Als sich der Großvater des Mädchens dieser Ehe widersetzte, bekam der junge Georg Friedrich einen Nervenzusammenbruch. Trotzdem heirateten sie ein Jahr später, aber sie lebten in so großer Armut, daß eines ihrer Kinder an Unterernährung starb. Fallenstein gab Napoleon die Schuld. Als er sich angesichts des Krieges gegen Frankreich als Freiwilliger zur preußischen Armee meldete, bezahlte er die Kriegsausrüstung zweier Kameraden mit. Er war ein Idealist. Im Stil seiner Zeit gab er seinen Söhnen altdeutsche Namen, und er selbst kultivierte einen altdeutschen Stil der Persönlichkeit. Seine Frau starb, nachdem sie ihm mehrere Kinder geschenkt hatte, und vier Jahre später – er stand damals bereits im preußischen Staatsdienst – heiratete er Emilia Souchay.

Seine Söhne aus der ersten Ehe rebellierten und verließen relativ früh ihr Vaterhaus. Doch seine zweite Familie hielt fester zusammen. Diese Familie und ihre Nachkommen blieben ihr Leben lang jenem großen Haus verbunden, das Georg Friedrich, als er sich 1847 zur Ruhe setzte, erbauen ließ und das im Jahrhundert darauf zum Mittelpunkt des Max Weber-Kreises wurde und überragende intellektuelle Begegnungen erlebte. Als Helene Weber 1888 ihre Silberne Hochzeit feierte, bekam sie von ihren Schwestern die Kopie eines berühmten Gemäldes des Hauses geschenkt. Dieses Gemälde zeigte ihre Eltern auf dem Balkon stehend, der zum Neckar und Schloß hinausging; bei ihnen befand sich Georg Gottfried Gervinus, einer der geistigen Führer der liberalen und nationalistischen Sache und ein Freund der Familie, der 17 Jahre vorher gestorben war. Der junge Max hängte das Bild heimlich für den Festtag seiner Mutter auf, die sich von der Feier fortstahl, um vor dem Gemälde von ihrer Jugend und von ihren enttäuschten Jugendhoffnungen zu träumen. Dieses Gemälde und das Haus selbst bilden ein wichtiges Symbol in der Weberschen Familiengeschichte. Max Webers Vetter, Otto Baumgarten, erzählt, die Fallensteinschen Enkelkinder hätten sich häufig ausgemalt, wie Gervinus und Fallenstein über die gescheiterte Vereinigung Deutschlands durch Preußen 1848 diskutierten, während Frau Fallenstein auf den im Mondlicht schimmernden Fluß hinausblickte und die ätherische Naturstimmung in vollen Zügen genoß. So verkörperte dieses Haus für sie eine Lebensdialektik, die zwischen den Polen nationalistischer Politik und spirituellen Glaubens pendelte.

Frau Fallenstein überlebte ihren Mann um viele Jahre, und so war sie es, die im Leben ihrer Kinder die wichtigere Rolle spielte. Wie ihr Mann, so war auch sie von starker Wesensart, mit dem Unterschied allerdings, daß sie religiös empfand, wo er ethisch dachte. Das aber erschwerte ihren Kontakt. In ihrer Art war sie wesentlich zerbrechlicher und »empfindlicher« als er, obwohl seine Reizbarkeit vielleicht nur das rein männliche Gegenstück zu ihrer Empfindsamkeit darstellte.

Alle vier Fallenstein-Töchter (die drei Söhne starben früh) zeigten bis zu einem gewissen Grad die Auswirkungen dieses zweifach gesteigerten Erbes, doch schienen vor allem Ida und Helene in dieser Hinsicht etwas empfänglich zu sein. Beide Schwestern hegten zwar ihre Zweifel gegenüber der christlichen Theologie und ihrer Zugehörigkeit zur Kirche, was jedoch nicht verhinderte, daß sie sich sowohl in ihrem geistigen als auch in ihrem praktischen Lebensbereich getrieben fühlten, ein moralisches Leben voll religiöser Inbrunst zu führen. Das Wort »Kampf« nahm in ihrem Wortschatz einen wichtigen Platz ein. »Ohne Kampf, ohne Kampf bis aufs Blut, gibt es keinen echten Frieden im Leben«, war eine der Redensarten ihrer Mutter. Und was nun ihre Ehegatten wie ihre Söhne anlangte, so war in ihren Augen die Laufbahn als Professor oder Politiker eine recht zwiespältige Angelegenheit. Die Art und Weise, wie man sich in der Politik der Macht bediente, empörte sie zutiefst, und ebenso empört waren sie über die Art und Weise, wie man sich in der Welt der Akademiker der Macht *nicht* bediente, denn Verantwortungsbewußtsein war hier selten. Trotzdem waren beide Schwestern mit dem politischen und akademischen Leben eng vertraut.

Die Familie Fallenstein war – durch die Souchays – vermögend geworden, und die Familie Max Webers bestand aus reichen Leinenwebern in Bielefeld. Die Webers aus Berlin-Charlottenburg gehörten zur oberen Mittelschicht: Weder steinreich noch in irgendeiner Weise adlig, zeichneten sie sich insofern durch die Vorrechte und die Ängste einer herrschenden Klasse aus, als sie Führer und zugleich im Besitz der Ideen waren, die sich gesellschaftlich am wirksamsten umsetzen ließen.

George und Lydia Lawrence in Nottingham lebten dagegen in der untersten Mittelschicht. Mrs. Lawrences Vater war von Beruf Ingenieur gewesen, ihr Mann hingegen war einfacher Bergmann. Sie selbst war Lehrerin gewesen und hatte einer aus Frauen bestehenden Diskussionsrunde angehört, während er kaum lesen und schreiben konnte. Im Gegensatz zur Familie Weber trug sie nicht die geringste Verantwortung für die Richtung, in die sich ihr Volk und seine Kultur entwickelten. Sie besaß keine Macht in der Welt der Männer.

So aber unterschieden sich die beiden Familien im selben Maße wie die Stadtbezirke, in denen sie lebten: Charlottenburg war ein neuer, wohlhabender, großstädtischer Vorort, während Eastwood ein Dorf blieb, aus dem man einen häßlichen Industriebezirk gemacht hatte. Trotzdem weisen die Familienfotos eine gewisse Ähnlichkeit auf, die man vielleicht als »Ähnlichkeit der Gattung« bezeichnen könnte. Beide Familien hatten eine moralische Lebensauffassung, die sich zum Beispiel mit der der Richthofens nicht vergleichen ließ.

Frau Weber und Mrs. Lawrence, die beide den Mittelpunkt ihrer jeweiligen Familie bildeten, sahen beide schlank und zerbrechlich aus, waren indes von Natur aus kraftvoll, entschlossen, tonangebend; von schlichter Kleidung und Lebensweise, waren sie doch liebevoll und liebenswert, zugleich ängstlich und humorvoll. Beide halten sie gern auf ausdrucksvolle Weise den Kopf zur Seite geneigt, was auf eine gewisse reizvolle Scheu, vielleicht auch auf eine Abneigung gegen ihre eigene Tatkraft schließen läßt. Aus Beschreibungen wissen wir, daß sich der Liebreiz beider in ihren Bewegungen äußerte, die zugleich voller Kraft und Grazie waren. Beide stellten sie »Damen« im Sinne der Mittelschicht dar. Sie erkannten voll und ganz die Grenzen an, welche die Verfeinerung des 19. Jahrhunderts den sinnlichen Empfindungen des Menschen auferlegte. Ja, sie erkannten diese Grenzen in einem solchen Maße an, daß sie sie nicht mehr als Grenzen, sondern als die stützenden Mauern einer Zelle betrachteten, die zu einem angeblich organisch gesunden Leben unerläßlich sind.

Die beiden Familienväter ähnelten einander insofern, als sie groß und stattlich waren und den Eindruck von Vitalität erweckten, obwohl sie im Kreis ihrer Familie ohnmächtig und moralisch hilflos waren. Ihre Kinder – zumindest Max beziehungsweise David Herbert – warfen ihnen vor, »alles von der leichten Seite zu nehmen« und »das Leben zu genießen«. Sie waren von einer unzulänglichen Sinnlichkeit – im Gegensatz zum Baron von Richthofen verbindet sich mit ihrem Namen kein skandalöses Liebesverhältnis –, doch traf sie trotzdem der Bannstrahl ihrer eigenen Familie. Auf den Fotos machen sie einen etwas ausgelaugten Eindruck. Sie sehen aus wie offiziell anerkannte Götter, deren Kinder nur mehr zu einer rein konventionellen Respektbezeugung fähig sind, die auf Geheiß der wie Priesterinnen wirkenden Ehefrauen zustande kommt, denn diese sind es, denen die Achtung und Ehrfurcht der Familie gilt.

In jeder anderen Hinsicht sind sich die beiden Männer natürlich sehr unähnlich. Max Weber senior war ein sehr erfolgreicher Mann, ein einflußreicher Bürger nicht nur seiner Stadt, sondern auch seines Landes. Doch in Marianne Webers Darstellung seiner Person tritt diese Eigenschaft des »Ausgelaugtseins« klar zutage. Bismarck hatte die ganze Nationalliberale Partei entmannt. Er war der Mann Deutschlands, und die Partei stellte seine Eunuchen; er übte die Macht aus und er handelte, ganz gleich, ob zum Guten oder zum Schlechten, und sie erfreuten sich der Muße. In den Romanen des 19. Jahrhunderts ist die sinnliche, ja schon die sexuelle Freude ein Merkmal von »Verweichlichung«; und ein Ergebnis derartiger Kulturwerte bestand darin, daß Max Weber, der in einer Situation aufwuchs, die es gebot, diesen Werten zu gehorchen, mit der Zeit immer stärker die Notwendigkeit unterstrich, daß sich *Männer* in Deutschland gegen Bismarck erheben müßten.

Die versteckte Ähnlichkeit zwischen den beiden Familien ist um so erstaunlicher, als sie sich ihrer Struktur nach augenfällig voneinander unterschieden. Mrs. Lawrence hatte sich offen gegen ihren Mann gestellt, sie hatte ihn besiegt und aus der Familie ausgestoßen, während Frau Weber still vor sich hin litt – allerdings in einer beredten Stille. Die Folgen, die sich aus dieser unterschiedlichen Reaktion ergaben, waren zwar zahlreich und umfassend, doch erzeugten sie bei den feinfühligen Familienmitgliedern keine unterschiedlichen Gefühle gegenüber ihrem Vater. Aus Max' Briefen wird schon sehr früh deutlich, daß sich alle seine Gefühle auf seine Mutter konzentrierten. Und die Familienaufnahme von 1867 zeigt vielleicht, wie entfremdet er sich seinem Vater fühlt – Professor Baumgarten zumindest meinte, das enthülle die Fotografie; auf alle Fälle zeigt sie, daß sich Max Weber sich selbst entfremdet fühlte. Der Kampf in seiner Familie hatte sein Opfer gefordert; er hatte eine tiefe Wunde geschlagen, die sich vor allem darin äußerte, daß der junge Max Weber sich selbst mißtraute und verachtete, weshalb er sogar körperlich einen massigen und groben Eindruck erweckte. Er stand in den frühen Zwanzigern, weit von dem mächtigen, tragischen Helden der späteren Jahre entfernt und weit entfernt auch von dem hübschen Jungen, der er gewesen war. Auf dem Gruppenbild der Familie Lawrence, das um 1893 entstand, ist David Herberts Gesicht zu jung, als daß man ihm etwas entnehmen könnte, doch selbstverständlich wissen wir genau, wie entfremdet er sich bald fühlen sollte – wie er die Anwesenheit seines Vaters rein körperlich nicht mehr ertragen konnte.

Frau Weber wie Mrs. Lawrence zeichneten sich durch ihren Ernst aus. Sie nahmen Anteil an sozialen, religiösen und ethischen Problemen und beschäftigten sich mit den existentiellen Fragen, die den Kern der Sozialwissenschaften und der Moralphilosophie bilden. 1904 wurde Frau Weber als erste Frau zur ehrenamtlichen Stadträtin der Stadt Berlin ernannt, eine Auszeichnung, die sie dafür erhielt, daß sie sich für unverheiratete Mütter, Problemkinder und für die Kindbettprobleme der Armen eingesetzt hatte. Ihre gesellschaftliche Stellung ermöglichte ihr natürlich eine Handlungsfreiheit, die Mrs. Lawrence nie hatte. Doch im wesentlichen ähnelten sich die beiden Frauen. Sie waren weder Ästheten noch ernsthafte Gelehrte, keine Frauen der Mode, keine heidnischen Erdgöttinnen, keine ehrgeizigen Damen von Welt. Die beiden Frauen unterschieden sich auf ähnliche Weise vom Typus einer Baronin von Richthofen, den wir in Lawrences Anna Brangwen wiedererkennen; und von den drei Töchtern der Baronin war es nur Else, die dem Stil jener beiden älteren Frauen folgte. (Max Weber erwähnte ihre Ähnlichkeit mit seiner Mutter, und ähnlich hat vermutlich auch Lawrence reagiert.)

Von der Heirat der Webers könnte behauptet werden, sie sei durch Gervinus' Versuch, Helene Fallenstein zu verführen, in die Wege geleitet worden. Gervinus war Professor für Geschichte, er engagierte sich begeistert für die Einheit der Nation und gehörte dem revolutionären Professorenparlament von 1848 an. Er befreundete sich eng mit Georg Friedrich Fallenstein, dessen Töchter er in Geschichte und antiker Literatur unterrichtete. Er war verheiratet, wesentlich älter als Helene und ein Freund der Familie, was ihn jedoch nicht daran hinderte, daß er die sechzehnjährige Helene zu verführen versuchte. Das geschah kurz nach dem Tod ihres Vaters, und Helene trug einen schweren Schock davon. Wenig später besuchte sie ihre Schwester Ida, die erst vor kurzem den liberal und fortschrittlich gesinnten Historiker Hermann Baumgarten geheiratet hatte. Bei ihm lernte sie Max Weber kennen, den ebenso liberal wie fortschrittlich gesinnten Freund ihres Schwagers, den sie wenig später heiratete.

Ida heiratete im selben Jahr, in dem ihr Vater starb. Sie war siebzehn, zwölf Jahre jünger als ihr Mann, den sie zunächst anhimmelte. Auch er hatte für die Einheit Deutschlands gekämpft und gehörte, wie ihr Vater, bereits zu den überragenden Geistesgrößen. Doch wurde sie ihm bald fremd, und der akademisch-politischen Welt, in der er lebte, begegnete sie mit heftiger Feindseligkeit. Sogar mit dem Krieg von 1870, auf den sich Deutschlands Größe gründete, war sie nicht einverstanden. Als ihr Mann sofort nach dem Krieg einen Lehrstuhl an der neuen Universität im eroberten Straßburg übernahm, machte sie es sich zur Aufgabe, die französische Bevölkerung der Gegend kennenzulernen. Die deutsche Akademikerschicht betrachtete sich, ähnlich wie Baron von Richthofens Militärverwaltung in Metz, als Zweig einer erobernden Macht, doch Frau Baumgarten lehnte diese Rolle für ihre Person ab. Ihre moralische Einstellung veränderte sich insofern, als sie nun gegen Preußen und Bismarck war. Ihre religiösen und moralisch-sozialen Interessen rückten in den Vordergrund, während sie ihre historisch-kritische Einstellung hintanstellte. Sie versuchte im Sinne der Bergpredigt zu leben. Sie kam mit der Arbeiterbewegung in Berührung und begann den »aristokratischen« Klassizismus deutscher Standardkultur zu hassen. Ihre Nichte Emilie Fallenstein, die später ihren Sohn Otto heiratete, beeinflußte ihr Denken allmählich stärker als ihr eigener Mann. Emilie war eine körperlich kranke, religiöse Schwärmerin, und auch Frau Baumgarten begann zu kränkeln – einerseits wegen ihrer vielen Geburten und andererseits wegen ihrer spirituellen Neigung und ihrer psychischen Belastung.

Sie und ihre Kinder verbrachten die Ferien in Heidelberg im Hause der Fallensteins, wo sie sie nicht zu Baumgartens, sondern zu Fallensteins, ja eigentlich zu Souchays erzog. Sie rebellierte gegen das, was Fallenstein und Gervinus dargestellt hatten. In jungen Jahren war sie stark von Gervinus beeinflußt worden, der sie zum Rationalismus und zur religiösen Skepsis gedrängt hatte. Er war ein Anhänger von D. F. Strauß, dessen Werk ›Das Leben Jesu. Kritisch bearbeitet‹ (1835/36) die historiographische Bewegung hervorgebracht hatte, die darauf abzielte, Christus zu entmythologisieren; und es hatte Ida einen harten Kampf gekostet, bis sie jene spontane Frömmigkeit des Gefühls zurückgewonnen hatte, die sie als Mutter mit ihren Kindern teilen wollte. Die beiden »Kulturhelden« Gervinus' waren Händel und Shakespeare, die er auf schematisch-rationalistische Weise interpretierte, und gegen diese Sehweise rebellierte sie nun – wiederum im Namen des Gefühls. Und zweifellos muß jener Versuch, ihre Schwester Helene zu verführen, ihre Abneigung gegen ihn und gegen alles, was er verkörperte, noch verstärkt haben. Es war eine Reaktion gegen den apollinischen Geist überhaupt, und in ihrer Rebellion muß sie sich mit dem Bild ihrer Mutter identifiziert haben, die fortblickte von den beiden Männern und sich der Natur zuwandte. So aber kam es, daß Gervinus eben jenen akademischen und politischen Menschentypus darstellte, dem Ida Baumgarten so sehr mißtraute.

Es scheint kein Zweifel an der Echtheit der Liebe zu bestehen, die Max Weber und Helene Fallenstein zu Beginn füreinander empfanden. Doch das Erlebnis mit Gervinus hatte eine Wunde in ihr hinterlassen, die im Verlauf ihrer Ehe zu ihrer Abneigung gegen die Sexualität überhaupt führte. (Das war zumindest die Erklärung ihres Sohnes.) Diese ehelichen Spannungen aber führten dazu, daß ihr Mann es mehr und mehr ablehnte, ihr bei ihrem Ringen um religiöse und moralische Gewissenhaftigkeit beizustehen. Immer mehr sah er sich in die Rolle eines Weltmannes gedrängt, eines Mannes von gesundem Menschenverstand und gesunder Sinnlichkeit, eines Mannes von effektiver Macht, der an allen politischen Verbindungen und Freundschaften lebhaften Anteil nahm. Wieviel Demütigung, Verzicht und Niederlagen diese veränderte Rolle mit sich brachte, können wir nicht ermessen; wir wissen lediglich, daß sich Weber veränderte. Und wir wissen, daß es seine Frau war, die die Kinder an sich band, während er nur dann »bei ihnen« war, wenn er sie auf Reisen mitnahm. Vor allem aber ist er eine recht schattenhafte Erscheinung in den vielen Biographien, die über seine Familie verfaßt wurden. Zwar wird sein Charakter klar gezeichnet, doch handelt es sich hier stets um Interpretationen anderer, um Vermutungen. Es existiert keine Rede, keine

Geste, keine Formulierung oder Geschmacksäußerung von ihm, die uns einen direkten Eindruck vermitteln könnte – das gilt sogar für die offenen Konflikte zwischen ihm und seinem ältesten Sohn. Andere Mitglieder der Familie Fallenstein – zum Beispiel Ida Baumgarten und ihre Söhne – haben ihn offenbar wegen seiner Gefühllosigkeit gegenüber seiner Frau nicht gemocht, ohne sich jedoch über die Ursache Fragen gestellt zu haben.

1885 gab er für den Ausbau des Hauses eine Menge Geld aus. Auch die Gastfreundschaft ließ er sich einiges kosten. Doch es war *ihr* Geld, das er für diese Zwecke ausgab – ihren Wunsch, es für wohltätige Zwecke auszugeben, schlug er ab. (Nach 1881 belief sich sein Einkommen auf 12000 und das ihre auf 22000 Mark.) Brauchte sie Geld für den Haushalt, so mußte sie ihm ihr Haushaltsbuch vorlegen, und während sie im Luxus lebten, litt sie unter der Armut so vieler anderer. Frau Weber arbeitete im Haushalt und in anderen Bereichen sehr hart, sorgte sich unablässig um das körperliche und seelische Wohl ihrer Kinder und war stets der Mittelpunkt des häuslichen Lebens. Herr Weber kam heim, wann es ihm gefiel, verlangte sein Essen, unterhielt sich mit den Freunden, die er mitgebracht hatte, und ging wieder. Er spielte die Rolle eines dummen Haustyrannen, eines kleinen Bismarck. Sie litt darunter ebenso wie ihre Kinder – vor allem Max. Die Kinder nahmen das Benehmen ihres Vaters übel, aber sie trugen auch ihrer Mutter jene Leiden nach, von denen sie sich belastet fühlten – allerdings weniger offen, weniger bewußt.

Wie dieses häusliche Problem stets mit dem politischen zusammenhängt, behandelt Arthur Mitzmann in seinem Werk ›The Iron Cage‹ (›Der eiserne Käfig‹) ausführlich und überzeugend. Es gibt eine Stelle aus einem Brief von Max Weber an seinen Onkel Hermann Baumgarten*, in der Max den Historiker Treitschke erwähnt, dem er – obwohl ihm die politischen Prinzipien, die Treitschke vertrat, verhaßt waren – doch nicht den »Ernst« und das »Pathos« einer großen Persönlichkeit absprach. »Es ist dieselbe Sache wie mit Bismarck«, schreibt Weber. »Wüßte die Nation den letzteren richtig zu behandeln und zu verwerten, im richtigen Augenblick ihm gegenüber fest zu bleiben und ihm da Vertrauen zu schenken, wo er es verdient ...« Wenn wir statt »die Nation« »die Mutter« setzen,

* Max Weber: Jugendbriefe, S. 232 (Brief vom 25. April 1887)

bekommen wir eine Vorstellung von der Situation seiner Eltern, so wie er sie sah und empfand.

Wie ihre Schwester Ida, so zog sich auch Helene in moralischer Hinsicht von ihrem Mann zurück, und es war Ida, an die sich Helene zuerst wandte und deren religiöse und politischmoralische Überzeugung sie zu teilen begann. Die beiden Frauen waren unter den ersten, die Pastor Naumanns Karriere als politischer Reformer unterstützten. In beiden Familien betonten die Schwestern das Souchay-Fallensteinsche Erbe auf Kosten ihrer Identifizierung mit ihren Ehemännern. Das Gefühl, Heidelberg sei ihr echtes Zuhause, war (sogar für die Kinder) mit intensiven moralischen und emotionalen Tönen durchsetzt.

Frau Baumgarten war extremer gesinnt als ihre Schwester. Sie versuchte wirklich nach dem christlichen Vorbild der Selbstaufopferung zu leben. Einmal brachte sie ein Mädchen von der Straße mit nach Hause, doch es stellte sich heraus, daß der Gegenstand ihrer Barmherzigkeit an einer Infektion litt – an einer Infektion, an der eines ihrer Kinder starb. Der heranwachsende Max Weber reagierte gegen diese kompromißlose moralische Leidenschaft, indem er erklärte, es sei übertrieben, jede Handlung an einem ethisch Absoluten zu messen. Später räumte er allerdings ein, daß ihn diese moralische Vortrefflichkeit stark beeinflußt hätte. Seine Tante Ida, so erklärte er, hätte ihn gezwungen, zu erkennen, daß es notwendig sei, sich *entweder* für seinen Vater *oder* für seine Mutter zu entscheiden.

Merkwürdigerweise beeinflußte auch Idas Mann Max Weber stark. Zusammen mit Gervinus, Treitschke, Jolly und Sybel hatte sich Hermann Baumgarten für die Vereinigung Deutschlands eingesetzt. Doch er erkannte schließlich die Gefahren von Bismarcks selbstherrlicher Führung, die er nicht einmal für konservativ im besten Sinne hielt – für ihn war sie eine Bedrohung der deutschen Kultur. Er haßte den Kanzler für seine Zerstörung aller möglichen Feinde, und er haßte die Vergötzung, die ihm durch die Masse der Intellektuellen zuteil wurde; er rebellierte gegen Treitschkes historische Glorifizierung der Macht der Hohenzollern und Preußens – und damit gegen die Verstärkung der patriarchalischen Daseinsweise. Er setzte sich für den Liberalismus und für die südlichen und westlichen Staaten Deutschlands ein; das aber tat er mit zunehmender Bitterkeit und zunehmendem Pessimismus, die ihn einerseits intellektuell isolierten und ihm andererseits die Achtung und Sympathie seines Neffen Max einbrachten. Obgleich weniger religiös als seine Frau, war er doch ein moralisches Phänomen, vergleichbar mit Mommsen, ein kompromißloser Neinsager in einem Land der Selbstzufriedenheit. Max Weber stand zwischen 1883 und 1893 in enger Beziehung zu ihm und entdeckte in ihm genau die politische und intellektuelle Integrität, die seinem Vater offenbar abging. Während Max Weber senior Treitschkes monumentales Werk ›Deutsche Geschichte im neunzehnten Jahrhundert‹ (1879–1894) lobte, weil es das Haus Hohenzollern verherrlichte, griff Baumgarten es 1883 heftig an, obwohl er wegen dieses Verhaltens von seinen Kollegen geschnitten wurde.

In D. H. Lawrences Familie gab es keine gleichwertigen Persönlichkeiten. Natürlich wissen wir von Onkeln und Freunden der Familie, die dem heranwachsenden Lawrence etwas bedeuteten, aber sie spielten im damaligen öffentlichen Leben Englands keine Rolle. Die einzigen Familienbande, die Lawrences Phantasie aus seiner unmittelbaren Umgebung herausführen konnten, bestanden darin, daß seine Tante Ada einen Deutschen namens Krenkow heiratete, der sich für die Orientalistik begeisterte. Doch Fritz Krenkow war weder als mächtige Persönlichkeit im Leben seiner Zeit noch als Kraft, die seinen Neffen beeinflußte, einem Hermann Baumgarten vergleichbar. Sogar der Kreis von Intellektuellen, den Lawrence in Nottingham später kennenlernte, reichte an den Weber-Kreis in Berlin nicht heran.

Familieneinflüsse

Wie Mrs. Lawrence übertrug auch Frau Weber auf ihre Kinder, vor allem aber auf ihren ältesten Sohn, die Hoffnungen, Forderungen, das Vertrauen und die Anziehungskraft, die bei ihrem Mann wirkungslos geblieben waren. Wie David Herbert Lawrence war auch Max Weber ein kränklicher, nervöser Junge. Mit vier Jahren erkrankte er an einer Hirnhautentzündung; entweder wurde er sehr langsam gesund, oder man behandelte ihn noch lange als Kranken. (Danach konnte Frau Weber einfach nicht verstehen, wie eine Mutter auch nur eine Nacht nicht bei ihren Kindern verbringen konnte.) Lange Zeit hatte er vor dem Meer und auch vor Tieren Angst. Seine Ängste und seine

Kränklichkeit drängten seine Mutter natürlich um so mehr zur Selbstaufopferung. In der Schule war er körperlich schwach und untüchtig, doch ungewöhnlich gescheit. Trotzdem hielten die Lehrer nicht viel von ihm, weil er stets mürrischen Widerstand leistete. Auch seine Mutter bekümmerte er mit seiner »Unerreichbarkeit«. Als er konfirmiert werden sollte, fühlte sie sich wegen seiner Weigerung, ihr seine religiösen Probleme anzuvertrauen, getroffen, denn das machte es ihr unmöglich, ihm die ihren anzuvertrauen. Sie beneidete ihre Schwester Ida darum, daß deren Kinder mit den schwierigsten Problemen zur Mutter kamen. Doch war es nicht bloß seine Mutter, vor der er sich auf diese Weise verschloß. Es gibt einen Brief, den Max Weber ungefähr um dieselbe Zeit an seinen Vetter Fritz Baumgarten schrieb und in dem er sich entschuldigte, seine Gefühle zur Religion nicht mit ihm teilen zu können. Das sei, so meinte er, seine Natur; *er könne nicht* zu anderen über Dinge sprechen, die ihn am tiefsten berührten. Er sei sich bewußt, daß ihn das zum kläglichen Gesprächspartner mache.

Tatsächlich zeichnet sich Max Webers Beziehung zu seiner Familie vor allem durch diese gleichzeitig gewollte und ungewollte Weigerung aus, auf die ständigen innigen und ängstlichen Fragen seiner Mutter einzugehen. Das aber hatte Selbstvorwürfe auf beiden Seiten zur Folge. Diese Selbstvorwürfe wirkten sich für ihn wesentlich schädlicher aus, denn seine Mutter hielt sich selbst einfach nicht für hinreichend »würdig«, während sich ihr Sohn häßlich, kalt, widerspenstig und unmenschlich vorkam. Mit siebzehn verließ er die Gesellschaft seiner Familie in Venedig, die dort ihren Urlaub verbrachte, weil er spürte, daß er nicht die Begeisterung für Italien aufzubringen vermochte, die von ihm *gefordert* wurde. Ein wichtiger Schlüssel zu Webers Entwicklung ist in der Tatsache zu suchen, daß seine Beziehung zur Mutter so lange fortbestand. Sie starb, eine Frau voller Lebenskraft, kurz bevor er selbst aus dem Leben schied. Im Alter von über fünfzig Jahren bekennt er einer seiner Schwestern: Ich bin »ein verschlossenerer und vielleicht einsamerer Mensch ..., als es so aussieht, und nicht leicht zugänglich, das hat mir die Natur nicht gegeben, und darunter haben manche, deren Liebe ich gehabt habe und habe, oft zu leiden gehabt und leiden vielleicht noch«.[*]

Eine Stelle aus D. H. Lawrences ›Spiel des Unbewußten‹

---

[*] Marianne Weber: Max Weber. Ein Lebensbild, S. 542

dürfte Max Webers Beziehung zur Mutter noch klarer machen (S. 74 ff.):

»Es gibt nichts Verhängnisvolleres, Hassenswerteres als geistige Vergewaltigung. Aber was ist geistige Vergewaltigung? Es ist der Wunsch und der Versuch, meinen eigenen Willen einer anderen Person irgendwie aufzuzwingen. Sensuelle Vergewaltigung ist verhältnismäßig leicht aufzudecken, gefährlicher ist die ideelle Vergewaltigung: Menschen geistig in etwas hineinzuzwingen, was ideell gut für sie sein soll. Ich lasse mich zum Beispiel ganz von meinem Ideal erfüllen und ich trachte dieses Ideal in der Person eines anderen zum Gesetz zu erheben. Das ist ideelle Vergewaltigung. Eine Mutter möchte, daß das Leben ganz Liebe sei, ganz Zartgefühl, Nachsicht und Sanftheit; und nun beginnt sie ihr von Natur aus temperamentvolles und leidenschaftliches Kind in ein häßliches beengendes Gewebe von ewiger Nachsicht, Sanftmut und Vertuschung einzuspinnen ... Eine der bedenklichen Folgen ist zum Beispiel die Neurasthenie, die zur Hauptursache eine Zersplitterung oder einen Kollaps der großen Willenszentren darstellt, eine Spaltung des Willens.«

Eine der schmerzlichsten Analysen, die Max Weber von seinem eigenen Zustand gibt, beginnt mit dem Bild von einem Krüppel. In einem Brief an Ferdinand Tönnies, in dem es um Religion geht, erklärt er, er selbst sei weder antireligiös noch irreligiös. Und er fährt fort: »Ich empfinde mich auch in dieser Richtung als einen Krüppel, als einen verstümmelten Menschen, dessen inneres Schicksal es ist, sich dies ehrlich eingestehen zu müssen, sich damit (um nicht in romantischen Schwindel zu verfallen) abzufinden, aber auch nicht – als ein Baumstumpf, der hin und wieder noch auszuschlagen vermag – mich als einen vollen Baum aufzuspielen.«*

Er entzog sich solchen Schwierigkeiten auf die übliche Weise. War er von seiner Familie getrennt, so verfaßte er lange, humorvolle Briefe, in denen er über Dinge von allgemeinem Interesse schrieb. Er verfaßte Essays über gelehrte Themen, die er seinen Eltern zum Geschenk machte. An seinen Bruder schrieb er Briefe mit moralischen Ratschlägen. Er entwickelte eine gefühlsbetonte Zuneigung zu seinen Schwestern. Innerhalb der Familie offerierte er all diese Dinge als Ersatz für spontane Zuneigung. Außerhalb der Familie entwickelte er sich zum glän-

---

* Eduard Baumgarten: Max Weber, Werk und Person, S. 670

zenden Geschichtenerzähler, und er trat einer studentischen Verbindung bei, trank und sang und focht seine Duelle aus. Er wurde zum »lustigen Kumpan«, obwohl diese Rolle so gar nicht zu seinem tieferen Selbst paßte.

Aber nie offenbarte er seine Gefühle Menschen außerhalb seiner Familie, nie ging er tiefere Beziehungen außerhalb dieses Rahmens ein. Sowohl Emmy Baumgarten, seine erste Liebe, als auch Marianne, seine Frau, waren seine Kusinen; und beide waren sie äußerst zarte und vergeistigte Persönlichkeiten, mehr mädchenhaft als weiblich, seiner Mutter nicht unähnlich, doch eigentlich noch zarter als sie. Nie schloß er, das bemerkte und bedauerte seine Mutter, mit einem Mann Freundschaft, der älter oder mächtiger als er selbst war. Sein Vetter Otto war der letzte ältere Freund, den er hatte – das aber war noch in seiner Studentenzeit. Er suchte sich Beziehungen aus, in denen er der Stärkere war. Während seiner Zeit beim Militär und seiner Studentenzeit schwebte ihm das Vorbild einer kühlen, distanzierten, witzigen und geltungsbedürftigen Männlichkeit vor. Und später fand er außer Haus Schauplätze, wo er Macht verkörpern konnte – als Professor, Politiker, Polemiker und als Don Quijote der Gerichtshöfe.

So gelangte er zu Macht in der Welt draußen, in der Welt der Männer, obwohl er sich seiner Schwäche zu Hause bewußt war. Unter diesem Gesichtspunkt sollten wir die Gedanken, die er in seiner Arbeit ›Politik als Beruf‹ entwickelte, sehen. Dort schreibt er (S. 447): »Wer Politik überhaupt und wer vollends Politik als Beruf betreiben will, hat sich jener ethischen Paradoxien und seiner Verantwortung für das, was aus *ihm selbst* unter ihrem Druck werden kann, bewußt zu sein. Er läßt sich, ich wiederhole es, mit den diabolischen Mächten ein, die in jeder Gewaltsamkeit lauern.« Das war Max Webers faustischer Pakt. Und dieses Bündnis steht im Gegensatz zur Auffassung von D. H. Lawrence, der mit der Macht der Sexualität paktierte – ihm ging es um den erotischen Einsatz, zu dem er sich bekannte trotz mannigfacher emotioneller und ideeller Skrupel. Beide waren sie entschlossen, einer gewissen Art von Schwäche, koste es, was es wolle, zu entfliehen, aber beide schlugen sie entgegengesetzte Wege ein. Max Weber repräsentiert in dem Pakt, den er einging, alle die Menschen, die sich der Welt des Mannes verpflichten, während Lawrence stellvertretend für jene Menschen steht, die sich der Welt der Frau verpflichten. Das Engagement beider Männer war, obwohl seiner Intention nach total, höchst zwiespältig. Beide sollten den Kräfteaufwand für das, was sie geleistet, bedauern. In seinen Romanen, die sich mit dem Thema »Führertum« befassen – es sind dies ›Känguruh‹, ›Aarons Stab‹ und ›Die Gefiederte Schlange‹ – tritt uns ein Lawrence entgegen, den es danach verlangt, die Welt der Männer zu betreten. Und Max Weber hat gegen Ende seines Lebens ein starkes Gefühl für Werte, die nicht seiner eigenen Ethik entsprechen.

Die Entwicklung, die sich im Heim der Lawrences abspielte, und die entsprechenden Auswirkungen auf David Herbert kennen wir zur Genüge aus ›Söhne und Liebhaber‹. Der Biograph sollte den Leser lediglich darauf hinweisen, daß Lawrences Gefühle im Leben selbst wesentlich zwiespältiger waren. Die Verehrung und Hingabe, die er für seine Mutter empfand, waren nicht ungetrübt, einfach oder natürlich. In einigen Gedichten aus seiner Croydon-Periode (1908–1911), in der seine Mutter noch lebte, kommt eine Abneigung zum Ausdruck, deren dumpfen Nachklängen wir auch in Max Webers pflichtbewußter Zuneigung begegnen. In einem seiner Gedichte beschreibt Lawrence seine Mutter als »unerbittliche Liebe« und als »die Bettlerfrau«, die zerbrechlich, traurig und mit grauem, geneigtem Haupt immer an seiner Seite ist:

Wieso nur schlägt der träge Schlag der Uhr um Mitternacht
(Wird nie er sich zur Zwölf denn runden?)
Mit schwerem Vorwurf mir aufs Herz?
Doch wenn der Stille dürft'gen Mantel mir über die Augen
ich zieh'
Späht klägliche Liebe mir unter die Kappe
Berührt die Spange mit zittrigen Fingern und sucht
Ihr Ohr ans schmerzhafte Hämmern meines Blutes zu
bringen
Derweil ihre Tränen bis auf die Brust mich nässen
Wo sie mich brennen, ätzen.

Derselbe Gefühlston durchdringt auch Max Webers Briefe, mit dem einzigen Unterschied, daß seine Empfindungen für seine Mutter »ungeäußert« bleiben.

Die Rollenverteilung war also in der Familie Webers und in der Lawrences ähnlich – dem Mann zugeordnet waren Sinnlichkeit und moralische Indifferenz, die Frau trug und ertrug Verantwortung und Angst, die Kinder lebten im inneren Konflikt Hamletscher Prägung. Auch die Teilung der Macht in der Familie war dieselbe – dem Mann war die äußere Erscheinung, der Frau die Substanz der Familie zugeordnet. Diese Ähnlichkeiten bildeten natürlich einen Teil des damaligen Musters der abendländischen Familie überhaupt, doch gab es verschiedene solcher Muster. Die Webers und die Lawrences waren in dasselbe Muster einzuordnen.

Max Weber war der älteste Sohn, und diese Tatsache scheint ihn nachdrücklich beeinflußt zu haben. Seine Frau bemerkte, er habe als Kind ein ausgeprägtes Gefühl für seine Rechte als Erstgeborener gehabt, und sein Bruder Alfred litt damals und sein ganzes späteres Leben unter dem Gefühl, immer nur Zweitbester zu sein. Das erinnert uns an die Bemerkung Freuds, wonach der Sohn, der von seiner Mutter bevorzugt wird – Frau Weber nannte ihren Ältesten den »großen Max« –, sich sein ganzes Leben lang das Gefühl des Eroberers und dieses Vertrauen in den Erfolg bewahre, das oft wirklich zum Erfolg führe. Für Max Weber hätte die Bezeichnung »Eroberer« vermutlich ironisch geklungen, doch erweist sich dieser Gedanke als richtig, wenn wir Weber mit Lawrence vergleichen. Kulturell gesehen könnte man Weber als »Vatersohn«, als den Erben seines Vaters bezeichnen. Die allgemeine patriarchalische Familienstruktur Deutschlands wurde für seine Generation dadurch verstärkt, daß es den Vätern dieser Generation gelang, das Land zu einen. (Werner Sombart, Heinrich Rickert, Robert Michels waren alle die Söhne von »Gründervätern«.) Weber sprach häufig von dem schweren Los, ein Epigone zu sein, und er meinte, die Generation vor ihm hätte um Leute wie ihn ein starkes Haus herum gebaut. Im Vergleich dazu war Lawrence so gar kein »Vatersohn«, ebensowenig wie er in seinen jungen Jahren der älteste oder bevorzugte Sohn war. Was für Frau Weber Max bedeutete, bedeutete für Mrs. Lawrence Ernest, ihr ältester Sohn, der als junger Mann starb. Ernest, dem wir als William in ›Söhne und Liebhaber‹ begegnen, war in seiner Männlichkeit selbstsicherer als David Herbert. Er war ein ausgezeichneter Sportler und Schüler, ein großer, kräftiger und humorvoll aggressiver Kerl, eine geborene Führernatur. David Herbert dagegen zeichnete sich durch ein schwächendes feminines Element aus. Er forderte die beschützenden Instinkte seiner Mutter heraus und bot ihr nie die Möglichkeit, sich zu erholen und auf ihn zu bauen. In beiden Familien waren es die ältesten Söhne, waren es Max Weber und Ernest Lawrence, die jene Rolle des Gatten spielen sollten, zu der ihre Väter unfähig waren.

Hier liegt der grundlegende Unterschied zwischen Max Weber und D. H. Lawrence, und dieser Unterschied bildet die Grundlage zu mannigfachen anderen Unterschieden, welche die beiden Persönlichkeiten trennten. Max Weber nahm die männliche Rolle auf sich, so wie sie durch seine Kultur definiert war; Lawrence tat das nicht oder lehnte zumindest bestimmte entscheidende »männliche« Handlungsweisen ab. Die ungewöhnlichen Kräfte der Vorstellung, des Verstehens und der Selbstprojektion, die beide Männer besaßen, wurden danach in den Dienst einander entgegengesetzter Aufgaben gestellt. Max Weber machte einen »Mann« aus sich, obwohl er natürlich diese »Männlichkeit« auch kritisch neu definierte. Lawrence dagegen machte eine »Mann-Frau« aus sich, indem er mit großer Kühnheit jene weibliche Daseinsweise erforschte, in die Weber nichts von Bedeutung investierte. (Auch in dieser Hinsicht dürfen wir sagen, daß die beiden Männer im späteren Leben die Ausschließlichkeit ihrer Entschlüsse bedauerten.)

Alle Kinder waren aufgerufen, ihre Mutter am Vater zu rächen, doch fiel diese Pflicht vor allem auf die feinfühligsten und ernstesten Söhne, sie fiel auf die Hamlets der Familie, auf Max Weber und D. H. Lawrence. Die Szene aus ›Söhne und Liebhaber‹, in der Paul Morel seine Mutter gegen seinen Vater verteidigt, spiegelt Ereignisse aus dem Leben selbst wider. Im Heim der Webers gab es von solchen Gefühlen zugleich mehr und weniger. Während vieler Jahre, die er als Erwachsener im Elternhaus verbrachte, verteidigte Max Weber seine Mutter *nicht* gegen die Tyrannei des Vaters. Da ein Universitätsstudium damals sowohl umfassend als auch intensiv war, flüchtete er aus diesem Zuhause erst mit dreißig Jahren. Diese lange und aufreibende Abhängigkeit beeinträchtigte eindeutig seine spätere Fähigkeit, menschliches Glück zu erleben, und sie bildet den Gegensatz zu Lawrences früher Trennung vom Elternhaus. Den Preis, den Max Weber für diese Abhängigkeit zu bezahlen hatte, können wir nur ahnen – zum Beispiel aus den gequälten Briefen Webers an seine Kusine Emmy Baumgarten, in denen er sich selbst verteidigt und seine Trägheit im Hinblick auf seine Mutter zu erklären versucht.

Doch dann, 1897 – er war bereits verheiratet – verteidigte er sie tatsächlich: Es kam zu einer schrecklichen Szene, die für seinen Vater wie das Jüngste Gericht war und die damit endete, daß Max seinem Vater sein Haus zu verlassen befahl. Max Weber junior und seine Frau lebten um diese Zeit in Heidelberg, der Heimatstadt seiner Mutter, die zu ihnen zu Besuch kommen wollte und sich einige Tage Erholung von ihrem Mann versprach, der jedoch darauf bestand, sie zu begleiten. Aber Max Weber junior warf ihm nicht nur das, er warf ihm auch seine lebenslange brutale Selbstsucht vor. Die Szene war für alle Beteiligten niederschmetternd. Seine Frau und seine Mutter flehten ihn an aufzuhören, doch es war vergeblich. Vielleicht wollte Frau Weber (darin Mrs. Morel ähnlich) in Wirklichkeit gar nicht verteidigt werden, sie wußte indes, daß sie im Geiste oft mit diesem Gedanken gespielt hatte, und so fühlte sie sich an dieser Szene schuldig. Und vielleicht machte der Sohn die ganze Szene noch häßlicher, als sie hätte sein müssen, um auf diese Weise jedermann zu bestrafen, auch die Mutter, die sie heraufbeschworen hatte. Doch es kam noch schlimmer. Nach Berlin zurückgekehrt, zog sich Max Weber senior seiner Frau gegenüber in ein ablehnendes Schweigen zurück, und sieben Wochen nach der Szene in Heidelberg starb er auf einer Reise, ohne daß er sich mit seiner Frau oder seinem Sohn ausgesöhnt hätte.

Max Webers neurotischer Zusammenbruch ereignete sich kurz nach dem Tod seines Vaters. Sieben Jahre lang – ja in gewisser Hinsicht sein ganzes Leben lang – war er arbeitsunfähig. Unfähig, Vorlesungen oder Seminare abzuhalten, mußte er die Stelle an der Universität von Heidelberg, an die er eben berufen worden war, aufgeben, und für einige Zeit konnte er weder lesen noch schreiben. So ging er rastlos auf Reisen. Im Januar 1903 reiste er an die Riviera, im März und April nach Italien, im Juni nach Scheveningen, im August nach Ostende, im September nach Hamburg und im Oktober noch einmal nach Holland. Im Süden, in Italien, lösten sich seine schlimmsten Spannungen, und für einige Zeit meinte er, er würde gern für immer von Deutschland in den Süden übersiedeln. Doch hätte das – symbolisch gesehen – bedeutet, die ganze »Welt der Männer« aufzugeben, diese Welt, der er seine Persönlichkeit angepaßt hatte und die für ihn Werte enthielt, die er allzusehr schätzte. Außerdem wäre dieser Wechsel nie vollständig gewesen, denn sogar D. H. Lawrence, der dieselben Gegenden Italiens in der Zeit von 1912 bis 1914 besuchte, konnte dort seine »englische Art« nicht ablegen. Lawrence aber wurde bei seiner Unternehmung durch wesentlich hoffnungsvollere Motive als Weber geleitet, denn er glaubte, durch diese »Italienisierung« in den vollen Besitz seines schöpferischen Selbst zu gelangen. Italien war die Heimat matriarchalischer Lebensweise, ahistorisches, zyklisches Heidentum. Es bestärkte Lawrence in jedem Teil seines schöpferischen Selbst. Doch für Weber bedeutete Italien nur Ruhe und Erholung; für ihn hätte eine »Italienisierung« den Verlust seines schöpferischen Selbst bedeutet.

Lange Zeit war die Ruhe das einzige, was ihm blieb. Denn er konnte weder lehren noch schreiben, er war zu nichts imstande. In seiner beruflichen Laufbahn fühlte er sich völlig frustriert. Er war immer schon stark angespannt, immer schon emotional impotent den Menschen gegenüber gewesen, die ihm am nächsten standen, und sexuell impotent war er bei seiner Frau. Nun war seine Impotenz vollständig. Vielleicht kann man sagen, daß sich Helene Weber und Emilia Fallenstein, Max Webers Mutter und Großmutter, einen Mann wie Max gewünscht hatten, denn er war ein Mann, der einerseits sehr maskulin, ja erschreckend kraftvoll, andererseits aber in seiner Beziehung zu ihnen verwundbar, ja impotent war.

Die Szene, die er seinem Vater machte, setzte die Kräfte frei, die sich in ihm schon lange gefährlich angestaut hatten. Es existiert ein Brief von ihm, den er seiner Frau in der ersten Zeit ihrer Ehe schrieb und in dem er auf ihre Bitte, er solle sich ausruhen und weniger hart arbeiten, eingeht: »Nachdem ich nach jahrelangen Qualen widerwärtiger Art endlich von Innen heraus zum Gleichmaß gekommen war, fürchtete ich eine schwere Depression. Sie ist nicht eingetreten, wie ich glaube, weil ich das Nervensystem und das Gehirn durch anhaltendes Arbeiten nicht zur Ruhe kommen ließ. Deshalb u. a. auch – ganz abgesehen von dem Naturbedürfnis nach Arbeit – lasse ich so sehr ungern eine wirklich fühlbare Pause in der Arbeit eintreten, ich glaube, daß ich nicht riskieren dürfte, die eintretende Nervenruhe – denn die genieße ich mit dem Gefühl eines wirklich neuen Glücks – in Erschlaffung sich verwandeln zu lassen ...«* Nach seinem Zusammenbruch erzählte er seiner Frau, sein altes »Bedürfnis, unter der Arbeitslast sich erliegen zu fühlen, ist erloschen«.** Verändert hatte er sich insofern, als er nun fähig war, sich von sich selbst zu distanzieren und sich jenem Bedürfnis *manchmal* zu entziehen. Vergnügungen zu teilen fiel ihm immer schwer, vor allem, wenn sie geistloser Art waren

Aber daran hatte er sich gewöhnt. Doch nun, 1897, war ihm

---

* Marianne Weber: Max Weber. Ein Lebensbild, S. 208, 249
** a. a. O., S. 249 f.

der Zutritt zur Liebe wie zur Arbeit versperrt. Er sah sich den Furien und ihren wilden Angriffen ausgeliefert. Als er 1898 und 1899 seine Vorlesungsnotizen vornahm, verschwammen ihm die Wörter vor den Augen. Wenn eine Hauskatze miaute, geriet er außer sich vor Zorn. Seine Hände zitterten ständig, er konnte nicht schlafen, und immer fühlte er sich erschöpft. Doch seine Frau liebte ihn. Früher hatte sie sich gefragt, ob er sie überhaupt brauche, so berichtet sie, nun aber brauchte sie nicht mehr daran zu zweifeln. »Der starke Mann ist ihrer ständigen Fürsorge und Gegenwart bedürftig, sie darf ihm dienen.«** (Marianne spricht in ihrer Biographie über Max Weber von sich selbst gewöhnlich in der dritten Person Einzahl, während sie von sich und ihrem Mann in der dritten Person Mehrzahl spricht.) Er mußte sogar zugeben, daß er in diesem von ihr abhängigen Zustand moralisch ein besseres, weil eben menschlicheres Geschöpf sei. Sie habe recht, so räumte er ein, wenn sie sagte, daß er vor seinem Zusammenbruch nicht auf so vollständige Weise *mit* jemand anderem hätte zusammenleben können, wie er nun mit ihr zusammenlebte.

(Übrigens erweist sich Max Webers Lebensgeschichte als einzigartige objektive Bestätigung sowohl von Lawrences Hinweisen auf die Hohlheit der Welt der Männer als auch für die Theorien Otto Groß'. Webers Leben lieferte Aufschlüsse, über die sich beide »Matriarchalisten« in vielen Diskursen hätten auslassen können. Lawrence schilderte zwar nicht häufig detailliert Personen oder Situationen, die Max Weber nachgezeichnet waren, aber wir begegnen einer ähnlichen Welt in den Kapiteln von ›Liebende Frauen‹ und ›Lady Chatterley‹, die sich mit dem Leben des Intellektuellen auseinandersetzen.)

Da er in den Jahren, in denen er sich von seinem Zusammenbruch zu erholen versuchte, von seiner Frau völlig abhängig war, hatte Weber die seltene Gelegenheit, die übliche Abhängigkeit zwischen Ehepartner umgekehrt zu erleben. Dieses Erlebnis aber gefiel ihm, da er der Ansicht war, daß diese Rollen von anderen gemacht und ihnen zugeteilt worden seien. Er gab seine Karriere völlig auf und blieb zu Hause, während sie fortging, um Vorlesungen zu halten. Das schmerzte sie. Er rächte sich an seiner Mutter, indem er unansprechbar war, wenn sie ihn besuchte. Lange Abende mußte sie ihm gegenübersitzen und durfte nicht zu ihm sprechen. Auch war er ihr einziges Kind, das nicht zur prunkvollen Feier ihres siebzigsten Geburtstages erschien. Trotzdem blieb er ihr Lieblingskind. Sie waren zusammen verstrickt im Netz seiner »Scham«, seiner Liebesunfähigkeit.

Dasselbe galt für ihn und seine Frau, an die er in einem Brief über ihre Beziehung von 1908 schrieb: »Wie groß doch Deine Liebe ist; wie sie mich beschämt; wie gern ich mich mit Deiner ›unkritischen Art‹ mir gegenüber abfinde ... Ich kann nicht sagen, ob meine eigene allgegenwärtige kritische Art nicht von einem schwächeren Herzen kommt. Sie ist die sanfte Sonne, die das Eis schmilzt, während es dem wilden Sturm meiner Leidenschaftlichkeit nur gelingt, die Schneeflocken und Tannenzapfen von den Bäumen zu schütteln.«

Es wäre ungewöhnlich, wollten wir uns in solchen Fällen nicht der Sprache der Mythen und der Psychoanalyse bedienen. Wir dürften es hier mit einem Ödipuskomplex zu tun haben. Doch war das kein Ödipuskomplex im üblichen Sinne. Offensichtlich hatte Max Weber den Tod seines Vaters gewünscht, und nun, da er ihn verursacht hatte, bestrafte er sich selbst mit seiner Neurose. Doch das, was er für seine Mutter empfand, will nicht so recht ins Freudsche Muster passen. Sicher empfand er eine tiefe, wesensmäßig bedingte Sympathie für sie, die in seiner vorbewußten Erfahrung wurzelte. Doch schienen die Gefühle, die er für sie empfand, noch stärker geprägt durch seine moralische Verehrung, die er ihr entgegenbrachte. Auf diese Über-Ich-Gefühle reagierten jedoch sowohl sein Ich als auch sein Es mit Abneigung. Seine Briefe lassen vermuten, daß die geheimsten Gefühle, die er für seine Mutter empfand, feindseliger Art waren. *Sie* war es, die er zu zerstören wünschte, denn sein Vater schrumpfte neben ihr zur nichtssagenden Figur.

Sie forderte von ihm zahllose Entschuldigungen und Versicherungen. Das geht aus der folgenden Reaktion, der wir in einem seiner Briefe begegnen, hervor: »Was Du ferner, und nun schon zu wiederholtem Male, über Deine ›Unfähigkeit‹ schreibst, für unsere geistliche und gemütliche Entwicklung etwas aus Dir zu tun, uns auch geistig eine Mutter zu sein, so muß ich demgegenüber mit aller Energie konstatieren, daß dies vollkommen auf Irrtum beruht, gestehe aber offen ein, daß ich das Entstehen dieser Meinung bei Dir mitverschuldet habe durch meine Unfähigkeit, gerade mit denjenigen Menschen, die mir am nächsten stehen, mich über allerhand Dinge mündlich zu verständigen und auszusprechen, mich ihnen gegenüber im Verkehr herzlich oder auch nur liebenswürdig zu geben, mit einem Wort durch meine ›Zugeknöpftheit‹ und die Unliebenswürdigkeit meiner Verkehrsformen.«* Diese Stelle enthält alles: Den Überdruß nach so vielen Protesten, die Selbstvorwürfe der Mutter, die er mit eigenen Selbstvorwürfen abwehrt (was, das weiß er, um so bitterer ist), den widerwilligen Aufwand von »Energien« für diese »Erklärungen«. Er fährt fort und versichert ihr, sie habe starken Einfluß *gehabt,* sie seien alle ungemein schwierig, ohne diesen Einfluß wäre er anders geworden, und sie habe ihn vor »schlechten Streichen« bewahrt – womit sexuelle Beziehungen gemeint waren, wie seine Frau zu berichten weiß. Seine Mutter, so erklärt Marianne, hatte ihm, »ohne Worte ... nur durch die heilige Reinheit ihres Wesens, unzerstörbare Hemmungen gegen die Hingabe an das Triebleben eingepflanzt«.**

Diese Art einer Mutter-Sohn-Beziehung bildet natürlich den Gegenstand von D. H. Lawrences Roman ›Söhne und Liebhaber‹, und auch Lawrence litt – zum Teil auf ähnliche Weise wie Max Weber – unter den Auswirkungen seiner Mutterbeziehung. Hier begegnen wir der stärksten Ähnlichkeit zwischen den beiden Männern, einer Ähnlichkeit, in der allerdings auch ein Unterschied mitenthalten ist: Mrs. Lawrence starb, als David Herbert sechsundzwanzig war und schon lange nicht mehr zu Hause lebte. Max Weber dagegen lebte in den Jahren nach seinem sechsundzwanzigsten Geburtstag immer noch zu Hause, und gerade in dieser Zeit litt er am meisten darunter, mitansehen zu müssen, wie sein Vater seine Mutter unterdrückte. Vielleicht war der Ödipuskonflikt damals in Deutschland stärker ausgeprägt als in England.

Ein wesentlicher Unterschied besteht darin, daß sich Lawrence durch seinen Ödipuskomplex wesentlich stärkere weibliche Elemente einverleibte als Weber. Lawrence rebellierte gegen den männlichen Existenzmodus der Gesellschaft, in der er lebte. Er suchte nach einem männlichen Modus, der sich durch überwiegend matriarchalische Züge definieren sollte, und da sein Vater, das erkannte Lawrence erst mit der Zeit, diesem männlichen Modus recht nahe gekommen war, erwies sich D. H. Lawrences Ödipuskomplex als um einiges verwickelter als der von Max Weber.

* Marianne Weber: Max Weber. Ein Lebensbild, S. 97
** a.a.O., S. 98

Wir müssen versuchen, bei unserem Vergleich zwischen den beiden Männern die sich überschneidenden Kategorien herauszuarbeiten; manche unter ihnen waren bedingt durch Gesellschaftsschicht, Alter oder Nationalität, andere durch persönliche Entwicklung oder Entscheidung. Und wenn wir in ihren Biographien fortfahren, müssen wir uns auch mit den Ähnlichkeiten auseinandersetzen, die zwischen den mit ihnen liierten Frauen bestanden. Die Tatsache, daß sich Weber und Lawrence mit Frauen vom Miriam/Marianne Typus verbanden, hat mit ihren ödipalen Problemen zu tun und führt uns zu weiterer Überlegungen über die kulturelle Beschaffenheit dieses Problems.

Es ist kein Zufall, daß der dritte Mann, dessen Lebensgeschichte unsere Aufmerksamkeit gilt, ebenfalls unter einem ausgeprägten Ödipuskomplex litt, obwohl im Falle von Otto Groß der Vater eine wirklich starke Persönlichkeit gewesen zu sein scheint. Der Zeitabschnitt um die Jahrhundertwende zeichnete sich natürlich – vor allem im besonders patriarchalischen Deutschland – durch schwerwiegende ödipale Probleme aus. Freud entdeckte diesen Komplex nicht zufällig gerade in dieser Zeit. Allerdings behandelte Groß das Problem des Ödipuskomplexes wesentlich wirklichkeits- und kulturbezogener als Freud, als er zur persönlichen wie zur gesellschaftlichen Rebellion gegen den Vater aufrief. In diesem Punkt schlossen sich ihm viele expressionistische Dramatiker und Romanautoren an, die unter seinem Einfluß standen. Obgleich Lawrence dieses Thema ästhetisch-konservativ behandelte, implizierte seine Weltanschauung dieselbe Antwort – Groß' wie Lawrences klassische Reaktion auf das Patriarchat hieß: Matriarchat.

Doch Lawrence wandte sich – auch in seinen Essays – nur insgeheim gegen das Patriarchat. Das war nicht das Hauptanliegen, um das es ihm ging, und was er in dieser Hinsicht zu Papier brachte, war so vorsichtig formuliert, daß der Leser es leicht übersehen konnte. Dieser Aspekt fällt uns erst auf, wenn wir Lawrence mit Groß und Weber – mit zwei Deutschen also – vergleichen. Sowohl in persönlicher als auch in weltanschaulicher Hinsicht machte Lawrence weniger aus seinem Vaterkonflikt als Groß und Weber.

Trotzdem trägt ein Buch über Lawrence den Titel ›Ödipus in Nottingham‹. Und Max Weber, den man mit größerem Recht als »Ödipus in Berlin« hätte bezeichnen können, wurde statt dessen mit Orest und Prometheus verglichen – mit Orest, weil auch Weber sich von Furien verfolgt fühlte, und mit Prometheus, weil Prometheus als Held des Leidens und der Tat gilt. In seiner Besprechung von Marianne Webers Biographie über ihren Gatten verglich Friedrich Meinecke die Fallensteins mit dem Geschlecht der Atriden: Der alte Georg Friedrich Fallenstein, heroisch und voller Zorn, war Agamemnon, Helene war Iphigenie, die unter Barbaren geopferte Jungfrau, und Max war Orest, der vor den Eumeniden nur durch die Bitten der Athene errettet wurde. (Else Jaffe, die Max Weber Rettung brachte, war – wir haben bereits darauf hingewiesen – in vieler Hinsicht eine Athene-Gestalt.) Dieser mythologische Vergleich bleibt insofern unzulänglich, als Max Weber nicht seine Mutter, sondern seinen Vater »ermordete«. Trotzdem dürfte das Drama, das sich in der Welt seiner Wünsche, seiner Phantasie abspielte, ambivalent gewesen sein. Webers Werk war in vieler Hinsicht auf entscheidende Weise eine persönliche und kulturell bedingte Rebellion gegen das Patriarchat.

Natürlich behandelte Weber dieses »Problem« völlig anders als Groß oder Lawrence. Doch im wesentlichen war er ein Reformer, ein Mann des Widerstands, ein echter Rebell – »echt« immer gemessen an den Wertmaßstäben des Systems, gegen das er rebellierte. Er glaubte an ein »besseres« Patriarchat, für das er sich auch einsetzte. In dem Spektrum von Menschentypen, das Lawrence in seinem Werk ›Die Krone‹ darstellt, gehört Weber eindeutig zur Partei des David und Brutus, die im Gegensatz zu Saul und Caesar steht.

Die ältesten und Lieblingssöhne werden von ihren Müttern häufig aufgerufen, im Namen einer edleren Menschlichkeit/Männlichkeit gegen ihre Väter zu rebellieren. Ihre Rebellion ist auch eine Form des Gehorsams. In diesem Fall »verkörpern« die Frauen die männlichen Tugenden, auf die sich ihre Identität stützt, und sie sind gegen alle anderen Formen von Männlichkeit. Max Weber sagte häufig, eine Ehefrau *müsse* ihrem Mann Widerstand leisten, da sie sonst an seinem brutalen Verhalten ihr gegenüber teilweise selbst schuld sei. Das veranschaulicht seinen reformerischen Widerstand gegen das Patriarchat insgesamt, und dies war ein Widerstand, der sich seinem Stil nach von dem Groß' und Lawrences stark unterschied. Dieser Unterschied läßt sich zum Teil auf den unterschiedlichen Kulturbereich zurückführen, dem die drei Männer angehörten.

In Österreich wie in England gab es mächtige institutionalisierte Elemente einer nicht-patriarchalischen Kultur, während in Deutschland, wo das Patriarchat keinem wirksamen Widerstand begegnete, nichts Gleichwertiges existierte. In Webers Preußen verkörperte sich jene »edlere Menschlichkeit« in der liberalen Philanthropie seiner Mutter, während die Gestalt Bismarcks, diese Antithese ihrer Grundsätze, das Ideal der Männlichkeit verkörperte, dem die Macht zum obersten Prinzip wird. Diese Bismarcksche Auffassung von der Männlichkeit faszinierte die liberal gesinnten Professoren, so daß sich auch Weber ihr nicht entziehen konnte – zwar kappte er ihre Dornen, doch ihre Wurzeln hegte und pflegte er.

Erinnern wir uns nur an die Anekdote, in der Bismarck die Reichstagsabgeordneten demütigte, indem er sie, die einmal eine andere Meinung verlauten ließen, voller Zorn wie kleine Schuljungen behandelte. Diese Herabminderung der Volksvertreter auf den Status von Schuljungen befriedigte eindeutig die Machtphantasien Bismarcks und stimulierte ähnliche Phantasien bei anderen. (Otto Groß hätte in diesem Zusammenhang darauf hingewiesen, daß man an die Stelle von »Schuljungenstatus« auch »Eunuchenstatus« oder »Frauenstatus« hätte setzen können. Es war Groß' entscheidende Leistung, daß er Männlichkeit/ Menschlichkeit neu definierte, um den Widersinn dieser Gleichung, die sich auf das soziale Leben in Deutschland so verheerend auswirkte, klar herauszustellen.) Max Weber war sich der Gefahren der Macht voll bewußt – sein ganzes politisches Leben galt dem Widerstand gegen Bismarcks Einfluß –, doch verhinderte dieses Bewußtsein nicht, daß auch ihn Macht faszinierte.

Eine Gesellschaft, in der solche Anekdoten geläufig sind, ist offensichtlich machtbesessen – besessen von der Macht des Mannes. Max Weber aber war ein bedeutendes Mitglied dieser Gesellschaft – als gesellschaftliche Persönlichkeit genauso wie als politischer Theoretiker. Auf Lawrence traf das nicht zu. Dieser Unterschied hat verschiedene Gründe, von denen einer in der Tatsache wurzelt, daß es einen englischen Bismarck nicht gegeben hat. Im politischen und gesellschaftlichen Leben Englands gab es keine derart überragende Machtgestalt. Auf ihre unheroische Weise symbolisierte Queen Victoria eine Gesellschaft mit »matriarchalischen« Merkmalen, die selbstverständlich nur Abwandlungen eines grundlegend patriarchalischen Musters darstellten. Trotzdem waren die Abwandlungen so stark ausgeprägt, daß sich England auffällig von Deutschland unterschied. Und während in England Gladstone, ein Mann der Prinzipien, Reformen und Ideale, die Geschicke des Staates lenkte, vertiefte und übertrieb Bismarcks Deutschland die patriarchalische Lebensweise, der sich die ganze Kultur des Abendlandes verschrieben hatte.

Ein weiterer, zum Teil national bedingter Unterschied ist in den so anders gearteten Idealen des Geisteslebens zu suchen, denen Lawrence und Weber an der Universität begegneten. Dieser Unterschied war nicht nur nationaler Natur, sondern hing auch zusammen mit den unterschiedlichen Positionen, welche die beiden Männer im Klassen- und Kultursystem ihres jeweiligen Landes innehatten. Max Webers Ausbildung hätte ihr englisches Äquivalent nicht in einem allgemeinen Abschluß an der Nottingham University gefunden – ihm entsprochen hätte der Besuch des Trinity College in Cambridge oder der London School of Economics. Trotzdem ist der nationale Unterschied wichtig; es ist dies der Unterschied zwischen den ideellen Formen des britischen Humanismus und der deutschen Wissenschaft. Lawrence hat einmal erklärt, Ernest Weekley sei der einzige *Gentleman* unter seinen Lehrern gewesen, und obwohl er diese Lehrer gewöhnlich aufgrund ihrer Intelligenz und ihres Wissens bewertete, mochte dieses Kriterium der *gentility* doch sehr wesentlich gewesen sein. Er lernte nie Persönlichkeiten kennen, die sich durch ein derart phänomenales Wissen oder einen derart erstaunlichen Geist auszeichneten wie ein Theodor Mommsen, ein Kuno Fischer oder ein Heinrich Treitschke, Persönlichkeiten, die Potentaten des akademischen Lebens, Wunder an Gelehrsamkeit und Schöpfer weltumfassender Denksysteme waren. Er gab nichts, was je seine Überzeugung, wonach die künstlerische Vorstellungskraft dem philosophischen Geist überlegen sein mußte, getrübt hätte.

Ich möchte die Bedeutung der ursprünglichen Erbanlagen der beiden Männer nicht anzweifeln, doch scheint mir ihre ursprüngliche Begabung eine starke Ähnlichkeit aufzuweisen. Beide Männer waren ungewöhnlich klug, ungewöhnlich sensibel und empfänglich, ungewöhnlich tatkräftig. (Natürlich sind auch diese Begriffe kulturell determiniert. Die präkulturelle Erbanlage dagegen, die sich dahinter verbirgt, kann kaum näher bezeichnet werden.) Das einzige, was sie von Geburt an unterscheidet, ist ihr Aussehen. Weber war groß, Lawrence klein gebaut. Wichtig daran ist die Tatsache, daß sich Weber für einen großen Mann hielt, daß er sich wie ein großer Mann benahm und seiner Umgebung diese Vorstellung zu vermitteln wußte, während sich Lawrence für klein und körperlich unbedeutend hielt. Doch diese entscheidenden Tatsachen wurzelten nicht nur im Physischen. Wo Weber mit dem Fuß stampfte, reagierte Lawrence rasch und behende. Webers Stimme war ein herrlicher, maßvoller Bariton, während die von Lawrence dünn, schrill und kratzig klang. Lawrences Augen werden von den meisten als ungewöhnlich anziehend und lebendig geschildert, während der Ausdruck der Augen Webers anscheinend entweder voller Kraft oder aber nach innen gewandt war. Lawrence war ein glänzender Imitator, Weber ein überragender Anekdotenerzähler. Lawrences Lachen konnte in aufgeregtes Gekichere umschlagen, während Webers Gelächter homerisch war. Diese Verhaltensmerkmale – Merkmale der Selbstdarstellung, die den Bezug des jeweiligen Menschen zur Welt verraten – waren es, durch die das Äußere der beiden Männer schließlich so unterschiedlich wirkte. Weber zeichnete sich durch ein wesentlich »männlicheres« Auftreten aus als Lawrence.

Auch was den Geist, den Verstand angeht, unterschieden sich die beiden Männer zunächst nicht sonderlich voneinander. Lawrence kam, wenn er wollte, mit Begriffssystemen hervorragend zurecht und interessierte sich leidenschaftlich für Gebiete wie Geschichte und Archäologie. Sein Essay über die Etrusker kann das bezeugen. Weber andererseits konnte sehr feinfühlig auf ein Durcheinander an Beweggründen und auf exaltierte Empfindungen reagieren. Seine Briefe, die von Otto Baumgartens Ehe handeln, belegen das.* Die Tatsache, daß er sich selbst gern als dickfellig, grob und unverbesserlich bezeichnete, ist eine vorsätzliche Übertreibung, ebenso wie Lawrences Rebellion gegen den Geist der Mittelschicht immer dann gewollte Übertreibung ist, wenn Lawrence sich selbst zu einem Geschöpf des Instinkts und des »Blutwissens« hochzustilisieren versucht.

* 1885 beschloß Otto Baumgarten, Emilie Baumgarten zu heiraten, eine fromme Exaltierte, die einerseits musikalisch und dichterisch veranlagt war und das zweite Gesicht hatte, andererseits aber kränklich, exzentrisch und zudem älter war als er. Sein Vater riet ihm von dieser Ehe ab, während seine Mutter begeistert davon war. Es war eine Geschichte, die an Dostojewskij, ja noch stärker an Lydia Iwanownas Kreis aus ›Anna Karenina‹ erinnerte. Max Webers Anmerkungen zu den Personen, die in die Angelegenheit verwickelt waren, zeigen sein teilnahmsvolles Verständnis, obwohl er immer wieder auf sein eigenes gesundes, normales »Außenstehen« zurückkommt.

In ihren Familien kamen beide Männer gut mit ihren Schwestern aus (Lawrence verstand sich ausgezeichnet mit Ada und Weber mit Lili), während sie sich mit einem ihrer Brüder nicht verstanden (bei Weber war es Alfred, bei Lawrence George). Bei Lawrence fiel diese Feindseligkeit nicht sonderlich ins Gewicht, weil sich sein Weg und der seines Bruders schon sehr früh trennten. In Max Webers Fall dagegen spielte diese Rivalität eine entscheidende und weitreichende Rolle, weil Alfreds Lebensweg zu dem seinen genau parallel lief. Die tragischere Färbung des Weberschen Familienlebens hängt mit dem stärkeren Zusammenhalt dieser Familie zusammen – das bestätigt die Tatsache, daß sie alle immer wieder nach Heidelberg zurückkehrten. Die Lawrence-Kinder dagegen lösten sich wesentlich früher und vollständiger aus den Verstrickungen der Tragödie ihrer Eltern. »Ein Weber zu sein« bedeutete mehr als »ein Lawrence zu sein«, da die Webers in der Welt der Männer eine Macht darstellten. Auch in dieser Hinsicht waren die Unterschiede zwischen den beiden Männern bis zu einem gewissen Grad kultureller Natur.

Selbstverständlich waren da noch andere Faktoren. Im Familienleben der Webers herrschten offensichtlich weniger Gesundheit und Harmonie, als vielmehr Spannungen und Erschütterungen. So weiß etwa Professor Baumgarten zu berichten, daß Frau Weber in Max' Studentenzeit dessen Schwester Lili aus dem Haus gab, weil sie befürchtete, seine Zuneigung könne zum Inzest führen. Von Lawrences Zuneigung zu Ada ist nichts dergleichen bekannt, zumindest wissen wir nichts von solch schrecklichem Argwohn. Die Atmosphäre des Weberschen Familienlebens erinnert stärker an die der Criches in den ›Liebenden Frauen‹ als an die Atmosphäre bei den Lawrences. Doch kann es sein, daß auch in diesem Fall die volks- und klassenbedingten Unterschiede das Auftreten derartiger Ängste mitbewirkt haben.

In erotischer Hinsicht hatten die beiden Männer ähnliche Probleme mit den Frauen, in die sie sich zuerst verliebten, und ähnlich waren sich auch die Frauen selbst. Allerdings lösten sie ihre Probleme auf entgegengesetzte Weise, und auch diese Lösungen hatten unterschiedliche, aber entscheidende Folgen. Max Weber heiratete seine erste Liebe, Lawrence trennte sich von der seinen; danach nahmen ihre Lebenswege Richtungen, die einander entgegengesetzt waren. Wenn ich sage, daß Max Weber diese Frau heiratete, so meine ich mit dieser Frau natür-

lich Marianne Schnitger, genaugenommen war aber das erste
Mädchen, zu dem sich Max Weber hingezogen fühlte, seine
Kusine Emmy Baumgarten. Diese intensive Gefühlsbeziehung
dauerte von 1886 bis mindestens 1888, doch spielten sexuelle
Probleme in ihr wahrscheinlich keine Rolle. Offenbar war
Emmy das extremere, das »engelhaftere« Gegenstück zu Marianne, ein äußerst empfindsames, gewissenhaftes Geschöpf
voller Gefühlstiefe und Reinheit, das an Melancholie und nervöser Erschöpfung litt und im Verlauf ihrer Beziehung zu Max
viele Monate krank im Bett verbrachte. Sie hatte sich die Lek-
tion ihrer Mutter, nach Vollkommenheit zu streben, sehr zu
Herzen genommen.

Auch Marianne war eine nervöse und empfindliche Frau, und
in ihrer Familie väterlicherseits hatte es in der letzten Generation mehrere Fälle von Geisteskrankheit gegeben. In ihrer geistigen Intensität und starken Empfänglichkeit für Ideen und
Ideale, in ihrer Unschuld, Naivität und Nervosität, in ihrer
Liebe zu Büchern, ihrem Abscheu vor jeglicher Brutalität, der
auch keine Grobheiten duldete, und in ihrer Abneigung gegen
alles Körperliche – in all diesen Dingen war sie eine zweite
Emmy und eine weitere Miriam, wenn ich die Chronologie so
umkehren darf. Doch in einem unterschied sie sich von Emmy:
in ihrer erstaunlichen praktischen Tatkraft. Das belegen zum
Beispiel die Bücher, die sie schrieb. Ihr Wesen muß zugleich
kräftiger und gröber strukturiert gewesen sein. Doch so wie sie
sich vor der Welt und in Selbstdarstellungen »profilierte«, ähnelte sie stark diesen Frauen – nur von hinten gesehen zeichnete
sich ihr Wuchs durch bäuerliche Breite und Kraft aus.

Hält man sich ihre Welt vor Augen, so kann man sich vorstellen, daß Max und Marianne aus der folgenden Äußerung Lawrences nur wenig hätten machen können: »Die Frau wächst
nach unten wie eine Wurzel, hin zur Mitte und zur Dunkelheit
und zum Ursprung. Der Mann wächst nach oben wie ein Sten-
gel, hin zur Entdeckung und zum Licht und zum Ausdruck.«
Marianne lebte ganz und gar dem Licht entgegen, doch bedeutete das nicht, daß sie sich von der Macht und Stärke abwandte.
Die Art, wie sie bei ihrer Beschreibung der körperlichen Erscheinung ihres Mannes gerade die Eigenschaften der Mächtig-
keit und Stärke unterstreicht, ist in mehr als einer Hinsicht
bezeichnend. Die beiden jüngeren Weber-Brüder, so erzählt sie,
hätten ausgesprochen gut ausgesehen, als sie die Familie kennenlernte. Doch von Max hätte man das nicht behaupten kön-

nen. »Er legt gar kein Gewicht auf sein Äußeres, ist korpulent, trägt den birnenförmigen, mensurzerhackten Schädel kurz geschoren. Ein fein geschwungenes Lippenpaar steht in seltsamem Kontrast zu der großen unmodellierten Nase, der dunkle Blick versteckt sich oft hinter den überschneidenden Brauen. Nein, dieser Koloß ist nicht schön und nicht jugendlich, aber in jeder Gebärde ein *machtvoller* Mann.«* Diese Beschreibung erstaunt insofern, als Weber zumindest in einigen Zügen durchaus ein hübscher Mann war. Doch das, was Marianne meinte, erschließt sich uns aus einigen Fotografien von Max Weber, die aus der Zeit stammen, von der Marianne spricht. Es handelt sich um die Periode der heftigsten Selbstbestrafung, die Weber durchmachte, um jene Periode, in der er noch auf Kosten seines Vaters lebte und in der er noch nicht die Verteidigung seiner Mutter übernommen hatte, um die Periode also, in der er höchstens eines erhoffte – sich selbst, zwar unschön, aber unleugbar im Vordergrund zu behaupten. Bemerkenswert ist jedoch, daß sie gerade diesen Aspekt an ihm unterstrich, da es mannigfache andere gab. Der Grund dafür liegt vermutlich darin, daß ihr romantisches Denken (und darin ähnelte sie Max) patriarchalisch geprägt und daher vor allem auf die Stärke eines Mannes fixiert war. Die Schönheit eines Mannes war etwas, mit dem sich abzugeben für Marianne Weber uninteressant war. Das blieb Frieda von Richthofen vorbehalten, der Repräsentantin der Erotik, die männliche Schönheit sehr wohl zu würdigen wußte und die auf die Macht von Männern gereizt reagierte.

In der Art, wie sich Max Weber selbst stilisierte, hielt er sich stark an Bismarck, der seinen Körper zu einer einzigen Manifestation seiner Kraft und seines Appetits machte; doch so wie seine hervorquellenden, überanstrengten Augen vielleicht den Appetit des Geistes spiegeln, wirkt Bismarck selbst alles andere als appetitlich – er genoß sich selbst, für andere war er ungenießbar. Eine hervorragende Kontrastgestalt ist Skrebensky aus dem ›Regenbogen‹, auch er ein Militär, der von Ursula (und von Lawrence) voller Freude aufgenommen wird. Noch einmal sehen wir, wie stark der einzelne von der kulturellen Idee, auf die er reagiert, beeinflußt wird – und die kulturelle Idee, die Webers Marianne und Lawrences Miriam verkörperten, war das Gegenteil dessen, was Frieda von Richthofen verkörperte.

Wie Miriam bei Lawrence, so spielte auch Marianne bei Weber die Rolle der Schülerin. Kurz vor und nach ihrer Heirat

* Marianne Weber: Max Weber. Ein Lebensbild, S. 185

diskutierten sie über Bücher und Ideen, und Max erörterte, belehrte und korrigierte sie. Ihre Beziehung war pädagogisch geartet. Miriam und Marianne, beide bezaubernde und hübsche Frauen, brachten ihren Männern ein ungemein fruchtbares Verständnis entgegen. Sie waren nicht nur geneigt, sondern eifrig bereit, ihre eigenen Stimmen völlig zum Schweigen zu bringen, um so einen Resonanzraum zu schaffen, in dem der Mann ein um so stärkeres Echo finden konnte. Doch auch die sexuelle Initiative überließen sie völlig dem Mann, indem sie sich zu Opfern seiner Begierde machten – dadurch aber wurden beide Männer impotent. Die beiden jungen Frauen waren intelligent, gewissenhaft, in ihrem Denken recht konventionell, und sie nahmen – sogar in intellektueller Hinsicht – im Grunde lange nicht so gefangen wie die beiden Richthofen-Schwestern.

Ein Brief, den Miriam 1913 an Helen Corke schrieb, erinnert stilistisch, wenn man von den geringfügigen Unterschieden zwischen georgianischem Gefühlsüberschwang und seinem deutschen Gegenstück absieht, stark an Mariannes poetische Prosa. Miriam schrieb diesen Brief nach einem schmerzlichen dreitägigen Besuch, bei dem sie und Helen insgeheim erkannt hatten, daß ihre Freundschaft nicht fortdauern konnte. Nun, da Lawrence aus ihrem Leben entschwunden war, hatten Helen und (vor allem) Miriam nicht mehr dasselbe Bewußtsein von sich selbst, und Miriam war unfähig, sich an Gewohnheiten zu halten, die sie früher als natürlich empfunden hatte. »Ich habe aus der letzten Woche eine ganze Menge köstlicher Eindrücke mitgebracht. Plötzliche Ausblicke von der Shirley-Straße, hindurch zwischen den Bäumen auf das Tal jenseits von Purley, auf jenen eindrucksvollen Hang gleich neben dem kleinen Gehölz an der Hauptstraße nach Oxley. Dann Oxley selbst, sonnig und verschlafen, der gedrängt volle Schafpferch, die ungewöhnliche Magie von Limpsfield in der silbrigen Dämmerung. Diese Dinge erscheinen mir heute exaltiert und kommen mir vor wie Perlen auf einer Schnur aus eigentümlichem, heftigem Schmerz, wie eine sonderbare Erschöpfung, welche die Kraft der Wahrnehmung nach wie vor gefangen nimmt. Ich weiß nicht, wie all das zustande kommt.«

Indem sie sich dieses Stils, dieser ungewöhnlichen, herzzerreißenden und doch auch genauen Prosa bedienten, versuchten sich Marianne und Miriam in den Schlaf zu singen und die Ungeheuer der Dunkelheit mit den besten Wiegenliedern, die ihnen der Tag eingegeben hatte, zu verscheuchen – allerdings war diese Art von Musik, als sie sie lernten, bereits veraltet.

Beide Frauen anerkannten die Vorherrschaft und die Macht der Männer. Ihre Werte und Tätigkeiten als Frau waren eine Enklave in dieser Welt, ein mit Mauern umgebener Garten. Weber wie Lawrence versuchten ihnen mehr Unabhängigkeit und Eigenleben zuzugestehen, als ihnen offenbar lieb war. So wollte Weber zum Beispiel, daß aus Marianne eine kompetente Hausfrau würde, damit sie einen von ihm unabhängigen Erfahrungsbereich hätte, um eben »nicht von meinen Launen abhängig zu sein«, wie er es klar formulierte. Obwohl er die Schrecken der Abhängigkeit bereits am eigenen Leibe erfahren hatte, stand doch außer Frage, daß sie geistig immer von ihm abhängig sein würde. Und als sich herausstellte, daß Marianne eine unverbesserliche Intellektuelle war, ermunterte Max sie, eine von ihm unabhängige Laufbahn einzuschlagen und in der Frauenbewegung mitzuarbeiten. Und als Lawrence die gegenteilige Erfahrung machte, daß nämlich Miriam weder Unabhängigkeit noch »Andersartigkeit« wollte, da verließ er sie. Wir haben es hier scheinbar mit einem Paradox zu tun, denn während Weber, der patriarchalisch Gesinnte, die Befreiung der Frau befürwortete, hatte der matriarchalisch gesinnte Lawrence für diese Art der Befreiung wenig übrig. Doch ist das nur insofern scheinbar ein Paradox, als die Emanzipationsbewegung die Frau lediglich an der männlichen Daseinsweise teilhaben läßt, wodurch sie natürlich zu einer Sache wird, für die sich auch der reformerische Flügel der patriarchalischen Gesinnung – in unserem Fall Heidelberg – einsetzen kann. Eben deshalb aber betrachten die Verfechter des Matriarchats diese Bewegung als Verrat an der Daseinsweise der Frau.

Der Brief, in dem Max Weber Marianne die Ehe vorschlägt, enthält einige Stellen, die erstaunlich unaufrichtig und negativ wirken. In dieser Hinsicht verdient Webers Reaktion verglichen zu werden mit jener Stelle am Ende von ›Söhne und Liebhaber‹, wo Paul vorschlägt, sich Miriam anheim zu geben. Wir haben es hier mit einem lebendigen Reflex jener psychischen Impotenz zu tun, der Max Weber auch als Mann noch in seinem Vaterhaus begegnete. In diesem Brief schreibt er Marianne, er sei sich bewußt, daß sie zweifellos denke, er wolle sie »auf den stillen und kühlen Hafen der Resignation verweisen, in welchem ich selbst seit Jahren vor Anker gelegen habe«.* Er gibt eine Dar-

* Marianne Weber: Max Weber. Ein Lebensbild, S. 188 ff.

stellung von sich selbst und von »den elementaren Leidenschaften ...«, welche die Natur in mich gelegt hat; aber frage meine Mutter; ich weiß es wohl, daß ihre Liebe zu mir, die mir den Mund schließt, weil ich sie nicht entgelten kann, darin wurzelt, daß ich in moralischer Beziehung ihr Sorgenkind war«. Auch hier begegnen wir wieder der Schuld, die er gegenüber seiner Mutter empfindet, sowie der Verstimmung darüber, »daß ihre Liebe mir den Mund schließt«, doch bedient er sich auch der Strategie, romantisch diese Schuld umzumünzen, indem er als ihre Ursache elementare Leidenschaft anführt. »Und nun frage ich Dich: Hast Du Dich innerlich losgesagt von mir in diesen Tagen? oder den Entschluß dazu gefaßt? oder tust Du es *jetzt?* *Wenn nicht, dann ist es zu spät,* wir sind dann aneinander gebunden, und ich werde hart gegen Dich sein und Dich nicht schonen ...« Das ist eine *tour de force,* bei der sich Passivität als Aktivität ausgibt. Niemand hat eine Entscheidung getroffen, und doch ist eine Entscheidung gefällt worden. War dies die wirklichkeitsfremde, die romantische Beziehung, die er zu Marianne unterhielt, so geht das eigentliche Wesen dieser Beziehung aus dem nächsten Absatz hervor: »Gehst Du mit mir, so antworte mir *nicht.* Dann werde ich Dir, wenn ich Dich jetzt wiedersehe, still die Hand drücken und die Augen nicht vor Dir niederschlagen, und Du sollst es auch nicht tun.«* Alles Handeln negiert sich hier selbst und gewinnt ominöse Bedeutung – das ist genau die Art von Liebe, gegen die die erotische Bewegung rebellierte; das ist es, wovor Lawrence die Flucht ergriff, als er Miriam verließ. Angesichts der Auswirkungen jener Tatsache, daß Frau Weber Emmy und Marianne billigte, kann man Mrs. Lawrence für ihren Widerstand gegen Miriam nur bewundern. (Und angesichts der Auswirkungen, welche die Tatsache für Max Weber hatte, daß seine Mutter ihren Mann »akzeptierte«, erscheint auch Mrs. Morels Widerstand gegen ihren Gatten, der so viel Entrüstung auslöste, in einem neuen Licht.)

Die Schwestern

Max Weber heiratete Marianne Schnitger 1893 – er zählte neunundzwanzig und sie dreiundzwanzig Jahre. Die Liebesaffäre zwischen D. H. Lawrence und Miriam war so voller Unent-

* Marianne Weber: Max Weber. Ein Lebensbild, S. 188 ff.

schlossenheit und periodischer Wiederholungen, daß sich ihr Höhepunkt nur vermuten läßt; wir verlegen ihn in das Jahr 1907, als Lawrence zweiundzwanzig und Miriam einundzwanzig war. Weber war mit Marianne um diese Zeit nach wie vor verheiratet, so daß die Erfahrungen der beiden Männer – den Altersunterschied wollen wir hier ausklammern – eine gewisse Gleichzeitigkeit auszeichnet.

Es waren die beiden Richthofen-Schwestern, in denen Weber und Lawrence schließlich (wenn auch nicht zur selben Zeit) die Frauen fanden, die sie leidenschaftlich lieben konnten. Weber erklärte sich Else in Venedig 1910, also zwei Jahre, bevor Lawrence Frieda kennenlernte. Doch anscheinend konnte oder wollte Else Marianne nicht hintergehen. Dieses Ereignis bewirkte, so formulierte es Professor Baumgarten, eine Umwälzung in Max Webers Leben, was Else jedoch nicht hinderte, eine Beziehung mit seinem Bruder Alfred einzugehen, der sie schon seit langem liebte und mit dem Max stets bitter rivalisierte. Man wußte um diese Beziehung, was Edgar Jaffe viel Kummer bereitete, doch unterschied sie sich insofern von der Beziehung, die ihr Max Weber angetragen hatte, als Marianne nicht hintergangen zu werden brauchte. Obendrein war Alfred unverheiratet. (Und vielleicht – wir wissen es nicht – fühlte sich Else in dieser Beziehung weniger unmoralisch, da sie Alfred in keiner Hinsicht leidenschaftlich liebte.) Zweimal im Jahr bereiste sie mit Alfred Italien, wo sie künstlerisch wie historisch interessante Stätten besuchten und wo sie ihm bei seiner Kultursoziologie half. Max und Marianne wurden Zeugen dieser halbherzigen Trennung von Edgar Jaffe und der halbherzigen Bindung an Alfred, bis der Druck der konfliktgeladenen Gefühle allzu stark wurde und Else mit Max Streit bekam. Danach riß ihr Kontakt bis 1917 ab. Trotzdem war 1910 für Max Weber ein entscheidendes Jahr, denn in diesem Jahr erfuhr er selbst, was erotisches Glück bedeuten kann. Er selbst verglich dieses Erlebnis mit jenem Augenblick, da Dürer – ebenfalls in Venedig – erlebte und erkannte, daß alle Kunst in innigster Abhängigkeit zur lebenden Natur steht. Und als er 1913 zusammen mit Mina Tobler, der Pianistin, zum ersten Mal zu erotischer Erfüllung gelangte, trat diese Frau anscheinend an Elses Stelle.

Was Frieda dem Manne Lawrence bedeutete, geht aus seinem gesamten Werk nach 1912 hervor. Doch da über dieses Paar eine ganze Menge und über Max Weber und Else nur sehr wenig Zeugnisse existieren, bleibt uns nichts anderes übrig, als uns eingehender mit den Lawrences zu befassen.

Denn Weber hatte seine »Miriam« geheiratet und sollte sie nie verlassen. Und Else verließ weder ihre Kinder, noch hörte sie je auf, Frau Jaffe zu sein. Lawrence dagegen verließ Miriam, und auch Frieda verließ ihren Mann und ihre Kinder. Es war für beide *der* Scheideweg in ihrem Leben. Vielleicht wäre Lawrence, hätte er nicht Frieda kennengelernt, zu Miriam zurückgekehrt. Miriam zumindest scheint davon überzeugt gewesen zu sein, denn sie gab ihre Hoffnung erst auf, als sie erfuhr, daß er mit Frieda in Deutschland lebte. Diese Nachricht ließ etwas in ihr zerbrechen. Auch Frieda hätte vermutlich ihren Mann nie verlassen, wenn sie nicht zufällig Lawrence begegnet wäre. Und obwohl sie zu diesem Entschluß bereit war, war sie doch auch voller Unsicherheit, wenn sie sich mit ihrer männlichen Umwelt auseinanderzusetzen hatte. Mit ziemlicher Sicherheit hätten sie, auch zusammen, nicht den Mut zu diesem Entschluß aufgebracht, wenn sie nicht der Geist der erotischen Bewegung inspiriert hätte. Es war diese breiter angelegte kulturelle Bewegung, die den Ausschlag gab und ihnen als zusätzlicher Antrieb diente. Dieser Antrieb, um ein Vielfaches gesteigert durch ihr Verständnis füreinander, riß sie hinein in ihr großartiges Abenteuer. Die erotische Bewegung führte sie auf ihrem Weg hinweg von jenem Wendepunkt, der durch ihre gegenseitige Zuneigung zustande gekommen war, während Max Weber und Else Jaffe sich der Bewegung widersetzten und zu einer entgegengesetzten Entscheidung gelangten. Lawrence sagte zu Miriam, als er mit Frieda auf und davon ging, er könne an nichts anderes als an ›Anna Karenina‹ denken, und seine erste Beschreibung Friedas lautete, daß sie »deutsch – auf eine moderne Weise deutsch« sei, wobei er zweifellos an Strauss' Elektra und an die Sexualtheorien von Freud und Groß dachte, die sie ihm erläutert hatte. Das heißt, er erblickte in ihr von Anfang an eine Art Weltanschauung: Sie war die Partnerin für das Abenteuer der Erotik. Und dasselbe sah sie in ihm. In seinen Briefen schrieb Lawrence, daß sie durch ihr Auf-und-Davongehen und durch ihr Zusammenleben »Geschichte machten«.

Natürlich sah Frieda in Lawrence nicht bloß einen Partner, sondern auch einen Mann, der ihre Hilfe brauchte; als Mann konnte sie ihn von seinen Hemmungen befreien, als Begabung ein Genie aus ihm machen. Nach seinem Tod schrieb sie an Dorothy Brett: »Weißt Du, wieviel Befreiung ich Lawrence gebracht habe ...? Mir war es gegeben, ihn zum Blühen zu bringen.« Er hätte dem zugestimmt, das können wir daraus ersehen, was er zu solchen Behauptungen ihrerseits nicht oder doch äußerte. Sie brachte ihm Sinnenfreude, machte ihm aber – durch dieselbe Begabung – seinen Auftrag als Schriftsteller bewußt. Sie gab ihm ihre Identität, ihre *Idee* – und diese Idee wurde zu der seinen. Ja, sie half ihm sogar entscheidend, als es darum ging, diese Idee in Literatur zu verwandeln.

So schrieb Lawrence 1914 an Edward Garnett, Frieda helfe ihm bei ›Die Schwestern‹, so wie sie ihm bei ›Söhne und Liebhaber‹ geholfen habe. »Nun wirst Du, glaube ich, sie und mich in dem Roman finden, und die Arbeit ist von uns beiden.« Insofern sie von Frieda war, war sie von der *Frau*, und das war für ihn wesentlich. Er lehnte die Futuristen ab, so erklärte er, weil sie »auf dem rein männlichen oder intellektuellen oder wissenschaftlichen Weg vorgehen ... Es gibt nicht die geringste Spur von Naivität in diesen Werken.« Sein Vorwort zur englischen Ausgabe von ›Söhne und Liebhaber‹ hat uns gezeigt, wie eindeutig er auf »Weiblichkeit« abzielte, und in seinen Arbeiten aus den nächsten Jahren ist die »Naivität«, mit der er zum Teil auch Unbefangenheit meint, ein hervorstechendes Merkmal. In ›A Study of Thomas Hardy‹ (›Eine Studie über Thomas Hardy‹) lesen wir: »Das ist der Wunsch jedes Mannes ... daß die Frau seines Leibes zur Erzeugerin seines ganzen Lebens werde, daß sie, in ihrem weiblichen Wesen, in ihm die Idee, die Bewegung, ihn selbst erzeuge. Wenn ein Mann auf das Werk seiner Hände blickt und sieht, daß es gelungen ist, so wird er wissen, daß es in ihm durch die Frau seines Leibes erzeugt worden ist, und dann wird er wissen, was echtes Glück ist.« Die Umkehrung der sexuellen Rollenverteilung ist ernst gemeint – sie ist der springende Punkt. Der Mann muß passiv, die Frau aktiv werden. »Aus diesem letzten Wissen wird seine höchste Kunst hervorgehen. Es wird die Kunst sein, die ... den Kampf zwischen den beiden sich befehdenden Gesetzen und die endgültige Versöhnung kennt, bei der beide gleich, beide eins, beide vollständig sind. Das ist die höchste Kunst, die immer noch zu schaffen bleibt. Manche Menschen haben sich an ihr versucht und uns die Reste ihrer Bemühungen hinterlassen. Doch die Arbeit muß voll getan werden.«

Auf die Beziehung zwischen der Kunst und der Welt der Frau geht Lawrence in seinem Brief an A. W. McLeod vom Juni 1914 ein: »Ich glaube, die einzige Hilfsquelle, durch die sich die

Kunst wiederbeleben läßt, ist die, daß man sie zum gemeinsamen Werk von Mann und Frau macht. Ich glaube, die Lösung besteht darin, daß die Männer den Mut aufbringen müssen, sich mehr den Frauen hinzugeben, sich vor ihnen zu entblößen und sich durch sie verändern zu lassen, während die Frauen die Männer billigen und anerkennen müssen.«

Auch hier fällt die passive Rolle auf, die den Männern zugeteilt wird. Sie müssen ihre Ansprüche reduzieren, die stolzen Befestigungen der Männerwelt niederreißen und es der *Frau* und *Natur* gestatten, auf sie einzuwirken. Hinter diesen Kommentaren wird die allgemeine Vorstellung spürbar, daß die Zivilisation, welche die Männer errichtet haben, im Sterben liege. Als Lawrence und Frieda zusammen auf und davon gingen, glaubten beide, sie würden der Zivilisation den Rücken kehren und deren Spuren in sich selbst auslöschen. Frieda wollte Europa überhaupt verlassen und in irgendein nicht zivilisiertes Land reisen, und Lawrence schrieb, kurz nachdem sie England verlassen hatten, seine ganze engstirnige und klägliche Traurigkeit und Weichlichkeit fielen nun von ihm ab. Die Wunden, die ihm die Welt der Männer geschlagen habe, verheilten nun, und er werde stark und heftig. Auf sein literarisches Schaffen übertragen heißt das, daß er nun alles von sich abstreifte, was ihn auf der Stufe des jungen, sentimentalen Mannes festgehalten hatte.

Frieda tat viel für ihn, aber die Art von Diziplin, die sie ihm auferlegte, war zum Teil unerbittlich. Das geht aus der schrecklichen Bemerkung hervor, die sie an den Rand des Gedichtentwurfs von ›Meine Liebe, meine Mutter‹ in sein Notizbuch kritzelte: »Ja, Du bist frei, armer Teufel, frei vom heimischen Leben des Herzens, einsam sollst Du sein, denn das hast Du gewählt und Du hast es ganz und gar gewählt! Jetzt geh Deinen Weg … Ich hab's versucht, ich hab' gekämpft, ich hab' mich fast umgebracht bei diesem Kampf, Dir Anschluß zu verschaffen zu mir und anderen Menschen, und betrübt hab' ich mir selbst bewiesen, daß ich selbst lieben kann, nicht aber Du … Du kannst mir nicht helfen, Du bist ein bedauerliches Geschöpf, ich kenne Dein Geheimnis und Deine Verzweiflung, ich hab gesehn, daß Du Dich schämst.« Sie war hart, und doch erkannte Lawrence diese Disziplin an; sie stellte etwas dar, an das beide glaubten, er im selben Maße wie sie. Sich ihr nicht zu stellen, nannten sie »Drückebergerei«. So schrieb zum Beispiel Frieda an Dorothy Brett: »Du schreckliche Drückebergerin, die Du Dich vor Dir selbst drückst«, und Lawrence schrieb an

Bertrand Russell, E. M. Forster sei deshalb zum Drückeberger geworden, weil sein wichtigster Wunsch seine gesellschaftliche Passion und nicht seine Selbstverwirklichung gewesen sei. Sie hielten es für ihre Aufgabe, alle ihre britischen Literatenfreunde in diese Disziplin einzuführen, und ihr wichtigstes und doch auch tragikomisches Opfer in diesem Bestreben war, wie wir noch sehen werden, John Middleton Murry.

Lawrence (oder die »Person« Lawrence-und-Frieda) war genial, weil er diese Disziplin akzeptierte, in die Welt der Frau eintrat und so die Grundsätze der erotischen Bewegung in seinem eigenen Leben in die Tat umsetzte. Das ist es, was Frieda mit dem »heimischen Leben des Herzens«, mit dem »Anschluß an andere Leute«, mit »Liebe« meint. Es liegt auf der Hand, daß sie all diese Dinge nur durch enorme Spannungen verwirklichen konnten. In ›Aarons Stab‹ bringt Lawrence etwas von der damit verbundenen Unterordnung zum Ausdruck, wenn er schreibt, die Frau sei »die erste wirklich große Quelle des Lebens und Seins und auch der Kultur«, während »der Mann lediglich das Instrument und der Vollender« sei. In diesem Werk rebellierte Lawrence allerdings unmißverständlich gegen die *Liebe* und die *Welt der Frau*. In diesem Sinne verkündet Lilly das Ende der »Liebesmode«, während Jim Bricknells heftiges Verlangen nach Liebe als obszön und selbstzerstörerisch dargestellt wird. Doch sogar in den ›Liebenden Frauen‹ begegnen wir dieser Vorstellung: »Ursula war nur zu bereit, ihre Stirn vor einem Mann auf den Boden zu schlagen. Doch war sie das nur, wenn sie sich ihres Mannes so sicher war, daß sie ihn anbeten konnte, so wie eine Frau ihren Säugling anbetet, mit der Anbetung des vollkommenen Besitzes.« Diese Darstellung einer Magna Mater spiegelt die Art und Weise wider, wie Lawrence Frieda sah. Im Dezember 1918 schreibt er an Katherine Mansfield: »In gewisser Weise ist Frieda die verschlingende Mutter. Hat die sexuelle Beziehung einmal diesen Weg eingeschlagen, so ist es schrecklich schwer, wieder zu sich zu kommen. Wenn wir nicht wieder zu uns kommen, sterben wir. Aber Frieda sagt, ich sei vorsintflutlich in meiner positiven Einstellung. Ich glaube, eine Frau muß dem Mann irgendeine Art von Vorrang einräumen und er muß seinen Vorrang wahrnehmen. Ich glaube, Männer müssen ihren Frauen absolut vorangehen, ohne sich umzuwenden, um die Erlaubnis oder Billigung ihrer Frauen zu suchen. Folglich müssen die Frauen bedingungslos nachfolgen. Ich kann mir nicht helfen, aber daran glaube ich. Nicht so Frieda. Daher unser Kampf.« Das heißt, Frieda blieb Otto Groß und dem *Mutterrecht* treu, als sich Lawrence dagegen auflehnte.

Friedas Wert wird einem bewußt, wenn man Lawrences zahllose Loblieder auf das blühende *Leben* vernimmt, das sie ihm brachte. In seinem Essay über Thomas Hardy begegnen wir folgender Anspielung auf Frieda: »Das Endziel ist die Blume, diese flatternde singende Winzigkeit, die wie ein Vogel im Frühling ist, das magische Herausschießen des Seins, das wie ein Hase ist, der im Mondlicht vor Lebensfülle zu platzen droht.« Oder nehmen wir die Stelle aus ›Die Krone‹: »Doch hätten wir aufgepaßt, wäre der hautüberzogene Krautkopf vielleicht geplatzt und hätte er sich aufgetan, um die zarten, schüchternen, lächerlichen Trauben von Sehnsüchten sich hervorwagen zu lassen, diese Nachkommenschaft aus kleinen Flammenzungen, diese Blumen, nackt in alle Ewigkeit, nackt über der glotzenden ungeborenen Menge aus amorphen Wesen, über den Krautköpfen: die Myriade von Egos.« Frieda war diese Blume, die hoch über den demokratisch-bürgerlichen Krautköpfen stand. Nicht durch Geburt, sondern durch ihren Lebensmut wurde sie zur Aristokratin, und es war die Aristokratie, die sie verkörperte, im selben Maße, wie Weber die Rechte eben jener Krautköpfe vertrat. Wann immer sich gelbe Blüten in seiner Prosa öffnen – Gänseblümchen und Löwenzahn –, meint Lawrence Frieda. Diese Blumen waren das Wappenzeichen der erotischen Bewegung, und obwohl sich Lawrence gelegentlich dagegen auflehnte, hielt er all diesen Dingen doch die Treue. In gewisser Hinsicht war Lawrence in den frühen zwanziger Jahren der Luther des Matriarchats, einer der aufrichtigeren Anhänger des Glaubens, aber auch ein heftiger Feind der Kirche. Nach den Wertvorstellungen der Erotik zu leben, bedeutete für ihn eine Belastung. Die anderen Frauen, zu denen er sich hingezogen fühlte, waren ziemlich unerotisch, und es ist klar, daß einige der Schwierigkeiten, die er und Frieda hatten, daraus resultierten, daß ihre Beziehung überwiegend erotisch zu sein hatte. Er stand auf freundschaftlichem Fuß mit ihrer Schwester Else – deren Tocher sich erinnerte, daß Frieda auf Elses Vertrautheit mit Lawrence eifersüchtig war –, und noch besser verstand er sich mit der Mutter der beiden Schwestern. Mabel Dodge hatte sicher zum Teil recht, als sie schrieb, Lawrence verlangte nach ihr und wünschte, Frieda zu entfliehen. Er erklärte Mabel oft, daß sie ihm wie eine Schwester vorkomme, und Mabel selbst bot sich ihm als Mutter an: »Frieda hat deine Bücher lange genug bemuttert«, meinte sie, »du brauchst eine neue Mutter.« Das Gedicht ›Spirits Summoned West‹ ist möglicherweise Lawrences beredsamste Äußerung seines Verlangens nach einer schwesterlichen Beziehung zu einer Frau. Doch all das waren nur Anwandlungen. Die große Bestätigung, die er am Ende seines Lebens erfuhr, war, was immer auch ihr Preis gewesen sein mochte, der Wert der erotischen Beziehung an sich – dieser Wert aber war gleichbedeutend mit Frieda und nicht mit Else oder Mabel.

Dieser Wert war in erster Linie weltanschaulicher Art. 1923 schrieb Frieda an Koteliansky: »Wie wenig Du doch von Lawrences Büchern verstehen mußt, Kot, da Du zu sagen vermagst, ich sei der ›Hausdiener‹ in dieser Firma! Denn wahrhaftig, mein Glaube war das Herz der Sache.« Das stimmt, und es stimmt in einem spezifischeren Sinne, als es zunächst den Anschein hat. »Und wenn ich mit mir selbst ›prahle‹, so weiß ich doch, daß meine Religion von dem Wunsch ausgeht, daß die Menschen *lieben*: echt und ganz und paradiesisch – und *nicht* wie Christus, sondern so, daß alles darin enthalten ist. Und ich weiß, ich kann lieben. Wenn du sagst, Lawrence habe mich geliebt, so habe ich ihn tausendmal mehr geliebt. Und wirklich zu lieben, das schließt alles ein, Intelligenz, Glaube, Opfer – und Leidenschaft! Die Leute denken nicht so wie ich, sie haben andere Götter, doch ich bleibe bei den meinen bis zum bitteren Ende!« Das war ihr »Glaube«.

Viele Köpfe der erotischen Bewegung vertraten die romantische Überzeugung, Kunstwerke müßten vor allem etwas »Lebendiges« sein. Diese Vorstellung war für Frieda und Lawrence so wichtig, daß sie nicht zuzugeben vermochten, daß dem »Machen« eines Kunstwerks oder dem Künstler als »Macher« ein gewisser Adel zukam. Größe in der Kunst könne immer nur Prozeß und nie Tatsache sein, immer nur Werden und niemals Sein. »Sollte der Tag kommen – Gott möge das verhüten –, an dem ich Lawrence als den ›großen Mann‹ erlebe würde, wäre er eine tote Sache für mich, und die würde mich langweilen.« Daher auch ihre Abneigung gegen Goethe und alle »großen Männer«: »Größe ist eine Sache der äußeren Welt, in der ich nichts bin und nichts sein möchte! Deshalb gebe ich Dir zu, daß in der Welt der Männer Lawrence *ist*, während ich dort *nicht* bin. Doch *diese* Welt bedeutet mir nichts, denn es gibt eine tiefere, wo das Leben selbst strömt, und dort bin ich zu Hause! Die äußere Welt aber interessiert mich nicht! Alles, was Du mir

zugeben sollst, ist die größere Wichtigkeit dieser tieferen Welt.«
Trotz des schüchternen und besänftigenden Tons, den sie hier,
wie so oft, anschlägt, sind diese Gedanken kühn. Sie setzt die
äußere Welt gleich mit der Welt der Männer, die auch die Welt
der Kunst ist, mit der Welt des Geistes, der Welt Heidelbergs,
der Welt ihrer Schwester – kurzum mit jener Welt, aus der sie
geflohen ist. Die »tiefere« Welt aber, die sie ihr entgegensetzt,
ist eindeutig die Welt der Frau, des Matriarchats, der Liebe.

Es war ihr Glaubensbekenntnis und ihr Motto, daß in dieser
Welt die Fähigkeit zu lieben das Wichtigste sei und daß sie diese
Fähigkeit besäße, während sie anderen (darunter auch Lawrence) abgehe. Daher war ihre Persönlichkeit stark »ideologi-
siert«. Auch dieser Kampfruf wurde, wie so viele vor ihm,
durch allzu häufige Wiederholung zur seelenlosen oder faden
Formel. Doch das Glaubensbekenntnis steckte bei ihr immer
dahinter, und für dieses Bekenntnis traten sie und Lawrence ein.
Es war ein lebendiger Glaube, der sich, wenn Lawrence gerade
nicht rebellierte, in seinen Büchern niederschlug. Frieda schrieb
an Mabel Dodge und erhob Einspruch gegen die Langeweile,
die Mabel, wie sie selbst zugegeben hatte, bei der Lektüre der
›Lady Chatterley‹ empfunden hatte. »Vergiß nicht«, so schrieb
sie, »daß diese (wenn man so sagen kann) religiöse Einstellung
zur körperlichen Liebe mein schwacher Beitrag ist.«

Lawrences Beziehung zur »Welt der Männer« geht aus einem
1915 verfaßten Brief hervor, in dem er sich mit dem Krieg auseinandersetzt. »Diese Frage ist nicht mir, sie ist der Welt der
Männer zugeordnet«, schreibt er darin. »Die Welt der Männer
träumt und sie ist im Schlaf wahnsinnig geworden und eine
Schlange erdrosselt sie, doch sie kann nicht aufwachen ... Der
Krieg machte mich fertig: er war ein Speer durch die Seite aller
Kümmernisse und Hoffnungen ...« Diese Hoffnungen Lawrences und sowohl seine als auch Friedas Erfahrungen hatten in
der Überzeugung gewurzelt, daß die Welt der Männer – der
Parlamente und Armeen und Gefängnisse und der Politik –
ihren Zugriff lockern würde. Wie die Schwabinger hatten sie
sich den Verfall des Patriarchalismus und ein Wiederaufblühen
der matriarchalischen Kultur erhofft. Doch der Krieg rief alle
patriarchalischen Tugenden (vor allem den patriarchalisch-töd-
lichen Ernst) ins Leben zurück, sogar bei jenen, die sich ihm
widersetzten. Daraus resultierte die völlige Verwirrung, welche
die Lawrences angesichts der Kriegserfahrung ergriff, sowie
ihre Unfähigkeit, sich vom Gewissen her zumindest mit den

pazifistischen Kriegsgegnern zusammenzutun; so aber waren sie sich ebenso uneins mit Bertrand Russell wie mit Max Weber, denn beide, der Pazifist wie der Kriegsbefürworter, gehörten der Welt der Männer an.

Diese Erfahrung schlug Lawrence eine tiefe Wunde, von der er sich nie völlig erholen sollte. So schreibt er in einem Brief vom 15. November 1916 voller Bitterkeit, der Krieg sei »für mich ... völlig falsch, dumm, monströs und verachtenswert. Doch schließlich füge ich mich darein, daß ich nur für mein eigenes Selbst sprechen kann und nicht das Recht habe, für jemand anderen zu sprechen ... Es läuft darauf hinaus, daß das *Einssein* der Menschheit in mir zerstört ist. Ich bin ich und Du bist Du, und in der Kluft dazwischen liegt der ganze Himmel, die ganze Hölle. Glaub' mir, dadurch, daß ich dergestalt vom Körper der Menschheit losgerissen worden bin, bin ich zutiefst verletzt, doch so ist es und es ist richtig so«. Der Glaube an das »Einssein der Menschheit« bewirkt, daß die einen die Welt der Männer und die anderen die Welt der *Frau* um sich herum schaffen. Ohne dieses »Einssein« leben sie in beiden Welten – das heißt vollständig leben sie in keiner von beiden. Indem er diesen Glauben verlor, verlor Lawrence die Welt der *Frau*, und das war der Grund, weshalb er nach dem Krieg seine Romane in die Welt der Männer verlegte. Erst nach 1925 begann er den alten Glauben wiederzuerlangen.

Mit erheblicher Unterstützung durch Frieda in den Jahren 1912 und 1913 stellte Lawrence die endgültige Fassung von ›Söhne und Liebhaber‹ fertig, und als das Werk 1913 veröffentlicht wurde, rückte Lawrence eindeutig unter die Großen der Literatur auf. Die letzten Änderungen nahm der Autor anscheinend in den Abschnitten des Buches vor, in denen Clara Dawes auftritt. Jessie Chambers (»Miriam«) erklärte, es sei überhaupt nichts geändert worden, womit sie wahrscheinlich meinte, an den Szenen, die von ihr handelten, sei nichts geändert worden, und die Morel-Szenen entsprachen der autobiographischen Wirklichkeit und bedurften somit keiner Änderungen. Nur Clara war frei erfunden. Indem er diese Gestalt entwickelte, brachte Lawrence (zusammen mit Frieda) den – ansonsten rein auf Erfahrungen beruhenden – Stoff des Romans in eine angesehene literarische Form, in die Form des »Bildungsromans«. Einer im Genre sehr nahen Parallele zu ›Söhne und Liebhaber‹ begegnen wir in Gottfried Kellers ›Grünem Heinrich‹, einem vierbändigen, halb autobiographischen Werk aus der Mitte des

19. Jahrhunderts, mit dem Frieda, ja der ganze Weber-von-Richthofen-Kreis, vertraut war. Kellers Roman ist die Lebensgeschichte von Heinrich Lee, einem Schweizer Jungen aus armen Verhältnissen mit anspruchslos liebender Mutter und ohne Vater, die Geschichte eines Jungen, der Maler werden möchte. Bei diesem Versuch lebt er im ständigen Bewußtsein der Schuld gegenüber seiner Mutter, die zu Hause sitzt und sich für sein Fortkommen aufopfert. Doch in der Liebe wie in der Kunst will ihm nichts gelingen. Als Jugendlicher verliebt er sich in Anna, ein elfenhaftes Geschöpf, unschuldig und durchgeistigt, »aus einer anderen Welt«, das erbleicht und ohnmächtig wird, als er sie küßt. (Wie Lawrences Miriam Leivers lebt auch sie auf dem Land, gleich vor Heinrichs Heimatstadt.) Doch geliebt wird er von Judith, einer von ihrer Ehe enttäuschten großen, kräftigen Witwe voller Sinnlichkeit, die immer noch nach Wahrheit und Liebe sucht. Sie verführt Heinrich, und diese Affäre geht Hand in Hand mit seiner gegensätzlichen idealistischen Liebe für Anna. Doch er liebt Judith nicht, und Judith begnügt sich kummervoll mit ihrer Rolle als sinnliches Objekt, obwohl sie eine kluge und stolze Frau ist. Sie gewinnt seine Achtung als Persönlichkeit, doch in erotischer Hinsicht ist Heinrich völlig gespalten.

Das ist ganz eindeutig auch die Fabel von Paul Morels Leben. Heinrichs Liebe muß – und darin ähnelt sie der Liebe, die Paul für Miriam empfindet – in sinnlicher Hinsicht *unerfüllt* bleiben, denn die Liebe lebt ihren eigenen Gesetzen, und die sexuelle Leidenschaft ist ein Vergehen gegen sie. Und aus demselben wesentlichen Grund heraus kann sich weder Heinrichs Liebe zu Judith noch Pauls Liebe zu Clara im Geistigen erfüllen. Andererseits aber überzeugt Heinrich Judith (und Paul Miriam), auf ihn freiwillig zu verzichten. Und Judith klagt: »Oh! nie hat ein Mann gewünscht, brav, klar und lauter vor mir zu erscheinen, und doch liebe ich die Wahrheit wie mich selbst!« [*] Die Ironie will es, daß es gerade diese Wahrheitsliebe ist, von der sich Heinrich angezogen fühlt, und dasselbe gilt für Paul und Clara. Und doch weckt diese Wahrheitsliebe nur Achtung, die, ebensowenig wie die Verehrung, welche Heinrich Annas prinzessinnenhafter Reinheit entgegenbringt, zur Liebe erblühen kann.

Die Art, wie Keller die moralischen Probleme seiner Fabel bewertet, unterscheidet sich von der Lawrences. Heinrich er-

---

[*] Gottfried Keller: Der grüne Heinrich, S. 429

klärt Judith, er möchte »nichts tun, ohne ihrer [Anna] zu gedenken und in alle Ewigkeit mit ihrer Seele leben, auch wenn
ich von heute an sie nicht mehr sehen würde! Dies alles könnte
ich für dich nicht tun!«* In Lawrences Gedicht ›Zwei Ehefrauen‹ (›Two Wives‹) sagt die Frieda/Judith-Gestalt zu Mi-
riam/Anna:

> Nimm die Ewigkeit, denn was ist sie andres
> Als nur ein Wort für Dünkel, Eitelkeit!
> Doch diesen Mann, der nie die Lust sich nahm,
> Dich anzurühren, rühr ihn nicht an.

An diesem Unterschied des moralischen Mitempfindens können wir die Veränderung ermessen, der das europäische Empfindungsvermögen unterworfen war, seitdem Keller in den
fünfziger Jahren des letzten Jahrhunderts seinen Roman verfaßt
hatte. Ein Großteil dieser Veränderung ist auf den Sieg der
erotischen Bewegung zurückzuführen. Kellers Wertsystem, das
die beiden Formen der Liebe in einen tragischen und unvereinbaren Gegensatz zueinander setzt, ist im wesentlichen mit dem
von Max Weber identisch. Tatsächlich hatte Weber von 1911 bis
1914 – also zur selben Zeit, als Lawrence ›Söhne und Liebhaber‹
schrieb – eine Geliebte, die er, in Anspielung auf Kellers Roman, Judith nannte. Heinrich Lees Zwiespalt war natürlich
auch seiner, ebenso wie es der Zwiespalt Paul Morels war, denn
Marianne war Webers »Märchenprinzessin« und Else Jaffe die
enttäuschte Ehefrau mit sinnlicher Erfahrung; er aber wurde
zwischen den beiden hin und her gerissen. (Zwar war es nicht
Else Jaffe, die er Judith nannte, sondern Mina Tobler, doch wie
wir bereits sagten, könnte Mina eine Art Ersatz für Else gewesen sein.)

Es besteht eine gewisse Ähnlichkeit zwischen Clara Dawes
und Else Jaffe. Claras graue melancholische Augen, ihr verletz-
ter Stolz, ihr gesellschaftliches Aufbegehren, ihre Arbeit in der
Fabrik, ihre gescheiterte Ehe, ihre Unfähigkeit, Glück in der
Liebe zu fordern und ihr blondes Haar – all dies erinnert an
Else. Frieda hat oft behauptet, mit der Abfassung von ›Söhne
und Liebhaber‹ wesentlich mehr zu tun gehabt zu haben als mit
den anderen Romanen Lawrences; das ist eine gewichtige Behauptung, bei der man sich fragt, ob das Porträt von Clara

---

* Gottfried Keller: Der grüne Heinrich, S. 428

Dawes nicht Friedas Einfall war, zumindest insofern, als sie es war, durch die Lawrence Else Jaffe kennenlernte.

Auf alle Fälle gibt diese symbolische Verquickung in verschiedenster Hinsicht zu denken. Miriam/Marianne/Anna stellt die idealistische Skylla der Liebe des 19. Jahrhunderts dar, während Clara/Else/Judith die »realistische« Charybdis verkörpert. Frieda/Ursula dagegen ist die rettende Alternative, die transzendierende erotische Hoffnung, die aus ›Söhne und Liebhaber‹ klar herauszuspüren ist und die Lawrence zu einer selbstsicheren Diagnose darüber ermutigte, was Miriam wie Clara fehlte, während er gleichzeitig ebenso selbstsicher übersah, woran es Paul mangelte. Kurzum, Frieda/Ursula repräsentiert die erotische Bewegung, die genau darauf abzielte, die alte tragische Konstellation Skylla und Charybdis einfach hinter sich zu lassen und sowohl über Miriam als auch Clara/Else hinauszugehen. Wie in ihrer Liebesaffäre mit Otto Groß triumphierte Frieda auch in diesem Zusammenhang über ihre Schwester – durch die Begabung des Mannes, der sie liebte; denn Lawrence setzte sie in seinem Werk gleich mit dem Leben und der Hoffnung selbst.

1918 verfaßte sie eine aufschlußreiche kleine Skizze über Lawrence als Schriftsteller, in der sie sein Werk unausgesprochen als Antithese zur Welt ihrer Schwester erklärt. Diese Skizze war für Amy Lowell geschrieben, die sie für die Einleitung eines Werks von Lawrence benutzen sollte. »Frisch« ist das Schlüsselwort des Lobs, das Frieda dem Werk Lawrences zollt: »Es ist alles so frisch und neu wie eine Lerche im Frühling.« ›Söhne und Liebhaber‹ zeige, so schreibt sie, die Lebensfülle des gewöhnlichen Volkes zum ersten Mal von innen her. »Es ist eine andere Mitte, von der aus sie leben ... Der Intellektuelle oder Gebildete kann sich diese Lebensform kaum vorstellen; durch seine bloße Erziehung hat er sie geopfert.« Gegenwärtig, so erklärt Frieda, sehne sich die ganze Welt verzweifelt nach dieser verlorenen Wirklichkeit, nach dieser »Lebensform«, die eine prä-apollinische oder prä-patriarchalische Kultur ganz oder zum Teil verkörpere. Unter diesem Gesichtspunkt – mit dem nicht jeder Leser übereinstimmen dürfte – wird sogar der Roman ›Söhne und Liebhaber‹ zu einem Angriff gegen Else Jaffes Welt.

Inzwischen hatte sich Else der zivilisierten Welt des Mannes verschrieben und untergeordnet. Das bedeutete zwar, daß sie die Werte dieser Welt anerkannte, nicht aber, daß sie einzelnen

Männern Überlegenheit über sich selbst einräumte. Doch muß hier auch gesagt werden, daß sie sich, obwohl sie die »Herrschsüchtige« war, als einzige der Richthofen-Schwestern mit einem wirklich beherrschenden Mann verband. Lawrence war in der Umgebung, um die es hier geht, nicht beherrschend. Als sich Friedas jüngere Schwester Nusch scherzend auf seinen Schoß setzte und erklärte: »Oh Lawrence, ich liebe dich«, hielt er erschrocken nach Friedas schützender Gegenwart Ausschau. Das ist eine der vielen Familienanekdoten, bei denen es um den »armen Edgar«, um den »armen Ernest« oder um wen auch immer ging. Der einzige Mann, der sich nicht auf ein solches Maß reduzieren ließ, der keinen »armen Max« abgab, war Weber. Nusch hätte es nicht gewagt – und nicht gewollt – auf *dessen* Schoß zu sitzen. Doch Else verstand Max Weber, denn sie war von seiner Welt, von der Welt der Männer. Und die Liebe zwischen den beiden war ebenfalls dieser Welt zugeordnet, in einem Maße, wie dies bei Frieda und Lawrence undenkbar gewesen wäre.

Dieser Unterschied bringt uns zu all den anderen Unterschieden zurück, die wir bereits besprochen haben. Weber akzeptierte die männliche Rolle mit allen ihren Machtattributen in einer Weise, wie es Lawrence nie getan hat. Er betrachtete den Mann stets als Akteur im welthistorischen Theater, der sich von dieser Tätigkeit zu Hause und im persönlichen Umgang sichtlich erholt. In seinem Werk ›Spiel des Unbewußten‹ setzt sich Lawrence mit dieser männlichen Daseinsweise auseinander und argumentiert, sie gehöre der Vergangenheit an. Zwar *war* der Mann einst Mann der Tat und Denker, doch »sein Höchstes ist jetzt der emotionelle Höhepunkt, wenn er sich der Frau hingibt, wenn er die vollkommene Erfüllung ihrer großen Forderung des Gefühls und des Zeugungswillens verkörpert. All sein Denken, all seine Tätigkeit in der Welt trägt nur dazu bei, diesen großen Moment zu verherrlichen ... Der Mann ist in seine negative Phase eingetreten. Heute liegt seine Erfüllung im Gefühl, nicht in der Aktion.« (S. 77f.) Dieser Gedanke hätte Weber wie Else Jaffe abgestoßen, doch Lawrence besaß außerhalb seines persönlichen Lebens keine Macht, und sogar zu Hause noch hatte er Angst, sich der *Frau* unterwerfen zu müssen, hatte er Angst, wie Will Brangwen zu werden, nämlich »weniger als ein Mann«. Weber brauchte das, sowie er sich die nachgiebige Bewunderung Mariannes einmal gesichert hatte, nicht zu befürchten. (Und auch Lawrence hätte das nicht zu fürchten brauchen, wenn er seine »Marianne« geheiratet hätte.)

Und außerhalb seiner Häuslichkeit, in der Welt der Männer, war Weber ein Mann der Macht. Ein ungewöhnlich beeindruckender Redner, ganz gleich, ob er sich vorbereitet hatte oder aus dem Stegreif heraus in eine Diskussion eingriff, sprach er gelassen, mit einem zugleich musikalischen und kraftvollen Bariton; seine Sätze waren stets vollständig und elegant. Er verfügte über ein unerschöpfliches Tatsachenwissen, um welchen Gegenstand es sich auch immer handeln mochte, und er beherrschte das ganze Spektrum zwischen nüchterner Darlegung und Polemik, wobei er auch vor gelegentlichen Schimpfreden und demagogischen Schmähungen nicht zurückschreckte. Er vermochte die Achtung und Aufmerksamkeit eines beliebig großen Auditoriums zu gewinnen, auch wenn dieses noch so feindselig gegen ihn eingestellt war. Nach seinen Reden waren Zuhörer stets so hingerissen, daß sie sagten: »Was für einen politischen Führer er abgeben würde.« Lawrence besaß keine dieser Gaben. Er könnte, so meinte er zu Bertrand Russell, die Wahrheit mehr als zwanzig Menschen zugleich nicht beibringen. Obwohl er während der Kriegsjahre plante, Vorträge über den Frieden und amerikanische Literatur zu halten, darf man ruhig annehmen, daß ihm dabei kein Erfolg beschieden gewesen wäre. Er beeindruckte nur, wenn er eine, zwei oder drei Personen um sich hatte. Weber dagegen war am beeindruckendsten, wenn die Debatte hart wurde und er seinen schneidenden Ton anschlagen konnte. In Gruppen von zwei oder drei Zuhörern offenbarte er nur wenig von seiner umfassenden Persönlichkeit. Sein rein geselliges Leben spielte sich in der halb öffentlichen Form des Salons ab. In der Dekade vor dem Krieg versammelten sich jeden Sonntag Gäste im Weberschen Haus gegenüber vom Heidelberger Schloß, und Weber erschien, wenn ihm danach war, um über die Themen des Tages zu reden. Als soziales Wesen verdankte – und gab – Weber der Stadt Heidelberg eine ganze Menge; er war eine der Sehenswürdigkeiten der Stadt, ein geistiges wie gesellschaftliches Phänomen, das seine beeindruckende Art zum Teil der Sorgfalt verdankte, mit der seine Frau solche Ereignisse zu inszenieren verstand.

Um Max Weber und seine Art zu lieben verstehen zu können, muß man zunächst Heidelberg verstehen, die Stadt des Lichts, die Domäne Apollos und die Heimat all derer in Deutschland, die sich gegen die Exzesse des Patriarchalismus auflehnten. Weber war ihr geborener Führer, obwohl er sich, eben weil er dieser Führer war, durch Qualitäten auszeichnete, die ihn von denen, die er führte, unterschieden.

Georg Simmel schrieb 1918 an Marianne Weber, daß das Haus Weber – gemeint war Max' und Mariannes Haus – nun eine große Verantwortung trage: die Verantwortung das geistige Heidelberg, dieses unvergleichliche Kleinod der deutschen Kultur, nach dem Kriege wieder aufblühen zu lassen. Wenn es erlaubt ist, diese blumige Sprache durch eine gelinde Übertreibung zu ergänzen, so dürfen wir sagen, daß *diese* Verantwortung vor allem Marianne trug. (Wie sie dieser Verantwortung genau nachkam, werden wir im dritten Kapitel darlegen.) Doch das, was Simmel im Grunde meinte, entsprach der Wirklichkeit: Heidelberg spielte in Deutschland tatsächlich eine ungewöhnliche Rolle, und ebenso ungewöhnlich war die Rolle, welche die Webers in Heidelberg spielten. Heidelbergs Rang war – und darin glich es Schwabing – geistiger Art, es war das geistige Zuhause eines bestimmten deutschen Typus, der allerdings völlig anders geartet war als der Typus, dem man in Schwabing begegnete.

Frau Jaffe kehrte nach dem Tod ihres Mannes nach Heidelberg zurück. Ihre Tochter studierte später dort und heiratete einen der Professoren, Hans von Eckardt, einen Kollegen und Freund von Alfred Weber. Marianne Weber hatte sich ebenfalls dort häuslich niedergelassen, und verschiedene Neffen und Nichten der Webers wohnten hin und wieder bei ihr. Otto Groß' Sohn Peter studierte dort in den dreißiger Jahren bei Jaspers. Sogar Edgar Jaffes wirtschaftswissenschaftliche Bibliothek kehrte von München nach Heidelberg zurück und wurde zur Grundlage der wirtschaftswissenschaftlichen Seminarbibliothek. Immer wieder kam es vor, daß Mitglieder der Familie Weber, die zumindest ebensoviel Grund gehabt hätten, der Stadt fernzubleiben, nach Heidelberg zurückkehrten, um sich hier häuslich niederzulassen.

So verließ zum Beispiel 1907 Alfred Weber Prag und kam nach Heidelberg – ungern, wie er selbst erzählt. Tatsächlich grenzte es an Masochismus, daß er nun wieder mit seinem dominierenden Bruder konkurrierte, doch begegnete er dort so vielen glänzenden Männern, daß es für den Neuankömmling, so schreibt er, wie eine Offenbarung war. Das Geistesleben sei vor allem deshalb so intensiv gewesen, weil alles, was dort geistig geschah, inmitten eines starken und fruchtbaren Austausches der Kräfte aller Beteiligten geschehen sei ... Es sei voll und ganz absorbiert und durchdrungen gewesen von dem neuen Leben, das sich in Deutschland seit der Jahrhundertwende zu entwickeln begonnen habe. Es sei geistig und persönlich erregend und nach allen Seiten offen gewesen. Dies war der »Heidelberger Geist«, eine Bezeichnung und eine Vorstellung, die damals jedem vertraut war, und die Eigentümlichkeit dieses Geistes bestand, nach Alfred Weber, in seiner Skepsis gegenüber allem, was der wilhelminischen Ära den Charakter der Banalität verlieh. Heidelberg suchte nach neuen tieferen Bedeutungen. Gustav Radbruch meint, man müßte bis ins Jena der deutschen Klassik zurückkehren, wollte man etwas finden, das gleichwertig der unablässigen Diskussion zur Seite stünde, den ewigen Gesprächen und dem »Symphilosophieren« wie auch der aktiven Beteiligung so vieler kluger und gebildeter Frauen am Geistesleben. Eine dieser Frauen war natürlich Else Jaffe.

Für Alfred Weber bedeutete Heidelberg vor allem den Entschluß, sich der Kultursoziologie zu widmen, der Untersuchung der Wechselwirkungen zwischen kulturellen Werten einerseits und den Kräften der Zivilisation, Politik, Wirtschaft und anderen sozialen Faktoren andererseits. Sein soziologisches Interesse für den Standort von Fabriken ließ nach, und er nahm sein Lebenswerk in Angriff. Dieses Werk entsprach so ganz dem geistigen Standort seiner Geburtsstadt und kann vielleicht als Heidelbergs typischste Äußerung im zweiten Drittel unseres Jahrhunderts bezeichnet werden. So aber kam es, daß Alfred Weber, der nach Heidelberg ging und zugleich gegen diesen Entschluß innerlich rebellierte, sich am Ende mit dieser Stadt identifizierte, die sich ihrerseits noch einmal mit dem Namen Weber identifizieren ließ.

Im ersten Drittel unseres Jahrhunderts hätte man Heidelberg als Max Webers Stadt bezeichnen können. Edgar Salin berichtet, die Berliner Universität habe alle Gelehrten angezogen, welche die wilhelminische Ära guthießen, so daß die Universitäten der Provinz, vor allem die Heidelberger Universität, jenen Gelehrten offenstanden, die gegen diese Ära waren. Und einer der prominentesten Gegner war Max Weber. Heidelberg »verkörperte« das liberale Deutschland; um die Jahrhundertwende war diese Stadt das, was Weimar 100 Jahre zuvor gewesen war. Tatsächlich wäre es sinnvoller gewesen, man hätte der Weimarer Republik den Namen Heidelberger Republik gegeben. 1908 verfaßte Webers Freund Friedrich Meinecke sein Werk ›Weltbürgertum und Nationalstaat‹, das der Verschiebung des Schwerpunkts in Deutschland von Weimar nach Potsdam und von Goethe auf Bismarck nachging. Meinecke gab dieser Entwicklung rückblickend seinen Segen, sein Werk stellte somit die äußerste Anstrengung dar, die liberale Gesinnung in Deutschland dem preußischen Machtstaat anzupassen. Doch die meisten liberalen Intellektuellen hatten spontan immer Weimar den Vorzug gegeben. (Tatsächlich hat Meinecke seinen Standpunkt 1946 überdacht und Weimar – was so viel heißt wie Heidelberg – gegen Berlin befürwortet: *Sein* Historiker war nun nicht mehr Treitschke, sondern Jacob Burckhardt.) Max Weber war nicht nur einer der Mittelpunkte des Gesellschafts- und Geisteslebens in Heidelberg, dieses Erbes der Weimarer Tradition, sondern auch der Mann, der dem Geist Heidelbergs vor allen anderen zu wirksamem politischem Leben verhalf.

Seine Erscheinung war ganz verhaltene Kraft. Kam er in ein Zimmer, so schien er sich bücken zu müssen, seine Stimme schien sich selbst zu dämpfen. Von seinen Bewunderern wurde er mit einem Kaiser, einem Ritter, einem Herzog, umgeben von Vasallen, mit einem gewaltigen Krieger verglichen. Sicherlich war er ein Mann mit einem ungewöhnlich starken Geist und Willen, der mehr als andere der kompromißlosen Wahrheit lebte. Er hatte seine Meinung über Fragen in jedem Lebensbereich, er war ein quijotesker Beschützer der Unterdrückten und ein aktiver Gegner der Ungerechten, häufig in Gerichtsverfahren verwickelt, in denen er anklagte oder angeklagt wurde. Sogar noch im Salon oder im Wohnzimmer war sein Auftreten stets halb öffentlich. Das traf übrigens auch auf Lawrence zu. Beide Männer wurden, was sie ja auch wollten, noch zu Lebzeiten zum Mythos ihrer selbst, und dieser Mythos blühte nach ihrem Tode fort durch die fast schon religiöse Verehrung anderer. Allerdings bestand Lawrences Mythos in der Welt der Männer aus seinen hysterischen Zankereien mit Frieda, während Weber einen ungleich angenehmeren Eindruck machte, wenn er die Meinungen von Minderheiten verteidigte oder den Ohnmächtigen der Gesellschaft zu Hilfe eilte, und jeder, der ein soziales Gewissen hatte, mußte sein Verhalten loben. Man verglich ihn zuweilen mit dem Zola des ›J'accuse‹. Der Unterschied zwischen Webers melodischem Bariton und Lawrences giggelndem Kichern erklärt den Rest.

Die Leute, die Heidelberg nicht als Max Webers Stadt bezeichnen wollten, bezeichneten sie als Stefan Georges Stadt – als die Stadt der Dichtung, der Kultur schlechthin. Edgar Salin meint, vor dem Krieg sei Heidelberg die geheime Hauptstadt des geheimen Deutschland gewesen – und spielt damit auf den Kreis um Stefan George an. »Es war der Frühling vor dem Ersten Weltkrieg, dieser Frühling von einzigartiger Süße und Traurigkeit, den niemand, der damals jung war, vergessen hat.« Vielleicht ist es angemessen, Heidelberg mit George zu assoziieren und Schwabing mit Klages, Schuler und Wolfskehl gleichzusetzen. Klages hatte nicht völlig Unrecht, wenn er sagte, George sei von Natur eher ein poetischer Grammatiker als ein Dichter. Sicher ist, daß er ein sehr hellenischer, um nicht zu sagen: akademischer Dichter war. Heidelberg war eine Stadt des aufgeklärten Geistes, und George wie Weber – diese Nebeneinanderstellung mag paradox erscheinen – waren Manifestationen und Phänomene dieses Geistes. Den Jüngern Georges mochte Weber als ein dunkler Geist, als ein Feind des Lichts erscheinen, als ein Diener der Macht, doch diese Dunkelheit war nichts anderes als das Herz der Flamme selbst. Er kannte – ja, er *war* – die Hohlheit und der Brand an der Quelle des Lichts, doch er erzeugte auch dieses Licht, er diente ihm und er opferte sich ihm.

Was Weber selbst über Heidelberg gesagt hätte, läßt sich aus dem Kapitel ›Der Literatenstand‹ seines Werkes ›Konfuzianismus und Taoismus‹ erraten, das häufig von jenem akademischen Deutschland zu handeln scheint, mit dem er wohlvertraut war. Die Hälfte der Züge, die er dort zusammenstellt, um die chinesischen Literaten zu kennzeichnen, sind solche, die er von sich selbst kannte, während die andere Hälfte seine Kollegen auszeichnete. Weber behauptet, das Charisma dieser Literaten habe ausschließlich auf den Fertigkeiten des Lesens und Schreibens beruht und nicht auf den praktischen Anwendungsmöglichkeiten dieser Fertigkeiten. Die chinesischen Literaten stellten eine Bildungsaristokratie dar. Sie hatten Erfolg aufgrund ihres Geschicks, akademische Examen zu bestehen, und ihr Erfolg bestand darin, daß sie ein öffentliches Amt bekleideten. Konfuzius, ihr Oberhaupt, war in erster Linie Beamter und Bürokrat und erst in zweiter Linie Lehrender und Schriftsteller. Sie waren es, die die Vorstellungen vom Amt, von der Pflicht und vom »öffentlichen Wohl« schufen – genau die Vorstellungen, die Weber wiederholt untersuchte, da sie sich stark mit seiner eigenen Gesellschaftsklasse und seinem persönlichen Dilemma verquickten.

Natürlich ist dieser Vergleich zwischen den Literaten Chinas und Webers eigenem akademischem Kreis nicht in jeder Hinsicht gültig. Denn die Sprache dieser Literaten war geschriebene, nicht gesprochene Sprache, bildlich und deskriptiv, nicht logisch oder rhetorisch, während die Sprache Webers – seine Sprache als geistiger Führer – gesprochene, logische und rhetorische Sprache war. Der Stil dieser Literaten war charakterisiert durch »Vorspiele, Euphuismen, Anspielungen auf klassische Zitate und eine feine, rein literarische Geistigkeit.«*

Ihre Bildung könnte man als »hellenisch« bezeichnen, da sie sich nicht mit heiligem Schrifttum befaßte, und ihre Politik war die des Wohlfahrtsstaates. Ihr Denken war so strukturiert, daß es ganz und gar auf Frieden abzielte; feindselig standen sie allen jenen Kräften der chinesischen Gesellschaft gegenüber, die vom Krieg lebten.

In Webers Analyse stellte der Taoismus, der unterstützt wurde sowohl von den Feudalfamilien als auch vom Harem des Kaisers und der sich der Magie und des Mystizismus bediente, den Hauptfeind dar, gegen den die Literaten kämpften. Ähnlich aber sah die Lage in Deutschland aus, wo Weber in der Erscheinung des Feudalismus am Hofe und im Mystizismus Schwabings – beide ganz gewiß Feinde Heidelbergs – die gefährlichsten Kräfte des ganzen Geschehens erblickte. Die chinesischen Literaten interessierten sich nicht für Naturwissenschaft und schon gar nicht für Magie. Der Taoismus und der Mahayana-Buddhismus hätten den weiblichen, gefühlsbetonten Geist angesprochen, während der Konfuzianismus äußerst patriarchalisch gewesen sei. Das veranlaßt Weber, vom »stolzen, männlichen, rationalen und nüchternen Geist des Konfuzianismus« zu sprechen, der »ähnlich gewesen sei der Mentalität der Römer«. Dem Tod begegneten sie stets mit Gelassenheit, die Vorstellung von der Sünde war ihnen fremd.

Es ist eine sichtlich ironische, aber liebevolle Bewunderung, mit der Weber die chinesische Literatur analysiert. Er durch-

* Max Weber: Gesammelte Aufsätze zur Religionssoziologie, S. 420

leuchtet sowohl die Zweidimensionalität ihres emotional-moralischen Lebens als auch die klare Überlegenheit, durch die sich ihr Denken vor allen anderen Alternativen der herrschenden Klasse auszeichnete. Wir vermuten, daß er gegenüber seiner unmittelbaren Umgebung eine ähnliche Haltung einnahm: Unduldsamkeit gegenüber der Gemütsruhe und Engstirnigkeit eines Großteils seiner Umwelt, die Zuversicht, daß ihn sein eigenes Charisma vor diesen Schwächen bewahren würde, und die Bereitschaft, jede Revolution zu bekämpfen, die versuchte, die Vernunft durch Gefühle zu verdrängen.

Seine Persönlichkeit war vom kulturellen Kontext nicht zu trennen. Ludwig Curtius berichtet, die Heidelberger Gesellschaft habe, im Einklang mit den sich verändernden Forderungen des Tages und seinen augenblicklichen Problemen, eine Synthese des europäischen Geistes angeboten oder angestrebt. Der Umgang unter Kollegen basierte auf einer attraktiven Freiheit und Gleichheit, »den Umgangston charakterisierten stillschweigend aristokratisch-humanistische Gefühle«. Doch obgleich diese republikanische Aristokratie keine Herrscher anerkannte, hatte sie doch ihren *heros Ktistes,* und dieser Held hieß Max Weber. Er beherrschte eine intellektuelle Gemeinschaft, die alle modernen Wissensgebiete umschloß. Durch seine Kraft des Geistes erkannte ihn diese Gemeinschaft als ihren Meister an.

Allerdings geschah diese Anerkennung nicht einhellig. Der Biologe Hans Driesch hielt Weber für einen Tyrannen und die Bewunderung seines Kreises für übertrieben. Der Kunsthistoriker Carl Neumann sagte, Weber spiele den Kraftmenschen und gehe in allem bis zum Exzeß. Doch dasselbe behauptete Neumann von Ernst Troeltsch, Wilhelm Windelband und Dieterich, Webers Kollegen. Neumann behauptete, daß diese Männer »durchwegs über die Verhältnisse ihrer Lohntüte lebten [und daß] sie sich wie Burschen aufführten, wilder als sie eigentlich waren«. Die Bismarck-Hörigkeit dieser Zeit ging auch an ihnen nicht spurlos vorüber. Neumann traf die interessante Feststellung, Max Weber sei zu einem derartigen Mythos geworden, daß er bereits zu Lebzeiten als der »Mythos von Heidelberg« bekannt wurde, was sich wohl darauf zurückführen läßt, daß er eine durch und durch romantische Gestalt war, voller Kampf und Qual, während zum Beispiel Kuno Fischer, eine weitere wichtige Gestalt auf dem Heidelberger Schauplatz, eine durch und durch klassische Erscheinung war, um die sich überhaupt kein Mythos rankte.

Doch die meisten Leute scheinen Webers Persönlichkeit als solche akzeptiert zu haben. Es gab Schüler wie Karl Jaspers, die noch 1958 sagen konnten: »Er war der größte Deutsche unseres Zeitalters. Ich habe fast ein halbes Jahrhundert in dieser Überzeugung gelebt.« Und es gab feinfühlige und intelligente Männer wie Gustav Radbruch, der es nicht wagte, sich mit Weber auf eine Stufe zu stellen. Radbruch bezeichnete Webers Stimme als »sich selbst dämpfende Löwenstimme« und beschrieb seine Gestalt wie seine Stimme als »überlebensgroß« – so als drohten beide ihre Grenzen zu sprengen, wenn sie sich nicht strenge Selbstdisziplin auferlegten. Das war das Echo, das Weber in seiner Umgebung fand und das ihn ungemein bestärkte.

Weber beeindruckte andere als überragende Persönlichkeit, obgleich er diesen Eindruck offenbar vermeiden wollte. Seinen Vorlesungsstil hat Max Rheinstein beschrieben, der Weber gegen Ende seines Lebens in München hörte:

»Allerdings las Weber keinen vorbereiteten Text. Alles was er in den Hörsaal mitbrachte, waren kleine Zettel, auf denen er offensichtlich die Schlüsselbegriffe einer Skizze notiert hatte. So konnten die Studenten den faszinierenden Prozeß gelehrten und künstlerischen Schaffens miterleben. Wörter und Gedanken brachen mit eruptiver Gewalt hervor. Weber sprach rasch, ja rapid. Es war nicht leicht, diesem Wortschwall zu folgen. Doch alles formulierte er so genau wie möglich und in strengst ausgearbeiteter systematischer Anordnung. Es gab keine ›Ähs‹ oder ›Hms‹ und keine Wiederholungen, es sei denn, didaktische Überlegungen hätten sie erfordert. Alles wurde mit den richtigen Worten an der richtigen Stelle gesagt. Seine Darbietung war kühl und sachlich, doch spürten wir Studenten hinter diesem Abstand das leidenschaftliche Feuer, das in diesem außergewöhnlichen Mann brannte, und den eisernen Willen, der es beherrschte.«

Im Gegensatz dazu waren die Vorlesungen seines Bruders Alfred leidenschaftlich aggressiv, gewunden, voller Anspielungen und Auslassungen; ihr »leidenschaftliches Feuer« spielte nur an der Oberfläche.

Max Weber sagte selbst, der Persönlichkeitskult sei eine Krankheit seiner Zeit, und er widersetzte sich aufrichtig dem Ruf nach rettenden Wahrheiten, die von hinreißenden Führern kommen sollten – diesem Ruf, der durch die Jünger Nietzsches und Georges begünstigt wurde. Max Weber erklärte, es gäbe nur einen Weg, um sich zur Persönlichkeit zu entwickeln, und

dieser Weg bestehe darin, daß man sich voll und ganz *einer* Sache widme. »Sachlichkeit« hieß sein wesentlicher moralischer Leitgedanke. Er schien stets seine wahre Person verbergen zu wollen, und gerade deshalb wurde er um so mehr zu einer der Persönlichkeiten, die seine Zeit verehrte. Salin schreibt, daß sogar die Mitglieder des George-Kreises, obwohl sie sich Weber entfremdet hatten, die Bedeutung seiner Persönlichkeit anerkannten. Denn »dort war das Höchstmaß des Wunschbildes dieses Zeitalters verwirklicht: Persönlichkeit – Persönlichkeit mit allen Schroffen und Kanten, mit allen Begabungen und Kenntnissen, sogar mit einem edlen Feuer und mit einer ergreifenden Pflichtenstrenge, – aber freudlos und glücklos ...« Sie hatten ihn im Oktober 1913 in Rom kennengelernt, und Salin erinnert sich an diesen »Hünen, der mit großen schweren Schritten über die Ebene ging, den finsteren Blick mehr nach innen als auf das herbstliche Land oder die Wanderer auf seiner Seite gerichtet, – das Gesicht von düsteren Gedanken zerfurcht, – der Bart wie geladen von seelischen Strömen und Stößen«.*
Im Gegensatz zu George war nichts Künstlerisches, nichts Südliches und nichts Romantisches an ihm; alles an ihm schien deutsch oder slawisch. Bei anderer Gelegenheit vergleicht Salin Weber mit Tertullian und bezeichnet ihn als »einen Titan, der sich mit puritanischer Bitterkeit gegen die eigene Natur wendet«. Es war üblich, ihn mit Jeremias oder der ganzen Gruppe von Propheten zu vergleichen.

Was er in seiner Untersuchung ›Das antike Judentum‹** über die Propheten sagt, dürfte den Leser durch seine Anwendbarkeit auf Weber selbst ebenso frappieren, wie es seine Zeitgenossen frappierte. Die Propheten, so erklärt er, seien einsame Menschen gewesen, die nicht der Priesterkaste angehörten, Menschen, die ihre irrationalen, ekstatischen Erleuchtungen einer strengen rationalen Kontrolle unterwarfen. Bevor sie zum Volk sprachen, übersetzten sie ihre psychosomatische, erregende Erfahrung, die eindeutig ein Element sexueller Krankhaftigkeit enthielt, in moralische Lehrsätze. Zum ersten Mal traten sie in Erscheinung, als Salomo das jüdische Königtum zu einer Art Sultanat gemacht hatte; sie forderten die Auflösung des Harems, der aus ausländischen Prinzessinnen bestand, und der damit verbundenen fremden Kälte, die Beseitigung von königli-

---

* Edgar Salin: Um Stefan George, S. 158
** In: Max Weber: Gesammelte Aufsätze zur Religionssoziologie, Bd. III

chen Günstlingen aus Staatsämtern, die Auflösung der stehenden Armee mit ihren Streitwagen und die Verteilung des königlichen Schatzes. Das große Übel, das sie voraussahen, war politischer und kultureller Art – die Verwandlung des jüdischen Staates in einen ägyptisierten Staat der Knechtschaft, in einen liturgischen Staat, der von einer Beamtenschaft beherrscht werden würde. Elias war der erste, der seine Stimme gegen dieses Los erhob.* Der Jehova, den die Propheten feierten, war kein Gott der Erde; der Gott der Fruchtbarkeits- und Wachstumsmythen war Baal, dessen Priester für orgiastische Feste sorgten, bei denen getanzt und Alkohol getrunken wurde, um religiöse Ekstasen zu erzeugen, bei denen rituelle Geschlechtsakte auf der noch ungepflügten Erde stattfanden und heilige Prostitution getrieben wurde. Jehova war ein Gott vom Berge, ein nationaler Gott, ein Gott des Krieges. Die Propheten retteten Israel vor den Königen und vor Baal, und ähnlich versuchte wohl auch Weber, Deutschland vor Wilhelm II. und vor den Fruchtbarkeitsmythen der »Kosmischen Runde« Schwabings zu bewahren. Weber zögerte nicht, darauf hinzuweisen, daß sich Baal in Zeiten des Friedens und des Wohlstands stets großer Macht und Beliebtheit erfreute, während Jehova in Zeiten des Krieges und der nationalen Krisen an Einfluß gewann.

Das genügt, um ihn in unserem Schema als »patriarchalischen« Geist einzuordnen. Allerdings gehörte er dem reformerischen Flügel, dem Heidelberger Flügel der patriarchalischen Partei an. Er identifizierte sich mit dem Bürgertum; die Junker mit ihrem Oberhaupt Bismarck waren sein »Klassenfeind«. Die Krupp-von-Bohlen-Heirat von 1906 verkörperte für Weber alles, was er an der deutschen Politik haßte: Es war die vom Kaiser geförderte Allianz zwischen einer Riesenindustrie und einer Pseudoaristokratie.

Er identifizierte sich mit dem einfachen Volk, das in sexuellen Dingen die traditionelle Moral anerkannte. Und was ihn selbst anging, so hielt er sich an die *bürgerlichen* Tugenden. In diesem Sinne schrieb er an seine Frau, er habe Frieda Groß gesagt, er »würde zwar spezifisch ›erotische‹ Frauen – wie sie ja selbst bemerken müsse – unter Umständen recht gern haben, aber mich selbst niemals an sie innerlich attachieren. Denn ich sei,

---

* Besonders interessant ist, daß, während Otto Groß Elias verabscheute, es gerade Weber war, der sich diesem einsamen Herausforderer des Ahab und diesem Zerstörer von Jesebel verbunden fühlte.

wie sich gezeigt habe, kein geeigneter Freund für solche Frauen, für die in Wahrheit doch nur der erotische Mann Wert habe.«* Offensichtlich meint Weber hier nicht die individuellen erotischen Neigungen, sondern die eigentliche Identität der Anhänger der erotischen Bewegung – er meint genau die Qualitäten, die Frieda Groß' Mann zum erotischen Mann par excellence machten.

1906 erklärte Weber in einem Brief an Otto von Harnack, die Tatsache, »daß unsere Nation die Schule des harten Askezismus niemals, in *keiner* Form, durchgemacht hat, ist ... der Quell alles Desjenigen, was ich an ihr (wie an mir selbst) hassenswert finde«.** Zwar scheint sich dieses Gefühl im Laufe der Jahre geändert zu haben, doch hielt er bis zu seinem Lebensende die einfachen und schlichten Durchschnittstugenden für die besten. Er war und blieb ein Repräsentant dessen, was Otto Groß als das demokratische Prinzip bezeichnet hatte, und er glaubte nur an jene Tugenden, die alle Menschen hier und jetzt verwirklichen können: Die erste moralische Pflicht sei die, daß man jede Situation so betrachte, wie sie wirklich ist, und daß man in dieser unserer desillusionierten Welt lebe, ohne mit einer Welt der Illusion zu liebäugeln. Wolfgang Mommsen meinte, es sei Webers Lebenswerk gewesen, den deutschen Bürger zu seiner wahren Natur zurückzuführen und ihn abzubringen von den aristokratischen Täuschungen, in denen er vom Kaiser gewiegt wurde. Die Deutschen, so sagte Max Weber 1918, sind ein »Diszplinvolk«. Das aber ist der charakteristische Akzent seiner Moral; und wenn diese Moral nicht die Potsdams ist, so ist sie noch viel weniger die Schwabings. Wir wollen sie heidelbergisch-reformistisch nennen.

Ein Vergleich: Lawrence und Weber

Weber und Lawrence wählten einander entgegengesetzte Wissensbereiche, die sie erforschen, und sie wählten einander entgegengesetzte Standpunkte, die sie verwirklichen wollten. Lawrence wählte den Bereich der künstlerischen Imagination und den der persönlichen und zwischenmenschlichen Beziehungen,

---

* Marianne Weber: Max Weber. Ein Lebensbild, S. 499
** W. J. Mommsen: Max Weber und die deutsche Politik, 1890–1920, S. 106

während Weber das unpersönliche Wissenschaftswissen, die politische Tätigkeit und das Gebiet der öffentlichen Fakten wählte – wir meinen die wirtschaftlichen und soziologischen Fakten über Bevölkerungsgruppen und Institutionen. Der Preis, den jeder für seine Entscheidung zu zahlen hatte, ist augenfällig. Lawrence äußert sich häufig schrill und töricht über Tatsachen des öffentlichen Lebens, Weber wirkt oft langweilig und konventionell, wenn es um das Innenleben geht, auch um das eigene. Außerhalb des Bereichs, den sie gewählt haben, ist ihre Vorstellungskraft nicht authentisch. Doch ist das Urteil »nicht authentisch« lediglich ein Urteil kühler Vernunft über zwei kühne Unternehmungen: Lawrence versuchte, »öffentliche Fakten« auf eine Subkategorie des privaten Erlebens zu reduzieren, und Weber versuchte, alles, was privat war, in soziologische Daten umzumünzen. Noch auf ihrem ureigensten Gebiet haftet ihrer Einbildungskraft zugleich etwas Heroisches und Selbstkarikierendes an. Lawrences Darstellung von Privatleben ist schon sehr persönlich und unbedingt im Hinblick auf ihre Gestalten, die gegeneinander oder mit sich selbst kämpfen und denen so gar keine inneren oder äußeren Umstände weiterhelfen. (Etwas wie Zufall gibt es in seinen Romanen nicht.) Und Webers Darstellung des öffentlichen Lebens ist schon sehr öffentlich und unpersönlich, wenn Menschen oder Ereignisse einfach dadurch ersetzt werden, daß man sie legitimiert oder für dominierend erklärt. (Nehmen wir zum Beispiel seine Definition der Freundschaft in seiner ›Theorie der sozialen und ökonomischen Organisation‹: »... daß wir, die Beobachter, beurteilen, ob die Wahrscheinlichkeit bestand oder besteht, daß auf der Grundlage gewisser subjektiver Einstellungen gewisser Individuen im Durchschnittsfall ein gewisser Typus des Handelns resultieren wird.«) Doch gehen solche Exzesse in ihren Werken immer Hand in Hand mit einem seltsamen Realismus, ja sogar mit einer Mäßigung, was immer dann ins Auge sticht, wenn man ihre Schriften mit denen ihrer Gegner vergleicht. Und eben deshalb nennen wir die beiden Männer »groß«: Ihre Exzesse der Interpretation sind stets heroisch, niemals aber dumm.

All diese Unterschiede lassen sich am besten in der Behauptung zusammenfassen, daß Weber den apollinischen und Lawrence den demetrischen Geist verkörperte. Doch um genau zu sein, müßten wir, um zu Apollo ein Gleichgewicht herzustellen, eine andere Göttin als Demeter finden, denn Demeter war die Göttin der gesamten matriarchalischen Lebensweise, während

Apollo der Gott nur eines Teilbereichs des patriarchalischen Modus war – des geistigen Bereichs. So können wir also Lawrence, den Romancier, als demetrische Erscheinung bezeichnen, während wir für Lawrence, den Essayisten und Denker, eine andere Symbolgestalt brauchen. Vielleicht können wir Diotima als Patronin des geistigen Bereichs der matriarchalischen Lebensweise nehmen. Denn schließlich hielt Bachofen die Sage, wonach Sokrates von Diotima gelernt haben soll, insofern für bedeutend, als er aus ihr schloß, daß sie den Primat der matriarchalischen Weisheit offenbarte. Diotima würde also eine unsystematische Denkweise verkörpern, die kaum mit abstrakten Begriffen arbeitet und sich stark auf konkrete oder erfundene Beispiele stützt, auf das intuitive Beurteilen, auf das richtige Gefühl; eine Denkweise, deren wesentliche Werte Fruchtbarkeit, Häuslichkeit, Leben und Liebe heißen; eine Denkweise schließlich, die überaus empfänglich ist für Mysterien und Legenden, kurz, für alles, was an den längst vergangenen Religionen und Kulturen für uns noch wichtig ist. Diese besondere Art, sich des Geistes zu bedienen, ist legitim und eignet sich für Romanautoren im besonderen, für Literaten im allgemeinen, ja sogar für Literaturkritiker; trotzdem unterscheidet sie sich eindeutig von der apollinischen Art, sich des Geistes zu bedienen.

Ein augenfälliges Beispiel für apollinisches Denken ist Webers Verwendung höchst abstrakter Kategorien, doch ist das wesentliche Merkmal, das ihn einwandfrei dem apollinischen Bereich zuordnet, darin zu suchen, daß er auf sehr umfassende Weise ein *rationaler* Mensch war. Max Weber benutzte in seiner Methodologie immer dann den entscheidenden Begriff des »Idealtypus«, wenn es ihm darum ging, anhand eines hypothetischen Falles den soziologischen Kategorien, die er gerade untersuchte, endgültige Gestalt zu geben. Über diesen Begriff schrieb Löwith folgendes: »Das Konstrukt des Idealtypus entspringt einem bestimmten ›entzauberten‹ Individuum, das durch eine objektiv sinnlose und farblose Welt auf sich selbst zurückgeworfen worden ist, und es ist in diesem Umfang gefühlsmäßig ›realistisch‹.« Dieses entzauberte Geschöpf, es war Weber selbst, sah sich eben durch diese Entzauberung gezwungen, für sich selbst Bedeutungen und Werte zu schaffen. Er sah sich gezwungen, »der menschliche Held« zu werden, das freie Individuum, das nichts und niemandem verantwortlich ist als sich selbst. Er war, was Karl Marx als »entfremdet« bezeichnete. Webers »Rationalisierung« ist das Gegengift gegen Marx' »Entfremdung«. In der

Rationalisierung kristallisiert sich alle Freiheit, da sie die metaphysische Realität *aller* Ordnungen und Organisationen des Lebens von heute herausfordert.

Die schärfste Antithese zwischen Weber und Lawrence liegt in der Tatsache, daß für Weber das Handeln als freie Person gleichbedeutend war mit sinn- und zweckvollem Handeln. Er lehnte den Gedanken ab, irrationale Unberechenbarkeit oder Spieltrieb könnten der Ursprung der menschlichen Freiheit sein, obwohl diese Vorstellung unter seinen liberalen Freunden – zum Beispiel bei Troeltsch und Meinecke – beliebt war. Und als er sah, daß die Ausbreitung des Vernunftdenkens in der Welt als Gegenreaktion einen Irrationalismus erzeugte, teilte er dem menschlichen Helden die Aufgabe zu, diese atavistische Neigung zu bekämpfen. Sicher, Weber haßte und liebte die Rationalisierung zugleich, und die einzige Freiheit, die ihm vertraut war, war die Freiheit im Gefängnis der Ratio selbst. Doch solche Ambivalenz – oder zumindest *ein gewisser Grad* an Entfremdung und an »Objektivität« – kennzeichnete immer schon das apollinische Denken. Dieses Denken liebt die reine Wahrheit, geläutert von jeglicher Ichbezogenheit, von jeglicher Parteilichkeit. Löwith hat darauf hingewiesen, daß sich Weber immer als Mitglied eines Bereichs der Gesellschaft – als Wissenschaftler, Lehrer oder Philosoph – und nie als ganzer einheitlicher Mensch darstellte. Dieses Auseinanderhalten von Lebensbereichen beinhaltete Freiheit und ermöglichte vollständige Selbsterkenntnis, denn nur durch diese Trennung wurde reine Objektivität möglich. Doch war Weber gleichzeitig überzeugt, der Mensch müsse sich in jedem dieser Lebensbereiche mit seiner ganzen Person aktiv engagieren, »denn nichts besitzt für einen Mann als Mann irgendeinen Wert, wenn er es nicht mit Leidenschaft tun kann«. Das also ist Webers anstrengende und qualvolle Spielart des apollinischen Denkens.

In völligem Gegensatz dazu steht Lawrences Überzeugung, daß die tiefste Lebensempfindung nie zweckhaft sei, daß sie in den Menschen »von jenseits«, »von hinten« eintrete, daß man immer als ganzer Mensch handeln müsse und daß ein Mensch auf der Höhe seiner selbst »nicht sich selbst gehöre«. Lawrence widersetzte sich leidenschaftlich den Kräften der Vernunft wie der Verantwortung, die das Leben angeblich beherrschen sollen. Er vertraute dem Blut, »dem Wind, der mich durchweht«, der Leidenschaft. Und er versprach, durch diesen Glauben stets als ganzer Mensch zu handeln.

Was er in den Dingen seiner Umgebung suchte, war ihre Bedeutung, aber das war nicht bloß ihre »Bedeutung für mich«, sondern die Bedeutung des Lebens selbst; es war auch etwas, das im nächsten Augenblick oder für den nächsten Menschen nicht vorhanden sein konnte. Das, was der apollinische Geist sucht, ist die »Faktizität« einer Sache – das, was in jedem Fall und für jedermann gegeben ist, das, was und womit man zählen kann. Der apollinische Geist ist im wesentlichen diszipliniert, da er im wesentlichen seiner selbst entfremdet ist; seine moralische Hauptverantwortung liegt darin, daß er den Standpunkt eines jeden anderen berücksichtigen und daß er um ausgleichende Gerechtigkeit bemüht sein soll. Insoweit es überhaupt wert war, sich so zu verhalten, brauchte man – in Lawrences Augen – nicht darüber zu reden; das galt auch für eine ganze Reihe anderer Tugenden, unter ihnen die der Gerechtigkeit. In Webers Patriarchalismus verkörperte sich dagegen die Lebensweise jener, die nicht für Leben und Liebe, sondern für Gesetz und Ordnung Verantwortung tragen, während Lawrences Lebensweise die eines Mannes war, der nie einen Administrator oder Manager abgeben wollte.

Vielleicht sollten wir wiederholen, daß der Patriarchalismus die verschiedensten Arten von Opposition hervorrufen kann und tatsächlich auch hervorgerufen hat und daß der von uns so benannte Matriarchalismus nicht die einzige Gegenreaktion war. Die ganze abendländische Geschichte läßt sich anhand solcher Gegenbewegungen interpretieren. So ist zum Beispiel die imaginative und moralische Welt eines Samuel Richardson antipatriarchalisch; ›Pamela‹ und ›Clarissa‹ verkörpern Proteste gegen die Beherrschung durch Ehemänner und Väter, gegen betörende Adlige und gegen die Tradition der männlichen Initiative auf dem Gebiet der Sexualität. Richardson und seine Leser lehnten sich auf gegen die alten Traditionen der Macht und der Privilegien, die sich selbst rechtfertigten durch Berufung auf den Willen Gottes und auf den Lauf der Natur und durch die Freuden des »Säens und Erntens«, die sie mit sich brachten. Solche Rechtfertigung, so impliziert Richardson, dürfe das Herz des Menschen nicht mehr beherrschen. Alle Männer und Frauen müßten hinfort als moralische Wesen betrachtet werden, als gleich, ja sogar als nicht unterscheidbar, es sei denn, daß feines Empfinden und Richtigkeit des Betragens diese oder jene Person unter ihnen weiter beförderten. Allein das Verdienst sollte einen menschlichen Unterschied ausmachen. Die grobe patriarchalische Antwort auf all diese Vorstellungen war Fieldings Roman ›Tom Jones‹, der von einem deutschen Junker hätte stammen können. In diesem Roman wägt der Autor ein Unrecht gegen das andere ab, und bei den meisten Problemen rät er zu den alten Lösungen; allzu spitzfindige, allzu detaillierte Durchleuchtung moralischer Fragen lehnt er ab; was zählt, ist der allgemeine Eindruck.

Diese Widerstandsbewegung, die sich im England des 18. Jahrhunderts gegen das Patriarchat richtete, war Webers deutschem Reformismus im Sinne des 19. Jahrhunderts nicht unähnlich. Marianne Weber war eine mustergültige Jungfrau, die man mit Clarissa Harlowe vergleichen kann, während sich von Max behaupten ließe, daß er in Deutschland eine Richardsonsche Revolution gegen das Junker-Patriarchat zuwege zu bringen versuchte. Doch Deutschlands Tragödie war es, daß es im 18. Jahrhundert nicht den patriotischen Kapitalismus und Calvinismus erlebt hatte, die das englische Patriarchat veränderten.

Es waren Lawrence und Frieda, die eine wirklich überzeugende Sicht entwickelten, und diese Sicht machten sie zu ihrem Maßstab. So aber riefen sie auf zu einer Rebellion, die eine echte Alternative zum Patriarchat versprach. Für Weber, der für vernünftige Mäßigung eintrat, war das zu viel, und so verfocht er schließlich einen Standpunkt, der lediglich eine reformierte Version der alten Sache war. Einzig und allein Lawrences Doktrin konnte zu einer echten imaginativen Revolution inspirieren. Darin aber lag die Unvereinbarkeit der beiden Charaktere.

Trotzdem stoßen wir auf einige überraschende Zusammenhänge zwischen den entscheidenden Anliegen der beiden Männer. So bildeten zum Beispiel in Webers Ordnung der Dinge Rationalismus und Charisma eine wesentliche Polarität der historischen und sozialen Entwicklung. In seinen Augen war die Geschichte der abendländischen Kultur auf tragische Weise gekennzeichnet von einem unwiderruflichen Prozeß zunehmender Rationalisierung, dem zu entfliehen nur durch Persönlichkeiten möglich war, die Charisma besaßen, ferner durch die historischen Bewegungen, die sie auslösten. Dieser Prozeß der Rationalisierung leitete sich historisch von den Armeen und Klöstern her und manifestierte sich in den Formen des Calvinismus, des Kapitalismus und der Bürokratie. Er setzte sich selbst durch mit Hilfe von Disziplin und Askese, und die Folge war, daß das Individuum depersonalisiert und zu einer Reihe von

Funktionen »versachlicht« wurde. – Obwohl diese Terminologie Lawrence völlig fremd war, waren ihm diese Vorstellungen und vor allem das darin enthaltene Bedeutungsschema wohlvertraut. Unter diesem Gesichtspunkt betrachtet ist der Unterschied zwischen den Weltanschauungen der beiden Männer fast nur in den Anweisungen zum Handeln zu suchen, die sie aus dieser Diagnose herleiteten. Wo Weber erklärt, wir müßten dieses Los auf uns nehmen, müßten auf diesem Rad gebrochen werden, versucht Lawrence ihm zu entfliehen, Disziplin und Askese zu verleugnen, *selbst* ein charismatischer Führer zu werden und einen Mittelpunkt heilenden Glaubens zu schaffen – all das natürlich mit Hilfe der Welt der Frau. Abgesehen von den nicht gelungenen Romanen, in denen er das Führerproblem behandelt, stellt er keine charismatischen *Männer* dar; dagegen sind seine Romane ›Der Regenbogen‹, ›Liebende Frauen‹ und ›Lady Chatterley‹ durchdrungen von der charismatischen Gegenwart Friedas, und hier verknüpft der Autor *Frau* und *Erde, Liebe* und *Leben* zu kraftvollen Äquivalenten.

Es besteht kein Zweifel, daß Frieda das Gegenteil von Disziplin und Askese darstellt, ja sogar das Gegenteil jeglichen Berufsethos, jeglichen Berufes; tatsächlich bedauerte sie die Männer, weil sie ihre Zeit mit Arbeit vergeudeten. Doch sollten wir hier vielleicht darauf hinweisen, daß sich Charisma bei Frauen wahrscheinlich immer vom Charisma bei Männern unterscheidet. In der Welt der Frau äußert es sich in der Schöpfung von Leben – in Fruchtbarkeit, Sinnlichkeit, Heiterkeit und Erneuerung. Das Charisma des *Mutterrechts* wurde nicht nur von Frieda Lawrence, sondern auch von Fanny zu Reventlow verkörpert, deren Vorstellungen von Mutterschaft ohne Ehe sicher zu Friedas Kummer über den Verlust ihrer Kinder und zu Lawrences Ärger über diesen Kummer beitrug. Sie hatte geglaubt, nicht Ernest, sondern sie würde die Kinder bekommen, und sie hatte gehofft, zugleich von allen Männern unabhängig zu sein. In Lawrences Roman ›Die gefiederte Schlange‹ begegnen wir in Kate Leslie diesem *Mutterrecht*-Charisma, das hier in Konflikt gerät mit dem *Vaterrecht*-Charisma Don Ramons, eines Führers der Art, die Weber vorschwebte, wenn er über Charisma sprach. Don Ramons fügsame Frau Teresa, die den Gegensatz zu Kate bildet, ist die vollkommene Frau für einen charismatischen Mann, denn sie nährt sein Feuer. Lawrence zieht Ramon und Teresa anscheinend Kate und ihrem Mann Joachim vor, denn Joachim entzieht sich diesem Feuer, ihm steht die patriarchalische Art der Führung und der Liebe näher als ihr matriarchalisches Pendant. Trotzdem kann er sich nicht klar entschließen, und so endet der Roman zwiespältig. ›Lady Chatterley‹ aber kündet seine Rückkehr in die Welt der Frau an.

Allerdings gibt es zwischen Lawrences und Webers Theorien eine *diagnostische* Konvergenz, die aus folgendem Passus seiner Schrift ›Die protestantische Ethik und der Geist des Kapitalismus‹ hervorgeht: »Die christliche Askese, anfangs aus der Welt in die Einsamkeit flüchtend, hatte bereits aus dem Kloster heraus, indem sie der Welt entsagte, die Welt kirchlich beherrscht. Aber dabei hatte sie im ganzen dem weltlichen Alltagsleben seinen natürlich unbefangenen Charakter gelassen. Jetzt trat sie auf den Markt des Lebens, schlug die Türe des Klosters hinter sich zu und unternahm es, gerade das weltliche Alltagsleben mit ihrer Methodik zu durchtränken, es zu einem rationalen Leben in der Welt und doch nicht von dieser Welt oder für diese Welt umzugestalten«.*

Lawrence und Frieda suchten auf der ganzen Welt nach Lebensformen, die durch diesen von Weber beschriebenen Zwang noch nicht verdorben worden waren, und Frieda schien über diesen Zwang bewußt zu triumphieren, wenn sie rauchend auf dem Bett lag, während Lawrence und Brett in Neumexiko die Steine auf dem Weg zur Ranch forträumten. Auch Otto Groß konnte den ganzen Tag lang im Bett liegen, wenn ihm danach war, und genau das ist es, wozu Will Brangwen unfähig ist und worum er Anna beneidet. Doch auch Lawrence litt unter dem Zwang zu arbeiten, zu produzieren, etwas zu leisten, ja sich selbst zu überbieten.

Daß sich Lawrence und Weber in vieler Hinsicht auf demselben Weg befanden, belegt die folgende Stelle, die zwar von Weber stammt, von der man jedoch jederzeit annehmen könnte, Lawrence habe sie verfaßt:

»Eine leblose Maschine ist geronnener Geist. Nur daß sie dies ist, gibt ihr die Macht, die Menschen in ihren Dienst zu zwingen und den Alltag ihres Arbeitslebens so beherrschend zu bestimmen, wie es tatsächlich in der Fabrik der Fall ist. Geronnener Geist ist auch jene lebende Maschine, welche die bureaukratische Organisation mit ihrer Spezialisierung der geschulten Facharbeit, ihrer Abgrenzung der Kompetenzen, ihren Reglements und hierarchisch abgestuften Gehorsamsverhältnissen

---

* In: Max Weber: Gesammelte Aufsätze zur Religionssoziologie, S. 163

darstellt. Im Verein mit der toten Maschine ist sie an der Arbeit, das Gehäuse jener Hörigkeit der Zukunft herzustellen, in welche vielleicht dereinst die Menschen sich, wie die Fellachen im altägyptischen Staat, ohnmächtig zu fügen gezwungen sein werden ...«*

Weber wie Lawrence lokalisierten die wesentliche historische Manifestation der bürokratischen, mechanistischen Rationalisierung im angelsächsischen Puritanismus. Vermutlich aus diesem Grunde faszinierte beide die Kultur des weißen Amerika. Es ist interessant zu entdecken, daß Benjamin Franklin in Webers ›Protestantischer Ethik‹ ähnlich beurteilt wird wie in Lawrences ›Studien zur klassischen amerikanischen Literatur‹. Beide Männer machten wichtige Reisen nach Amerika und schrieben lebendige Reiseberichte; und es ist typisch, daß sich Weber dabei auf die Städte und Lawrence mehr auf einsame Landschaften konzentrierte. Ein zweites, für beide Männer sehr bedeutungsvolles Land war Rußland: Beide lernten Russisch und beide planten, auch dieses Land zu bereisen – Weber 1911 und Lawrence nach der Oktoberrevolution von 1917. Für Weber wie für Lawrence war Rußland das Land von Tolstoj und Dostojewskij, von Rozanov, Šestov und Solov'ëv. Weber beabsichtigte, ein Buch über Tolstoj zu schreiben. Für ihn wie für Lawrence verkörperte Tolstoj die Herausforderung durch den Weltverzicht, eine Herausforderung, die in diesem Fall um so stärker war, als sie vom Verfasser der ›Anna Karenina‹ kam. Wie später Gandhi, so stellte auch Tolstoj eine Herausforderung dar, die für die patriarchalische Lebens- und Denkweise fast ebenso stark war wie für die matriarchalische.

Aber nicht nur Amerika und Rußland, sondern auch Italien rezipierten die beiden Männer ganz ähnlich; für beide war Italien das Land der Schönheit, das Land einstiger kultureller Blüte, das Land prärationaler Kultur. Frankreich sagte den beiden im großen und ganzen nichts, und England bedeutete für Weber ebensoviel wie Deutschland für Lawrence – ein bekanntes Ganzes, von dem man viel gelernt hatte und von dem nun wenig Neues zu erwarten war.

Auch ihr geographisches Weltbild ähnelte sich, denn beide kehrten, auf der Suche nach sinnvollen Alternativen, Europa den Rücken und wandten sich der außereuropäischen Welt zu. Doch während sich Lawrence – und das war typisch für ihn –

* Max Weber: Gesammelte politische Schriften, S. 151

den Indianern Neumexikos zuwandte, wo einige Stämme eine matriarchalische Kultur im strengen Sinne aufwiesen, oder auch den untergegangenen Etruskern, prähistorischen oder *Naturvölkern* also, wandte sich Weber den großen *Kulturvölkern* Chinas, Indiens und natürlich auch den alten Juden zu. Beide versuchten dem Abendland neue Impulse zu geben, indem sie sich eingehend mit Alternativen zu seiner Zivilisation auseinandersetzten. Doch während Lawrences Auseinandersetzung stets – zumindest für einige wenige – die Hoffnung auf eine Flucht versprach, wog Weber Vorteile und Nachteile gegeneinander ab und versprach nichts.

Wir glauben sagen zu können, daß die beiden Männer in derselben Geisteswelt lebten, in derselben Ideenlandschaft, obwohl sich ihr Tun und Handeln, das sie aus dieser Umgebung schöpften, stark unterschied. Auch ihre Empfindungen und Interessen angesichts dieser Geisteswelt waren unterschiedlich. Doch wenn man von diesen Unterschieden einmal absieht, so scheint Weber und Lawrence eine geistige Perspektive gemeinsam gewesen zu sein, und diese Gemeinsamkeit war sicher stärker als die mit einer Virginia Woolf oder einem T. S. Eliot.

In bezug auf ihre Gefühlswelten, zumindest in den Momenten ihrer wirklich großen Leistungen, besteht ihr entscheidender Unterschied darin, daß Weber und Webers Welt tragisch geartet waren, während die Welt von Lawrence, zumindest ihrer Intention nach, das Gegenteil wollte. Weber bestand darauf, daß für die Leistungen des Abendlandes ein unerträglich hoher und unvermeidlicher Preis gezahlt werden müsse. Das war die Botschaft, die sich hinter seiner Persönlichkeit verbarg und sich in seinem Werk offenbarte. Für Lawrence waren Tragödie wie Errettung sich selbsttätig dramatisierende Ideen – »jeder Mann sein eigener Hamlet«, wie er gern sagte –, und der Stolz, der ihn im Hinblick auf seine eigene Entwicklung erfüllte, bestand vor allem darin, daß er diese Dinge transzendiert hatte. Es gab vieles in seinem persönlichen Schicksal und in seinem Weltbild, das die Möglichkeit des Tragischen in sich barg, doch Lawrence weigerte sich, diese Möglichkeiten zu verkörpern. Er war wütend, wenn ihn die Bauern in Mexiko »Il Criste« nannten; »der Fuchs« wäre ihm lieber gewesen. Tatsächlich gibt es in seiner Lebensgeschichte kaum tragische Ereignisse, was einem besonders auffällt, wenn man sie zum Beispiel mit der Shelleys vergleicht, in der man dem ständigen Melodrama der Selbstmorde, der hoffnungslosen Liebe, der Gewalttätigkeit, der Gefangenschaft und der Flucht begegnet. Sogar ein Vergleich mit Bertrand Russells Leben erhärtet diesen Punkt.

Diese untragische Erfüllung verdankte er Frieda, die es – wie er in ›Känguruh‹ sagt – nicht »zuließ«, daß Leute mit ihr stritten. Und genausowenig ließ sie es zu, daß sie sich selbst zu ernst nahmen. In Friedas Welt gab es immer auch ein Morgen; nichts schien in ihr endgültig, alles war Wiederkehr und Erneuerung. Die Tragödie war der Lebens- und Denkweise der Männerwelt angemessen, dieser Welt mit ihrer linear voranschreitenden, moralistischen Geschichte. Lawrences Welt war – das hatte er Frieda zu verdanken – die zyklische Welt der Komödie, denn die Komödie ist die Lebensform der Frau, und Lawrence war einer der ernsthaftesten Komödianten.

Eines der wichtigsten Prinzipien, das Lawrence und Weber gemeinsam war, als sie den Höhepunkt ihrer Macht erreichten, war ihr Polytheismus der Werte. Mehr noch als der einfache Polytheismus zog dieser komplexe Polytheismus der Werte die Bereitschaft nach sich, sich dem wechselseitigen Antagonismus und der Unvereinbarkeit von entscheidenden Werten zu stellen. Weber verglich die heutige Situation mit der des alten Heidentums, die verwirrend viele Glaubensüberzeugungen kannte: »Die vielen alten Götter, enttäuscht, und zwar in der Form unpersönlicher Kräfte, entsteigen ihren Gräbern, streben nach Macht über unser Leben und beginnen unter uns von neuem ihren ewigen Kampf.« Doch er nimmt diese Situation tragisch: »Und schließlich geht es immer und überall nicht um die Frage nach Alternativen zwischen verschiedenen Werten, sondern um einen unversöhnlichen Kampf bis zum Tode wie zwischen ›Gott‹ und dem ›Teufel‹.« Lawrence für seinen Teil erklärte fröhlich, er könnte »am einen Tag der sanftesten Christlichen Brüderschaft angehören, um am nächsten Tag mit einem rohen Stück Beefsteak unterm Sattel hinter Attila einherzureiten und den roten Hahn über der ganzen Christenheit zu erleben«. Ein derartiger Polytheismus fügt sich in die Welt der Frau ohne weiteres ein.

Doch in der Welt des Mannes, in der Welt der Politik, war Lawrence – wenn er einen seiner seltenen Vorstöße auf diesem Gebiet unternahm – im selben Maße der Vasall Webers, wie Weber auf dem Gebiet des Eros der Vasall Lawrences war. Wenn sich Lawrence also auf dem Terrain Webers bewegte, kämpfte er zwar für denselben König, doch verlief dieser Kampf weniger heftig und authentisch. Lawrence glaubte ebensowenig wie Weber an die Durchführbarkeit der idealen Demokratie oder an das Ideal der durchführbaren Demokratie. Am liebsten wäre ihm eine Demokratie gewesen, die sich an jene Definition hielt, welche Weber nach dem Krieg General Ludendorff gegenüber äußerte: »In der Demokratie wählt das Volk seinen Führer, dem es vertraut. Dann sagt der Gewählte: ›Nun haltet den Mund und pariert.‹ Volk und Parteien dürfen ihm nicht hineinreden.«* Sogar Ludendorff liebte eine solchermaßen definierte Demokratie, doch verweist der Kontext dieser Bemerkung einerseits auf den grundlegenden Unterschied zwischen Ludendorff und Weber und andererseits auf die ebenso grundlegende Ähnlichkeit zwischen Weber und Lawrence. Denn Weber tat seinen Ausspruch, als er versuchte, Ludendorff zu bewegen, die Kriegsschuld auf sich zu nehmen und sich den Alliierten als Opfer und Sündenbock der ganzen Nation anzubieten – eine Vorstellung, die der General nicht so recht begreifen konnte. Die Führerschaft, die bis hin zum Heroismus moralisch verantwortlich war und trotzdem Führerschaft blieb, das war das wesentliche Merkmal der Demokratie, an die Weber und Lawrence glaubten.

Folglich war beiden die Abneigung gegen die Banalitäten und Halbwahrheiten des Liberalismus gemeinsam. Ihre Einstellung zum üblichen »fortschrittlichen« Denken bei solchen Themen war ähnlich. Die »Kathedersozialisten« oder akademischen Sozialisten waren für Weber das, was die *Fabian Socialists* für Lawrence waren – einst geachtet und dann nur mehr mit Widerwillen betrachtet. Beide Männer gelangten zu der Überzeugung, daß diese beiden aus älteren Zeitgenossen bestehenden Gruppen selbstgerechte und oberflächliche Lösungen anboten, die intellektuell wie moralisch schäbig waren, wenig überzeugende rationale Antworten auf tragisch-irrationale Probleme.

Nicht Gerechtigkeit, sondern Macht war in ihren Augen das Hauptmotiv jeglicher Politik. In seiner Freiburger Antrittsvorlesung von 1895 verkündete er, nur eine weltweite Aufgabe könne Deutschland zu moralischer Größe verhelfen und seine moralischen Kräfte wecken, um die Aufgaben der Innen- wie der Außenpolitik anzupacken. Er betrachtete die Weltlage stets als einen Kampf zwischen Nationen, der dem Kampf zwischen einzelnen Personen insofern ähnelte, als die Auswirkungen für die Beteiligten dieselben waren. »Kampf« war für Weber eine

* Marianne Weber: Max Weber. Ein Lebensbild, S. 665

Leitidee. Er unterschrieb zwar nicht Bismarcks Realpolitik, doch bedeutete ihm eine Idealpolitik noch viel weniger. Vor die Wahl gestellt zwischen der »Ethik der Verantwortung« und der »Ethik des Gewissens«, wählte er die erste; *Kultur* und *Macht* waren für ihn antithetische Kategorien, wobei er die zweite Kategorie als primär für das nationale Leben anerkannte. So erklärte er zum Beispiel, Belgien und die Schweiz wären keine echten Nationen, weil sie auf die Macht verzichtet hätten.

Eine Passage aus Lawrences posthum erschienenen ›Movements in European History‹ (›Entwicklungen in der europäischen Geschichte‹) soll die Ähnlichkeit zwischen seinem und Webers Standpunkt veranschaulichen:

»Doch wenn sich die Menschen auf ihrem Weg vorankämpfen müssen, müssen sie einen Führer haben, dem sie alle gehorchen ... Europa geht heute wieder der Einheit entgegen wie einst in den Zeiten der Römer – ein riesiger Staat wird beherrscht von einer unendlichen Anzahl von Leuten – von den Erzeugern, dem Proletariat, den Arbeitern ... Deutschland und Rußland fallen von einem Extrem in das andere, von der absoluten Monarchie, wie sie Großbritannien nie gekannt hat, auf der Stelle in das andere Regierungsextrem, nämlich in die Herrschaft durch die Massen des Proletariats, und all das befremdlicherweise ohne echtes Ziel: die Massen der Arbeiterklasse, die sich selbst regieren, ohne zu wissen wieso, außer daß sie jegliche Autorität zerstören und alle den gleichen Wohlstand genießen möchten ... Daher wird ein großes vereinigtes Europa, bestehend aus gleichgestellten, produktiven Arbeitern, niemals fähig sein, fortzubestehen und festzubleiben, wenn es sich nicht um eine große erwählte Gestalt zusammenschließt, um einen Helden, der genauso fähig ist, einen großen Krieg zu führen, wie für einen breiten Frieden zu sorgen. Es hängt alles vom Willen des Volkes ab. Doch der Wille des Volkes muß sich auf eine Gestalt konzentrieren, die auch über dem Willen des Volkes steht. Diese Gestalt muß gewählt werden, doch ist sie gleichzeitig Gott allein verantwortlich. Hier liegt ein Problem, dessen Lösung eine stürmische Zukunft wird entwickeln müssen.«

Der Stil ist Reader's Digest, Populärwissenschaft, doch die Ideen sind die gleichen, die Max Weber vertrat.

Lawrence und Weber waren theoretisch bereit, den Preis für moralische Fahrlässigkeit und Rücksichtslosigkeit, ja sogar für Brutalität zu bezahlen, wenn sie dafür eine kräftige, vitale Führung bekämen. In diesem Punkt stimmten beide mit Carlyle überein. Daher ist es erstaunlich, daß beide das Betragen des Kaisers im Krieg erzürnte. »Ich würde den Trottel persönlich bei der Gurgel packen und ihn erwürgen, wenn sie mich nur an ihn heranließen«, tobte Weber, und Lawrence erklärte, wie Ernest Jones berichtet: »Dieser posierende Affe mit seinem geflügelten Helm erzählt den Leuten andauernd, was für ein feiner Kerl er ist und was für feine Kerle sie sind. Ein echter Führer würde weder von sich noch von seinen Gefolgsleuten sprechen; er würde lediglich befehlen: ›Da ist der Feind, schlagt zu.‹« Obwohl sie nach Führerschaft riefen, versetzte sie beide die Führungsrolle des Kaisers in Zorn. Dabei drängt sich einem der Verdacht auf, daß *ihr* Held, hätte es je einen Helden gegeben, der *sie* zu führen versucht hätte, auf den empörten Widerstand beider gestoßen wäre.

Webers politische Anschauungen, so widersprüchlich sie auch sein mögen, sind voller Verständnis, Reflexion und Leidenschaft; sie besitzen Autorität. Dasselbe kann man von Lawrence nicht behaupten, der sich immer nur dann weit auf dieses Gebiet vorwagte, wenn er gegen die Welt der Frau rebellierte. Lawrence hatte »keine Ahnung« von Politik, da er tiefliegende Widerstände gegen solches Wissen in sich trug. Weber dagegen atmete sein ganzes Leben lang die Luft der Politik, ganz gleich, ob lokaler, nationaler oder internationaler Art. Er kannte die Prinzipien und die Praxis genau und objektiv. Auch er hatte eine Antipathie gegen die Möglichkeit, tatsächlich zum politischen Führer zu werden, und das war wohl auch der Grund, daß sich seine beruflichen Chancen auf diesem Weg nie verwirklichten. Allerdings trat diese Antipathie zu einem Zeitpunkt auf, zu dem Weber als politische Führernatur bereits wesentlich mehr geleistet hatte, als Lawrence je leisten würde.

Äquivalenzen

Da Weber nie etwas über Max Weber schrieb, wäre es interessant, darüber zu spekulieren, wen man unter seinen Geistesverwandten am ehesten als eine Art Äquivalent für Weber nehmen könnte. Wer einem dabei am ehesten einfällt, ist Bertrand Russell. Russell zeichnete sich im selben Maße wie Weber durch sein soziales Verantwortungsgefühl und seine überragende Intelligenz und Klugheit aus; hinzu kam noch beider Reichtum an akademischer Begabung, die sich mit der Entschlossenheit verband, über das Akademische hinauszugehen. Weber und Russell wurden wesentlich näher an den Quellen der öffentlichen Macht geboren als Lawrence, und ihre Interessen, die bei beiden ein breites Spektrum bildeten, galten vor allem der öffentlichen Politik und der philosophischen Theorie.

»Noch nie bin ich so aufrichtig und so wenig vom Zögern beunruhigt bei einer Sache gewesen, wie es die pazifistische Arbeit war, die ich während des Krieges tat. Zum ersten Mal fand ich eine Aufgabe, die meine ganze Natur einbezog. Meine frühere abstrakte Arbeit hatte meine menschlichen Instinkte unbefriedigt gelassen, doch durch politische Reden und politisches Schreiben, vor allem über den Freihandel und über das Frauenstimmrecht, hatte ich ihnen hin und wieder ein Ventil geöffnet. Die aristokratische politische Tradition des 18. und 19. Jahrhunderts, die ich in meiner Kindheit aufgenommen hatte, gab mir das Gefühl einer instinktiven Verantwortung in bezug auf öffentliche Angelegenheiten.« Diese Gedanken hätten durchaus von Weber stammen können, und die Tatsache, daß Russell Pazifist und Weber Militarist war, hätte für Lawrence keinen wesentlichen Unterschied gemacht. Die persönliche Befriedigung, die beide indirekt durch die Krise des Krieges erlebten und die Art, wie sich beide dadurch zum Handeln aufgerufen fühlten, wäre für ihn wahrscheinlich wichtiger gewesen. Der Unterschied zwischen ihnen war unleugbar, unleugbar aber war auch die Tatsache, daß für beide der Krieg eine Gelegenheit bot, sich der Welt der Männer zu verschreiben.

Der strenge Maßstab, der Lawrence veranlaßte, Russell zu verurteilen, wäre bei Weber wahrscheinlich ähnlich ausgefallen. Vermutlich hätte er das gleiche zu Weber gesagt, was er auch zu Russell sagte: »Ich glaube an Ihre inhärente Fähigkeit, die Wahrheit zu erkennen. Aber ich glaube nicht an Ihren Willen, keine Sekunde lang. Ihr Wille ist falsch und grausam. Sie sind zu sehr auf teuflische Unterdrückung aus, um etwas anderes zu sein als lüstern und grausam.« Gemessen an dem heroischen Verhalten, das in jenen Jahren Russell wie Weber bewiesen, wirkt Lawrences Verhalten ziemlich armselig, was vermutlich darauf zurückzuführen ist, daß die Kriterien der Ehrlichkeit für die beiden Lebens- und Denkweisen unterschiedlich sind. Russell wurde massiv angegriffen und bekam sechs Monate Gefängnis, weil er pazifistische Ideen propagiert hatte, während Webers Artikel, die den Kaiser kritisierten, nicht zur Veröffentlichung freigegeben wurden, und Weber selbst wurde in seinen Vorlesungen ausgepfiffen und ausgezischt. Lawrence dagegen engagierte sich öffentlich überhaupt nicht, obwohl er sich am meisten über die Unterdrückung beklagte. Legte man den Maßstab der Männerwelt an, so waren Russell und Weber Helden, während Lawrence nur Verachtung verdiente. Legte man jedoch den Maßstab der Welt der Frau an, so waren Russell und Weber nichts als zwei hohle Ritterrüstungen, die in heroischen Posen durch die Gegend klirrten und rasselten, während Lawrence der große Verkünder der Wahrheit war, der es ablehnte, sich auf falsches Heldentum einzulassen.

Wenn wir uns nach einem Äquivalent für Weber umsehen, dessen Werk Lawrence von seinem Glauben und Handeln her als andersartig beurteilte, so stoßen wir auf Thomas Mann, der des öfteren für die Literatur das bedeutete, was Weber für die Soziologie darstellte. Thomas Mann war jener andere große ironische Deutsche dieser Epoche, der sich durch dieselbe beeindruckende Gelehrsamkeit wie Weber auszeichnete und durch dieselbe Neigung, ausgefeilte und abstrakte Strukturen zu entwickeln. Das Gegenteil von »naiv« im Schillerschen Sinne, behandelten beide das Leben mittels entfremdender Begriffsmechanismen. Im Gegensatz zu den meisten Intellektuellen und Künstlern ihrer Zeit gehörten beide der Mittelschicht an und waren beide konservativ, indem sie an den alten Traditionen deutscher Kultur festhielten. In seinem Essay über den ›Tod in Venedig‹, anscheinend die erste Publikation über Mann in Englisch, sympathisiert Lawrence weder mit dem Autor noch mit seinem Werk, obwohl er beiden seinen Respekt nicht versagt: »Thomas Mann kommt mir vor wie der letzte jener, die an der Flaubertschen Krankheit leiden, an der Krankheit, das Leben wie die Pest zu meiden.« Er findet Manns übertriebene Bewußtheit und künstlerische Gewissenhaftigkeit unergiebig, und er mag es nicht, daß sich dessen Buch andauernd mit dem Tod beschäftigt. Manns Arbeit sei »banal und schal«, und sein Formalismus, der die Form über das Leben stellte, sei, so meint Lawrence, bereits überholt und veraltet. Der Geist der Zeit, das spürte Lawrence bereits, war mit ihm und nicht mit Thomas Mann: »Doch Thomas Mann ist alt – und wir sind jung. Deutschland kommt mir nicht sehr jung vor.« Mit dieser Erklärung schließt der 1913 entstandene Essay, und das »Wir« darin dürfte Frieda einschließen. Lawrence lehnt Mann ab im Namen seiner und Friedas Sache, im Namen ihrer großen Mission einer

Erneuerung des Lebens. Ganz ähnlich hätte er wohl auch auf Max Webers ›Wissenschaft als Beruf‹ reagiert.

Weber und Lawrence lernten einander nie kennen, und jeder von ihnen wußte zu wenig über den anderen, als daß es hier zu einer Beeinflussung hätte kommen können. In Webers Fall überrascht das überhaupt nicht. Ohne Zweifel las er nie eine Zeile von Lawrence, der für ihn nur jener Schriftsteller war, welcher mit Elses Schwester durchgebrannt war. In Lawrences Fall, der Weber um zehn Jahre überlebte und über dessen beeindruckende Persönlichkeit jener sicher eine ganze Menge von Frieda erfuhr, mutet dieses Vakuum noch seltsamer an. Frieda war darauf spezialisiert, sich von beeindruckenden Männern beeindrucken zu lassen, und jeder Mann, in den Else verliebt war, mußte ihr starkes Interesse wecken. Doch erinnern wir uns daran, daß Lawrence – was noch viel seltsamer scheint – auch Otto Groß so gut wie gar nicht erwähnt. Der Hauptmechanismus, der diesem Verschweigen zugrunde liegt, ist übrigens gar nicht so seltsam. Wir haben es hier mit dem künstlerischen Bewußtsein zu tun. Lawrence wußte genau, welche Themen er erfolgreich behandeln konnte und welche sein Feingefühl verletzen und seinen Geschmack verderben würden. Es sticht sofort ins Auge, wenn sein Werk in dieser Hinsicht Mängel aufweist, und es weist selten solche Mängel auf. Er besaß ein ausgeprägtes künstlerisches Bewußtsein, auch wenn er nicht oft darüber redete. Solche Gespräche gehörten zu sehr in die »Welt des Geistes«.

Daher glaube ich nicht, daß irgend etwas, das er schrieb, *von* Max Weber handelt. Doch gibt es in seinem Werk ein oder zwei Porträts von Männern der Macht, die in diesem Zusammenhang sehr aufschlußreich sind und indirekt auf Weber verweisen. Dem Prometheus-Typus begegnen wir in seinem Werk ›Der Regenbogen‹ in Alfred Brangwen, Toms ältestem Bruder, einem Mann, der von tief innen her gegen sein Schicksal aufbegehrt. Dieses Schicksal besteht darin, daß er auf Millimeterpapier mit unglaublicher Genauigkeit Spitzenmuster zeichnen muß, obwohl er seiner Veranlagung nach frei zeichnen möchte. Die Folge ist, daß er sich anderen und sich selbst gegenüber grausam verhält. Seine Heirat war ein Fehler, und in späteren Jahren hat er eine Freundin, eine intellektuelle und emanzipierte Frau, die sein Denken schätzt. Tom Brangwen bewundert seinen Bruder und besagte Frau, obwohl sie für seinen Geschmack zu kalt ist. Überaus wichtig ist jedoch Toms Gefühl, daß sein Bruder mehr *Mann* ist als er in seiner saturnischen Einsamkeit, eben weil Tom zu Lydia, weil er in die Ehe und weil er in die Welt des Lebens selbst gehört.

Bei dem zweiten Porträt handelt es sich um den Herrn Regierungsrat der ›Hauptmannspuppe‹, den Hannele fast heiratet. Diese massive, sardonische und erschreckende Persönlichkeit, die zwar nicht anziehend, aber beeindruckend ist, kommt einem vor wie ein echter Kleinstadt-Bismarck. Dieser Regierungsrat, ein Intellektueller wie Alfred Brangwen, ist eine äußerlich korpulente, innerlich tragische Erscheinung und übt auf Hannele dieselbe schreckliche Faszination aus, mit der Max Weber manche Frauen fesselte. Doch verweisen uns diese besonderen Schlaglichter lediglich auf eine allgemeine – und flüchtige – Ähnlichkeit. Der Regierungsrat ist mit »Känguruh« verwandt, dem charismatischsten unter Lawrences politischen Führern, und auch dieses Porträt läßt Vermutungen darüber zu, wie sich Lawrence über Weber geäußert hätte.

Eine letzte Gestalt, die von Weber selbst am weitesten entfernt ist, aber einen Eindruck von Lawrences Haltung gegenüber Männern der Macht vermittelt, ist jener Dr. Mitchell aus ›The Lost Girl‹ (›Das verlorene Mädchen‹). Die Demütigung, die Dr. Mitchell durch Alvina erfährt, ist eine komische Version des Sieges, den Frauen über »dominierende« Männer davontragen. Hätte Lawrence Weber tatsächlich kennengelernt, hätte er sicher mit scharfem Auge die schwachen Seiten seines Selbstschutzes, die unechten Züge seiner Macht und Leidenschaft und das Selbstbewußtsein entdeckt, mit dem er bei anderen Ehrfurcht und Bewunderung zu wecken versucht – die Hohlheit des persönlichen Lebens hinter der großartigen Fassade wäre ihm nicht entgangen. Und Frieda machte ohne Zweifel ähnliche Entdeckungen.

In dem einzigen Fall, in dem Lawrence die Themen von Webers Leben im breiten Kontext eines Romans behandelte, ist es höchst unwahrscheinlich, daß er dabei speziell an Weber dachte. Ich meine Gerald Crich aus den ›Liebenden Frauen‹. Viele Eigenschaften dieses Mannes sind darauf zurückzuführen, daß Lawrence ihm die Rolle des »anderen Mannes « – nämlich blond, rundlich und begehrenswert – zuwies, eine Vorstellung, die mit der Vorstellung, welche man sich von Weber macht, völlig unvereinbar ist. Doch *für uns* evozieren einige Aspekte Geralds die Person Webers auf imaginative Weise. Am wichtigsten sind die verschiedenen Rollen, denen wir im Familienleben der Crichs begegnen. Hier behandelte Lawrence endlich einmal das Leben der oberen Mittelschicht, der auch die Webers angehörten. Als Vorwurf dient ihm eine Familie, die mit Hilfe der Industrialisierung ein Vermögen gemacht hat und für die nun alle Formen der Macht unserer Zivilisation in greifbare Nähe gerückt sind. Mr. Crich verkörpert den christlichen Industriellen, dessen moralisches Leben den Versuch darstellt, den Erfolg, mit dem er zu Luxus und Macht gelangte, »wiedergutzumachen«. Mrs. Crich dagegen stellt den entgegengesetzten, unterdrückten Impuls dar, der sich in Stolz und Leidenschaft selbst bestätigen möchte. Gewiß waren die Rollen in Webers Familie anders verteilt, denn Webers Mutter war frömmlerisch, während ihr Mann entschlossen war, alle Freuden, mit denen seine Bemühungen belohnt wurden, auch zu genießen. Doch die Themen sind dieselben. Und auch die Konflikte und ihre negativen Auswirkungen auf die Kinder sind dieselben.

Beide sind »unglückliche« Familien. Gerald Crich erschoß als Kind seinen Bruder. Diana ertrinkt und reißt ihren Verlobten mit in die Tiefe, und Winifred ist »sonderbar«. Auch das Webersche Familienleben war sehr disharmonisch. Lilli beging Selbstmord, Alfred und Karl heirateten nie, und alle Söhne verhielten sich als Jugendliche gegenüber ihrer vorbildhaften Mutter feindselig. Ganz besonders destruktiv aber war das Verhältnis zwischen Max und Alfred.

Doch was noch mehr ist: Geralds Situation als ältester Sohn – symbolisch gesehen als Stammhalter der ganzen Kultur –, ähnelt stark der Situation Max Webers, denn auch Gerald ist vielfältig begabt und besitzt nur eines nicht: den Glauben an das Leben. In ihm ist die Welt des Mannes Fleisch und Blut geworden. Es ist Geralds Unvermögen, an die erotische Ehe zu glauben, das ihn zu seiner Liebesaffäre mit Gudrun treibt und somit – indirekt – in den Tod. Der große Wendepunkt seines Lebens ereignet sich während der Wasserparty, als er zum Handeln, zum Befehlen und zur Effektivität aufgerufen wird, als er in die Welt des Mannes und in die Welt des Todes zurückgerufen wird, und das genau in dem Augenblick, da er zum ersten Mal in seinem Leben beginnt, sich zu entspannen, zu schlafen, zu lieben und zu gesunden. Diese Szene, ich bin mir dessen sicher, weist einen symbolischen Bezug zu den Auswirkungen des Kriegsausbruchs 1914 auf die gesamte Kultur auf; und dieser Kriegsausbruch war es, der Lawrences Hoffnungen auf eine neue Welt, die aus der Erschlaffung der alten hervorgehen sollte, vollständig zerschlug. Auch Weber liefert ein lebendiges Beispiel für dasselbe Phänomen. Nach siebzehn Jahren psychischer Beschwerden gab ihm der Krieg sein volles Leistungsvermögen zurück. Er zog die Uniform an und übernahm die Verantwortung für neun Krankenhäuser in der Umgebung von Heidelberg; zwölf glückliche Stunden am Tag organisierte und arbeitete und schlug er sich mit Leuten und Problemen herum. »Der Löwe hat Blut gerochen und den Sprung ins Leben zurückgetan«, meinte sein Kollege Carl Neumann. Wie Gerald übernahm er Befehlsgewalt in der Welt der Männer, in der Welt des Todes, gerade im Augenblick der Krise.

Geralds Tod im blendenden Schnee und im eisigen Wind der Alpen, dieses Symbol für die äußerste Abstraktion, zu der der abendländische Geist neigt, paßt noch besser zu Max Weber als das Bild von Gerald Crich, dem Industriellen. »Es war die reine organische Auflösung und die reine mechanische Organisation. Das ist der höchste und hervorragendste Zustand des Chaos«, sagt Lawrence über Gerald und das Bergwerk. Ähnlich äußerten sich Klages und Erich von Kahler über Weber und seine Soziologie, ja diese Haltung kam sogar in den Nachrufen von 1920 zum Ausdruck. Und Ernst Correll schrieb in ›Die Hochschule‹, daß Webers Anhäufung von Fachwissen die Frage aufwarf: »Wozu das alles?« Niemand konnte das alles je nutzen. Weber war der letzte seiner Art, der letzte der überragenden Fachleute abendländischer Wissenschaft. Correll meint dazu: »In diesem Sinne möchte ich – in aller Achtung – sagen, daß der größte Repräsentant des Wissens in unserer Zeit das Wissen zu einem Gipfel, ja zu einem Grat hinaufgeführt hat, von dem es wieder herunterkommen muß.«

Diese Spezialisierung und Ernüchterung des Wissens konnte so destruktiv sein, daß sie in einem Fall tatsächlich zum Selbstmord führten. Walter Theodor Cleve berichtet, Webers »Rationalismus« habe einige Opfer gefordert: »Alfred Seidel ging möglicherweise zugrunde an der ›Intellektualisierung des Menschen in einer entzauberten Welt‹. In dem letzten Brief, den er schrieb, bevor er sich erhängte, heißt es: ›Das einzige, was mir zu tun bleibt, ist, mich zu vernichten. Es ist der Beginn der großen Verzweiflung der abendländischen Kultur, die mit Schopenhauer und Max Weber einsetzte.‹« Weber selbst lebte mit dem Tod auf vertrautem Fuße. Er empfand tiefes Mitgefühl für diejenigen aus seiner Familie und aus seinem Bekanntenkreis, die Selbstmord begingen, und sein eigener Tod kam manchen, die ihn gut kannten, ebenso freiwillig vor, wie ihnen der Tod Geralds vorgekommen wäre – eine Selbstentlassung aus der Pein eines Lebens, das vergiftet worden war von der Rache des Eros. »Nicht das Blühen des Sommers liegt vor uns«, schrieb er in ›Politik als Beruf‹, »sondern zunächst eine Polarnacht von eisiger Finsternis und Härte, mag äußerlich jetzt siegen welche Gruppe auch immer.«*

Entsprechende Hinweise darauf, was Weber über Lawrence hätte sagen können, besitzen wir nicht. Obwohl mehr indirekt als direkt, hatte Weber viel mit Otto Groß zu tun. Er kannte Emil Kraepelin, bei dem Groß in München Assistenzarzt war; er kannte natürlich Edgar Jaffe und Fanny zu Reventlow und Erich Mühsam; und es war Webers Freund Hans Gruhle, der 1920 den sterbenden Groß fand. Max Weber freundete sich mit Frieda Groß an, und im Verlauf des jahrelangen Prozesses, den Hans Groß gegen sie führte, muß Weber häufig über das tragische Leben Ottos nachgedacht haben. Vor allem aber hatte man ihn zum Paten von Peter Jaffe gemacht, und diese Beziehung war offenbar für ihn selbst und für seinen Kontakt mit Else sehr wichtig.

1917, als sie sich nach ihrer Entfremdung zum ersten Mal in München wiedergesehen hatten, schrieb er ihr einen Brief, der von dem zwei Jahre zuvor gestorbenen Jungen handelte:

München, 30. X. 1917

Liebe Else,
ich wollte Dir nur sagen, daß ich des Kindes gedachte und eigentlich immer mehr gedenke, je mehr das Nicht-mehr-auf-Erden-Sein eine »alltägliche« Thatsache wird. Ich blieb und hoffte, zu dem kleinen Grab zu kommen, sehe aber, daß der Frühzug und Rückzug so unglücklich liegt, daß ich den einzigen Zug nach Heidelberg, mit dem ich Marianne noch wach finde, nicht erreichen würde. So mußte ich das (verspätete) Allerseelen für ihn hier im Gedenken begehen.

Ihr Max.

Und einen Monat später schrieb er in einem anderen Brief: »Das Traumkind mit dem Schweigen und dem Zugang zum Wissen in sich war seit jener Taufe irgend wie – ich wüßte nicht zu sagen wie noch warum – mit verschollenen Träumen von

* In: Max Weber: Gesammelte politische Schriften, S. 449

einem eigenen Kind in Beziehung ...« Durch die geistige Vaterschaft der Adoption war Otto Groß' Kind zu dem seinen und war er, neben Else, zum zweiten Elternteil geworden. 1919, nach dem Selbstmord seiner Schwester Lilli, schien sich die Erinnerung an Otto Groß' Kind nach wie vor mit der Liebe, die er für Else empfand, und mit seiner sehnsüchtigen Bejahung von Liebe und Glück zu verquicken. »Das Datum mahnt mich, daß auch Du – was mir ganz in den Hintergrund getreten war – einen Todestag begehst, mein Herz – auch damals ging ein Strahl von jener Liebessonne fort, die in unzähligen Strahlen gebrochen in den Menschenherzen tief verborgen lebt und wirkt. Ich denke dieses Kindes, welches uns wieder an der Hand nahm und ganz neu und in solcher Schönheit zueinander führte, mit tiefer Liebe und Dankbarkeit – er (es?) gab mir die junge Mutter, die mich hütet und hegt, nun die alten treuen Augen der alten es nicht mehr können.«*

In gewisser Weise verdankte Max Weber den Gefühlsreichtum seiner letzten Jahre Peter Jaffe und damit Otto Groß, und wahrscheinlich war er sich dessen auch bewußt. Doch das einzige Dokument, das wir besitzen, ist der Brief Webers aus dem Jahre 1907, in dem dieser Otto Groß' Essay für das ›Archiv‹ ablehnte. Diese Ablehnung ist total, scharf und geringschätzig. In den Jahren danach legte Weber indes einen langen Weg zurück, der mehr und mehr Sympathie in ihm weckte. 1919 schrieb er an Frieda Groß, er sympathisiere immer noch mit ihrer Lebensaufgabe, die damals noch dieselbe wie die von Otto Groß war – sie hieß erotische Emanzipation. Aber Weber hielt natürlich auch an seinen eigenen Werten eines objektiven Realismus und einer Gesamtverantwortung fest, so daß er diesen emanzipatorischen Werten nur um weniges hätte entgegenkommen können. Tatsächlich kommt er in seinen letzten Reden und Essays immer wieder auf den bedauerlichen Kult der »Erfahrung« und der »Religion« zurück, dem man damals unter Intellektuellen begegnete; das aber läßt vermuten, daß ihm die philosophische Substruktur der Bewegung, die nach erotischer Emanzipation strebte, nach wie vor zuwider war, und so würden ihm sicher auch Lawrences Werke zuwider gewesen sein.

---

* Professor Baumgarten meinte: »Wo er am leidenschaftlichsten, am befreitesten und im höchsten Maße geliebt hat, war es für ihn eine bestürmend neue und dennoch *alte*, im Schoß der *Familie* gegründete Liebe: ›Meine Mutter, meine Schwester, mein unsagbares Glück‹«. (In: Max Weber, Werk und Person, S. 632)

Weber forderte bis an sein Lebensende vor allen anderen Dingen Objektivität und Wirklichkeitssinn.

Und Marianne Webers Bücher, die im wesentlichen die Ansichten ihres Mannes widerspiegeln, wenden sich fast alle gegen die freie Liebe und »die in gewissen medizinischen Kreisen Mode gewordene Ansicht, daß die eigene Gesundheit darunter leide, wenn der Geschlechtstrieb nicht befriedigt wird«. Marianne Webers Bücher, Essays und Vorlesungen verteidigten die Gesellschaft gegen die Angriffe von Otto Groß. Dieser indirekte »Dialog« kommt, was unsere Hauptgestalten betrifft, einer offenen Kontroverse am nächsten, und insoweit Lawrence auf der Seite von Otto Groß stand, richteten sich diese Essays und Vorlesungen natürlich auch gegen ihn.

Max Weber setzte sich auch mit der modernen Dichtung und der dichterischen »Prophezeiung« auseinander, deren Verkünder damals Stefan George war. Er führte mit George selbst Gespräche; von den Jüngern des Dichters wurde er als ein Feind in Ehren behandelt. Obwohl George seiner Persönlichkeit und Lehre nach viel stärker William Butler Yeats als Lawrence ähnelte, hätte Weber die beiden möglicherweise als einander zugehörig beurteilt. In seiner Rede anläßlich des ersten Treffens der deutschen Soziologen 1910 warf Weber die George-Jünger und die Freud-Jünger (und übrigens auch die Rassentheoretiker) in einen Topf und bezeichnete sie als moderne Gruppen, die sich zu Sekten entwickelten. Er wies auf die halbgöttlichen Qualitäten hin, mit denen die Jünger Georges ihren Meister ausstatteten, und auf die Verschwiegenheit, mit der die Freudianer ihre Ethik umgaben. Sein umfassenderes Argument wollte jedoch besagen, daß es unangemessen sei, eine Ethik aus einer Wissenschaft zu entwickeln – sein Kommentar gilt also nicht Freud, sondern Groß. Indes verurteilte er insgeheim beide Gruppen, verurteilte er alle, die wie Groß waren, weil sie Religiosität in diese ernüchterte moderne Welt brachten, in der die Religion keine natürlichen Wurzeln oder Funktionen mehr hat. Vermutlich hätte er gegenüber Lawrence denselben Standpunkt vertreten.

1919 folgte Max Weber einem Ruf an die Münchner Universität; es war die erste reguläre Stelle seit seiner Dozentur in Heidelberg, die er wegen seines Zusammenbruchs aufgeben hatte müssen. In München hatte er die Gesellschaft von Else Jaffe, deren Liebhaber er nun war. Er besuchte sie auf der Ludwigshöhe, wo sie, nachdem sie Irschenhausen verlassen hatte, ein Landhaus bewohnte. Es war im Winter von 1918 auf 1919, im ersten Winter nach dem Krieg, in der Zeit von Lillis Selbstmord, der Eisner-Tragödie – in dieser Zeit war es, daß sie einander am meisten bedeuteten. Die Sprache seiner Briefe an Else ist voll von den Bildern und Vorstellungen dieser Zeit. Am 1. Februar 1919 schreibt er an sie: »Ganz gewaltig fest fundamentierte Sperren und Verhaue [sind] eingeschaltet worden durch die (selbstbereiteten) Schicksale ... Riesige Schuttmassen, von zahllosen zertrümmerten Götter- (und Götzen-)bildern; im Bau liegengebliebene Lebensstraßen und verlassene und verfallene Behausungen, in denen ich Zuflucht suchte und nicht fand ... [Noch] vor das verschüttete Tor ... [waren] Riegel gelegt, so daß kein Ausblick und kein – sagen wir: kein eingestandener Wunsch nach jenseits reichte.«* Und die Gefühle, die er für sie empfindet, verknüpft er mit den Gefühlen, die er für diesen Moment der Geschichte hegt. »Es ist weniger Liebe in der Welt, Else – kalter Wind – Menschen, die sich lieb haben, müssen sich jetzt sehr gut sein.« Und er meint, die Menschen müßten fern von Gott, gegen Gott und einsam leben, doch: »In der Tat: man kann nicht ›gegen Gott‹ leben, im Tag, man kann nur jenes Tristan-Reich** aufsuchen – und dann ›gegen ihn‹ sterben, wenn es Zeit ist und er es verlangt, – darin wird er wie der Shylock sein, seien wir sicher, *er* sucht sich die Zeit aus. Und jene Ordnungen, die auch das Tristan-Reich (nenne es ›luziferisch‹, wer da will und kann!) nicht antasten darf, die haben dafür gesorgt, daß wir jeden Augenblick spüren: sie sind da ... – Vor allem: ich kann nur gegen *einen* Menschen in der Wahrheit leben und daß ich das kann und darf, ist die letzte für mein

---

* E. Baumgarten: Max Weber, Werk und Person, S. 675
** Ein weiteres Zitat soll diesen Satz verständlicher machen. »Was der Tod ist, wer kann das sagen?« fragte Weber. »Eben so wenig wie Tristan – ›es ist das dunkle Reich der Nacht, aus dem die Mutter mich gebracht‹.«

Leben entscheidende Notwendigkeit, höher und stärker als jeder Gott.*

Else Jaffe führt in ihrem wahrscheinlich 1920, kurz nach Webers Tod entstandenen ›Rückblick‹ viele Beispiele an, die belegen, daß er sich in dieser Zeit ihres Zusammenseins immer wieder mit Tod und Niederlage befaßte. Am bewegendsten ist wohl folgende Stelle: »Damals auch seine Bemerkungen, wie gut bei Lillis Tod Alfred alles geordnet und daß es auch bei des Vaters Tod so gewesen und daß andern so zufiele, was eigentlich seine Aufgabe sei. Darauf ich: ob er jemals ein Sterben erlebt habe? ›Nein, merkwürdigerweise noch nie.‹ Und ich: Tod nicht, Geburt nicht, Krieg nicht, Macht nicht – so als ob das Schicksal einen Schleier zwischen ihn und die Realität der Dinge gebreitet habe, – ob das vielleicht sein ›Stern‹ sei? Und er, so ein paar Worte vor sich hinflüsternd, – ja, es sei wohl so.«**

Marianne Weber war, als die Frauen 1919 das Stimmrecht erhielten, ins Badische Parlament gewählt worden. Deshalb konnte sie nicht mit ihm nach München kommen. Aus einigen Briefen, die sie wechselten, geht klar hervor, daß sie sich über den Fortbestand ihrer Ehe Sorgen machte. Einmal entschuldigte sie sich, weil sie sich beklagt hatte, daß Max so viel Zeit mit Else verbrachte, und sie erklärt, sie begreife, daß er einige Dinge brauche, die ihm nur Else geben könne. Im Grunde meint sie, sie sei bereit, ihn mit einer anderen Frau zu teilen.

Marianne wollte die vier Kinder Lillis adoptieren, die nach dem Tod ihres Mannes Selbstmord begangen hatte, weil sie sich als Mutter für unfähig hielt. Obwohl Max an seinen eigenen Fähigkeiten als Vater zweifelte, wolle er Marianne das Muttererlebnis ermöglichen. Die folgende Stelle aus einem ihrer Briefe spricht für sich selbst:

»Hab innigen Dank, daß Du diese süßen beglückenden Briefe geschrieben hast. Ich werde sie als ein kostbares Geschenk halten. Und mache Dir keine Sorgen um unsere Zukunft. Ich werde alles mit Besonnenheit überlegen ...

Aber ohne Deine beglückende Gestaltungskraft, ohne die von Dir ausgehende Lebensluft – nein, die armen Kinder, dann würde ich vielleicht den Mut, sie dort in der Oso [ihre Schule] loszureißen, nicht haben. Denn ich weiß genau, was meine Na-

---

* E. Baumgarten: Max Weber, Werk und Person, S. 677. – Der letzte Satz dieses Briefes wurde von E. Baumgarten selbst dem Autor mitgeteilt
** Von Eduard Baumgarten schriftlich dem Autor mitgeteilt

tur hergibt und was nicht: nicht die Produktivität des Augenblicks, wie sie Else in so unvergleichlicher Art besitzt, aber viel Geduld, Weichheit, liebendes Verstehen und Gewissenhaftigkeit in der Fürsorge – hoffentlich auch Sonnigkeit ... Aber Du wirst unsere Lebenssonne sein ... An der Sonne verbrennt man sich manchmal und manchmal verbirgt sie sich hinter dunklem Gewölk, aber man weiß, sie ist da und wird, wenn die gute Stunde kommt, Glück spenden. Ja, freilich, welche ›Kater-Idee‹, als könnte ich mit den Kindern ganz oder zeitweis in der Oso leben ... Du dummer Bub. Von Dir kannst nur Du selbst mich scheiden – und nur wenn ich spüre, daß mich die Gnade verlassen hat, Dich noch irgendwie glücklich zu machen. Ja, dann fände ich vielleicht Stolz und Kraft, von Dir zu scheiden.«

Wie wir sehen, weiß sie und weiß sie doch auch nicht, daß er sie verlassen möchte; und so sagt sie ihm, *er* müsse sie fortschikken und außer ihm gäbe es nichts in ihrem Leben. Aus allem, was wir von ihm wissen – da sind seine Verpflichtungen ihr gegenüber und da ist sein Mangel an »Verpflichtungen sich selbst gegenüber« oder, wie Lawrence gesagt hätte, sein Mangel an Mut zum Glück – aus all diesen Dingen können wir ersehen, in welch unerträglichen Zwiespalt er durch ihre Argumentation geriet. Auch schrieb sie an Frau Jaffe, sie verzichte auf jeden ausschließlichen Anspruch auf ihren Mann, und diese Erklärung mußte jeden Gedanken daran, ihr diesen Mann fortzunehmen, noch peinlicher erscheinen lassen. Die ganze Situation war von der Art, wie sie im darauffolgenden Jahrzehnt gern von satirischen Schriftstellern, von Epigonen der erotischen Bewegung, behandelt wurde.

Max Webers plötzliche Erkrankung und sein plötzlicher Tod im Juni 1920 waren eine Tragödie für Deutschland. Die ganze Heidelberger Gesellschaft hatte den Eindruck, daß der einzige Mann, der der Vernunft in der Politik hätte zum Sieg verhelfen können, genau zu dem Zeitpunkt starb, da die üblichen Vorsichtsmaßnahmen gegen die Katastrophe in sich zusammenbrachen. Und er war nicht einfach von hinnen gegangen, er war zerstört worden. Er starb im Beisein seiner Frau und Frau Jaffes, die sich zum Ende hin seine Pflege teilten. Die mit der ganzen Situation vertraut waren, hatten den Eindruck, seine gespaltene Liebe für die beiden Frauen zerrisse ihn innerlich. In den Augenblicken des Deliriums rief er nach Else, und wenn die Pflegerin statt dessen mit Marianne erschien, schickte er diese böse fort. Ungeachtet der zeitweisen Harmonie und Seelengröße, die dieses Sterben zum tragischen Ereignis machten, war es ein qualvoller und bitterer Tod. Privat wie öffentlich entsprach er der Agonie der deutschen Kultur überhaupt. Inmitten anderer ähnlicher Ereignisse prägte auch er die sardonische Bitterkeit, die das deutsche Wesen in den zwanziger Jahren auszeichnete. Wie entlegen schienen sie nun, die Hoffnungsfreudigkeit von 1910, die Hoffnungen auf Erneuerung, die Hoffnungen der erotischen Bewegung! Der Geist Otto Groß', verkörpert in der expressionistischen Bewegung und im Dadaismus, triumphierten einige Zeit lang, doch war dies ein Triumph, der sich mit dem Geist Max Webers nicht vereinbaren ließ. Die aphrodisische Sexualität und der zerstörerische gesellschaftliche Zynismus Deutschlands nach 1918, die man zu Recht mit Otto Groß in Verbindung setzen darf, waren den Notwendigkeiten der parlamentarischen Demokratie, die von den Freunden und Anhängern Max Webers errichtet wurde, abträglich. Und sogar der Geist von Otto Groß triumphierte nicht lange.

Die Reaktion gegen den Expressionismus im Deutschland der zwanziger Jahre spielte sich bedeutsamerweise unter dem Motto »Die neue Sachlichkeit« ab. Diese Reaktion wird gewöhnlich in der Zeit um 1925 angesiedelt, dem Jahr von Carl Zuckmayers ›Fröhlichem Weinberg‹, einem Theaterstück im neuen »sachlichen« Stil, das sich von seinem früheren expressionistischen ›Kreuzweg‹ erheblich unterscheidet. Es war also Webers moralischer Leitspruch, den diese Bewegung, die keinesfalls für Otto Groß' Ideen war, aufnahm. Ein weiteres Beispiel für die »Neue Sachlichkeit« ist Franz Werfels ›Verdi‹ von 1924, ein Roman, der den Komponisten als einen Mann darstellt, der durch seine Begeisterung für Wagner gepeinigt und »impotent« gemacht wird, während Wagner selbst als krankes Genie erscheint. Erst als Verdi den Einfluß Wagners abstreift, kann er sein gesundes, triumphales Werk ›Otello‹ schaffen. Auch Werfel war Expressionist gewesen, und in seinem persönlichen Leben spielte, wie wir noch sehen werden, Otto Groß die Rolle des kranken Genies. Der Wechsel vom Expressionismus zur Sachlichkeit kann somit als Sieg der Weberschen Werte oder zumindest als Groß' Niederlage betrachtet werden. Doch wenn es ein Sieg war, so war dieser genauso kurzlebig wie vorher der von Otto Groß, denn Hitler warf bereits seinen Schatten voraus.

Auch ziehen Historiker eine Parallele zwischen diesen Ereignissen auf künstlerischem und literarischem Gebiet einerseits und der politischen Tendenzwende andererseits, die sich um 1925 abzeichnete. Peter Gay meint, das Motiv der »Rache des Vaters« charakterisiere diesen Zeitabschnitt, der seinen symbolischen Ausdruck in der Wahl von Hindenburg zum Reichspräsidenten fand und der eingeleitet wurde durch die reaktionäre Propaganda des Presse- und Filmimperiums von Alfred Hugenberg. Obwohl die historische Begebenheit der Revolte Friedrichs des Großen gegen seinen Vater nach wie vor als Sujet für literarische und dramatische Werke diente, war das die Zeit von Joachim von der Goltz' ›Vater und Sohn‹, einer recht patriarchalischen Behandlung des entsprechenden Themas. Der Geist, der zu Beginn der zwanziger Jahre herrschte und den Gay mit der »Revolte des Sohnes« beschreibt, war eindeutig der Geist Otto Groß' gewesen, und Lawrence hatte als »Emanzipator« in England eine gleichwertige Periode der Popularität erlebt. Diese Periode hielt für Lawrence länger an als für Groß, vor allem deshalb, weil die politische Lage in England weniger bedrohlich war als die in Deutschland, doch bereitete ihr ein neuer politischer Realismus ebenfalls ein vorzeitiges Ende.

Erinnern wir uns an die sehr unterschiedlichen Stimmungen im Leben unserer Hauptfiguren zwischen 1910 und 1912. 1910 fingen Max Weber und Else Jaffe in Venedig ein Liebesverhältnis an; 1912 begannen D. H. Lawrence und Frieda Weekley ihr Verhältnis in Nottingham, das sie danach in der Umgebung von München fortsetzten. Das waren die entscheidenden Jahre der erotischen Bewegung. 1910 veröffentlichte Lou Andreas-Salomé ihr Buch ›Die Erotik‹, und zwei Jahre später lebte sie mit Viktor Tausk, dem Freudschen Analytiker, der 1919 Selbstmord beging, in München. Im selben Jahr erlebte Alma Mahler den Höhepunkt ihrer stürmischen Affäre mit Oskar Kokoschka – ebenfalls in München. Und im gleichen Jahr 1912 schickte Frieda Weekley ihrem Mann, den sie verlassen hatte, die Briefe von Otto Groß, um ihm ihre Handlungsweise zu erklären. Der Zeitgeist hieß Eros.

Natürlich lebte der alte Geist fort. 1911 fand in Berlin eine große Ausstellung unter dem Motto »Die Frau in Haus und Beruf« statt. Bei der Organisation der Ausstellung mitgewirkt hatte Elly Heuss-Knapp, die 1910 ein Buch über die Frauenbewegung veröffentlicht hatte. Entscheidend inspiriert zu ihrer feministischen Arbeit hatte sie Frau Stadtrat Weber, Max Webers Mutter. Elly Heuss-Knapp war die Tochter von Professor Knapp, einem der Kathedersozialisten, und die Frau von Theodor Heuss, dem politischen Schüler von Friedrich Naumann, dem liberalen Reformer und Freund Max Webers. Das liberal-reformistische Deutschland war also auch in jenen Jahren noch aktiv. (Es war in der Tat so aktiv, daß Theodor Heuss später zum Bundespräsidenten gewählt wurde, ein Amt, in dem er in den sechziger Jahren versuchte, im Geiste Max Webers zu wirken. Wir dürfen also trotz aller Rückschläge sagen, daß dieser Geist nicht aufgehört hat zu existieren.)

1910 hielt Else Jaffe aus einer Konferenz über die Arbeitsbedingungen von Fabrikarbeiterinnen einen Vortrag, der sich mit der Tätigkeit des Gewerbe-Inspektors befaßte. Sie räumte ein, daß sich der Geist der Zeit gewandelt habe; vor zehn oder fünfzehn Jahren noch hätte sich jeder, vor allem aber die jungen Leute, ganz besonders für »die soziale Frage« interessiert. Doch sei diese soziale Frage heute »nicht mehr *die* Frage, sie ist eine unter vielen geworden; ... breitere kulturelle Ideen nehmen unseren Geist gefangen, und vor allem, wenn wir den höchsten Wert ästhetischer Dinge erfahren, erliegen wir der Versuchung, Abstand zu wahren zu dem, was unschön und voller quälender Probleme ist.« Natürlich schloß sie: »Doch genau da sollten wir Frauen uns einschalten.« Aber ihre anhaltende Auseinandersetzung mit sozialen Problemen beeindruckt wesentlich weniger als das Ausmaß, in dem sie von der erotischen Bewegung ergriffen wurde. Ganz Heidelberg wurde in dieser Zeit von der Bewegung beeinflußt.

Als Ausdruck der Stimmung um 1910 können wir einen Essay von Alfred Weber nehmen. Diese 1912 erschienene Arbeit war der Text eines Vortrags, den Alfred Weber 1911 in Prag gehalten hatte. Alfred war ein guter Freund von Edgar und Else Jaffe und bis zu einem gewissen Grad auch von Frieda und Lawrence. Insgesamt war sein Denken sehr stark durch das seines Bruders beeinflußt. Trotzdem wandte er sich um diese Zeit einer Idee zu, die der Ideenwelt seines Bruders großenteils entgegengesetzt war. Dieser Essay belegt, welch großen Einfluß die erotische Bewegung damals hatte.

Alfred Weber kommt auf die Porträts von alten Römern zu sprechen, denen man in Museen begegnet; er meint, sie nähmen die Aufmerksamkeit deshalb gefangen, weil sich in ihren zugleich melancholischen und verrohten Gesichtern auch seine, Webers, Zeit widerspiegle. Wir verfügten über mehr Kraft als das späte Altertum, aber nicht über mehr Lebensglauben. Daher lebten wir in einem tiefen Zwiespalt zwischen *Wollen* und *Kön-*

nen. Unser »Kosmos« sei unmenschlich geworden, und wir hätten zu viele Bewegungen durchgemacht, die letzte darunter die Frauenbewegung. Trotzdem sei ein Lebensglaube heute nicht nur nötig, sondern auch möglich.

Das kausal-rationale Denken hat, so fährt er fort, der Religion im 19. Jahrhundert keine Chance gelassen, doch hat diese heute, dank Bergson, wieder eine Möglichkeit. Heute können wir hinausgehen über die kausalen Kategorien des Rationalismus und den rohen Daseinskampf. Wir können das Sein und *das Lebendige selber* verehren. Doch unsere neue Religion kann kein wiederbelebtes und verbessertes Christentum sein, da das Christentum dem Leben feindselig gegenübersteht. Es sagt uns nicht, was wir anfangen sollen mit unserer Liebe, unserem Ehrgeiz, unserem Machttrieb und nicht einmal mit unserer Mutterliebe. Zumindest seit der Reformation, als der Protestantismus starken Einfluß ausübte, ist die Macht der Sexualität gebrochen und die Lebenskraft pervertiert worden zu Arbeit, zu Erspartem, zur Askese und zum Kapitalismus. Die Natur ist *entgöttlicht* worden, und an ihrer Stelle geheiligt wurde die Arbeit. Ein Leben, das sich tatsächlich aus einem auf das Jenseits gerichteten Glauben herleitet, muß den Menschen notgedrungen am Ursprung seiner *Gestaltung* entwurzeln und sein Handeln, noch bevor es vollzogen, des Zaubers und der Schönheit, muß sein Begehren, noch bevor es empfunden, seiner Wärme berauben. So aber sind wir die Opfer des Christentums, gleichen unsere Empfindungen denen des späten Altertums.

Man gibt derselben Sache lediglich einen anderen Namen, wenn man sagt, daß unser Lebensüberdruß auf die schrecklich fehlangepaßten Mechanismen unseres intellektuellen, bürokratischen und ethischen Lebens zurückzuführen sei. Eine todesstarre Schale oder Panzerung liege über allem Leben, sagt Alfred Weber, und er bezieht sich damit auf das »stahlharte Gehäuse«, das sein Bruder in ›Die protestantische Ethik‹ beschrieb. Diese Schale nimmt die Form von äußeren Mechanismen und rationalen Schemata an; so aber wenden sich die Intellektuellen voller Verzweiflung dem Buddhismus oder der Theosophie zu. Die Massen jedoch sind immer noch »lebenspositiv«, allerdings nur mehr so lange, als sie nicht bekommen, worum sie dauernd bitten.

Trotzdem, behauptet Alfred Weber, sei er zuversichtlich, daß wir das *Lebendige* finden werden. Wir wissen heute, daß es nicht *den* Menschen, sondern daß es viele verschiedene Men-

schen gibt, ebensowenig wie es *das* Leben, sondern die Mannig-
faltigkeit des Lebendigen gibt, ebensowenig wie es ein *einziges*
Gutes oder Großes gibt, sondern vielfältige Werte. Dieses Wissen wird uns nicht zu einem vorsätzlichen Begreifen des Lebens, sondern zur Anerkennung einer inneren Notwendigkeit
führen – zu etwas, dem alle Vorsätzlichkeit fremd ist –, und
dadurch werden Gesetze spontan entstehen können. Ein solches Leben wird hart sein, da es wesentlich einfacher ist, sich an
die üblichen Normen zu halten, aber verwirklicht werden kann
es trotzdem. Soll dies geschehen, müssen wir spüren, daß eine
solche Lebensweise bereits irgendwo besteht – als ein Mittelpunkt, »der die Heimstatt ist unseres Seins und unserer Natur«.
Religion aber ist der Glaube daran, daß wir dies in unserem
Leben vollbringen. Wir müssen eine Religion unser eigen nennen, die Leben schafft. Zum Symbol wird sie nicht nur das
Kreuz, sondern auch das Leuchtfeuer haben, »das wir als Dank
für die Schönheit unseres Seins zum Himmel emporflammen
lassen werden«.

Es fällt nicht schwer, in der hier zusammengefaßten Rede
Webers die Hauptthemen sowohl der »Kosmischen Runde« als
auch der Welt Lawrences zu entdecken. Wie Lawrence und die
Mitglieder der »Kosmischen Runde« formulierte auch Alfred
Weber, natürlich auf seine Weise, die erotische Bewegung.

Doch dieser Stimmung, dieser Gestimmtheit war keine Dauer
beschieden. Der Krieg vernichtete sie, und bevor der Glaube an
das Leben wieder erstarken konnte, wurde er durch den Auf-
stieg des Naziregimes von neuem niedergeschlagen – zuerst in
Deutschland selbst, dann aber auch in England und Amerika.
Lawrence und Frieda verbrachten die Kriegsjahre in armseligen
Verhältnissen in England. Frieda hielt die Verbindung mit ihrer
Familie durch Briefe aufrecht, die sie an Frieda Groß in die
Schweiz schickte, und obwohl ihr Zorn auf den Krieg großenteils nicht nationalistisch war, gab es für sie doch einige Loyalitäten, die sich von denen Lawrences unterschieden. Sogar ihr
Privatleben litt unter Spannungen, denn Lawrence hatte begonnen, gegen die Welt der Frau zu rebellieren, in der Frieda eine
wesentlich beherrschendere Persönlichkeit darstellte als er
selbst. Nach dem Krieg verließen sie sobald wie möglich England – Frieda reiste nach Deutschland und Lawrence nach Italien. In Italien trafen sie sich wieder, und dort verbrachten sie
die nächsten Jahre; doch für den Rest von Lawrences Leben
waren sie dann ständig unterwegs. Von Italien aus reisten sie

nach Ceylon, von dort nach Australien, von dort nach Neumexiko und Mexiko. Der Reiz des Reisens und die Tatsache, daß Lawrences Werke – zumindest unter Intellektuellen – wieder beliebt wurden, vermittelten ihnen ein gewisses Gefühl von Glück und Erfolg.

Für Else Jaffe und Marianne Weber war die Lage um einiges härter. Der Krieg und die sich anschließenden Wirtschaftskrisen hatten das Vermögen der beiden Familien zerstört. Das ging so weit, daß Lawrence Else und ihrer Mutter Geld senden mußte. Nachdem ihre Ehemänner in München gestorben waren, kehrten beide, Frau Weber und Else, nach Heidelberg zurück – Marianne 1921 und Else 1925. Dort wurde Else von Alfred Weber erwartet, doch trotz seiner Unterstützung war es schrecklich, inmitten der Ruinen Deutschlands und mit dem monströsen Schatten des heraufziehenden Naziregimes zu leben. Ihre privaten wie gesellschaftlichen Erfahrungen sollten »deutscher« sein als Friedas. In gewisser Hinsicht sollten sie eine Antwort sein auf jenen zynischen Stil, dessen sie sich in frühen Jahren als Abwehr gegen das Leben bedient hatte, denn sie setzten eine ganze Menge »Realismus« und »Objektivität« voraus. Auf sehr unterschiedliche Weise mochten beide Schwestern das Gefühl haben, die Geschichte habe ihr Leben bestätigt.

Max Weber starb im Beisein Elses, Lawrence im Beisein Friedas. Doch Else weilte nur als Freundin des Hauses am Sterbebett, denn die Witwe war Marianne. Dieser Unterschied ist sinnbildlich für die unterschiedlichen Beziehungen, welche die beiden Schwestern überhaupt unterhielten. Wieviel Verzicht und Verstellung es doch zwischen Else und Weber gab, und wieviel offenes, ja öffentliches Drama zwischen Frieda und Lawrence! Dazu kommt noch, daß Elses Verstellung mit dem Tod von Max Weber nicht zu Ende war, denn in den 34 Jahren, die folgten, blieb sie Marianne Webers beste Freundin. Die damit verbundene zynische Bitterkeit und strenge Selbstdisziplin kann man sich vorstellen. Es hat den sicheren Anschein, daß sie in all diesen Jahren Marianne nichts von dem erzählte, was sich zwischen ihr und Max Weber zugetragen hatte. Und auch Alfred Weber, den sie noch länger kannte, erzählte sie kein Wort.

Es scheint ihr Schicksal gewesen zu sein, daß sie, ungeachtet ihres Mutes und ihrer Tatkraft, in beschämende Situationen geriet, so daß sich in all ihr Leid auch noch Bitterkeit mischte. Sie durfte sich zu den beiden Liebesaffären, die in ihrem Leben eine wichtige Rolle spielten, weder öffentlich noch privat bekennen. Sie schämte sich ihrer Beziehung zu Otto Groß, weil sie einen Verrat an allem darstellte, was sie von den Webers gelernt hatte – einen Verrat an all dem Verantwortungsbewußtsein und Realismus, denen sie sich verschrieben hatte. Und ihrer Beziehung zu Max Weber schämte sie sich, weil sie einen Verrat an Marianne und deren Ehe darstellte. Und da sie Marianne und Alfred auch in den vielen Jahren danach noch nahe stand, kam dieses Gefühl der Scham nie zur Ruhe.

Max Webers Liebesbriefe blieben über 50 Jahre verborgen, und der einzigen öffentlichen Manifestation seiner Liebe begegnete man in den Fußnoten seiner wissenschaftlichen Abhandlungen. So analysierte Weber in den hypothetischen Beispielen seines Essays ›Der Sinn der ‚Wertfreiheit‘ der soziologischen und ökonomischen Wissenschaften‹ die folgende Behauptung über eine Mann-Frau-Beziehung (S. 56): »Anfänglich war unser beider Verhältnis nur eine Leidenschaft, jetzt ist es ein Wert.« Er weist darauf hin, daß diese »Leidenschaft« nach den Wertvorstellungen Kants die Benutzung einer anderen Person für eigene Zwecke bedeutete und somit schlecht wäre. Doch es gäbe, fährt Weber fort, Unterschiede zwischen den Werten, die im ethischen und jenen, die im nichtethischen Erfahrungsbereich lägen. Der Erotizismus erlaube oder verordne die Benutzung eines anderen zu eigenen Zwecken: »Jenes negative Prädikat selbst, welches mit den Worten ›nur eine Leidenschaft‹ ausgesprochen wurde, kann von einem bestimmten Standpunkt aus als eine Lästerung des innerlich Echtesten und Eigentlichsten des Lebens hingestellt werden, des einzigen oder doch des königlichsten Weges hinaus aus den unpersönlichen oder überpersönlichen und daher lebensfeindlichen ›Wert‹-Mechanismen, aus dem Angeschmiedetsein an das leblose Gestein des Alltagsdaseins und aus den Prätensionen ›aufgegebener‹ Unwirklichkeiten. Es läßt sich jedenfalls eine Konzeption dieser Auffassung denken, welche – obwohl sie für das von ihr gemeinte Konkretissimum des Erlebens den Ausdruck ›Wert‹ wohl verschmähen würde – eben doch eine Sphäre konstituieren würde, welche jeder Heiligkeit oder Güte, jeder ethischen oder ästhetischen Gesetzlichkeit, jeder Kulturbedeutsamkeit oder Persönlichkeitswertung gleich fremd und feindlich gegenüberstehend, dennoch und eben deshalb ihre eigene in einem alleräußersten Sinn des Wortes ›immanente‹ Dignität in Anspruch nähme. Welches immer nun unsere Stellungnahme zu diesem Anspruch sein mag, jedenfalls ist sie mit den Mitteln keiner ›Wissenschaft‹ beweisbar oder ›widerlegbar‹.« (S. 56f.)

Diese Argumentation beweist vor allem wie vertraut und zwanglos Webers Umgang mit dem Gedankengut der erotischen Bewegung und ihrer Verfechter Klages und Groß war. Doch vielleicht spiegelt sie auch bis zu einem gewissen Grad seine eigene Liebeserfahrung wider.

Mit ziemlicher Sicherheit spiegelt sich diese Erfahrung in den Ausführungen eines Kapitels der ›Religionssoziologie‹ wider. Max Weber verfaßte das elfte Kapitel 1911, schrieb es 1916 um und nannte es nun ›Zwischenbetrachtung‹; 1920 schrieb er es noch einmal um. Und jedes Mal behandelte er die sexuellen und ästhetischen Erfahrungsbereiche eingehender und verständnisvoller. 1964 hat uns Professor Baumgarten auf die Bedeutung dieser Ausführungen hingewiesen, und er hat uns erzählt, das Manuskript der letzten Fassung habe er von Frau Jaffe erhalten, in deren Besitz es fast 50 Jahre lang gewesen sei. Auch erfuhren wir von ihm, daß die Geschichte dieser unterschiedlichen Fassungen 1908 begonnen habe, als Max Weber zu Else während eines Spaziergangs beim Heidelberger Schloß meinte: »Sie werden doch nicht behaupten, daß in der Erotik *irgend* ein ›Wert‹ verkörpert sei?« Worauf Else entgegnete: »Aber sicher!« »*Welcher* denn?« fragte Weber. »Schönheit!« war Elses Antwort. Max Weber erstaunte und verstummte. Diese Vorstellung war ihm neu. Und so sollte er später in der Abhandlung Schönheit mit Erotik verbinden. Dieses Beispiel veranschaulicht hervorragend, wie Webers Werk in seinen letzten Jahren an Gedankenfülle zunahm.

Erotik finde dort statt, schreibt er in diesem Essay, wo Liebe »mit dem unvermeidlich asketischen Einschlag des Berufsmenschentums zusammenstößt«.* Und hat sich der Mensch einmal aus dem alten, einfachen und organischen Kreislauf des Bauerndaseins gelöst, kann die Liebe außerhalb der Ehe den Eindruck erwecken, als sei sie das einzige Band, das ihn noch mit der Naturquelle allen Lebens verbindet. So aber kommt es zu einem seligen Triumph über den Rationalismus und über jeglichen ethischen oder religiösen Erlösungsglauben. Das sexuelle Verlangen der Beziehung aber wird zu ihrem Glanzpunkt. »Allem Sachlichen, Rationalen, Allgemeinen so radikal wie möglich entgegengesetzt, gilt die Grenzenlosigkeit der Hingabe

---

* Eduard Baumgarten: Max Weber, Werk und Person, S. 477

hier dem einzigartigen Sinn ... Gerade darin: in der Unbegründbarkeit und Unausschöpflichkeit des eigenen, durch kein Mittel kommunikablen ... Erlebnisses, und nicht nur vermöge der Intensität seines Erlebens, sondern der unmittelbar besessenen Realität nach, weiß sich der Liebende in den jedem rationalen Bemühen ewig unzugänglichen Kern des wahrhaft Lebendigen eingepflanzt, den kalten Skeletthänden rationaler Ordnungen ebenso völlig entronnen wie der Stumpfheit des Alltags.«*

Dieser tödliche Ernst seines erotischen Weltbildes sei so grundverschieden von der ritterlichen Liebe wie die Liebe eines reifen Mannes von der leidenschaftlichen Begeisterung der Jugend, meint Weber an einer Stelle, an der er seine Gefühle für Else möglicherweise seinen Gefühlen für Marianne gegenüberstellt. Doch die innerweltliche Askese – mit der er seine Vorstellung von sich selbst, von seiner Frau und von Else stets verknüpfte – vermag anderes als die rational geregelte Ehe nicht zu akzeptieren:

»Rein innerweltlich gesehen, kann nur die Verknüpfung mit dem Gedanken ethischer Verantwortlichkeit füreinander – also einer gegenüber der rein erotischen Sphäre heterogenen Kategorie der Beziehung – dem Empfinden dienen: daß in der Abwandlung des verantwortungsbewußten Liebesgefühls durch alle Nuancen des organischen Lebensganges hindurch: ›bis zum Pianissimo des höchsten Alters‹, in dem Einander-Gewähren und Einander-schuldig-Werden (im Sinne Goethes) etwas Eigenartiges und Höchstes liegen könne. Selten gewährt es das Leben rein; wem es gewährt wird, der spreche von Glück und Gnade des Schicksals, – nicht: von eigenem ›Verdienst‹.«**

Diese Sätze haben etwas Bewegendes, ja Herzzerreißendes, wenn man sie in Bezug setzt zu dem Leben der Personen, die sich dahinter verbergen. Doch was für ein geringer Tribut sind sie, wenn man sie mit den Werken ›Der Regenbogen‹, ›Liebende Frauen‹ und ›Lady Chatterley‹ vergleicht. Und wie sie sich dem Blick des Uneingeweihten entziehen! 1954, als Marianne Weber starb, schrieb die erschütterte Else Jaffe an ihre Schwester Frieda einen Brief, in dem sie über ihr eigenes Leben Dinge bekannte, die Frieda für ein Eingeständnis der so lange verheimlichten Beziehung nahm. Frieda hatte diese heikle Beziehung geahnt, ohne daß man ihr je über sie erzählt hatte, und in ihrem

* Eduard Baumgarten: Max Weber, Werk und Person, S. 477
** a.a.O., S. 480

Antwortbrief bedauerte sie, daß diese große Liebe für die Welt verloren sei, und sie tröstete Else mit der Bemerkung, sie und Lawrence seien von den Verfassern der Bücher, die man über sie geschrieben habe, auch nie richtig verstanden worden. Doch Else hatte offensichtlich nicht beabsichtigt, sich in solchem Maße zu offenbaren. Wenn sie überhaupt antwortete, so erzählte sie Frieda jedenfalls nichts von den versteckten Briefen, die der Welt die Augen über »diese große Liebe« öffnen würden. (Else war nun achtzig und Frieda fünfundsiebzig.) Doch bald nach diesem Briefwechsel mit ihrer Schwester übergab sie Max Webers Briefe Professor Baumgarten, damit sie nach ihrem Tod veröffentlicht würden.

Diese Verheimlichung hatte viele Folgen. Max Weber hatte sich selbst als eine Art Held der Wahrheit angeboten – und als genau das hatte ihn Karl Jaspers genommen. Um die Persönlichkeit Webers errichtete Jaspers jene existentialistische Weltanschauung, die bei den deutschen Studenten der zwanziger Jahre und ein zweites Mal nach dem Zweiten Weltkrieg ein so starkes Echo gefunden hatte. Jaspers trug dazu bei, daß sich um Max Weber ein Mythos bildete. Er riet Marianne Weber, einen Bericht über die neurotischen Symptome ihres Mannes sowie einen seiner letzten Briefe über die Juden in Deutschland zu vernichten; denn eine Veröffentlichung hätte seinem Image geschadet. Als Marianne Jaspers unter vier Augen nach seiner Meinung fragte, welcher Art die Beziehung zwischen ihrem Mann und Frau Jaffé gewesen sei, erwiderte Jaspers, unter allen Möglichkeiten könnten sie sich einer Sache sicher sein. »Max Weber war die Wahrheit selber.« Das schien sogar für Marianne Weber etwas zu stark, denn sie antwortete nur: »Hoffen wir, daß Sie recht haben.« Jaspers hatte nicht recht, und seine Moralphilosophie basierte auf einer falschen Überzeugung.

Mit anderen Worten, Max Webers Leben war in einem wichtigen Punkt unaufrichtig. Seine Liebesgeschichte ist ein verklemmtes Drama voller Verzicht und unfreiwilliger, ethisch edel gemeinter Unaufrichtigkeit. Doch dürfen wir nicht vergessen, daß diese Unaufrichtigkeit einer Unaufrichtigkeit auch des zwanzigsten Jahrhunderts entspricht; selbst in Lawrences Fall begegnen wir der Unaufrichtigkeit der erotischen Bewegung, die uns in einem Schauspiel der Erfüllung ein sexuelles Epos vorspielte. Wahrscheinlich war es so, daß Lawrence in jenen späteren Jahren, als er der anerkannte Prophet der sexuellen Befreiung war, in sexuellen Dingen passiv geworden war. Er hatte sich in die Lage gebracht, mehr sexuelle Überlegenheit und mehr männliches Verlangen für sich beanspruchen zu müssen, als er tatsächlich besaß, während Max Weber das Gegenteil von sich behaupten mußte. Im Gegensatz zu beiden war Otto Groß keiner Unaufrichtigkeit zu zeihen. Doch war diese seine »Unschuld« verquickt mit jener »Weltfremdheit« und »Unvernunft«, welche die beiden Richthofen-Schwestern veranlaßten, ihn schließlich abzulehnen. Lawrence wie Weber hatten es sich zur Aufgabe gemacht, eine Welt zu schaffen oder diese Welt neu zu schaffen, und es waren diese Männer, denen sich die beiden Frauen zum Geschenk machten.

ZWEITER TEIL
Konsequenzen, 1930–1970

Drittes Kapitel

Die Schwestern:
Fortsetzung und Vergleich ihrer Lebensgeschichten

Um 1930 hatten die beiden Schwestern die Hälfte ihres Lebens noch vor sich, ihre abenteuerlichen, auseinanderstrebenden Lebenslinien waren erst zur Hälfte vollendet. Dieses »Auseinanderstreben« ist hier die treffende Sprachfigur. Obwohl beide um diese Zeit »seßhaft« wurden, paßten sie sich weder einander noch dem Durchschnitt an – das galt sowohl für die Orte, die sie wählten, als auch für den Geist, für den sie sich entschieden. Robert Lucas erzählt in seiner Biographie über Frieda von Richthofen eine Anekdote, die indirekt veranschaulicht, wie sehr die Schwestern innerlich und äußerlich dazu neigten, sich nun, da Lawrence gestorben war, noch weiter voneinander zu entfernen. Kurz nach seinem Tod in Vence sorgte sich Frieda um die Gesundheit ihrer Tochter Barbara, die gekommen war und nun bei ihr wohnte. Barbara war deprimiert und gereizt, sie fieberte körperlich und schien psychisch krank, sie war entkräftet und wurde leicht ohnmächtig. Frieda stellte fest, daß die Ärzte ihrer Tochter nicht halfen, und verordnete eine sexuelle Kur; noch während Barbara krank zu Bett lag, schickte Frieda einen jungen italienischen Steinmetzen zu ihr, der sie durch Sex heilen sollte. Dieser Steinmetz, er hieß Nicola, war einer der Arbeiter, die den Phoenix von Lawrences Grabstein in Vence in Stein meißeln sollten, und dieser ganze Vorfall hat zugleich so viel und so wenig mit Lawrences Glauben an die Sexualität zu tun, daß er einige Überlegungen über die beiden »Anwendungsmöglichkeiten« der Erotik wert ist. Denn schließlich war es Lawrence selbst, der in dem kurz vor seinem Tod entstandenen Werk ›Das Mädchen und der Zigeuner‹ einen Mann wie Nicola an das Bett einer Barbara schickt, und tatsächlich handelt ›Das Mädchen und der Zigeuner‹ auch von Barbara. Doch das war ein Werk der Imagination, ein Kunstwerk. Man hat das klare Gefühl, daß Lawrence nicht so gehandelt hätte, ebensowenig wie er Frieda hätte so handeln lassen. Aber warum eigentlich nicht? Zweifellos nicht aus seinen Grundsätzen, seiner Besonnenheit, seinem Feingefühl heraus. Elses Reaktion auf diese

241

Neuigkeit macht das, was wir meinen, klarer. Als sich Frieda mit ihren Schwestern im November dieses Jahres am Totenbett ihrer Mutter traf, erzählte sie diesen Vorfall. Von Lucas erfahren wir, daß Else entsetzt gewesen sei und erklärt habe, sie hätte *ihre* Tochter eher sterben lassen, als sie auf diese Weise heilen zu wollen. Wir haben es hier mit zwei verschiedenen Prinzipien zu tun, die sich nun, da Lawrence Frieda nicht mehr zurückhielt, noch schärfer voneinander abhoben. Diese Unterschiedlichkeit äußerte sich in den kommenden Jahren weniger in Form eines Konflikts. Vielmehr strebten die Lebenskurven der beiden Schwestern voneinander fort, und so sollten wir diesen Lebensabschnitt der beiden unter dem Gesichtspunkt des Kontrasts sehen – allerdings keines detaillierten, sondern eines breitangelegten Kontrastes.

Die zweiten Lebenshälften der beiden Schwestern verlaufen weniger abenteuerlich und ereignisreich, und wir werden über das, was ihnen in diesen Jahren zustieß, nicht im einzelnen berichten. Was uns interessiert, sind die weltanschaulichen Merkmale des Lebensstils, den jede der Schwestern wählte und der, wie »natürlich« auch immer, ihren Glaubensüberzeugungen entsprach. Jede von ihnen hatte nun eine feste Lebensweise und Umgebung gewählt, die wir herauszuarbeiten versuchen, indem wir im Fall der einen wie der anderen Schwester je zwei Persönlichkeiten beschreiben werden, die den beiden nahestanden und bei denen es sich jeweils um einen Mann und um eine Frau handelt. Für das Phänomen, mit dem wir uns hier befassen, hatte der Webersche Kreis die Bezeichnung »Konstellation« geprägt. Alfred Weber benutzte diesen Begriff häufig in seiner Kultursoziologie, wenn er zeigen wollte, wie sich Menschen und Werte auf bezeichnende Weise gruppieren und beeinflussen. Und Else Jaffe bediente sich dieses Begriffes, wenn sie ihr Leben beschrieb; sie sprach dann von der Weber-Heidelberg-Konstellation, »in der auch mein Stern steht«. Indem wir diese unterschiedlichen Konstellationen schildern, hoffen wir, auch die Ideen und Wertvorstellungen herauszuarbeiten, denen die beiden Schwestern nach wie vor – wenn auch nicht mehr auf gar so »heroische« Weise – anhingen.

Nach dem Tod von Max Weber und Edgar Jaffe kehrte Else nach Heidelberg zurück, wo sie schließlich mit Alfred Weber zusammenlebte. Nach dem Tod von D. H. Lawrence ging Frieda zurück nach Taos, und dort begann ihr Zusammenleben mit Angelo Ravagli. Ravagli war der Besitzer der Villa Mirenda gewesen, die Frieda und Lawrence zwischen 1925 und 1928 mehrmals gemietet hatten. Frieda kaufte Ravagli aus der italienischen Armee frei, wo er einen Offiziersrang bekleidete, und Ravagli trennte sich von seiner Frau, einer Lehrerin, und ging mit Frieda nach Neumexiko. Sie wollte sehen, so erzählte sie später, was er aus den Rockies und was die Rockies aus ihm machen würden. Offiziell war er ihr Geschäftspartner, doch ging ihm der Sinn für Geschäfte und für alles Offizielle ab. Er arbeitete auf der Ranch und malte. Er war anscheinend ein feinfühliger, ehrenwerter und ursprünglicher Mensch unverstellter Wesensart – ein Intellektueller indes war er nicht. Aber genausowenig war er ein Mann von »Blut und Eisen«. Er ähnelte in etwa dem Baron von Richthofen, wenn er auch als Armeeoffizier eine Anomalie darstellte. Frieda fand in einem Mann, der erheblich jünger war als sie, ihren Vater wieder.

Alfred Weber war ein Professor, der zum Geheimrat ernannt wurde, Leiter des soziologischen Instituts in Heidelberg, gefeierte Persönlichkeit zweier Festschriften, Verfasser von knapp dreihundert Büchern und Artikeln, Kultursoziologe und Intellektueller unter Intellektuellen.

Alfred Weber und Angelo Ravagli hatten zwar sehr wenig gemeinsam; trotzdem entdecken wir in ihrer Beziehung zu den Schwestern eine gewisse Ähnlichkeit. Von beiden läßt sich sagen, daß sie leichter zu bewältigende »Ausgaben« ihrer Vorgänger waren – ihrer Persönlichkeit nach waren sie beschränkter, weniger beeindruckend, lange nicht so imaginativ. Und beide ließen die Schwestern jene Rolle spielen, die diese für sich gewählt hatten – auf angenehmere oder zumindest befriedigendere Weise, als dies ihre Vorgänger vermocht hatten. Else las für Alfred Weber Bücher und berichtete über ihre Lektüre; sie las ihm vor und übersetzte für ihn aus dem Englischen und Französischen; sie gestaltete seinen Stil einfacher und bereiste mit ihm Italien, um Kunstmuseen, Schlösser und Kirchen zu besuchen: durch all dies konnte Else dem Geist selbst dienstbar sein. Und indem er ihr seine ›Kulturgeschichte als Soziologie‹ widmete, zollte er all diesen Bemühungen ihrerseits seine Anerkennung. Sie lebte und arbeitete mit ihm, und so fuhr sie fort, eine aktive Rolle im Geistesleben Heidelbergs zu spielen. Alfred Weber war von barscher, schwieriger Wesensart, gewöhnlich nicht sehr umgänglich und eifersüchtig sogar auf die Ansprüche, die Elses Kinder an ihre Mutter stellten. Doch schien es Else Befriedigung gewährt zu haben, sich für ihn und durch ihn hindurch für die Welt des Geistes einzusetzen.

Frieda dagegen wollte sich so gar nicht aufopfern und schien in ihrem neuen Gefährten einen echten Diener der Magna Mater gefunden zu haben. In einem Zeitungsinterview aus dem Jahre 1970 wurde über Ravagli berichtet, er plane eine komplette, illustrierte Reihe über die »Unsterblichen Frauen der Welt« und habe gemeint: »Frauen, Frauen. Mein ganzes Leben ich liebe Frauen. Jetzt bin ich zu alt. Tutto finito.« In ihren Briefen und Erinnerungen klagt Frieda zuweilen über sein mangelndes Interesse an Ideen, den dürftigen Schutz seiner Verantwortung und seine geringe Autorität in weltlichen und geldlichen Dingen; manchmal, das kam noch hinzu, war er sogar der Männerwelt gegenüber loyal – so behauptete er zum Beispiel zu ihrer Bestürzung, daß die Kampferfahrung des Ersten Weltkrieges eine großartige Sache gewesen sei. Doch im großen und ganzen gab er ihr das, was sie brauchte. Indem sie mit ihm lebte, bildete sie weiterhin einen Teil der Taos-Unternehmung, ebenso wie ihre Schwester weiterhin eine Rolle im Heidelberger Geistesleben spielte.

Doch beide Schwestern fuhren auch fort, mit den großen Männern zu »leben«, die eine so entscheidende und brisante Rolle in ihrem Leben gespielt hatten. In ›Die Grenze‹ hatte Lawrence für Frieda nach seinem eigenen Tod genau diese zwiespältige Zukunft vorhergesagt. Bei den Geschäftsangelegenheiten, in denen Hauptmann Ravagli offiziell als Friedas Partner fungieren sollte, handelte es sich vor allem um D. H. Lawrences Nachlaß. Sogar die rein finanziellen Aspekte dieses Nachlasses wurden im Laufe der Jahre immer umfangreicher und immer schwieriger, denn da ging es sowohl um Nachdruck- und Filmrechte, um Bühnenfassungen, Gesamt- und Einzelausgaben als auch um posthume Erscheinungen während der ganzen dreißiger Jahre. Sein Ansehen unter Literaturkritikern war sogar noch lebendiger – zunächst im Geist derjenigen, die ihn persönlich gekannt hatten und nun sein Leben und Werk interpretierten und werteten (darunter waren vor allem John Middleton Murry, Mabel Luhan, Dorothy Brett, Catherine Carswell und Frieda selbst), später in den Arbeiten der Berufskritiker und Gelehrten. Wer Lawrence wirklich gewesen war, was er wirklich gesagt hatte, welche Dinge, die sich nach seinem Tod zutrugen, er gebilligt hätte – diese Fragen sollten im restlichen Leben Friedas immer wieder leidenschaftliche Bewunderung und leidenschaftlichen Zorn schüren, und ein Großteil der Leute, die Frieda besuchten, hatten sicher einiges dazu zu sagen. Das aber macht verständlich, warum Hauptmann Ravagli oft das Gefühl hatte, nun sei genug über Lawrence geredet worden.

Max Weber in Deutschland löste genausoviel Unruhe aus, doch war Else Jaffe ja nicht die offizielle Witwe – diese Rolle spielte Marianne Weber, und sie spielte sie hervorragend. »Max Webers Schreibtisch ist nun mein Altar«, erklärt sie in ihren ›Lebenserinnerungen‹, als sie die ersten zehn Jahre nach seinem Tod beschreibt. Sie reiste nach München, wenn dort Todestage von ihm gefeiert wurden, und ihre Eindrücke – zweifellos schon damals festgehalten, doch erst 1948 veröffentlicht – sind etwas rührselig. Einige ihrer Anmerkungen gelten Else Jaffe und werfen ein Licht auf die Beziehung zwischen den beiden Frauen. Tag um Tag, Woche um Woche und Monat um Monat, so erzählt Marianne, hätten sie einander Max Weber in die Erinnerung zurückgerufen – seine Art zu sprechen, sich zu kleiden, ja alle Einzelheiten seines Daseins. Und als sie von besagten erstickenden Tränen spricht, meint sie: »Du, Else, hast dann ihre Quelle für mich verschlossen.« Das veranlaßt uns, Frau Jaffe noch einmal in der Rolle der Frau zu sehen, die ihrer Freundin Bestätigung zuteil werden läßt, doch dürften dieses Mal die Schleusentore des ironischen Bewußtseins und der Selbstverleugnung nur mehr ein Rinnsal an mitfühlender Sympathie durchgelassen haben. Aber eine gewisse Sympathie blieb dennoch erhalten. Marianne und Else blieben sich weitere 35 Jahre lang treu, und treu blieben sie auch ihrer gegenseitigen Verschwiegenheit.

Marianne und Alfred Weber geben hervorragende Hintergrundfiguren für das Gruppenbild unserer Hauptpersonen ab, da beide einen wesentlichen Bestandteil der Umgebung, der Konstellation und des Heidelberg Elses bildeten und da beide Wege verkörpern, die Frieda, Lawrence und Otto Groß nicht einschlugen.

Marianne Weber

Mariannes Mutter war eine geborene Weber, eine Nichte von Max' Vater. Sie ging mit neunzehn eine unglückliche Ehe ein und starb mit vierundzwanzig. Ihre Ehe verlief insofern unglücklich, als ihr Mann krankhaft eifersüchtig und mißtrauisch war. Während Marianne, im Grunde eine Waise, bei ihrer Großmutter und ihren Tanten wohnte, erlebte sie es, wie zwei Brüder ihres Vaters verrückt wurden und in die Nervenheilanstalt eingeliefert wurden. Diese frühen Erfahrungen prädisponierten sie zweifellos zur Melancholie und Nervosität und möglicherweise auch zu jener Aversion gegen jegliche Häßlichkeit und Brutalität, die so stark in ihr war, daß sie ihren Wirklichkeitssinn reduzierte. Woher immer auch dies kommen mochte, auf jeden Fall hatte sie etwas von einer Märchenprinzessin an sich, der alles Böse völlig unvertraut war, ein Wesenszug, den sie ihr ganzes Leben lang behalten sollte. Dieser Zug rief bei den einen beschützende Ritterlichkeit und bei den anderen Geringschätzung und Feindseligkeit hervor.

Doch als »Kopf« war Marianne Weber, gemessen am Durchschnittsdenken ihrer Zeit, eine kühne Radikale. Sie liebte ihre Schulzeit und ihre Lehrer, und als sie nach Bielefeld zurückkehrte, wo sie ihre Kindheit verbracht hatte, rebellierte sie gegen die provinzielle Atmosphäre der Stadt. Sie brauchte geistige Lebendigkeit um sich. Sie beschloß, sich in einem Beruf ausbilden zu lassen, und ihre Familie ließ sie zu diesem Zweck nach Berlin gehen, wo sie bei den Webers wohnte. Das war 1892, in einer Zeit, in der ein derartiger Schritt einer jungen Frau ausgesprochene Kühnheit verriet. In ihren Ambitionen ermutigt wurde sie von Helene Weber, die sie aufrichtig bewunderte. Ihr erstes, 1907 erschienenes Buch, ›Ehefrau‹, widmete sie Helene. Es war Helene, die sie noch vor Max liebte, und diese Gefühlsbeziehung prägte gewissermaßen die Beschaffenheit der zweiten, der ehelichen Beziehung. Helene hatte Mariannes Mutter gekannt, die in Heidelberg zur Schule gegangen und im Hause Fallenstein gern gesehen war. In gewisser Hinsicht war also auch Mariannes Leben eine »Rückkehr nach Heidelberg«.

Max und Marianne heirateten 1893. Aus dem Lebensbild, das sie von ihrem Mann entwirft, geht klar hervor, daß sie ihm von ihrer ersten Begegnung an völlige Hingabe und eine Art Verehrung entgegenbrachte. Sie war klug und erkannte seine Stärken, sie war naiv und verkannte seine Schwächen, sie war voller Inbrunst und widmete ihm ihr Leben, und sie war sanft und damit gern die Schwächere. Es war eine Heirat, wie man sie sich idealer nicht vorstellen konnte. Obgleich von Max' Mutter nicht geplant – sie hatte andere Pläne für die beiden –, war sie, als sie sich an die Vorstellung gewöhnt hatte, über diese Verbindung ihrer beiden Lieblinge hocherfreut. Mariannes Hingebung und Verehrung bestärkten Max enorm, während er selbst bereit und fähig war, ihr das zu geben, wovon sie *glaubte,* daß sie es wolle: eine geistige Entwicklung und Freiheit und nicht die übliche Unterwerfung in der Ehe, die häusliche Fron. Tragisch war nur, daß er nicht zum Begehren und sie nicht zum Begehrtwerden taugten. Doch bei den Wunden, die beide früh erlitten hatten, hätte ihr Leben wahrscheinlich ohnehin einige tragische Züge aufzuweisen gehabt. Gemessen an den konventionellen Maßstäben des damaligen Heiratsmarktes stellten Max und Marianne Partien erster Güte dar. Sie war eine hübsche Frau, hübsch in reizvoller Schulmädchenmanier, klein und zart, immer einfach und sauber gekleidet, ein Geschöpf mit großen, dunklen und beredten Augen inmitten unregelmäßiger Gesichtszüge und mit einer Stimme, die auch dann noch jung und silberhell klang, als ihr Haar bereits ergraut war. Max und sie bildeten ein hübsches und beeindruckendes Paar, erhaben über jede Kritik. Dazu kam noch, daß sie einander wirklich mochten.

1895 erhielt er seinen ersten Ruf nach Freiburg. Dort freundeten sich beide, zunächst aber vor allem Marianne, mit Else von Richthofen an. Else war vier Jahre jünger als Marinanne und hat in diesen ersten Jahren auf die Freundschaft, die man ihr entgegenbrachte, sicher mit Dankbarkeit und Bewunderung reagiert, denn die beiden jungen Frauen verband derselbe Ehrgeiz, ein Ehrgeiz, den damals nur wenige Frauen teilten oder tatkräftig verwirklichten. Marianne war eine intelligente und fleißige Studentin, die sich den Disziplinen der Wissenschaft enthusiastisch und lernbegierig unterordnete. Es ist möglich, daß sie in den Universitätskursen, die sie zusammen mit Else belegte, besser abschnitt als diese. Doch Else war der stärkere Geist, sie war unabhängiger, wandlungsfähiger, besaß einen breiteren Erfahrungsbereich und ein zynischeres Urteilsvermögen. Häufig schockierte Else Marianne, die das genoß. Else hatte schon früh das richtige Augenmaß für die Männer und Institutionen gewonnen, die man Marianne zu kritisieren gelehrt hatte, nur daß eben diese Kritik mechanisch erfolgte. Andererseits war es jedoch Marianne, die begann, Bücher zu schreiben, die politisch Karriere machte und zu einem der Köpfe der Frauenbewegung wurde. Elses Skepsis und Melancholie hinderten sie daran, in der Welt der Männer – zu der natürlich auch die Frauenbewegung gehörte – aktiv zu werden oder an die Welt der Frau zu glauben. Else lebte an der Grenze, im Nebenbereich. Sie *diente.*

Marianne vollendete und veröffentlichte ihr Buch über die Ehe und die rechtliche Stellung der Frau durch die Jahrhunderte hindurch 1907, als Groß und Frieda und Else ihre Affäre hatten und als Groß' Einfluß sich auch in Heidelberg plötzlich bemerkbar machte. Zur selben Zeit begann sie Vorträge über die Ehe zu halten und Essays zu schreiben über die verschiedenen Formen von Liebesbeziehungen, über den Verfall der Moral, über die Unterschiede zwischen den Geschlechtern und dergleichen mehr. Diese Themen machten sie zur Wortführerin Heidelbergs und damit des Liberalismus. Sie war Heidelbergs David, nur daß sie eben, gehüllt in die gewaltige Ritterrüstung der Argumente von Max, wie ein Goliath wirkte – zumindest wenn man sie mit Otto Groß verglich.

In ihren 1907 publizierten ›Sexual-ethischen Prinzipienfragen‹ erklärt sie, es sei absurd, eheliche Bindungen an den Kriterien des vollkommenen Glücks, der Erfüllung oder des Einklangs zu messen; eine allgemeingültige Übereinstimmung zwischen dem, was gegeben ist, und dem, was sein sollte, habe es nie und nirgendwo gegeben. Der Konflikt sei unser unentrinnbares Los, so lange wir nach geistiger und moralischer Kultur strebten. »Ein Mensch vermag nur dann über seine Schuld hinauszuwachsen, wenn er diese Schuld als große und wichtige Sache nimmt«, schreibt sie. Und so ganz in der Diktion ihres Mannes fügt sie hinzu: »Eine moralische Regel läßt sich aus dem, was der Durchschnittsmensch tut, ebenso wenig ableiten wie eine wissenschaftliche Regel aus dem, was er glaubt.« Heutzutage, so hebt sie hervor, entdecken wir um uns herum eine sexual-ethische Skepsis, die zum Teil aus einem Schönheitsempfinden und aus dem Adel des Erotischen, zum Teil aber auch aus der in zeitgenössischen medizinischen Kreisen verbreiteten Neigung hervorgehe, Sexualität als eine Sache der Hygiene zu betrachten. Natürlich müssen wir die Ehegesetze reformieren und die patriarchalische Tyrannei beseitigen, doch müssen wir auch zugeben, daß eine große Leidenschaft nur in der erotischen Beziehung bestehen kann, die zumindest an ihre eigene Dauer glaubt. Natürlich wird das edle Wesen eines Menschen nicht Lügen gestraft, wenn es ihm nicht gelingt, das zu erreichen, wonach er ernsthaft strebt; auch müssen wir zugeben, daß wir in einer Epoche großer sexueller Probleme leben. Doch Ehen lassen sich nicht so leicht auflösen, und sei die gegenseitige Enttäuschung zwischen Gatte und Gattin noch so groß. Kinder brauchen zwei Elternteile. (Man muß sich vorstellen, wie Else

Jaffe diese Argumente aufnahm, ja wie sie ihr in Diskussionen eingehämmert wurden.) Außerdem so fährt Marianne Weber fort, ist die sexuelle Begierde aus sich selbst heraus nicht notgedrungen edel. Es geschieht häufig, daß »... jede Entfesselung der sexuellen Leidenschaften einer brutalen Behandlung der Gefühle gleichkommt und daß es die Frau ist, die den Preis für diese Brutalität zu bezahlen hat«. Frauen müssen einen Beruf erlernen, um die Würde und das Selbstvertrauen zu entwickeln, die damit Hand in Hand gehen. »Deutsche Mütter sollten ihre Töchter sowohl zu geistiger und wirtschaftlicher Unabhängigkeit erziehen, als auch dazu, daß sie an die Männer, von denen sie umworben werden, hohe ethische Anforderungen stellen.« Sie müssen ihre Liebe und Achtung jenen verweigern, die unter hygienischen Vorwänden ein Recht auf sexuelle Befriedigung beanspruchen. (Wir wissen nicht, ob Frieda diesen Essay gelesen hat, doch hat man ihn ihr wahrscheinlich empfohlen, als sie mit dem Problem rang, ob sie Weekley verlassen solle oder nicht.) Die Hauptformel ist Heidelberg in Reinkultur: »Nicht also einen Ersatz, sondern eine Reform der Ehe.«

In diesem Essay behauptet Marianne, unter primitiven Völkern gebe es tatsächlich die Prostitution. Drei Jahre vorher hatte sie sich mit der Theorie des Mutterrechts auseinandergesetzt, »weil sie von so vielen Leuten wie eine Art Verlorenes Paradies betrachtet wird«. Diese Arbeit entstand noch bevor Groß in Heidelberg bekannt wurde, mußte also einen Angriff gegen die Theorien von Engels oder gegen die »Kosmische Runde« darstellen. In diesem Essay behauptet sie, man könne dem Mutterrecht auch heute noch begegnen, und zwar immer dort, wo der Mann nicht fähig oder willens sei, seiner Frau den Rang der Gattin einzuräumen. Natürlich sollten wir den Exzessen des Vaterrechts entgegentreten, doch hätten wir es hier mit einem unerläßlichen Stadium in der Entwicklung des Individualismus zu tun, und es gäbe keine historische Evidenz, welche die vielgeliebte Theorie erhärte, wonach der Mann die Monogamie zu seinem eigenen Vorteil eingeführt haben soll, um so Erben zu haben und eine Art von Unsterblichkeit zu erlangen. Auch in diesem Fall empfiehlt Marianne, sich vor den Übeln des einen Standpunkts zu hüten und gleichzeitig nicht ins Gegenteil zu verfallen.

In ihrer 1913 entstandenen Schrift ›Die Frau und die objektive Kultur‹ spricht sie beredt über die Gefahren, die der Beruf mit sich bringt: »Wir sehen heute oft, wie der Mensch, der in seinem Beruf aktiv ist, in Nüchternheit untergeht – er tut dies nicht in dem Sinne, daß er sich für etwas Größeres opfert, sondern in der Weise, daß seine menschliche Substanz langsam aufgezehrt wird durch das unentrinnbare Übermaß der Anforderungen seines Berufes, der aufgehört hat, seine Schöpfung zu sein, so daß der Diener zum Herrn geworden ist.« Frauen müßten erkennen, was Beruf bedeutet, bevor sie eifrig eine berufliche Laufbahn einschlagen. Und wenn sie einen Beruf ergreifen, müßten sie nach wie vor ihren alten und entgegengesetzten Pflichten nachkommen. Die Ehefrau müsse zwischen den Idealen des Mannes und seiner Unzufriedenheit mit sich selbst vermitteln: »Seiner Disharmonie muß sie mit ihrer Harmonie begegnen, seiner Spezialisierung mit ihrer Ganzheit, seiner Unterwerfung unters Objektive mit ihrer Unterwerfung unters Lebendige.« Das ist ein Rezept, das den Weberschen Beziehungen zugrundeliegt – der Beziehung zwischen Max und Marianne genauso wie der zwischen Alfred und Else. Otto Groß und Frieda dagegen glaubten, die Menschen sollten sich nicht durch ihren Beruf beherrschen lassen, denn dann bräuchten die Frauen auch nicht unter der Belastung der Männer zu leiden.

In einem 1909 verfaßten Essay über Autorität und Autonomie in der Ehe behauptet Marianne, daß nun auch die Frauen das Bedürfnis hätten, mit Männern zusammenzuarbeiten, mit ihnen in der überpersönlichen Welt der Kultur zusammenzuwirken. Das ist der Wunsch, der Ursula Brangwen aus dem ›Regenbogen‹ in die »sich weitenden Kreise« hinaustreibt, ein Wunsch, den auch Else und Frieda von Richthofen kannten. Doch wurde dieser Wunsch bei Frieda über Otto Groß' Ägide bald ersetzt oder verwandelt. Und die Entwicklung gab Frieda recht. So verfaßte Marianne acht Jahre später einen Essay über den Persönlichkeitswandel der Studentin, in dem sie einräumt, daß sich die Dinge geändert hätten. Die Studentinnen pflegten sich für ihre Rechte kämpferisch einzusetzen und sich nüchtern, in einem maskulinen Stil, zu kleiden. Nun gäben sie sich extrem feminin und suchten vor allen Dingen nach Liebe. Es sei dies der »romantische Typus« der Studentin, die sich vor allem danach sehne, von Eros angerührt zu werden, und die sich deutlich zu Dingen äußert, die früher nicht ausgesprochen worden seien. So verzeichnet Marianne Weber die Auswirkungen der erotischen Bewegung. Warnend weist sie darauf hin, daß diese neue Art von Erotik, dieses Sich-dem-Eros-Öffnen für die

Frauen gefährlich sei, da Liebe für die Frau stets mehr bedeute als für den Mann.

Solange Max am Leben war, war Marianne seine Sprecherin. Wir begegnen seinen Gedanken, ja sogar Sätzen von ihm in ihren Schriften. Doch ihre eigentliche Begabung war die schlichte, impressionistische Darstellung von Menschen und Ideen. Wenn ihr der Gegenstand, mit dem sie sich befaßt, zur Herausforderung gerät (das war in der Biographie ihres Mannes, ›Max Weber. Ein Lebensbild‹, der Fall), gerät ihr die Transparenz des Mediums, mit dem sie arbeitet, zur echten Leistung. Doch in ihrem Urteil über Menschen oder Ideen, als Assimilator von Erfahrungen, ist sie unbedeutend. Frauen wie Frieda (von Männern wie Otto Groß ganz zu schweigen) müssen in Mariannes Karriere einen treffenden Beweis dafür gesehen haben, daß die Welt der Männer nur jene Frauen »wichtig« und ernst nimmt, die es niemals wagten, sie selbst, ihr weibliches Selbst zu sein, und die immer folgsame Schülerinnen in der Welt der Männer waren. Aber Marianne *war* das, was sie so hartnäckig verfolgte, in einem solchen Maße, daß sie schließlich zur Verkörperung einer Idee wurde. Sie war von femininem – aber nicht weiblichem – einnehmendem Wesen, und sie war liebreizender Anlaß zur Ritterlichkeit; doch war sie gleichzeitig ein gedankenklarer, hart arbeitender Mensch, der sich selbst der gesellschaftlichen Aufgabe unterordnete.

Aber es waren nicht nur so kühne Geister wie Groß, die sich durch Marianne gereizt fühlten. Durch mächtige Persönlichkeiten wie Max Weber und durch gesellschaftliche Konventionen fehlte es ihr an echtem Kontakt zu vielen Lebensbereichen – das heißt, ihr blieben Herausforderungen, denen sich andere stellen mußten, erspart. Dazu kam noch, daß sie zu einem autoritären Gebaren neigte, das ihr von der Jugend übelgenommen wurde. So waren zum Beispiel bei Frau Professor Rickerts sechzigstem Geburtstag 1920 Reden verpönt oder man unterließ sie einfach, was jedoch nicht hinderte, daß sich Marianne erhob und eine Rede über die Liebe hielt, wobei sie Frau Rickert als die Inkarnation der Liebe bezeichnete; Frau Rickert, vor Verlegenheit errötend, fand sich schließlich verwandelt in eine jener »ewigweiblichen« großen Liebenden, die Fausts Seele auf ihre Reise hinan zu Gott umschweben. Einige Gäste waren empört. Und bei den regelmäßigen Treffen von Intellektuellen, die sie arrangierte, pflegte Marianne reizenderweise alle Damen, die vergessen hatten, ihren Hut abzusetzen, eben daran zu erinnern –

denn es wäre doch viel netter für alle, wenn sie sich daran hielten. Auf ihre zugleich kleinliche und liebreizende Weise war sie ein verwöhnter Tyrann.

Ihre sonntäglichen Teeeinladungen bildeten von 1924 bis 1944 ein Zentrum des Heidelberger Geisteslebens bis in die Nazizeit und den Krieg hinein; allerdings wurden diese Einladungen unter den Nazis zeitweise eingestellt, um dann jedoch wieder aufgenommen zu werden – in einem mehr privaten Rahmen indes und mit weniger Studenten. Doch sie galten nach wie vor als geistiges Ereignis, und in der Nazizeit war es nicht die Universität, sondern eben dieser Rahmen, in dem die Traditionen des alten Heidelberg am stärksten gewahrt blieben. In der Regel fand ein Vortrag statt, dem sich eine Diskussion anschloß. Zu Wort kamen dort Jaspers und Alfred Weber, Ludwig Curtius, Friedrich Gundolf, Thomas Mann und Otto Dibelius. Marianne erhielt im »neuen« Deutschland das alte Webersche Heidelberg am Leben – die Andeutung eines gewissen Siechtums ist nicht unangemessen.

Doch die jungen Leute nach 1918 fühlten sich besonders irritiert durch die Rolle, die sie sich als Autorität auf dem Gebiet der Liebe und Sexualität anmaßte, da ihr Verhalten gerade in diesem Bereich von ihrer Ignoranz zeugte. Ihre Arbeit ›Die Ideale der Geschlechtergemeinschaft‹ erschien 1929, im selben Jahr also, in dem Lawrence sein ›A Propos of Lady Chatterley's Lover‹ verfaßte. Beide Essays verteidigen die Ehe auf »modernistisch-traditionelle« Weise. Lawrence wurde konservativer, Marianne dagegen liberaler. Doch verglichen mit seinem Essay, macht ihre Arbeit einen schwachen Eindruck. Auf diesem und auch auf anderen Gebieten war Heidelberg unfähig, mit der Zeit zu gehen. Die Stadt verkörperte nicht mehr den neuen Geist Europas.

Eine besondere Manifestation dieser allgemeinen Schwäche des Heidelberger Geistes bestand darin, daß weder Alfred Weber, der Lawrences Werk kannte, noch Else Jaffe, die sein Werk ins Deutsche übersetzte, den Dichter zu würdigen wußten. Ihren Maßstäben nach war er kein Schriftsteller oder Denker, den man ernst nehmen hätte können. Ihnen schwebten erheblich ältere – und in diesem Fall altmodischere – Vorbilder von Intelligenz und Bedeutung vor. Lawrence schrieb 1929 an Else, er würde ihr ›Lady Chatterley's Lover‹ nicht senden, da er wisse, daß sie »in diesen Dingen die entgegengesetzte Richtung« vertrete. Sie würde das Buch als »satanisch« bezeichnen, während er selbst glaube, daß »Luzifer nun heller leuchtet als der trüb gewordene Michael oder der armselige Gabriel ... Ja, ich bin ganz und gar für Luzifer, denn er ist der echte *Morgenstern* ... Ich stimme insofern mit Dir überein, als ich auf der Seite des Antichrist stehe. Nur bin ich kein Lebensgegner«. Frau Jaffe gab offen zu, damals nicht an Lawrences Genie geglaubt zu haben; ihr sei bewußt gewesen, daß sie einander feindlichen Welten angehörten. In einem Interview sagte sie 1967: »Ich bewunderte, respektierte Lawrence und ich mochte ihn sehr. Doch ich muß ehrlich gestehen, daß mir seine ungemeine Bedeutung entging. Das ist heute noch stärker. Das heißt, eigentlich sollte ich sagen: *später* war das noch stärker. Denn ich kam aus einer intellektuellen Welt, und so waren meine Wertmaßstäbe anders, zumindest etwas anders.« Tatsächlich fand sie seine Bücher nach wie vor weitschweifig und die Dialoge darin schlecht. Sie nahm Frieda, wenn auch nicht als Intellektuelle, ernster als Lawrence. Sie übersetzte Friedas ›Not I But the Wind‹ ins Deutsche (›Nur der Wind‹), bald nachdem es in Englisch erschienen war, doch nahm sie verschiedene Änderungen vor, die nicht bloß im Weglassen von Wörtern, sondern von ganzen Sätzen, ja Passagen bestanden. Ihr Ziel war, Sachverhalte entweder zu verschleiern oder genauer darzustellen. Sie sei, so räumte sie ein, daran gewöhnt gewesen, Frieda zu redigieren und zu korrigieren, denn das habe sie ihr ganzes Leben lang getan. Es dürfte ihr bitter gewesen sein, daß sie Frieda sogar in der Welt der Literatur noch dienstbar sein mußte.

Es war sowohl für Alfred als auch für Marianne Weber typisch, daß sie sich der Pflicht stets bewußt waren, wonach es Aufgabe der gebildeten Schicht sein müsse, ein moralisches Vorbild zu geben, an das sich die niedrigeren Schichten halten können, auch wenn sie derartige Vorbilder häufig ablehnen. Alfred Webers Anhänger und Sympathisanten diskutierten häufig über Fragen wie »Besitzen die Amerikaner eine eigene Kultur?« Alfred und seine Parteigänger setzten sich intensiv mit dem Eliteproblem und der Schulung nationaler Führer auseinander. Ihre Vorstellung von der Kultur wurzelte im Privileg wie in der Verantwortlichkeit, und ihre Vorstellung, wie Kultur zu überliefern sei, war traditionsverbunden – es ging da stets um das Beste, was gedacht und gesagt worden war, und stets ging es um die großen Kunstwerke der Vergangenheit. Die letzten großen Männer, so meint Alfred Weber, seien Goethe und Beethoven gewesen. Im 19. Jahrhundert seien nur zerstörerische Genies wie Nietzsche möglich gewesen. Diese Weltanschauung oder Empfindungsweise wird angesichts ihrer geistigen Umwelt, die tatsächlich privilegiert war, verständlich. »Besitzen die Amerikaner eine eigene Kultur?« ist eine typische Heidelberger Frage.

Doch verfolgte Marianne, nachdem Max gestorben war, ihre eigene intellektuelle Laufbahn weiter, und daneben setzte sie ihre Bemühungen fort, die Traditionen aus der Vorkriegszeit zu erhalten. Sofort nach dem Tod ihres Mannes begann sie seine Schriften zu sichten und zu ordnen, so daß sie in den zwanziger Jahren den wesentlichen Teil seines Werkes herausgeben konnte. Und 1926 veröffentlichte sie ihr umfangreichstes Werk, ›Max Weber. Ein Lebensbild‹, in dem sie ziemlich viel von ihrer Ehe hermachte. Das Selbstlob ist zwar nicht übermäßig, doch erscheinen die Webers in diesem Buch als ein Musterpaar des liberalen Deutschland. Zur selben Zeit verbündete sie sich mit Karl Jaspers, der aus seiner persönlichen Sicht Max Webers seine existentialistische Weltanschauung entwickelte. Jaspers unterstützte Marianne in vieler Hinsicht, und er sprach im Hause Weber häufig über das Thema »Max Weber«.

In den späten zwanziger Jahren war Marianne mit Peter Wust, einem katholischen Religionsphilosophen, befreundet, der, obwohl verheiratet, die inspirierende Jungfrau-Mutter in ihr entdeckte. »Liebe kleine Mutter Marianne«, schrieb er ihr, »halte Deine lieben reinen Frauenhände schützend über mein stets gefährdetes Leben.« Wust war ein schmächtiger, nervöser, unsicherer Mensch, mit einem angestrengten, beunruhigten und durchgeistigten Blick, verwirrt bei allen »gesellschaftlichen« Anlässen, nicht unähnlich dem *curé de campagne* aus Georges Bernanos' gleichnamigem berühmtem Roman. Wust war befreundet mit Max Scheler, dem katholischen Nietzsche, aber auch mit Henri Brémond, Jacques Maritain und Paul Claudel, alle Vertreter einer Geistesrichtung, die in vieler Hinsicht Max Weber kritisch und feindselig gegenüberstand, denn schließlich war Weber der Verfechter des säkularisierten und fragmentierten Rationalismus. Walter Theodor Cleve, der Max Weber die Schuld an Alfred Seidels Selbstmord gab, war ein Anhänger Wusts. Die Tatsache, daß sich Marianne Wust zuwandte, hatte zweifelsohne damit zu tun, daß sie sich in diesen Jahren der Wirtschaftskrise stärker zu einer Religion des Weltverzichts hingezogen fühlte.

Doch dürfen wir annehmen, daß ihr nicht viel daran lag, ihr Bild genauso gespiegelt zu sehen, wie sie es projizierte, auch wenn die begleitenden Gefühle noch so glühend waren. Sie fühlte sich wohler bei größeren, stärkeren, väterlichen Männern, und so kam die Beziehung zu Wust langsam zum Erliegen. Indes scheint Wust der zweite Mann in ihrem Leben gewesen zu sein, ähnlich wie Alfred Weber der zweite Mann in Elses Leben oder Middleton Murry (wenn auch nur flüchtig) der zweite Mann in Friedas Leben war. Es war eine völlig überspannte Beziehung. Wusts Kommentare über seine Aufenthalte in Max Webers Haus, bei denen er – auf sehr spirituelle Weise – Marianne zur Liebe verführte (er las ihr die ›Marienbader Elegie‹ vor und schwelgte in späteren Briefen in dieser Erinnerung) – diese Kommentare sind ihrem Stil nach mäuschenhaft-mickrig. Schon sein erster Brief an sie ist, obwohl sie sich erst kennengelernt hatten, eine ungewöhnliche Mischung aus Leidenschaft, Innigkeit, Schmeichelei und Selbsterniedrigung. Lawrence wie Weber hätten sehr unduldsam auf diese Darbietung reagiert, die Lawrences barscheste Bemerkungen über Middleton Murry verdient hätte. Sogar Marianne zeigte, daß sie sich nicht ganz wohl in ihrer Haut fühlte, obwohl sie jegliche Ungeduld und Barschheit bekämpfte und in ihrem Verhalten Wust nicht ganz unähnlich war.

In den dreißiger Jahren ließ sich Marianne auf eine weitere religiöse Unternehmung ein. Sie stieß zu den »Köngenern«, einer frommen Jugendbewegung, deren Mitglieder bunte, unkonventionelle Kleidung trugen, zusammen tanzten und Musik machten; ihr Ziel war es, die Christenheit oder zumindest den lebendigen christlichen Glauben für Deutschland zu retten. Sie veranstalteten Arbeitswochen, in deren Verlauf Vertreter verschiedener Anschauungen Vorträge hielten, denen sich Diskussionen anschlossen. Marianne sprach über Liebe und Ehe. Es erschienen C. G. Jung, Martin Buber und Gertrud Bäumer, aber auch ein Nationalsozialist, ein Kommunist und ein Katholik. Marianne sprach zuweilen als Verfechterin eines altmodischen Individualismus. 1933 wurden Jakob Wilhelm Hauer, der Führer dieser Bewegung, und Graf Ernst zu Reventlow die Leiter der »Studiengruppe zum deutschen Glauben« und der »Freidenkerliga«; den Segen der Nazis hatten sie dabei. Beide Organisationen verfolgten das Ziel, die Arbeiterklasse vor dem Kommunismus zu retten. Doch die meisten Köngener weigerten sich, diesen Organisationen beizutreten und hielten sich unter der Führung des Geistlichen Rudi Daur heraus.*

Marianne besuchte die bis 1940 stattfindenden Versammlungen dieser Bewegung von 1930 an, doch war dies kein Mittel, um Hitler Einhalt zu gebieten oder die Probleme Deutschlands zu lösen. Trotzdem leistete Marianne ihren Beitrag. Sie war nach wie vor »eine bemerkenswerte Frau«. Während Frieda Lawrence, nach wie vor in Taos, kaum je eine Zeitung las, war Marianne in der Welt der Männer immer noch aktiv. In den vierziger Jahren spielte sie im Geistesleben Heidelbergs immer noch eine gewisse Rolle. Kurz nachdem 1945 die ersten amerikanischen Truppen in die Stadt einmarschiert waren, besuchten Marianne Weber einstige Studenten von Talcott Parsons in Harvard; bis spät in die Nacht hinein diskutierte Marianne mit ihnen über so wichtige historische Fragen wie die deutsche Kriegsschuld. 1946 veröffentlichte sie ihr ehrgeizigstes Buch, ›Erfülltes Leben‹, für das sie während des Krieges keinen Verleger gefunden hatte. Bald danach begann sie ihre ›Lebenserinnerungen‹ zu schreiben.

Else Jaffe blieb mit ihr befreundet. 1930, im Todesjahr Lawrences, feierte zu Mariannes sechzigstem Geburtstag das intellektuelle Heidelberg ihr »Altersfest«. Jaspers hielt wieder einmal eine Rede über Max Weber; Marianne wurde unter anderem mit einem satirischen Sketch gefeiert, den ihre Verwandten und Freunde aufführten. Man stellte sie darin als Priorin dar, die zur ersten Päpstin der Welt gewählt wird. Die Rolle von Marianne aber spielte Else Jaffe. Die verschiedenen ironischen Bemerkungen müssen ein absonderliches Konglomerat ergeben haben. 1940 fand in Bayern das zweite »Altersfest« statt; auch dieses Mal nahm Else Jaffe teil – sie trug Verse vor, die sie eigens für diesen Anlaß verfaßt hatte. Und 1954, als Marianne mit vierundachtzig Jahren erkrankte, war es wiederum Else, die schließlich an ihrem Sterbebett saß; als Marianne starb, hielt sie Elses Hand und flüsterte sie Elses Namen. Ihrer beider Schicksale waren tatsächlich besonders eng miteinander verbunden gewesen. Marianne hatte Else irgendwie um ihr Glück betrogen. Wen verwundert da die tiefe Bewegung Elses, die sich in diesem einzigen Fall einmal indiskret verhielt, als sie Frieda Lawrence über diesen Tod schrieb. Es war ein »christliches«,

---

* Hauers ›Deutscher Glaube‹ wurde 1939 von T. S. Eliot als eine der wesentlichen Häresien der Moderne bezeichnet.

frommes Gefühl, das sie für Marianne offenbarte: »Du weißt, wie eng, wie geheimnisvoll eng das Band zwischen uns war – nein, nicht war, sondern *ist* –, doch die Trennung ist trotzdem von tiefer Bedeutung. Es ist mir immer klar gewesen, daß, wenn Marianne sterben würde, die Konstellation, in der auch mein Stern steht, unter den Horizont sinken würde.« Sie meinte natürlich die Weber-Heidelberg-Konstellation. Alfred Weber lebte zwar noch, aber vielleicht – es gibt andere Hinweise auf diese Möglichkeit – galten die stärksten *Gefühle* Frau Jaffes den Frauen. Auf jeden Fall war Mariannes Tod einer der entscheidenden Punkte in ihrer zweiten Lebenshälfte.

Alfred Weber

Ein weiteres einschneidendes Ereignis in Elses Alter dürfte der Tod von Alfred Weber gewesen sein, obwohl die Verschwiegenheit ihrer Beziehung es schwer macht, irgend etwas darüber zu sagen. Alfred Weber starb 1958 mit neunzig Jahren. Else von Richthofen hatte den Bruder Max Webers noch vor 1900 in Berlin kennengelernt, als er dort – ein kleingebauter, gutaussehender, reizbarer und nervöser Junge – studierte. Er hatte seine geistige Laufbahn mit dem Kunststudium begonnen, doch trat er, als Else ihn kennenlernte, bereits in die Fußstapfen seines Bruders – dasselbe traf übrigens auch auf Else zu. 1909 veröffentlichte er seine ›Industrielle Standortstheorie‹, die man als wichtigen Beitrag zur ökonomischen Theorie wertete. Dieses Werk wurde ins Englische übersetzt und in Rußland von bolschewistischen Wirtschaftsplanern zu Rate gezogen. Noch während sich dieses Werk im Druck befand, wandte er sich – auch hierin seinem Bruder ähnlich – der Soziologie zu, wobei er sich allerdings vor allem mit den Schönen Künsten und der Hochkultur im allgemeinen befaßte. In seinem Geschmack, seiner Wesensart und seiner Art, sich auszudrücken, war sein Empfinden ästhetischer als das seines Bruders.

In Berlin hatte er eng mit Gustav Schmoller zusammengearbeitet, dem Hauptvertreter der jüngeren historischen Schule der deutschen Volkswirtschaftslehre, und einer seiner Lehrer in Bonn war Karl Lamprecht gewesen, der damals gerade eine neue Art der Geschichtsschreibung entwickelte, die den Konflikt zwischen politischen und kulturellen Interessen unterstrich und den sozioökonomischen Unterbau der Kulturgeschichte untersuchte. In seinen Werken ›Moderne Geschichtswissenschaft‹ (1905) und ›Einführung in das historische Denken‹ (1913) versuchte Lamprecht die soziopsychologische Entwicklung des Menschen *innerhalb* der großen gesellschaftlichen Strukturen aufzuzeigen und forderte die Untersuchung der Bedingungen, welche die geistige Entwicklung begünstigen. Insoweit wir es hier mit der Thematik von Alfred Webers späterem Werk zu tun haben, können wir dieses als Reaktion auf die Anregung Lamprechts nehmen. Doch der antirationalistische, antipositivistische Geist seiner Zeit beeinflußte ihn noch stärker in der Philosophie und Kunst. Bergsons Antithesen Vernunft/ Intuition, Raum/Zeit und Materie/Leben beeinflußten die Welt vor dem Kriege, in der Weber lebte, sehr stark, und dieser Einfluß erstreckte sich sogar auf die Soziologen, die sich in einiger Hinsicht der »Wissenschaft« verpflichtet fühlten. (Max Weber bestand zumindest auf dieser Verpflichtung.) Georg Simmel wie Alfred Weber sprachen von der Immanenz des Transzendenten in den lebenswichtigen Prozessen. Graf Hermann von Keyserling, Max Scheler und Oswald Spengler waren alle von der damaligen »Lebensphilosophie« beeinflußt, doch die Idee, eine Kultursoziologie zu entwerfen und eine positivistische Untersuchung des kategorisch freien Lebensgeistes durchzuführen, war eine Reaktion Alfred Webers auf seine eigene innere Gespaltenheit.

Anscheinend ist es richtig, daß er Else von Richthofen schon vor 1900 liebte, an eine Heirat scheinen die beiden aber nicht gedacht zu haben. (Else verlobte sich 1900 für kurze Zeit – allerdings mit einem anderen Mann.) Wenig später unternahm Alfred eine Reise nach Hawai, und nach seiner Rückkehr erhielt er einen Ruf an die Prager Universität. Dort hielt er sich lediglich drei Jahre auf, und als er 1907 nach Heidelberg kam, gab er sich als veränderter Mann, als Rebell gegen die Weltanschauung seiner Mutter; dieses Rebellentum kam schon rein äußerlich in der Tatsache zum Ausdruck, daß er, von Max' und Mariannes Haus aus betrachtet, am anderen Ende der Stadt wohnte. Sein Hauptmotiv dafür dürfte wohl sein Wunsch gewesen sein, vom »großen Max« abzurücken, denn eines ist klar: das dominierende Thema seines Lebens war der unerbittliche und destruktive Wettbewerb mit dem stets bevorzugten Bruder. (Als Max 1920 fiebernd im Sterben lag, griff er nach einem Glas Milch und murmelte: »Gebt es mir rasch, sonst wird Alfred es trinken.« Alles und jedes, sogar Else von Richthofen, wurde zum Gegenstand dieses Konkurrenzkampfes.) Tatsächlich empfahl Max Weber Simmel für die Stelle, die schließlich Alfred bekommen sollte, eine Tatsache, die Alfred in seinem Wunsch, sich von seinem Bruder fernzuhalten, gewiß bestärkt hat.

Doch hatte Alfred in seiner Prager Zeit auch eine neue Weltanschauung entwickelt. Er hatte sich in wesentlich stärkerem Maße den Ideen der »Lebensphilosophie« angeschlossen, wobei er mit diesem Begriff ungezwungen alle Schulen der »Lebenswerte« bezeichnete, denen man damals in fortschrittlich gesinnten Kreisen, vor allem in Österreich, begegnen konnte. Für Max Brod und dessen Freunde war er ein Lieblingslehrer und ein Freund. Es war dies jener Kreis jüdischer Literaten, den ein Jahrzehnt später Otto Groß häufig besuchen und beeinflussen sollte. In Brods Autobiographie ›Streitbares Leben‹ (S. 320 f.) findet man eine der seltenen Beschreibungen von Alfred Weber (den er übrigens auch in seinem Roman ›Jugend im Nebel‹ in der Person des Professor Westertag porträtierte). Alfred Weber, so erzählt Max Brod, sei ein mittelgroßer, aber starker Mann gewesen, mit kraftvollem Schritt und ruckartigen Bewegungen. Das Gesicht sei füllig, ja fast üppig gewesen, rötlich die Wangen, dunkelbraun der Knebelbart, klein, aber leuchtend die Augen, eingebettet über den Backen. Obwohl seinem Typus nach nicht blond, habe er doch einer bestimmten Art des Germanen entsprochen: »dunkel, nervös, sensitiv, zu höchsten geistigen Leistungen aus Zerrüttungen sich zusammen- und aufraffend«. Brod verbreitete das Wort über dieses Phänomen von einem Menschen – den er mit Schopenhauer und Dehmel verglich – unter seinen Freunden und machte in den Intellektuellenkreisen Prags Alfred Webers Vorlesungen zum modischen Ereignis.

Eine Vorstellung von Alfreds Redestil vermittelt sein Vortrag ›Der Deutsche im geistigen Europa‹ aus dem Jahr 1926. Mit dieser Rede wandte er sich auf einer internationalen Konferenz an die geistigen Vertreter der verschiedenen europäischen Länder und vermittelte seine Vorstellungen von dem, was Deutschland dem restlichen Europa bieten könne; dies ist die Vision einer Jugend aus der Sicht einer Generation, die durch die Schule Nietzsches gegangen war, ohne nihilistisch zu werden, einer Generation voller Glaubensmöglichkeiten, die durch die zynische Kunst ihrer Zeit nicht wirklich repräsentiert wurde. Obwohl das Gegenteil einer vergeistigten Menschheit oder fußnotenwütiger Gelehrsamkeit, seien diese jungen Menschen keine blonden Bestien. Er stellt sie konventionelleren Manifestationen des Geisteslebens gegenüber und wendet sich an die Großmut der Vertreter anderer Länder. »Ich glaube nicht, daß in der Politik jemals jene wundervolle ritterliche alte Schlachtmaxime der Franzosen wird üblich werden können: Messieurs les Anglais, tirez les premiers. Aber warum soll sie für uns nicht im Geistigen gelten?« Und indem er sich rhetorisch hineinsteigert: »Warum nicht endlich aus der Niedrigkeitsatmosphäre heraus? Die wahre geistesaristokratische Tugend ist die gegenseitige Bewunderung ... Sei das unsere Haltung. Machen wir uns keine leeren Komplimente ...«* Und in diesem Ton ist ein Großteil der Rede gehalten: Alfred Weber war ein Redner, der sich selbst aufpeitschte.

Sein Haus in Heidelberg wurde vor dem Krieg zu einem Treffpunkt der Anhänger Stefan Georges, die Max Weber im Grunde feindlich gesinnt waren, und so bewegten sich die beiden Brüder in Kreisen, die wenig miteinander zu tun hatten. Erich von Kahler, ein George-Jünger, der den Hauptangriff gegen Max Webers ›Wissenschaft als Beruf‹ verfaßte, war ein Student Alfred Webers gewesen. In dieser Zeit begann Alfred sein intimes Verhältnis zu Else Jaffe, die natürlich mit Max und Marianne auf vertrautem Fuße stand. Er mietete in Irschenhausen vor München ein Haus in der Nähe von Frau Jaffes Haus – das Haus, in dem Lawrence und Frieda 1912 lebten –, und er unternahm mit ihr lange Reisen durch Italien.

Er verschrieb sich der »Lebensphilosophie« nicht mit Leib und Seele. Unwillkürlich blieb er auch den entgegengesetzten Wertvorstellungen seines Bruders treu. Im Gegensatz zu seinen »ästhetischen« Freunden fühlte er sich dem politischen Handeln im konventionellen Sinne dieses Wortes stark verpflichtet. In Prag hatte er sich mit Thomas Masaryk, dem tschechischen Philosophen und Staatsmann, angefreundet, in Heidelberg mit Friedrich Ebert, dem zukünftigen Reichspräsidenten. Er war tief beeindruckt gewesen von Theodor Mommsen, den er sich in mancher Hinsicht zum Vorbild nahm, und der Leitspruch seines Lebens hätte ruhig jene Stelle aus Mommsens Testament sein können, die voll eines pessimistischen Stoizismus ist und die Alfred Weber häufig anführte: »Ich glaube, mit dem besten Teil meiner selbst bin ich stets ein *animal politicum* gewesen und wollte ich ein Bürger sein. Das aber ist nicht möglich in

---

* Alfred Weber: Ideen zur Staats- und Kultursoziologie, S. 141 f.

unserer Nation, wo ein Individuum, ja sogar das beste aller Individuen, über Liebedienerei und politischen Götzendienst nicht hinausgelangt.« Wie Max fühlte sich auch Alfred von dem Bild Bismarcks stets zugleich angezogen und abgestoßen. An die neunzig seiner Veröffentlichungen setzen sich mit politischen Problemen seiner Zeit auseinander. Die Gestalt Bismarcks taucht als Thema in Alfreds Schriften übrigens häufiger auf als in denen von Max.

Doch um 1909 sprach Alfred Weber über das Los der Deutschen in kulturellen Begriffen, die konventionell gesehen bestimmt *nicht* politisch waren. In seinem Essay ›Der Kulturtypus und seine Wandlung‹ erklärte er, daß die große Epoche der deutschen Geschichte um 1800 gewesen sei, als gebildete Deutsche der Generation Goethes ein komplexes und tiefes Daseinsverständnis entwickelten. Im Gegensatz dazu habe der deutsche Typus von 1848 keine inneren Konflikte gekannt; alles an ihm sei veräußerlicht und politisiert gewesen. Die Wertvorstellungen des nachfolgenden Typus, den Bismarck geschaffen habe, hätten sich ins Gegenteil verkehrt, denn in diesem Typus seien Realismus und Opportunismus an die Stelle von Idealismus und Liberalismus getreten. So aber sei der körperlich wie psychisch »Kurzgeschorene« in Erscheinung getreten, der tatkräftig organisierende »Realist« des neuen Deutschland. Doch sogar *dieser* Typus, das hebt Alfred Weber hervor, habe ein gewisses Empfinden für Gemeinschaftswerte besessen, während seine (Webers) Zeit nur mehr den Geschäftsmann des Lebens und sein Gegenteil, den Ästheten, kenne.

In seiner Arbeit ›Der Beamte‹ (1910) analysierte er den bürokratischen Apparat als die Übermacht, die alles vergifte. Er wartete mit dem im ersten Kapitel wiedergegebenen statistischen Befund auf, der das Wachstum dieses Apparats auf den unteren Ebenen der Wirtschaft konstatierte, und bedauerte, daß sich die Oberschichten zum Beamtenberuf verführen ließen. Die Tatsache, daß sie Freiheit gegen Bequemlichkeit und Sicherheit eintauschten, sei um so bedauerlicher gewesen, als sie die »Kulturträger« der Nation gewesen seien. Der einzige Ausweg aus dieser Beherrschung durch die Bürokratie müsse darin liegen, daß wir uns der Rationalisierung insgesamt entziehen. Somit aber muß unser neues Kriterium der Einzelmensch sein. Die Dinge dürften nur insofern für wertvoll gelten, als sie dem einzelnen Individuum und seinem persönlichen Leben dienen. Aus diesem Grunde wollten wir den Kommunismus nicht, ganz gleich, wie unzufrieden wir auch mit dem Kapitalismus seien. Was wir wollen, sei, unseren Glauben frei, unsere Glieder geschmeidig und den Boden bereit zu halten, bereit für den zukünftigen Tanz.

In seinem Essay ›Religion und Kultur‹ (1912) begegnen wir denselben Ideen wieder, und noch einmal sehen wir, wie nah diese Ideen den Vorstellungen Lawrences kommen. Alfred Webers politische Interessen – die andere Hälfte seiner Natur also, die seinem Bruder Max folgte – schien mit diesen Dingen nichts zu verbinden. Sein Kampfwagen wurde von zwei sehr verschiedenartigen Streitrössern gezogen, die in verschiedene Richtungen strebten. Dieser Konflikt widerstreitender Richtungen trat in seinem Werk häufig auf, manchmal mehr, manchmal weniger fruchtbar.

Der Ausbruch des Krieges ließ ihn zum Realismus, zum Patriotismus und zu den patriarchalischen Tugenden zurückkehren. Doch wurde diese Version des Realismus und Patriarchalismus mitgeprägt von den Prinzipien der »Lebensphilosophie«. In seinen ›Gedanken zur deutschen Sendung‹ von 1915 erklärte er (S. 14), daß Deutschland für lange Zeit zur Kriegsnation werden würde; indem er den französischen und englischen Liberalismus – Ratio und Rationalismus stünden auf dem Banner der Alliierten – ablehnte, verkündete er, daß der bedeutende Gegner, von dem Deutschland Wertvolles lernen könne, Rußland sei, dieses Land mit seiner barbarischen, sinnlich-mystischen Freiheit von der Tyrannei der Vernunft. Er zitiert häufig Dostojewskij. Der englische Gentleman-Typus dürfe die Welt nicht länger beherrschen. Der Krieg habe, wie die Revolution von 1789, eine neue Ära eingeleitet. Das Zeitalter der Demokratie sei vorüber. Durch seine »Urnatur« und durch die »ursprüngliche Verbundenheit und Einheit mit der ewigen und unmittelbaren Quelle, die in all uns Deutschen aufsteigt«, sei es den Deutschen als einzigem Volk unter den europäischen Völkern gelungen, den falschen Idealismus der Demokratie zu durchschauen. Webers Ideen und sein Ton erinnern stark an die Schriften, in denen sich Thomas Mann um dieselbe Zeit zum Krieg äußert. In der Tat erschien Manns Essay über Friedrich den Großen in derselben Reihe. (Max Weber betrachtete diese Ideen – »die deutschen Ideen von 1914«, wie sie gern genannt werden – voller Geringschätzung. Er verfocht weiterhin seinen skeptischen Glauben an die parlamentarische Demokratie.)

Nach dem Krieg gab Alfred Weber zu, daß der von ihm und

seinen Freunden bezogene Kriegsstandpunkt auf tönernen Füßen gestanden habe. Ihre Kritik an der Demokratie sei zu äußerlich, zu ästhetisch gewesen. Er habe die Demokratie ganz und gar als Maschinerie und als politischen, vom Kapitalismus inszenierten Betrug interpretiert. Er und seine Freunde hätten ihre Seele nicht gesehen, sie hätten nicht erkannt, wie Demokratie das Bewußtsein des Menschen entwickle. So hätten sie nicht schaffen können, was sie wollten – einen postdemokratischen nationalen Glauben. »Er war nicht zu finden. Es muß uns an der nötigen Nähe zum Leben gemangelt haben«, folgerte er. Wie wir sehen, stellte das Leben immer noch den obersten Wert dar, doch war dieser Wert nun ausdrücklich verquickt mit orthodoxen politischen Interessen, die ihrem Wesen nach kaum etwas mit dem unmittelbaren Leben verbindet. Die Philosophie, die Alfred Weber allmählich für sich selbst entwickelte, war im wesentlichen eklektisch, voller Widersprüche in ihrem Wesen und Standpunkt. In ihrer Gesamtform war kein organisches Leben enthalten.

Alfred Weber bewegte sich im Kreis des Prinzen Max von Baden, einem führenden Liberalen, der unter Wilhelm II. als letzter Reichskanzler fungierte; er trug 1918 zur Gründung einer neuen Partei bei. Da er seinem Wesen nach aber für die aktive Politik ungeeignet war, zog er sich bald zurück und widmete sich seiner Kultursoziologie, die den Versuch darstellte, den ästhetischen wie gesellschaftsbedingten Aspekten von Kunstwerken gerecht zu werden – Michelangelos David zum Beispiel sowohl in seiner Schönheit zu begreifen, durch die das Werk über seinesgleichen hinausgehoben wird, als auch in seiner Ähnlichkeit des Ursprungs, durch die das Werk unter seinesgleichen angesiedelt bleibt. Alfred Weber versuchte, das Bewußtsein Europas von seinem kulturellen Erbe bis zu einem Intensitätsgrad zu steigern, dem wir gewöhnlich nur im Rahmen politischer Überzeugungen begegnen. Das war seine Art, die Mission Heidelbergs lebendig zu erhalten.

Alfred Webers Kultursoziologie stimmt insofern mit unserem Ideenschema überein, als sie die Werte der »Lebensphilosophie« einem apollinischen (oder akademischen) Forschungsmodus anpaßte. Darauf ist auch die verblüffende Ähnlichkeit zwischen seinem Werk – wir meinen die Stimmung, den Standpunkt – und dem Werk F. R. Leavis' zurückzuführen, auf die wir noch eingehen werden, eine Ähnlichkeit, die ungeachtet der Tatsache existierte, daß die beiden Autoren Lawrence völlig anders rezipierten. Wie F. R. Leavis ließ sich auch Alfred Weber stark durch die Werte der Lebensphilosophie inspirieren – einschließlich ihrer ästhetischen und erotischen Manifestationen; beide waren sie überzeugt, daß diese Werte das Europa ihrer Zeit retten könnten vor dem zerstörerischen Rationalismus und kulturellen Niedergang. Zugleich war er – auch hierin F. R. Leavis ähnlich – ein in kultureller Hinsicht konservativer Professor, der sich gegen die blühenderen und gewagteren Formen der Ästhetik und Erotik sträubte. (Übrigens wurde Heidelberg nach dem Krieg zu Cambridges »Partnerstadt« ernannt, und in der Tat sind sich beide Universitätsstädte sehr ähnlich.) Alfred Weber und F. R. Leavis schufen beide Eliten der kulturellen Führung und erhielten Überbleibsel am Leben, indem sie eine moralische und intellektuelle Disziplin vertraten, die sie im Namen der »Lebensphilosophie« übten, ohne daß sie mit dieser viel zu tun gehabt hätte. Alfred Weber scheint als Autor und in seiner nächsten Umgebung weniger erfolgreich gewesen zu sein als F. R. Leavis, doch weckt auch er ein gewisses Interesse.

Er unterschied zwischen Kultur und Zivilisation, indem er erstere dem Bereich reiner Werte und zwecklosen, absoluten Glanzes zuordnete. Auch unterschied er Kultur und Zivilisation sowohl von den politischen Bewegungen der Eroberung und Kolonisation als auch von der Mechanisierung und anderen Manifestationen patriarchalischer Herrschaft. Er versuchte, Kulturgeschichte anhand jener drei Modellvorstellungen vom Menschen zu interpretieren, denen wir in den drei aufeinanderfolgenden Kulturphasen begegnen. Die Ursache für die gegenwärtige Kulturkrise sah er in der Unterdrückung des dritten Menschentyps, des prometheischen Menschen, jenes moralisch-temperamentbedingten Modells, das der abendländischen Zivilisation seit den Griechen gedient hatte – das heißt, seitdem der prometheische Mensch selbst an die Stelle der magischen, mythischen, die Fruchtbarkeit verehrenden Kultur der zweiten Phase getreten war. Dieser prometheische Mensch würde nun, so glaubte Weber, verdrängt durch einen vierten Typus, dessen Musterbeispiel der bürokratische Robotermensch des totalitären Staates sei.

Alfred Webers Theorie geht davon aus, daß sich in der Geschichte drei Prozesse abspielen. Da gab es den Sozialisierungsprozeß, der bestimmt wurde durch den natürlich-vitalen Willen zum Leben. Da gab es den Zivilisierungsprozeß, bestimmt durch den rational-utilitaristischen Willen zu einem angenehmen Leben. Und schließlich gab es da die kulturelle Bewegung, bestimmt durch den ideal-transzendentalen Willen zu einem freien Leben. Den ersten Prozeß veranschaulicht die Völkerwanderung, den zweiten die Kernspaltung und den dritten die Schöpfung einer Symphonie.

Selbstverständlich hängen diese drei Phasen zusammen und beeinflussen einander. Die Tatsache, daß Athen oder auch Florenz betriebsame Handelsstädte waren, wirkte sich auf ihre kulturelle Kreativität aus, genauso wie sich diese Kreativität auf den Handel auswirkte. Doch die Höhen wie die Tiefen der kulturellen Entwicklung sind nicht miteinander vergleichbar, nicht vorhersagbar. Wir haben es hier mit einer Wellenbewegung zu tun, die nach oben hin determiniert ist durch ein Idealziel, welches nie erreicht wird. So aber muß Kultur frei sein. Ihr Gedeihen wird bedroht durch jede enge Verquickung mit der Natur oder der Welt – das aber sind Begriffe, die lediglich die anderen beiden Lebensbereiche bezeichnen. Ist die Kultur des Menschen eng mit der Natur als solcher verquickt, resultieren daraus Totemismus, Magie und Mythos – die Kultur des zweiten Menschentypus. (Diese Kultur ähnelt in gewisser Weise der matriarchalischen Kultur Bachofens.) Ist die Kultur dagegen eng verquickt mit der Welt, mit der Zivilisation, so resultiert eine Rigidität daraus, der wir zum Beispiel im alten Ägypten und im alten China begegnen; hier haben wir es mit Spielarten der Kultur des dritten Menschentypus zu tun, wobei die Entwicklung dieser Kultur noch in ihrer ersten Phase steckt. (Diese erste Phase entspricht grob dem, was wir als »Preußentum« oder extremen Patriarchalismus bezeichnet haben, obwohl Alfred Weber dies nicht ausdrücklich erwähnt.) Nur im alten Griechenland und in unserer abendländischen Kultur, die hellenischen Ursprungs ist, begegnen wir der zweiten Entwicklungsphase des dritten Menschentypus, und diese Phase beschreibt das, was wir gewöhnlich mit »Kultur« meinen. In der Urgeschichte erscheinen die drei Lebensbereiche so eng miteinander verbunden, daß sich die Kultur verkapselt. In der jüngsten Geschichte hat der Staat – wie damals in Ägypten auch – zu sehr um des kulturellen Gedeihens willen eingegriffen. Der Staat kann die Kultur höchstens schützen, während sich die Kultur nur unter ihrer eigenen Führung zu *entwickeln* vermag; diese Entwicklung aber führt stets in die Richtung, welche von überragenden Einzelmenschen gewiesen wird, denn »Genius verlangt nach Genius«.

Diese Theorie impliziert das Bedürfnis imaginativer Menschen, sich von der Natur wie von der Zivilisation zu trennen. Und daneben impliziert sie die Überzeugung, daß das, was Leben historisch wie individuell lebenswert macht, große Kunstwerke und große Künstler sind. Um solche Kunstwerke zu verwirklichen, müssen wir eine geistige Beziehung zum Transzendenten kultivieren, doch muß dies eine ästhetische Geistigkeit sein. Europas eigentliche Geistesgeschichte, behauptet Weber, sei keine Sache des Dogmas, sondern der Überzeugung überragender Persönlichkeiten gewesen – bezeichnenderweise vor allem großer Dichter. Zur Zeit von Kulturkrisen, wie sie auch die Welt Alfred Webers durchmachte, ist die Geschichte vom Verfall gekennzeichnet: Techniker nehmen den Rang von Hohenpriestern und Dichtern ein, und das Ergebnis ist das Überhandnehmen von gespaltenen und pathologischen Persönlichkeiten – Beispiele sind einerseits die Atomwissenschaftler und andererseits unsere totalitären Beamten und unsere Menschenmassen. Der große Held dieser Theorie ist Goethe. Und ihr imaginativer Kontext heißt Weimar oder Heidelberg.

Alfred Weber verfaßte sein Else Jaffe gewidmetes Werk ›Kulturgeschichte als Kultursoziologie‹ zwischen 1931 und 1934 zur Verteidigung all der alten Kulturwerte, die er der Zerstörung preisgegeben sah – in Deutschland durch die Nationalsozialisten, in Rußland durch die Bolschewiken und überall sonst durch die Erhebung der Massen. In Alfred Webers Augen war Kultur untrennbar verbunden mit einer Eliteschicht. So insistiert er zum Beispiel, daß die Kultur Athens von der Sklaverei abhängig gewesen sei und daß sich alle Kultur, so wie wir sie kennen, aus der Vorherrschaft der »Reitervölker« entwickelt habe. Wegen seines Inhalts mußte Alfred Webers Werk in Holland veröffentlicht werden. Interessant ist auch, daß sich dieses Buch mit seinen 479 Seiten auf nur 11 Seiten mit den Primitivkulturen auseinandersetzt. Alfred Weber behauptet, wir auf unserem Neuen Planeten, entstanden durch die moderne Technik, litten von neuem an der »Daseinsangst« des Primitiven, die von der eigentlichen Kultur verbannt werde; wir hätten uns über die eigentliche Kultur hinaus entwickelt. Doch ungeachtet dieser Erkenntnis gilt Alfred Webers kreative Anteilnahme in erster Linie jener Kultur der Vergangenheit, die er dem dritten Menschentypus zuordnet.

In seiner Arbeit ›Das Tragische und die Geschichte‹, die einen einzelnen Gegenstand am gründlichsten behandelt, untersucht er die Soziologie der griechischen Tragödie. Für Weber bedeutete die Kunst der Griechen immer schon die höchste Leistung und den letzten Maßstab der Kultur des Abendlandes. Dieses Buch wurde zwar in Deutschland gedruckt, doch durfte es niemand kaufen. Das war 1943, und um diese Zeit war Alfred Weber bereits als Nazigegner bekannt.

Diese Werke, bei denen Else Jaffe ihm so sehr half, lagen ihm am meisten am Herzen. Summa summarum gelang es Alfred und Else in diesen Werken, den Geist Heidelbergs in die weltanschaulichen Begriffe ihrer Zeit zu fassen. Allerdings sind diese Arbeiten weniger lebendig als seine frühen Essays aus der Zeit um 1910. Vielleicht konnte nach dem Krieg nichts, was Heidelberg war oder zu Heidelberg gehörte, dieselbe Lebendigkeit erreichen wie davor, denn die große Zeit der Heidelberger Universität war endgültig vorbei, und das liberale Deutschland hatte einen tödlichen Schlag erhalten. Auch war Alfred Weber nicht der Mann, der umfangreich Konzeptionen planen und ausführen konnte. Er war von fragmentarischer Natur, voller Hemmnisse und Neuanfänge – der Rednertypus, der seine Sätze nicht vervollständigt. Er behauptete, alles kulturelle und künstlerische Leben sei die Frucht von »Spannungen«, und er bezeichnete sich selbst als »temperamentvoll«, was in der Regel bedeutet, daß das Temperament bis zu einem gewissen Grad nicht authentisch ist – möglicherweise ahmte er auch hier unwillkürlich seinen Bruder Max nach. Die meisten Menschen, die ihn oberflächlich kannten, darunter auch Angehörige der Familie Richthofen, hielten ihn für »einen typischen deutschen Professor«, der seine Meinungen aufoktroyierte und sich durch sein langweiliges, eifersüchtiges, schwieriges und exzentrisches Wesen hervortat. Seinen Universitätskollegen kam es vor, als befinde er sich immer in der Opposition, als empörte er sich immer gegen etwas, allerdings auf recht wirkungslose Weise. Doch die wenigen Menschen, die ihn gut kannten, stellten ihn als einen sehr empfindlichen Menschen voller Selbstzweifel dar.

Nie fühlte er sich wohl in seiner Haut und immer war er auf der Suche. In seinen späteren Jahren war sein einziger Freund in Heidelberg Ludwig Curtius. Es war ihm zuwider gewesen, Prag zu verlassen und in das wilhelminische Deutschland zu ziehen, das »so sicher seiner selbst, so gesund war«. Alle echte Vitalität entspringe inneren Konflikten, meinte er; er selbst war voll von solchen Konflikten, und seine Gefühle galten all den Gestalten der Vergangenheit, denen es ähnlich ergangen war. Diese im

Geistigen so einsamen großen Männer, erklärte er, stehen dort wie Leuchttürme und weisen den Weg, den wir suchen. Vieles weist darauf hin, daß sich die vielfältige Konkurrenz zwischen ihm und Max für beide Brüder stark zersetzend auswirkte. Gewiß litt Alfred unter der Tatsache, daß er immer wieder im Schatten seines Bruders stand. Waren Elses Selbstaufopferung und Zuneigung nicht auch darauf zurückzuführen, daß sie sich mitschuldig fühlte daran, daß die Wesensart des jüngeren Bruders verformt worden war? Diese Mitschuld kam natürlich zu der Tatsache hinzu, daß sie über Alfreds Intelligenz und Mut Bescheid wußte. 1933 kletterte Alfred Weber persönlich auf das Dach des Soziologischen Instituts in Heidelberg, um die Hakenkreuzfahne, die Studenten dort gehißt hatten, herunterzureißen. Während der ganzen Nazizeit legte er dem Regime gegenüber zwar passive, aber offene Feindseligkeit an den Tag. Die Folge war, daß er 1945 von den Amerikanern mit enthusiastischer Verehrung behandelt wurde und daß man ihn bei vielen universitären Wiederaufbauprojekten und in Fragen der deutschen Politik zu Rate zog.

Wie 1918 half er auch 1945 eine neue politische Partei gründen, die auf der Doktrin und dem Programm eines freien Sozialismus aufbauen sollte; diese Partei sollte das neue Deutschland auf den Weg einer parlamentarischen Demokratie führen. Obwohl bereits fast achtzigjährig, verfaßte er für diese potentielle Partei verschiedene Pamphlete und widmete dieser Unternehmung seine ganze Energie, sein ganzes Prestige. Es überrascht wohl kaum, daß ihn die amerikanischen Besatzer als den »Nestor der Soziologen« und als den »Großen Alten Mann von Heidelberg« betitelten.

Diese Titel schienen Alfred Weber ungewollt zu verulken und hatten eine unglückselige Wirkung auf ihn. Er wurde zum politischen Philosophen und Nazijäger und machte sich seine einstige Tugend zu Nutzen, ohne daß er etwas Neues zu sagen gehabt hätte. Sein Ansehen als Soziologe war in Fachkreisen lange nicht so hoch wie in politischen Kreisen. Einige seiner Studenten nannten ihn, auf seinen Bruder anspielend, »Minimax«, und wenn er in dem Hörsaal, wo die Büste seines Bruders stand, eine Vorlesung halten mußte, kehrte er dieser Büste stets den Rücken zu. Er war, auch als er bereits in den Achtzigern stand, immer noch der jüngere Bruder. Bereits 1915 hatte er diesen Gedanken einmal zu Papier gebracht: »Wie es nicht gleichgültig ist, ob jemand ein Erstgeborener oder Zweitgeborener ist – fürs ganze Leben nicht und für das, was er aus sich zu machen hat, nicht ...«*

1954 schlug die Kommunistische Partei Alfred Weber als Kandidaten für das Amt des Bundespräsidenten vor. Max Reimann, der Führer der westdeutschen Kommunistischen Partei, erklärte, die Wahl Theodor Heuss' zum Bundespräsidenten wäre eine Katastrophe und schlug Alfred Weber vor. Im damaligen Ostdeutschland griff die Propagandamaschine diese Idee auf, und einige Zeit war Alfred Webers Name in aller Munde. Bei der Wahl durch die Bundesversammlung erhielt er tatsächlich 10 kommunistische und 2 sozialdemokratische Stimmen – Heuss erhielt übrigens 871 Stimmen. Noch einmal muß es Else Jaffe und Frieda Lawrence wie grimme Ironie vorgekommen sein, daß dieser Mann gerade zu diesem Zeitpunkt und mit diesen Mitteln zum Bundespräsidenten gewählt werden sollte. Sie konnten zurückblicken auf vierzig Jahre, auf zwei Weltkriege und auf den Alfred Weber aus der Zeit vor 1914, und sie konnten ihn vergleichen mit den anderen Männern, die in ihrem Leben eine Rolle gespielt hatten. Natürlich war nicht Alfred Weber für diese Kandidatur verantwortlich zu machen, und er hatte keine Chance, ja er verspürte nicht einmal den Wunsch zu gewinnen. Er hielt diese Angelegenheit, wie er selbst sagte, für einen schlechten Scherz, denn er war bekannt für seinen Antikommunismus. Diese Aufstellung als Kandidat war lediglich ein satirischer Kommentar der Kommunistischen Partei zu dem Personentypus – also zu seinem Alter, seiner Vorgeschichte und seiner Weltanschauung –, der die Wahl höchstwahrscheinlich gewinnen sollte. Alfred Weber diente lediglich als eine Karikatur von Theodor Heuss.

Doch es gab da noch eine zusätzliche ironische Note. Heuss war ein großer Bewunderer von Max Weber, und als er Bundespräsident war, verfaßte er einen Essay über Max Weber, übrigens nicht den ersten, den er Alfred Weber schickte. Als Antwort darauf äußerte Alfred kühl seine Überraschung darüber, daß man sich immer noch für einen so veralteten Geist und für einen derart romantischen politischen Philosophen interessiere. Alfred Weber war damals fast neunzig Jahre alt, doch auch die lange Zeit seit dem Tod von Max vermochte nicht zu verhindern, daß man Alfred nach wie vor als Max' jüngeren Bruder betrachtete und daß man ihn immer noch (sei's voller Vereh-

---

* Alfred Weber: Gedanken zur deutschen Sendung, S. 7

rung, sei's Verachtung) mit dem gleichsetzte, was Max Weber verkörperte. 1968, als sich sein Geburtstag zum 100. Mal jährte, schenkte die Universität von Heidelberg diesem Anlaß nur geringe Beachtung, eine Tatsache, die im scharfen Kontrast zu den zwar stürmischen, aber umfassenden Max-Weber-Feiern stand, die vier Jahre zuvor veranstaltet worden waren. Frau Jaffe war fast die einzige, die sich über diese Mißachtung entrüstete.

Das war also der Mann, mit dem sie den größten Teil ihres Lebens verbrachte und in den sie den größten Teil ihrer Energien investierte. Er sei, so erklärt einer seiner Schüler, ein Mann ohne Privatleben gewesen, ein Intellektueller, dem nur das Wohl der Nation am Herzen lag. Gewiß war er in seiner Reizbarkeit voller Eigentümlichkeiten. So konnte er es nicht ertragen, wenn sich jemand in dem über seinem eigenen Schlafzimmer gelegenen Raum aufhielt, so daß er in dem Heidelberger Haus, in dem er ein halbes Jahrhundert lang lebte, die Wohnung über der seinen stets mitgemietet hatte. Auch auf Reisen mietete er stets das Hotelzimmer über dem seinen mit. Hatten er und Frau Jaffe unterwegs ein Hotel gefunden, mußten sie weiterreisen, wenn sich herausstellte, daß das Zimmer darüber bereits vergeben war. Friedas Briefe an ihre Mutter enthalten einige empörte Bemerkungen darüber, daß sich Else seinen stark neurotischen Launen derart unterordne. Doch es gab da noch schwerwiegendere Probleme, so zum Beispiel das, daß er Else nicht heiratete, was zur Folge hatte, daß sie später in finanzielle Nöte geriet, wovor sie die Pension einer Professorenwitwe bewahrt hätte.

Wir haben bereits darauf hingewiesen, daß manche Ideen Alfred Webers den Vorstellungen Lawrences ähneln. Er stand bei weitem nicht in der Opposition zu Lawrence wie Max Weber. Trotzdem sind die Unterschiede augenfälliger als die Ähnlichkeiten. Es ist Alfred Webers Welt, die Welt der Kultur, die Lawrence in dieser Strophe aus ›Träume Alt und Neu Erstanden‹ (›Dreams Old and Nascent‹) heraufbeschwört:

Meine Welt ist ein bunter Fresko, auf dem die
farbigen Schatten
Alter wirkungsloser Leben warm, verschwommen geistern
Ein endloser Teppich, weist die Welt,
weisen die Säle meines Lebens
Durch gewebte Muster sich aus, die meine
Seele prägend unterwerfen.

Hinter dem Traum von der Kultur spürt man stets dicke Steinmauern. Lawrence fühlte sich in Heidelberg ebenso wie in Cambridge stets unbehaglich und deplaziert. Er hatte sich einer vom Temperament her entgegengesetzten Disziplin verschrieben und fühlte sich nicht wohl, wenn er mit Alfred Weber und dessen Freund Ludwig Curtius zu Mittag aß.

Auch Alfred Weber dichtete, aber seine Gedichte wurden nicht veröffentlicht. Das letzte Gedicht, das er kurz vor seinem Tode schrieb, er nannte es ›Wolkenvision vom Heiligenberg‹, ist eine an Goethe erinnernde pantheistische Vision, die sich mit der Erfahrung der Transzendierung befaßt, in seinen Augen die einzige Möglichkeit, um den abendländischen Menschen als Ganzes vor der metaphysischen Verzweiflung und letztlich auch vor dem moralischen Ruin zu bewahren. Aus dem Zusammenhang gerissen ähnelte das, was er darüber zu sagen hatte, häufig dem, was Lawrence in seinen mehr konservativ gearteten Entwicklungsphasen zu Papier brachte. Doch dieselben Begriffe bedeuten etwas völlig anderes, wenn wir sie im Zusammenhang mit der Tatsache sehen, daß sich Alfred und Else von der Zivilisation ab- und der Kultur zuwandten, während Lawrence und Frieda der Kultur den Rücken kehrten, um sich dem Leben selbst zuzuwenden.

In mancher Hinsicht läßt sich Alfred Webers Position durch seine Verbindung zur deutschen Jugendbewegung definieren. Er hatte mit dieser Bewegung schon sehr früh zu tun. 1913 hielten er und Klages bei dem Mammuttreffen auf dem Hohen Meißner eine Rede an die sogenannten Freideutschen, die eine Gruppe innerhalb der Bewegung bildeten. Die Bewegung der Wandervögel, so hieß sie ursprünglich, war 1901 als Reaktion gegen die kapitalistische Korruption von Karl Fischer gegründet worden; sie verurteilte Alkohol, Rauchen, Pornographie und alle großstädtische Immoralität, und sie bekämpfte diese Dinge mit Körperkultur, Gruppenwanderungen, Volksliedern und -tänzen. Diese Bewegung breitete sich im wilhelminischen Deutschland rasch aus, und 1914 sprach Alfred Weber noch einmal vor den Freideutschen, die er dieses Mal vor Angriffen des Bayrischen Parlaments in Schutz nahm, denn dort hatten sich Abgeordnete an dem Pazifismus der Bewegung gestoßen. (Das Treffen von 1913 war zum Teil als pazifistischer Protest gegen die chauvinistischen Feiern einberufen worden, die zur Jahrhundertfeier der Schlacht von Leipzig in ganz Deutschland stattfanden.) Alfred Weber konnte beruhigend auf die gesunde

Tatkraft und auf den leidenschaftlichen Patriotismus der Bewegung hinweisen – denn in der Tat kämpften er und die Bewegung wenige Monate später voller Begeisterung für Deutschland. Diese Jugendbewegung ist mit ihrer romantischen Naturliebe, ihrer »gesunden« Kleidung, ihrer »sauberen « Jüngling-und-Maid-Erotik eine unverkennbare Spielart der »Lebensphilosophie«. Doch es war dies die gemäßigte, moralisierende Spielart der Mittelschicht, Heidelberg wie Alfred Weber durchaus angemessen, die Äußerung einer Mentalität, der man unter Professorenkindern auch in anderen Ländern begegnet, nur daß sie eben in Deutschland in einem breiteren Rahmen als üblich stattfand. Dieser Art von Lebensphilosophie mangelte es an der Kraft des Gefühls, am reifen Realismus und an der »organischen« Vitalität, welche die Ideen von Lawrence, Groß und Max Weber auszeichnete, doch kam in ihr der ganze Alfred Weber zum Ausdruck. Alfred Webers Heidelberg aber war es, wo Else Jaffe die zweite Hälfte ihres Lebens zubrachte.

John Middleton Murry

In Friedas Leben gab es keinen Mann, der Alfred Weber gleichwertig gewesen wäre. Sie verpflichtete sich niemandem – zumindest nicht im Sinne von Elses »Dienen«. Angelo Ravagli, ihr Mann, mit dem sie nunmehr zusammenlebte und der das Englische trotz all der Jahre, die er in Taos verbrachte, kaum beherrschte, war Alfred Weber denkbar unähnlich. Doch eine kurze Affäre und eine dauerhafte Freundschaft hatte auch sie – mit John Middleton Murry. Murry stellte im Vergleich zu Lawrence ungefähr das dar, was Alfred Weber im Vergleich zu Max darstellte. Es war die Beziehung eines jüngeren zu einem älteren Bruder, voller Konkurrenz, Qual und wechselseitiger Zerstörung, gleichzeitig aber voller Kreativität. Und in beiden Fällen äußerte sich die Beziehung zwischen den Männern bis zu einem gewissen Grad durch Frauen. Hätte sich Frieda 1930 entschlossen, mit Murry zusammenzuleben, wäre ihr Leben in den darauffolgenden 26 Jahren möglicherweise ganz ähnlich wie das ihrer Schwester verlaufen. Doch da sie das nicht tat, strebten die Lebenslinien der beiden Schwestern in noch faszinierenderer Weise auseinander.

Murry unterschied sich von Alfred Weber auf ähnliche Weise,

wie sich Frieda von Else unterschied. Er besaß denselben impulsiven Individualismus wie Frieda, durch den er dazu neigte, institutionalisierte Beziehungen abzubrechen, dieselbe radikale Naivität, dasselbe Erlösungsstreben. Er war ein Stern in ihrer Konstellation, aber nicht in dem Sinne, daß sie Kollegen waren oder in derselben Nachbarschaft lebten, sondern vielmehr darin, daß er als Mann demselben Schlag angehörte wie sie.

Wir sollten hier auf Murrys Werdegang etwas näher eingehen, weil gewisse Einzelheiten seiner Entwicklung ein bezeichnendes Licht auf Lawrences Karriere und auf einige seiner Buchthemen werfen. Mit elf Jahren kam er 1901 an die Christ's Hospital-Schule. Er war einer der ersten sechs Arbeiterjungen, die mit Hilfe von Stipendien diese 400 Jahre alte Jungenschule besuchen durften. Seinen Klassenkameraden erzählte er, sein Vater sei im Zivildienst in Indien. In Wirklichkeit war Mr. Murry ein unbedeutender Angestellter im Somerset House, der nachts in einer Bank arbeitete, um etwas dazuzuverdienen. Murry junior war unwillkürlich und unglücklicherweise zum Schwindler geworden. Obwohl im Unterricht offensichtlich lethargisch und unbewußt renitent, schrieb er doch einige weltmännische, humorvolle Briefe nach Hause, die den Eindruck erweckten, als wäre er glücklich. Seine Eltern »akzeptierten« diese Art von gesellschaftlichem Aufstieg und Murrys Entfremdung, die damit Hand in Hand ging.

»Ich war ein durchschnittlicher feinfühliger kleiner Junge, der unerwartet eine ›Gentleman‹-Erziehung genoß«, schreibt Murry in seinen ›Reminiscences of D. H. Lawrence‹ (›Erinnerungen an D. H. Lawrence‹). Allerdings scheinen die Auswirkungen tiefergreifend gewesen zu sein, als er glauben machen möchte. Sein Intellekt scheint ihm zum Mittelpunkt seiner psychischen »Schwerkraft« geworden zu sein, so daß er seinen persönlichen Charme einsetzen mußte, wenn er Kontakt zu anderen aufnehmen wollte. 1908 ging er nach Oxford, und nun begann er seine Ferien nicht mehr bei seinen Eltern, sondern auf einem Bauernhof bei Stow-on-the-Wold zu verbringen, wo er die Peacheys, die Bauersleute, bei denen er wohnte, zu seiner Familie machte. Weihnachten 1910 reiste er nach Paris, wo er den Fauvismus und den Spätimpressionismus kennenlernte. Hingerissen von dieser erregenden Welt, gab er sowohl sein Oxford-Gehabe als auch die Peacheys auf. Er beschloß, nach der Verleihung einer akademischen Würde eineinhalb Jahre an der Sorbonne unter Bergson zu studieren, dann weitere eineinhalb Jahre in Deutschland, und anschließend Journalist zu werden. Seiner Wesensart nach war und blieb er äußerst labil.

Paris bedeutete für ihn vor allem die Religion der Kunst – Kunst als Ausdruck einer neuen Ganzheit der Persönlichkeit, in welcher der Intellekt lediglich als Werkzeug diente. Bergsonismus, Syndikalismus, Debussy, Mahler, Picasso, Derain – das waren die Namen und Ideen, die sein Denken ausfüllten. Wenn wir seine Entwicklung mit Hilfe der Begriffe erfassen wollen, die wir im Verlauf dieser ganzen Untersuchung verwandt haben, können wir sagen, daß er sich dem Kreuzzug gegen das patriarchalische Selbstverständnis des 19. Jahrhunderts anschloß; allerdings schloß er sich nicht dem erotischen, sondern dem ästhetischen Flügel an, den man gewöhnlich als »Modernismus« oder »Symbolismus« bezeichnet und der sich zwar vom erotischen Flügel unterschied, dennoch aber einen wichtigen Vertreter der »Lebensphilosophie«-Familie darstellte. Mit der für ihn charakteristischen Unternehmungslust plante er sogleich eine Zeitschrift, welche die neue Kunst propagieren sollte, und tatsächlich erschienen auch einige Nummern. Der Name dieser Zeitschrift – sie hieß ›Rhythm‹ (›Rhythmus‹) – bezog sich auf die Vorstellung, daß echte Kunst jene Art von Leben widerspiegelt, die der vielgestalten mechanischen Einförmigkeit Widerstand leistet, und daß der Künstler ein Mensch ist, dessen Selbstdisziplin sich in einem Lebensrhythmus manifestieren muß. Diese Zeitschrift wurde von Murry und Michael Sadleir zu einer Zeit herausgebracht, als sie noch Studenten in den ersten Semestern waren; sie erschien erstmals 1911 und wurde in den Städten der Kunst – nämlich in Paris, New York und München – vertrieben. Ihre Hauptaufgabe sollte jedoch sein, auch England mit der neuen Ästhetik – die auch sexuelle Freiheit bedeutete – vertraut zu machen. Daß Murry an diesem Weihnachten in Paris eine Affäre angefangen hatte, versteht sich fast von selbst.

Ab 1912 lebte er mit Katherine Mansfield, der Verfasserin von Short stories, zusammen. Katherine Mansfield war etwas älter als Murry, und ihre erotische Entwicklung, zu der unter anderem eine wilde Ehe, eine Fehlgeburt und eine Abtreibung gehörten, war um einiges abwechslungsreicher als seine. Sie war nahe daran gewesen, ein Kind zu adoptieren, in der Absicht, es ohne Vater großzuziehen. Sie wollte eine freie Frau sein, doch noch stärker war ihr Wunsch, sich auf dem Gebiet der Prosa zur echten Künstlerin zu entwickeln. Sie zeichnete sich zwar durch einige Merkmale der Hetäre aus, war aber eher zum Typus einer Lou Andreas-Salomé als dem einer Fanny zu Reventlow oder einer Frieda von Richthofen zuzuordnen.

Im selben Jahr noch las er ›Die Brüder Karamasow‹ in Constance Garnetts Übersetzung, und er schrieb eine Kritik, in der er dieses Werk, was seine Bedeutung für die nächste Periode der britischen Literatur anging, mit den »epochemachendsten Übersetzungen der Vergangenheit« verglich. Hier öffnete sich seinen Zeitgenossen eine neue Welt, eine neue Art zu schreiben und zu fühlen. Murrys eigenes Werk ›Dostojewskij‹, das vier Jahre darauf erschien, gehört zu den gefühlsbetontesten und mystischsten, ja zu den »russischsten« aller Bücher, die über diesen Autor geschrieben wurden. Es sei dies weder eine Biographie noch eine kritische Untersuchung, sondern eine religiöse Exegese von Leben und Werk des großen Mannes, erklärte Murry. Allerdings war dieses Werk ein Spätling in einer ganzen Reihe solcher Exegesen, deren Autoren die russischen »Dekadenten« (alles Anhänger von Dostojewskij) waren, angefangen bei Rozanov 1890 bis hin zu Mereschkowskij, der sich in seinem Werk ›Tolstoj und Dostojewskij‹ ebenfalls mit diesem russischen Autor auseinandersetzte.

Auf dem literarischen Schauplatz Englands sollte das extremste Beispiel dieser Art von Auslegung Murrys Buch über Lawrence sein, ›Son of Woman‹ (›Sohn der Frau‹). Die Abfassung dieses Buches war bewußter Verrat, denn Lawrence hatte Murrys ›Dostojewskij‹, Dostojewskij selbst und alle russischen »Dekadenten«, die er gelesen hatte, gehaßt. Er hatte sich dagegen gewehrt, als Murry ihre freundschaftliche Beziehung unter einer »dostojewskijschen« Perspektive sehen wollte – Lawrence als einen gepeinigten religiösen *exalté* und sich selbst als einen liebenden, aber zweifelnden Jünger von Lawrence. Beide Männer stellten diese Beziehung als eine Art Jesus-und-Judas-Affäre dar, denn Dostojewskij und seine »dekadenten« Anhänger hatten die Aufmerksamkeit von neuem auf das Evangelium des Matthäus gelenkt, das man nun wie einen russischen Roman las. Doch während Lawrence gegen die ihm zugewiesene Rolle ankämpfte, versuchte Murry sie ihm aufzuzwingen, und wenn er selbst den Judas – natürlich à la Dostojewskij – hätte spielen müssen. Durch Dostojewskij hoffte Murry der Verarmung des Lebens, in dem er sich als »Intellektueller« gefangen fühlte, zu entrinnen. Im Gegensatz zu Frieda und Lawrence teilte Katherine Mansfield seine Begeisterung für Dostojewskij. Und so fühlte er sich hin und her gerissen zwischen dem spirituell-religiösen Moment und dem Moment des Lebens selbst.

Frieda und Lawrence lernten Murry und Katherine 1913 kennen: Murry gab seine Zeitschrift ›Rhythm‹ heraus, und Katherine war eben aus Italien zurückgekehrt. Beide Paare waren unverheiratet; dieser Umstand und die Tatsache, daß auch Murry der Unterschicht entstammte, gab allen Vieren das Gefühl, Verbündete zu sein im selben großen Abenteuer und in derselben Rebellion. Murry begann Lawrences Werk bald glühend zu bewundern, und Lawrence hoffte, sein neuer Freund würde auch als Literaturkritiker zu seinem Propheten werden. »Ich bin *sicher,* daß Du der beste Kritiker in England bist«, schrieb er ihm ermutigend. Murry war vier Jahre jünger als Lawrence und zehn Jahre jünger als Frieda, die – in jeder Hinsicht ihm fremd – mit der Zeit die stärkere Herausforderung für ihn darstellte. Was bei Lawrence möglich war, war bei ihr nicht machbar: Ihr Glanz paßte einfach nicht zu dem Dostojewskij-Jesus-Modell demütigenden Leidens. In Frieda begegnete Murry Lawrences Fleisch und Blut gewordener, unwandelbarer Doktrin, in ihr begegnete er der *siegreichen Frau.*

Aufgewachsen in einer sehr weiblichen Welt, die aus seiner Mutter, seiner Tante und seiner Großmutter bestand, war er ein geborener Rebell gegen die Welt der Männer. Doch damals glaubte er noch nicht an die *Frau.* Vielleicht hat er die erotische Bewegung nie ganz akzeptiert und verstanden. Auf diesen Punkt werden wir noch eingehen. An dieser Stelle soll lediglich darauf hingewiesen werden, daß die Liebesbeziehungen Murrys und Lawrences sehr unterschiedlicher Natur waren. »Siehe, ich habe Liebe so ganz zu meiner Religion gemacht«, lautet die Zeile eines seiner Gedichte, und Katherine Mansfield, die gegen seinen Einfluß um ihre Ausdrucksmöglichkeiten rang, zitierte diese Zeile und fragte ihn, wer sie geschrieben habe – so tief und so unbewußt waren sie von ein und demselben Geist beseelt. Doch diese Religion war recht konventionell und sentimental. Sie führten das Wort »lieben« stets auf den Lippen und benutzten es häufig, wenn sie von sich selbst sprachen. Sie spielten die Rolle von Liebenden in einer Weise, wie sie Lawrence und Frieda fremd war. Vielleicht kann man sagen, daß Lawrence und Frieda ihre Rollen und das dazugehörige Stück stets aus dem Stegreif heraus weiterentwickelten, während sich Murry und Katherine einer eingewurzelten literarischen Art zu lieben anglichen – einer heiteren, lyrischen Spielart der romantischen

Liebe. Dieses Vertrauen auf eine Gepflogenheit zu lieben klingt heraus aus der Selbstgefälligkeit von Katherines Ausspruch: »Trotz allem, ja trotz allem hat es nie zwei Liebende gegeben, die glücklicher auf dieser Erde wandelten als wir.« Lawrence und Frieda waren solche Töne fremd, und falls es sie trotzdem in ihrer Beziehung gab, waren sie nicht von zentraler Bedeutung. Sie wollten etwas, das in seiner Aufrichtigkeit rücksichtsloser, in seiner Echtheit tiefer und in seiner Ablösung von konventionellen Garantien unbedingter war. Sie wollten etwas mehr als »Liebe«. Doch natürlich waren sie begeistert, sich mit zwei so begabten und anziehenden Menschen in einer gemeinsamen Rebellion gegen Konvention, Dummheit, Häßlichkeit, Trübseligkeit und Tod zu verbinden. Die Vier waren zusammen zunächst sehr glücklich, und vielleicht kann man sagen, daß die Lawrences in ihrem ganzen Leben kein Paar mehr kennenlernten, das sich ihrem Kampf so vorbehaltlos anschloß. Doch gab es stets auch störende Momente in ihrer Beziehung, die großenteils aus dem entstanden, was Lawrence als Murrys mangelnde Ernsthaftigkeit bezeichnete; dabei handelte es sich anscheinend um eine bewußt forcierte Unreife, die Lawrence vor allem in Murrys Beziehung zu Katherine feststellte. Murry schreibt dazu in seinen ›Reminiscences of D. H. Lawrence‹: »In dieser lebenswichtigen Frage der Beziehung zwischen Mann und Frau war mein Standpunkt dem Lawrences absolut entgegengesetzt ... Er wollte, daß ich mit meiner Lebenskraft dieselbe Liebeserfahrung mache wie er. Doch das hätte bedeutet, daß Katherine Mansfield und ich uns verleugnet hätten.« Katherine war, so drückte sich Murry wenig später aus, ein Mädchen und keine Frau. Außerdem spielte sie in ihrer Beziehung – das sagte Katherine selbst – die männliche Rolle. Murry war der jungenhafte Typus des Liebhabers, denn seine männlichen Kräfte investierte er in seinen »Dostojewskij-Beziehungen«. In den Augen Lawrences bedeutete das Drückebergerei – Murry drückte sich vor der Disziplin, die Frieda Lawrence auferlegt hatte, er drückte sich vor der Disziplin der Erotik, der Verwurzelung der Identität in der eigenen Männlichkeit, ohne die der Rest allen Lebens, vom Naturerleben bis zur Dichtkunst, von Grund auf verdorren müßte. Lawrence versuchte ihn von dieser »Drückebergerei« vor der eigenen Männlichkeit abzubringen, indem er ihn ermahnte, seine Beziehung zu Katherine zu ändern; er schlug ihm sogar vor, eine *Blutsbrüderschaft* mit ihm einzugehen. Doch all sein Drängen half nichts, denn was Murry vorschwebte, war eben eine Dostojewskij-Jünger-Beziehung, also eine im Geistigen intensive Beziehung zwischen zwei Männern. Lawrences Vorschlag fiel gerade in die Zeit, als Murry seinen ›Dostojewskij‹ schrieb, und dieses Zusammentreffen veranschaulicht, daß beide Männer am Kreuzweg standen.

Doch insoweit Murry bereit war, sich zu unterwerfen und zu lernen, wurde er zu Lawrences jüngerem Bruder, dem einzigen, den Lawrence neben seinen vielen Schwestern hatte. Die Rolle des älteren Bruders zu spielen fiel Lawrence jedoch keineswegs leicht. Denn im Rahmen der für ihn zentralen Beziehung, die ihm zur eigenen Identität verhalf, war er doch bedeutend jünger als Frieda, und das erklärt wohl auch, warum er Murry unterdrückte und von oben her behandelte – es fehlte ihm ganz einfach an natürlicher Autorität. Murry seinerseits suchte zwar stets nach einem Meister, aber mit großem Geschick gelang es ihm immer wieder, jedem echten Engagement aus dem Weg zu gehen.

Alles in allem war Murry eine zweideutige Erscheinung, die vielen Leuten den Eindruck vermittelte, er könnte leicht zum Verräter werden; aber zugleich war er ungemein intelligent, begabt und anziehend. Er verstand unbedingt, was Lawrence von ihm forderte. Murrys Begabung war, wie Lawrence selbst sagte, vor allem eine – wenn auch sehr breit angelegte und stark weltanschaulich geprägte – Kritikerbegabung. Sein Werk ›Problem of Style‹ (›Das Problem des Stils‹) enthält einige der hervorragendsten »klassischen« Kritiken der damaligen Zeit, und sogar in seinen in Gefühlen schwelgenden Arbeiten hat Murry noch etwas zu sagen. Seine Anziehungskraft wurde von Lawrence am besten in ›Jimmy und die Frau aus dem Volke‹ eingefangen:

»Er war der Herausgeber einer hervorragenden, etwas zu intellektuellen und ziemlich erfolgreichen Zeitschrift, und seine recht individuellen, äußerst aufrichtigen Leitartikel brachten ihm Schwärme, Scharen, ja ganze Heerscharen von bewundernden Bekanntschaften ein. Man stelle sich vor, daß er gut aussah und ungewöhnlich »nett« sein konnte, wenn er wollte, und daß er auf seine eigene kritische Art wirklich sehr klug war, und man muß einsehen, daß er mannigfaltig Gelegenheit hatte, verehrt und protegiert zu werden.

Da waren vor allem sein gutes Aussehen, die feinen, klaren Züge seines Gesichts, ähnlich dem Gesicht des lachenden Fauns in einem seiner launigen Augenblicke ohne Gelächter. Da waren die langen, schönen dunkelgrauen Augen mit ihren langen Wimpern und ihren dichten schwarzen Brauen. In seinen spöttischen Augenblicken, wenn er am meisten er selbst schien, war dies ein reines Pansgesicht mit seinen hochgezogenen, dicken schwarzen Augenbrauen und seinen grauen Augen, die höhnisch, ziegenbockartig funkelten, während Nase und Mund sich vor Spott krümmten. Das war Jimmy in Höchstform. Zumindest in den Augen seiner Männerfreunde ... In den Augen der mit ihm befreundeten Frauen war er ein faszinierender, kleiner Mann mit einem tiefen Lebensverständnis und mit der Fähigkeit, eine Frau wirklich zu verstehen und eine Frau sich als Königin fühlen zu lassen; was selbstverständlich darauf hinauslief, daß die Frau ihr wirkliches Selbst spürte ...«

Das ist die Beschreibung fast eines Adonis, eines jünglinghaften Geliebten für die Magna Mater. Doch Jimmys Vorstellung von sich selbst, so erfahren wir, sei die eines gemarterten heiligen Sebastian. Er weigerte sich, die Identität, die ihm durch die erotische Bewegung zukam, anzunehmen.

Murry meint in diesem Zusammenhang, er sei als der begreifende Freund gewählt worden, und er sei eben darum gewählt worden, weil er in der entscheidenden Frage der Liebe im völligen Gegensatz zu Lawrence gestanden habe. Dann gibt er zu, er habe sich geweigert zu verstehen. Das war insofern wörtlich zu nehmen, als er immer wieder erklärte, das, was Lawrence sage, »verwirre« ihn. Doch was er in seinen ›Reminiscences‹ meint, ist, daß er sich weigerte, diesen Gegensatz anzuerkennen, und daß er sich weigerte, Lawrence mit der Wahrheit über sich selbst zu konfrontieren. »Ich liebte einen idealen Lawrence. Ich hatte nicht den Mut, den realen Lawrence zu lieben: das ist mein Versagen.« Diese »Wahrheit« über Lawrence sprach Murry erst dann aus, als Lawrence tot war und als er 1930 sein Werk ›Son of Woman‹ schrieb. Er schrak vor dem unerläßlichen Konflikt zurück. »Meine wirkliche Aufgabe in dieser Freundschaft war nicht nur, zerstört zu werden, sondern zu zerstören. Um in Blakes Sprache zu reden: jeder mußte die Individualität des anderen vernichten ... Ich drücke mich esoterisch aus und spreche zu denen, die Ohren haben, um richtig hinzuhören. Lawrence zerstören war nicht dasselbe, wie ihn vernichten – wie wenn es möglich wäre, das sternenhafte Genie unserer Zeit zu vernichten –, es bedeutete lediglich, mit starker Hand den Kern seiner Individualität zunichte zu machen, damit seine außerordentliche Identität freikäme ... Diejenigen, die diese Geschichte begreifen – vielleicht ist's nur eine lebende Seele –, werden begreifen, daß die Niederschrift von ›Son of Woman‹ der abschließende Akt meiner Selbstbefreiung war, mein vollständiges Eintreten in meine eigene Identität … es ist die äußerste Vernichtung meiner Persönlichkeit.« Jene »eine lebende Seele«, von der er spricht, muß Frieda gewesen sein, denn sein Kampf mit Lawrence war auch ein Kampf mit und um Frieda.

Wieder sah er sich als Judas, als er die eben zitierte Stelle niederschrieb. In seinem letzten Gespräch mit Lawrence 1925 entwickelte er eine Theorie von Judas als »dem einzigen Freund, der begriff«. In dieser Theorie behauptete er, Judas habe Jesus wie kein anderer Jünger verstanden, er habe die gewaltige Belastung und das enorme Risiko verstanden, die Jesus daraus erwuchsen, daß er sich zum Erlöser der Menschheit erklärte. Nach der Kreuzigung habe er sich nicht wegen irgendeines Verrats umgebracht – diese Geschichte sei später erfunden worden –, sondern aus seiner Qual und seiner Verzweiflung heraus. (Vier Jahre später schilderte Lawrence in ›Aarons Stab‹, wie er selbst einem treulosen »Freund« zuhört, der begeistert eine solche Judas-Theorie entwickelt.) Lawrence hörte, so erzählt Murry, schweigend zu, um sich dann sehr ungeduldig über diese gefühlvolle Darstellung der Gestalt Jesu und ihrer Leiden zu äußern. Die Obsession, sich mit diesem Thema immer wieder auseinanderzusetzen, war in seinen Augen unfruchtbar und uninteressant. Trotzdem schrieb Lawrence in den Jahren darauf (in: ›Der Auferstandene‹, ›Der Mann, der gestorben war‹) häufig über die Gestalt Christi – allerdings nie über Jesus den Schmerzensmann, sondern stets über den auferstandenen Herrn der Schöpfung, über den österlichen Helden der Erotik. Jesus sei ein christlicher, ein katholischer Heide, erklärt er in ›A Propos of Lady Chatterley's Lover‹. Und wenn er über »die Russen« schrieb, so voller Zorn; so zum Beispiel in seiner Besprechung von Rozanovs ›Solitaria‹ aus dem Jahr 1927, wo er seinen Abscheu über all diese »Hündchen aus Dostojewskijs Hundezwinger« äußert, einen Abscheu, der dem krankhaften Sich-Suhlen in der Verehrung Jesu gelte – eine Verehrung, welcher der starke Wunsch zugrunde liege, Jesus in den Schmutz zu ziehen und auf ihn zu spucken. Kurzum, er hält sie alle für Judasse. Lawrence hatte die Jünger-Beziehung, die er mit dem Judaskomplex in Verbindung brachte, bereits in ›Liebende Frauen‹ und sogar schon in ›Söhne und Liebhaber‹ abgelehnt.

Lawrence fühlte sich durch die Tendenz, ihn als religiösen *exalté* zu behandeln, immer schon bedroht. Sowohl »Miriam« als auch »Hermione« werden so dargestellt, als wollten sie ihm diese Rolle aufzwingen, und in beiden Fällen äußert die Gestalt, die Lawrence sich selbst nachbildete, die Befürchtung, man könne sie ihrer Normalität, ihrer Männlichkeit und ihrer erotischen Identität berauben. Diese Bedrohung aber kam nur deshalb zustande, weil »Jesus« tatsächlich sein Schatten-Ich darstellte; nicht umsonst bezeichnete Lawrence Menschen aus seiner Umgebung häufig als seine Magdalenas, als seine Johannes die Täufer. Doch als gefühlsmäßige Identität verwarf und verdrängte er diese Rolle. Frieda bewahrte ihn vor dieser Rolle, indem sie ihm zu seiner erotischen Identität verhalf. Murry dagegen versuchte ihm diese Rolle sowohl im gedruckten Wort als auch privat eindeutig aufzuzwingen.

Hier ein kurzer Abriß seiner Beziehung zu den Lawrences. Während des Krieges verschlechterte sich das Verhältnis zwischen den beiden Männern, so daß sie sich erst 1923, als Lawrence zum ersten Mal von Neumexiko zurückkehrte, wiedersahen. Für seine Arbeit im War Office zwischen 1917 und 1920 war Murry zum Officer of the British Empire ernannt worden, und 1919 wurde er Herausgeber des ›Atheneum‹, wo er George Santayanas ›Soliloquies in England‹ (›Selbstgespräche in England‹), Paul Valérys ›La crise de l'ésprit‹ (›Die Krise des Geistes‹), T. S. Eliot und einige Bloomsbury-Leute übersetzte. Er hatte nun neue Freunde, von denen viele den Lawrences sehr unähnlich waren. An Murrys Intelligenz, verfeinertem Geschmack und Originalität des Denkens besteht kein Zweifel. Bemerkenswert ist jedoch, daß ihn diese Qualitäten der offiziellen Gunst nicht beraubten, während sich Lawrences gleichwertige Eigenschaften für diesen negativ auswirkten. So hielt Murry 1921, auf die Einladung Sir Walter A. Raleighs hin, Vorlesungen in Oxford, und Edmund Gosse und Thomas Hardy taten ihm Quellen auf, die seine literarischen Aktivitäten finanziell unterstützten. Anfang der zwanziger Jahre bekam er verschiedene Lehrstühle für Literatur angeboten. 1923 wurde er Herausgeber von ›The Adelphi‹, einer Zeitschrift, die er zum Forum für Lawrence machen wollte, denn die Lektüre des Werkes ›Spiel des Unbewußten‹ hatte ihn derart überwältigt, daß er beschloß, es in Folgen in seiner Zeitschrift zu veröffentlichen. Dieses Buch erklärte ihm, so glaubte er, was zwischen ihm und Katherine, die in diesem Jahr gestorben war, schief gegangen war.

Seine spirituelle Liebe, das fühlte er immer stärker, hatte ihre Tuberkulose *verursacht*. Lawrence hatte recht und Dostojewskij unrecht.

Doch es dauerte nicht lange und die beiden Männer hatten wieder Probleme miteinander. Frieda war von Taos vor Lawrence zurückgekehrt und reiste mit Murry nach Deutschland, wo dieser für T. S. Eliots Frau einen Psychiater aufsuchen sollte. Auf dieser Reise schlug sie Murry ein erotisches Verhältnis vor. (Das ist ein klares Beispiel für die unterschiedliche Art, in der Lawrence und Frieda Wirkungen erzielten. Sein Buch und ihr Liebesangebot hinterließen bei Murry gewaltige Eindrücke, und diese Eindrücke drängten ihn in ein und dieselbe Richtung. Ist es möglich, daß Friedas Angebot aus einer gewissen Rivalität entstand, weil Murry Lawrence derart andächtig bewunderte?) Lawrence spürte, was geschehen war, und seine Beziehung zu Murry war nun voll des Gedankens an »Verrat«, obwohl er ihn gleichzeitig einlud, mit nach Taos zu kommen, um dort gemeinsam eine Kolonie ins Leben zu rufen. Diese tragikomische Episode gipfelte in jenem »Letzten Abendmahl«, das Freunde Lawrences im Café Royal gaben und bei dem Lawrence betrunken umfiel. Er sagte zu Murry: »Verrate mich nicht«, und Murry legte den Arm um ihn und meinte: »Ich liebe dich, Lorenzo, aber ich verspreche dir nicht, dich nicht zu verraten.« Das war der Augenblick, in dem beide die Jesus-Judas-Rollen so ganz unmißverständlich spielten, und bezeichnenderweise war Lawrence so betrunken, daß er die Kontrolle über sich verlor. Der Plan, daß Murry sich dieser neuen Kolonie anschließen sollte, wurde zwar weiterverfolgt, doch es kam nichts dabei heraus. Murry kehrte in seinem Liebesleben zu seiner alten romantischen Vorstellung zurück. Einen Monat nachdem die Lawrences und Dorothy Brett nach Neumexiko abgereist waren, heiratete er Violet le Maistre. (Violet erinnerte, was ihr Talent und ihr Aussehen anlangte, stark an Katherine, die sie bewußt nachahmte. Als sie entdeckte, daß sie Tuberkulose hatte, rief sie aus: »Oh, ich bin ja so *glücklich*! Ich wollte, daß das passiert ... Siehst du, Golly, ich wollte, daß du mich genauso liebst, wie du Katherine geliebt hast – und ohne *das*, wie hättest du das können?«) Murry erklärte später, er sei deshalb nicht nach Taos gegangen, weil er wußte, daß er dort Friedas Liebhaber geworden wäre, was Lawrence zerstört hätte. Das hatte er wohl bei jenem Gespräch über den Verrat impliziert – und ebenfalls impliziert war vermutlich die Befürchtung, er könne »offenbaren«, daß Lawrence, ungeachtet seiner theoretischen Erotik, in sexueller Hinsicht eine unzulängliche Rolle spielte.

Murry glaubte zu wissen, wer Lawrence wirklich war, und Frieda und Lawrence wußten, wer Murry wirklich war. 1923 beabsichtigte Frieda vermutlich, ihn mit jener Art von Männlichkeit und erotischer Disziplin auszustatten, mit denen sie Lawrence ausgestattet hatte. Und Murry ging auf dieses Angebot langsam und bruchstückweise ein. Mit gewissen Vorbedingungen und Vorbehalten gab er nach. Als Lawrence 1930 starb, wurde Murry für kurze Zeit Friedas Liebhaber. (Barbara Barr, Friedas Tochter, erinnerte sich, daß sich Murry ungefähr drei Wochen bei Frieda in Vence aufhielt. Auch war er bereits so weit, Friedas und Lawrences Lehre anzuerkennen. Obgleich er 1923 ihr Angebot ausgeschlagen hatte, dachte er später viel darüber nach, und in gewisser Hinsicht stellt sein späteres Leben den Versuch dar, die Doktrin der Lawrences nun anzuwenden. Seine zweite Frau Violet war, wie Katherine Mansfield, ein »Mädchen«, doch nach ihrem Tod heiratete er eine »Frau«. Das waren zumindest seine eigenen Worte. In dem Tagebuch, das er am selben Tag begann, als er ›Son of Woman‹ abschloß – im letzten Lebensjahr Violets und im Jahr seiner Affäre mit Frieda also –, findet sich folgende Eintragung: »Wahrscheinlich konnte ich niemand anderen als nur Mädchen lieben. Katherine war ein Mädchen. Ich weiß nicht, was eine *Frau* ist: und werde es nie wissen. Nicht daß ich die *Frau* gemieden hätte. Es ist nur, daß ich die *Frau* nicht sehen, daß ich keine Verbindung mit ihr aufnehmen kann ... Das ist nicht mein Los. Mein Los ist immer nur die *Liebe* und das unvermeidliche Unheil der Liebe.« Die Begriffe dieser Selbstanalyse veranschaulichen ein orthodoxes erotisches Denken. Dann aber, und das war vorauszusehen, veränderte er sein »Los«. Violet starb am 30. März 1931, und im Mai heiratete er Betty Cockayne, ein Weib – gesund, sinnenhaft, spontan, eifersüchtig, intellektuell desinteressiert, ungeistig, ungestüme fünfunddreißig Jahre alt. »Das scheint meine Einweihung in die unmittelbare Erkenntnis des Weibes zu sein – eine Sache, der ich immer ausgewichen bin«, schrieb er im Dezember dieses Jahres. Er heiratete eine Version von Frieda. Doch diese Erfahrung fiel noch schlimmer aus als Lawrence in ›Jimmy und die Frau aus dem Volke‹ und in ›Die Grenze‹ vorausgesagt hatte.

Murry »offenbarte« in ›Son of Woman‹, daß Lawrence kein

Supermann der Sinnlichkeit, sondern eine reizbare, geistige Kreatur war, die perverserweise vorgab, animalisch zu sein. Dann kamen die ›Reminiscences‹, wo er das Abendessen im Café Royal beschreibt und behauptet, »Lawrences Geheimnis« entdeckt zu haben, obwohl er es unterläßt, dieses Geheimnis beim Namen zu nennen. (Was er in dieser Nacht entdeckte, dürfte – wir können das lediglich annehmen – Lawrences sexuelle Impotenz gewesen sein.) Das war sein schon lange angekündigter Judas-Akt: Nun verriet er seinen Helden, um ihn gleichzeitig zu verherrlichen. Frieda scheint das nicht gekränkt oder verärgert zu haben. Vielleicht sah sie die Sache so, daß Jack die Herausforderung, ein Mann nach dem Lawrenceschen Weltbild zu werden, annahm, als er sich ihr zunächst als Liebhaber gab und als er nach Lawrences Tod seinen Freund offen und mutig angriff. Natürlich betonte er durch diese Handlungsweise, daß Lawrence *sein* Mann war – eine Dostojewskij-Gestalt, deren tiefstes Streben einer christlichen Spiritualität galt. Er reklamierte Lawrence für Jesus im selben Augenblick, als er selbst sich Pan unterwarf. (Und obwohl Murrys Darstellung schrecklich klingt, glaube ich nicht, daß sie die Tatsachen übertreibt. Und die Beziehung zwischen Max und Alfred Weber würde sich wahrscheinlich als nicht weniger schrecklich entpuppen, wenn die ganze Wahrheit an den Tag käme. Wir gewinnen hier verschiedene Einblicke in verschiedene Bereiche unserer Geschichte. Frau Jaffe und ihr nächster Kreis waren ungemein verschwiegen. Es war Frieda, die, indem sie auf die Macht und auf den Zwiespalt dieser Männer reagierte, dieselben zu einer Art von Beichte veranlaßte. Und so schreibt sie denn in einem Brief nach Lawrences Tod, Murry sei »der einzige, vor dem ich Angst habe«.)

Frieda fühlte sich zu Murry gewiß ernsthaft hingezogen, obwohl sie schließlich Angelo Ravagli und er Betty Cockayne heiratete. Doch 1932, *nachdem* er Betty geheiratet hatte, bemerkte Frieda in einem Brief, daß Murry vielleicht für sechs Monate auf die Taosranch kommen könnte, um ihr bei ihrem Buch über Lawrence zu helfen. Wäre Murry ihr dritter Mann geworden, das Ergebnis wäre gewiß ein außerordentliches Buch gewesen – der Beginn vielleicht einer echten Lawrence-Kritik und Lawrence-Interpretation.

Doch in Wirklichkeit sahen er und Frieda sich mehr als 20 Jahre lang nicht, und sogar ihr brieflicher Kontakt brach ab. In dieser Zeit genossen andere Männer ihren inspirierenden

Einfluß, unter ihnen Aldous Huxley, der in diesem Kontext stark an Murry erinnert. Wie Murry, so entzog sich zunächst auch Huxley dem Einfluß Lawrences, den er in einer frühen Short story verspottete; doch dann wurde er zu einem seiner Anhänger, und voller Bewunderung porträtierte er Lawrence und Frieda in seinem ›Kontrapunkt des Lebens‹. In seinem Roman ›Geblendet in Gaza‹ aus dem Jahr 1936 zeichnete er, das erfahren wir von Lucas, die Gestalt des John Beavis nach Schilderungen, die Frieda von Ernest Weekley gab. 1937 verbrachte er vier Monate auf ihrer Ranch, wo er an seinem Werk ›Ends and Means‹ (›Ziele und Wege‹) schrieb. Und 1955 porträtierte er Frieda noch einmal als Katy die »Göttin« in seinem Kurzroman und Theaterstück ›Das Genie und die Göttin‹. Murry wie Huxley waren von Frieda sehr verschieden, und beide meinten, viel von ihr lernen zu müssen. Es ist lediglich die unmittelbar erotische Beziehung zwischen ihr und Murry, die uns veranlaßt hat, ihm und nicht Huxley den vorliegenden Abschnitt dieses Kapitels zu widmen.

1931 erwarb er das Old Rectory in Larling (Norfolk) mit einem großen ummauerten Garten und einer Wiese. Aus diesem Komplex hoffte er ein autonomes wirtschaftliches Unternehmen zu machen. Er betätigte sich als Schreiner, Gärtner, Bienenzüchter und »Naturforscher« – alles im Geiste Lawrences. Doch im selben Jahr las er R. H. Tawneys ›Equality‹ (›Gleichheit‹) und anschließend Karl Marx' ›Das Kapital‹, und so wurde aus ihm ein marxistischer Kommunist, was Frieda, die ihn in Larling besuchte, nicht billigen konnte. Murry trat in die Independent Labour Party ein und besuchte Sommerkurse zum Thema »Sozialismus«. 1935 gründete er das Adelphi Center bei Langham, in der Nähe von Colchester, mit dem Ziel, eine sich selbst tragende sozialistische Kommune aus zirka zwölf Männern und Frauen zu schaffen. Dieses Center umfaßte ein Gästehaus und eine Tagungsstätte für Diskussionen über den Sozialismus, und Murry verglich es mit dem Monte Cassino des hl. Benedikt. 1937 bekehrte er sich zum Pazifismus und wandte sich vom Marxismus ab und einer christlichen Spielart des Kommunismus zu. Die wechselvolle Geschichte seiner weltanschaulichen Entwicklung – und seiner öffentlichen Unternehmungen – ist zu vielfältig, als daß wir sie hier wiedergeben könnten, doch blieb er während des Krieges ein Führer der pazifistischen Bewegung. Als der Krieg vorüber war, verfaßte er wie Alfred Weber Pamphlete und entwickelte Programme zur

Wiederherstellung und geistigen Erneuerung seines Landes und zur Errettung der bedrohten Kultur Europas.

Ende der vierziger Jahre nahm er den Briefwechsel mit Frieda wieder auf, und er fragte sie, was sie heute über ihn und Lawrence als Liebhaber denke. Friedas Antwort war zugleich überschwenglich und vorsichtig-vage. Es war ein unappetitlicher Briefwechsel, zumindest von seiner Seite aus. Er spricht über ›Die Grenze‹, jene Erzählung Lawrences, in der dieser vorhersagte, daß Murry und Frieda nach seinem Tod heiraten würden. Diese Erzählung ist sicherlich ein häßlicher Racheakt, bei dem der Geist Lawrences zurückkehrt, um seinen Nachfolger zu hörnen und zu töten. Doch im Leben selbst und in seinen Briefen an Frieda verhielt sich Murry nicht viel anders, nur daß er eben stets den Liebenswürdigen spielte. Er bat Frieda, eine »Liebesautobiographie«, die »mir so schrecklich wichtig scheint«, zu schreiben, und einer seiner Beweggründe dabei war zweifellos die Hoffnung, in dieser Autobiographie bessere Zensuren als Lorenzo zu bekommen. Er fuhr fort, sie als »Liebesgöttin« zu behandeln und ihr zu schmeicheln, und genau das ist es, was Lawrence Philip in ›Die Grenze‹ vorwirft. Doch Murry war nie ganz ihr Adonis gewesen, und einige Auswirkungen seines gescheiterten Engagements äußern sich – wenn man ihn mit Lawrence vergleicht – in seiner intellektuellen Labilität, seiner Inkonsequenz und seiner provinziellen Beschränktheit.

Murry bezog eine Reihe extremistischer Standpunkte – einmal war er Kommunist, dann Christ, dann Pazifist –, doch all diesen Standpunkten wirkte eine anders geartete, ja unvereinbare Sensibilität entgegen. Diese Sensibilität war zuweilen »klassisch« im Eliotschen Sinne, zuweilen war sie lediglich die des Literaten, doch von höchster und intensivster Qualität war sie, wenn sie von Keats und Shakespeare und von einem bestimmten Tierkreiszeichen beherrscht wurde. Indem er diese Sensibilität propagierte, predigte er wie Lawrence die Rebellion gegen die patriarchalischen Tugenden und das patriarchalische System. Doch verglichen mit Lawrences Rebellion war die Murrys hoffnungslos eklektisch. Das Credo und das Evangelium von Murrys Religion schmückte zwar auch das Wort »Liebe«, zusätzlich zu der matriarchalischen Bedeutung dieses Kennworts, zusätzlich zu dem, was Frieda unter Liebe verstand, predigte Murry aber stets auch eine höchst vergeistigte Liebe, die nicht von Lawrence, sondern von Dostojewskij stammte. Und sein Verhalten war genauso extrem, wie sein Credo eklektisch war.

Dieser Extremismus war sowohl die Quelle der Macht, die er über die Lawrences ausübte, als auch die Ursache dafür, daß sie ihn schließlich ablehnten. Frieda war vom emotionalen Extremismus immer schon fasziniert gewesen, vielleicht weil sie selbst nie so kühn war, wie sie es gern gewesen wäre, doch Lawrence fand Murrys »russisches« Verhalten unmöglich, denn nicht nur seine matriarchalischen Wertvorstellungen, sondern auch sein englischer »Erasmianismus« sträubten sich gegen ein derartiges Verhalten. Murry dagegen glaubte, durch diese Haltung auch eine englische Art in Ehren zu halten, die englische Art eines Keats, Blake und Shakespeare nämlich, die im Verlauf des 19. Jahrhunderts von Rationalismus und Konvention überwuchert worden war. Sein Versuch einer Erneuerung der englischen Art durch ein Denken *à la russe* war sein Hauptbeitrag zum Geistesleben, und weltanschaulich hatte dieser Versuch etwas gemeinsam mit Lawrences Beitrag; doch ist dieser Versuch letztlich dem, was Lawrence leistete, unterlegen. Murrys sicherlich ungewöhnliche Intelligenz und sein hervorragender Geschmack waren in seine Bemühung nicht hinreichend integriert, oder – anders ausgedrückt – es gelang ihm nicht, diese Talente in besagtem Kontext hinreichend zu nutzen. Er leistete einen eklektischen Beitrag zur Liebe, einen *exzentrischen* Beitrag im etymologischen Sinne dieses Wortes. Die Tendenz seiner Unternehmung war »zentrifugal«, denn ihr einziges Zentrum war Murrys Persönlichkeit, die Persönlichkeit eines gefälligen, faunartigen Narziß des britischen Geisteslebens, das allzu leicht zu ausschließlicher Gefälligkeit, wenn nicht gar zur Selbstprostitution herabsank. Auf alle Fälle dramatisierte Murry sich selbst so sehr, daß ihm eine gewisse innere Festigkeit einfach abging, und das wiederum bewirkte, daß er anderen nicht zur Quelle eines Glaubens werden konnte – das zeigte sich auch in seiner Beziehung zu Frieda: zu der Festigkeit, die Lawrence Frieda geben konnte, war Murry nicht in der Lage.

1957, in seinem letzten Lebensjahr und in seinem letzten Werk, schrieb Murry noch einmal über Lawrence. Dieses Mal stellte er ihn Albert Schweitzer gegenüber, indem er die beiden Persönlichkeiten als die beiden Pole des religiösen Empfindens unserer Zeit behandelte. »Es ist das Beste, was ich über ihn geschrieben habe«, erklärte er Frieda. Er stellte Lawrence als ein Genie dar, das weit über ihm gestanden habe, aber auch als einen Mann, der unfähig zur Liebe gewesen sei, als einen Mann, der, eben wegen dieses Unvermögens, Haß und Sinnlichkeit als höhere Wahrheiten gepredigt habe, als einen Mann, der zugleich unter- und überdurchschnittliche Kräfte besessen habe.

1955 erschien das Werk ›Einführung in die Soziologie‹, in dem Alfred Weber eine abschließende Sicht des Werkes seines Bruders zu vermitteln versucht. Doch wie Murry, so brachte auch er nicht die Großzügigkeit der Würdigung auf, die er anstrebte. »Es ist immer ein Vergnügen, von geistiger und moralischer Größe zu sprechen«, begann er, »auch wenn sie sich als geteilt und gespalten darbietet, wie eine Bergkette voller Klüfte.« Max Webers theoretisches Werk sei, so schrieb er, tief »bedingt« gewesen durch den Zeitpunkt seiner Entstehung, der schon so weit zurückliege, und es habe in jedem Fall eine sehr persönliche Lösung der Probleme, die es behandelte, angeboten, eine Lösung, die nur einen Weg der Bewertung verfolgt habe. Dieses Werk, so schloß er, sei zum Teil in seiner Wirkung auf die Soziologie als eine lebendige Wissenschaft gefährlich geworden, und als Ganzes sei es möglicherweise unglücklich konzipiert.

Die Rolle des jüngeren Bruders – bei Alfred Weber konkret und bei Murry symbolisch zu verstehen – erwies sich für beide als verderblich. Die Genialität der älteren Brüder forderte von ihnen ihren Preis. Trotzdem leisteten sie ihren Beitrag, einen nicht unbedeutenden Beitrag übrigens zur Ideengeschichte ihrer Zeit, und die Beschaffenheit ihres Werkes weist verblüffende Parallelen, eine verblüffende Kongruenz zur Beschaffenheit ihrer Beziehungen zu den Richthofen-Schwestern auf. Was Murry im privaten Bereich für Frieda bedeutete, bedeutete er im literarischen Bereich der englischen Literatur; und was Alfred Weber (so weit wir darüber Bescheid wissen) privat Else bedeutete, bedeutete er im wissenschaftlichen Bereich der deutschen Soziologie.

Mabel Luhan

Als Frieda beschloß, mit Angelo Ravagli zusammenzuleben, beschloß sie gewissermaßen auch, mit Mabel Luhan zusammenzuleben; denn in Taos leben, hieß in Mabeltown leben, wie Lawrence das Dorf nannte. Mabel Luhan stellt einen wichtigen

Stern in Friedas Konstellation dar, denn genauso entschlossen wie Else in Heidelberg Wurzel schlug, schlug Frieda im neumexikanischen Taos, in allem, was dieses Dorf verkörperte, Wurzel.

Mabel Ganson kam in Buffalo im Staat New York zur Welt. Sie wurde im selben Jahr geboren wie Frieda, und sie heiratete und bekam ein Kind ungefähr um dieselbe Zeit wie Frieda. Doch ihr Mann starb bald, und sie heiratete zum zweiten Mal – den Architekten Edwin Dodge, mit dem sie nach Florenz zog. Ihre erste Ehe, so erzählt sie, sei eines der wenigen Dinge gewesen, die *ihr* geschahen. Die zweite, dritte und vierte Ehe aber ließ *sie* geschehen.

Sie war eine sehr willensstarke Frau, obwohl ihr Äußeres und der unmittelbare Eindruck ihrer Persönlichkeit ihre tiefere Natur Lügen zu strafen schien. Klein, pummelig, pausbäckig, gewinnend und in ihrem Benehmen und im Tonfall ihrer Stimme ruhig und gelassen, verkörperte sie, da sich diese Züge mit ihrer Persönlichkeit verbanden, ein vertrautes New Yorker Paradoxon. Sie war keine brillante Rednerin, kein witziger Kopf, keine »Monologistin«. Vielmehr übte sie ihre Macht als Zuhörerin aus, indem sie andere Leute ausholte, wobei ihre Bemerkungen weniger lebendig als mitfühlend und besonnen waren. Doch ihr effektives Verhalten war in privaten wie in öffentlichen Beziehungen rastlos, rücksichtslos und häufig schädlich.

Ihre Eltern hatten, wie die Friedas, eine nicht sehr glückliche Ehe geführt. Ihre schöne, willensstarke Mutter machte sukzessive drei Ehemännern den Garaus. Mabels Vater war ein heftiger, reizbarer und schwacher Mann, den Mabel, darin ganz die Mutter, verachtete. Sie entwickelte spezifisch weibliche Fähigkeiten; sie konnte mit einem Mann über seine Arbeit, über das, was ihm am Herzen lag, besser reden, als der Mann es selbst vermochte, doch Arbeit als Ethos war etwas, das sie, so erklärte sie selbst, niemals verstand, und Institutionen hatten für sie immer etwas Unwirkliches an sich. »Ich habe Maschinen und Polizisten immer gehaßt«, behauptete sie. Die kreative Kraft im Leben identifizierte sie mit der *Frau*: »Ich frage mich, ich frage mich wirklich, ob eine Frau je etwas schaffen kann, was nicht der Mann aus ihr herauszieht. Mir scheint, die Aufgabe des männlichen Prinzips besteht darin, dem weiblichen Leben als Antrieb zu dienen.« Dieser Ausspruch erinnert stark an das, was Lawrence in den ersten Jahren seines Zusammenlebens mit Frieda, in der ersten Blütezeit der erotischen Bewegung, sagte.

Mabel Luhan verehrte die Natur und lehnte die Zivilisation ab. Sie trat für das Unbewußte ein. Hutchines Hapgood schrieb ihr, auch er träume von dem Erlebnis »eines nicht ichbewußten Augenblicks – eines Augenblicks voll kosmischer Sympathie. Aber ich habe nie auch nur *einen* solchen Augenblick erlebt. Ich sehe diese Gabe, die Du offenbar hast, aber ich fühle sie nicht. Ich will sie nur mit meiner Imagination, nicht mit meinem ganzen Wesen.« Im Zusammenhang mit ihrer Schwangerschaft bemerkte Mabel Luhan, die Natur »läßt uns spielen und wandern und uns seelisch an den Gott verlieren, welcher der Vater der Seele ist, doch wenn sie [die Natur] uns wünscht, fordert sie uns entschieden, wie wenn eine freundliche, entschiedene Mutter sagt: ›Nun Schluß mit dem Unsinn. Es ist an der Zeit, die Arbeit anzupacken ...‹ Und ich kann wahrhaft sagen, daß ich in jenen Wochen, gesegnet mit dem Traum zu lieben oder geliebt zu werden, ohne die Spannung zwischen unterschiedlichen Willenskräften oder Begierden, tiefer und wahrhaftiger lebte denn je davor ... Ich glaube, ich würde das ganze psychische Dasein für diese neun Monate biologischen Gefordertseins aufgeben.«

Diese Zeilen schrieb sie in den dreißiger Jahren, als sie sich mit Lawrence und Frieda verbündet hatte. Früher, um 1910, war das sicher nicht ihre Überzeugung gewesen – und ganz gewiß war sie das nicht gewesen, als sie um 1902 den Bostoner Edwin Dodge heiratete und sich der ästhetischen Bewegung anschloß.

Ihr Werdegang als Mabel Dodge stellte den Versuch dar, dem Leben durch die Auseinandersetzung mit der Schönheit einen Sinn zu geben, vor allem mit vergangener Schönheit, wie wir ihr in Kunstwerken begegnen. Es war der Versuch, ein ästhetisches Leben zu leben. Sie widmete ihre ungewöhnlichen Energien der Aufgabe, ein schönes Haus in der Toskana, die Villa Curonia, auszustatten und dort ästhetische Leute zu bewirten. Sie freundete sich an mit Gertrude Stein und Eleonora Duse, mit den Berensons und vielen Leuten aus der Welt Henry James'. Dazu sollte noch bemerkt werden, daß ihre sexuellen Interessen – das enthüllt sie in ihrer Autobiographie – in dieser Phase ihres Lebens vor allem lesbischer Art waren.

Doch 1911 kehrten sie und ihr Mann – dessen Liebenswürdigkeit und Scherzhaftigkeit sie bald zu reizen begannen, ähnlich wie dieselben Eigenschaften Frieda an Ernest Weekley irritierten – nach New York und damit nach den kategorisch als häßlich empfundenen Vereinigten Staaten zurück, wo Mabel

Luhan einen neuen Weg einschlug, indem sie sich für die »Armory Show«, eine Ausstellung moderner Kunst 1913, engagierte. Sie verfaßte eine kritische Würdigung der Arbeiten Gertrude Steins und verglich ihre Benutzung der Sprache mit Picassos Verwendung der Farbe. Sie arbeitete hart, um der Ausstellung zum Erfolg zu verhelfen. Im Verlauf dieser zweiten Karriere machte sie sich zur Schirmherrin des modernen Denkens. Sie ließ sich vom sogenannten Zeitgeist auf etwas ungereimte Weise überzeugen und schlüpfte im Namen ihrer neuen Aufgabe in die Rolle einer Magna Mater.

Lincoln Steffens, einer ihrer Freunde aus jener Zeit, soll zu ihr gesagt haben: »Du hast eine zentralisierende, magnetische gesellschaftliche Fähigkeit. Du fesselst, stimulierst und beruhigst die Leute, und die Männer sitzen gern bei dir und führen Monologe! Du bewirkst, daß sie frei von der Leber weg reden, und sie fühlen sich gesteigert ... Gib Abendeinladungen.« Sie führte tatsächlich einen sehr erfolgreichen *salon,* wo sich Männer der Politik und Leute mit ästhetischen Ideen – manche darunter war revolutionär – trafen und diskutierten. Von hier nahm die Madison-Square-Garden-Demonstration ihren Ausgang, die den Streik der Paterson-Seidenspinnereien unterstützte. Und während sie diesen Umzug vorbereitete, nahm sie John Reed zum Liebhaber. Um diese Zeit ähnelte ihre Entwicklung stark der von Frieda und übrigens auch – wie wir noch sehen werden – der von Alma Mahler. Sie wurde zur Königin der heterosexuellen Liebe, zur Magna Mater.

Sie war erheblich älter als Reed. Er war der jugendliche Liebhaber, leidenschaftlich, aber ungeduldig, ein grüner Junge; aber er war auch voller politischer Begeisterung. Und sie war, nach ihren eigenen Worten, die erfahrene, skeptische, geduldige und bestrickende Liebesgöttin, eine Venus ihrem Adonis. Reed las jeden Morgen eifrig die Zeitungen, dann brach er auf, um etwas zu unternehmen; Mabel dagegen brüstete sich: »Ich habe in meinem ganzen Leben keine Zeitung gelesen.« Er ahmte, wenn auch unbewußt, Richard Harding Davis nach und glich darin anderen Schriftstellern und Journalisten dieser Zeit, darunter Frank Norris, Stephen Crane und Jack London. Van Wyck Brooks beschreibt Davis als »einen dieser magnetischen Typen ... die Lebensweisen für Gleichgeartete entwickeln«. Das war genau das, was auch Frieda, Fanny zu Reventlow und Mabel taten, doch als Typus waren sie ihm entgegengesetzt. In moralischer Hinsicht eine unbedeutende Erscheinung, verkörperte dieser schneidige junge Kriegsreporter die Spielart des patriarchalischen Mannes, die in der Dekadenz der imperialistischen neunziger Jahre gang und gäbe war. In England begegnete man im Leben und in der Fiktion vielen Verkörperungen dieses Typus (man denke nur an Kipling oder Stevenson), doch intensiver ausgelebt wurden seine Möglichkeiten in Amerika. (Hemingway sollte einer seiner Hauptvertreter werden.)

Zwischen John Reed und Mabel Dodge wütete ein Konflikt, bei dem es letzten Endes um patriarchalische und matriarchalische Lebensgrundsätze ging, und dieser Konflikt gewinnt durch Reeds spätere Entwicklung eine besondere symbolische Bedeutung. Während er zum großen Zelebranten der bolschewistischen Revolution und zum amerikanischen Helden dieser Revolution wurde, den man im Kreml begrub, lebte sie, die selbst gesagt hatte, sie *wünschte* seine Mutter zu sein, in Taos mit den Indianern, wo sie dem Glaubensbekenntnis Lawrences huldigte. Als sie Reed 1913 mit in ihre Villa nach Italien nahm, zeigte er sich am stärksten davon beeindruckt, was *Männer* alles *geschaffen* hatten, und sein einziger Wunsch war, damals gelebt und aktiv teilgenommen zu haben. Das ärgerte sie. Es »ging gegen ihren Lebensfluß«. Sie wollte, daß er die Natur, das Nichtmenschliche, das Immerwiederkehrende bewundere und daß er das Schöne würdige. Als der Krieg ausbrach, reiste er begierig als Kriegskorrespondent los und war von der Kriegserfahrung, mit der sie so gar nicht sympathisieren konnte, begeistert.

Für ›The Masses‹ (›Die Massen‹) verfaßte sie einen Artikel mit dem Titel ›The Secret of War‹ (›Das Geheimnis des Krieges‹) – dieses Geheimnis bestand darin, daß die Männer den Krieg genießen. Sie stellte Geschichte als eine Untersuchung des Verhaltens von Männern dar, die in einem Vakuum Purzelbäume schlagen. Um die Zeit, als Reed nach Rußland ging, um in seinem aufsehenerregenden Bericht ›Ten Days That Shook the World‹ (›Zehn Tage, die die Welt erschütterten‹) die dortige Revolution zu beschreiben, hatte sie jegliches Interesse an ihm verloren. Sie hatte sich nun Maurice Sternes angenommen, eines russisch-jüdischen Malers, den sie zum Bildhauer umzumodeln entschlossen war. Sie war in die Welt der Kunst zurückgekehrt.

Der Krieg bedeutete ihr nichts, und ihre Anmerkungen zur Politik waren äußerst naiv – aber das war schon damals gewesen, als sie sich mit den Radikalen verbündet hatte. Nun wandte sie sich von neuem der Schönheit zu, doch die Schönheit benötigte ein neues weltanschauliches Kleid, da der alte Ästhetizismus abgetragen war. Leider erwies sich Sterne als nicht sonderlich hilfreich auf dieser Suche nach einer neuen Weltanschauung.

Von 1913 bis 1920 war sie eng mit Elisabeth Duncan befreundet, Isadoras Schwester, die die Mädchen schulte, mit denen Isadora tanzte. 1915 gründete Elisabeth mit der finanziellen Unterstützung von Mabel Dodge eine Schule in Groton. Der ausgesprochen altgriechische Stil des Duncanschen Tanzens, der in Isadoras Tuniken gipfelte, war ein prachtvolles Signal der erotischen Bewegung. Indem sie sich derartigen Bestrebungen verbündete, rückte Mabel unbewußt in die Nähe von Lawrence. (Isadora selbst taucht am Rande unserer Geschichte des öfteren auf – zum Beispiel in Schwabing und Ascona, wo sie Otto Groß gekannt haben könnte –, doch die eindeutig dokumentierte Beziehung zwischen ihr und einer unserer Hauptfiguren läuft über ihre Schwester hin zu Mabel Sterne.)

Bald nachdem Mabel Sterne geheiratet hatte, schickte sie ihn in den Süden, und von dort schrieb er ihr, sie könnte ihre Lebensaufgabe unter den Indianern finden. 1917 zog sie nach Taos, und 1920 begann sie ihren Briefwechsel mit D. H. Lawrence, den sie bedrängte zu kommen. Sie war überzeugt, daß er der einzige Mann auf Erden war, der als Schriftsteller die dortige Landschaft einfangen könnte, die Atmosphäre, das Leben und die Kultur der Indianer und vor allem die dort inkarnierte Hoffnung für die Welt. Denn sie war überzeugt, daß die Zeit des weißen Mannes vorüber war, und sie hoffte, die Indianer würden sich zu den Herren der Welt aufschwingen. Sie hatte sich von Maurice Sterne getrennt, und ihr neuer Geliebter war Tony Luhan, ein Pueblo-Indianer. Tony lehrte sie, so glaubte wenigstens Mabel, zu lieben, wie die Indianer lieben, ihr ängstliches und unruhiges Geltungsbedürfnis abzulegen und im Gleichklang zu sein mit der Natur und dem Leben. »Dieses Mal war es, wie wenn ein zartes, organisches Wachsen begänne, und wirklich fühlte ich in meinem Herzen winzige, unmerkliche Bewegungen, wie kleine Blätter, die sich zusammenrollen; eine wunderbare Ausgeglichenheit kennzeichnete meine Tage und Nächte, so daß ich im Wachen oder im Schlafen ein süßes Gleichgewicht empfand, das empfindlich und stark zugleich war.«

Im großen und ganzen kann man sagen, daß Lawrence und Frieda das in Taos fanden, was Mabel ihnen versprochen hatte.

Das *war* der Ort, nach dem sie gesucht hatten, die effektive Antithese zur Stadt und zur Zivilisation. Frieda machte es Mabel zum Vorwurf, daß sie in ihrem Buch nicht erwähnt hatte, welch starke Veränderung Lawrence in Taos erlebte und welche Erfüllung er dort fand: »Wo Du doch wußtest, daß die Indianer uns alle änderten und uns zu einer tieferen Erkenntnis, zu einer stärkeren Beziehung zur Erde verhalfen«, schrieb sie. »Hätte er Taos nicht gekannt, er hätte ›Lady Chatterley‹ nicht schreiben können.« Und Lawrence selbst erklärte, es sei Neumexiko gewesen, das ihn letztlich von den übernommenen Hemmungen des Christentums befreit habe. Tatsächlich ging Frieda nie mehr von Taos fort, als sie sich dort nach Lawrences Tod niedergelassen hatte.

Mabel Luhan hatte in den Augen der Lawrences mit Taos recht, weil sie dieses Unternehmen als Partizipantin der erotischen Bewegung ins Leben gerufen hatte. Unrecht tat sie dagegen, weil sie ihnen den Ort persönlich verleidete und nicht hinreichend in die Bewegung integriert war, weil sie durch Eros nicht genügend befreit worden war von ihren alten unheilstiftenden und machtlüsternen Verhaltensweisen. In der Welt der Männer war sie eine boshafte Skeptikerin gewesen, und sie hatte für ihre eigene piratenhafte Karriere gesorgt, indem sie, was nur legal war, ihren Besitzstand ausspielte; und obwohl sie an die »Welt der Frau« glaubte, konnte sie die alten Gewohnheiten der Skepsis und der Boshaftigkeit nicht ablegen, denn sie machten doch zuviel Spaß. In diesem Sinne schrieb sie auch, sie hätte ihre chronische Gewohnheit, »indiskret« zu sein, nie aufgegeben:

»Alle sagen, ich erzähle alles, eigene und fremde Geheimnisse, und das stimmt. Bis auf den heutigen Tag kann ich diesem eigentümlichen Drang, zu erzählen, was ich eigentlich nicht erzählen sollte, nicht widerstehen … Aber ich glaube nicht, daß mir das immer noch besonders leid tut. Je weniger Geheimnisse, um so besser – ganz gleich, ob's die meinen oder die anderer sind. Braucht sich denn jemand *jemals zu schämen*? Ich bezweifle das.«

Im Gegensatz dazu war Frieda ungemein diskret, was als Symptom auf die umfassendere Tatsache hinweist, daß nichts an ihr destruktiv war.

Vor allem aber war Mabel, im Vergleich zu Frieda, eine mittelmäßige Priesterin der erotischen Mysterien. So versuchte sie zum Beispiel, Lawrence Frieda auszuspannen, ohne in sexueller und daher auch in erotischer Hinsicht irgend etwas für ihn zu empfinden. Statt dessen offerierte sie ihm eine spirituelle Beziehung, was darauf hinauslief, daß sie sich über alles hinwegsetzte, was die beiden verkörperten. Und ihre groteske Fehlinterpretation Friedas als eines bloß fleischlichen, bloß sexuellen Wesens läßt einen daran zweifeln, ob sie die Bedeutung des Glaubens, den sie proklamierte, je richtig erkannte. Doch eine so eigensinnige Frau ist sich in dieser Minute einer Sache bewußt, die sie in der nächsten schon wieder vergessen hat. Frieda erklärte in einer für sie typischen Redewendung, Mabels Intrigen hätten sie »gelangweilt«, und obwohl dies etwas zu überheblich klingt, um wahrscheinlich zu sein, steht doch fest, daß Frieda, trotz ihrer Unausgeglichenheit, nicht mit anderen Männern »anbändelte«, um Unruhe zu stiften, und ebensowenig fing sie mit einem Mann etwas an, wenn sie sich nicht erotisch zu ihm hingezogen fühlte. Hier liegt die Wurzel all ihres Ehrgefühls, und wenn es um Ehre ging, war Frieda – verglichen mit Mabel – eine echte Aristokratin. Sie war die überlegene Priesterin der erotischen Mysterien, und das ist der entscheidende Grund, wieso Lawrence zwischen den beiden Frauen nie ernsthaft hin und her schwanken konnte.

Andererseits war Mabels Ehe mit Tony Luhan geradezu ein Musterbeispiel für das Eheideal der erotischen Bewegung. Diese Verbindung zielte deutlich in dieselbe Richtung wie Friedas Verbindung mit Ravagli, doch ging sie noch weiter. Möglicherweise sogar noch weiter als Friedas Ehe mit Lawrence – das heißt weiter in jene Richtung, die Lawrence Frieda und die Klages Fanny zu Reventlow predigte. Nicht daß Tony Luhan ein jugendlicher Liebhaber gewesen wäre! Er war ganz eindeutig die Vaterfigur, die Mabel brauchte. Ihre Beziehung stimmt also kaum mit dem Magna-Mater-Muster überein. Doch dieses Muster ist nur eines (wenn auch ein wesentliches) unter den Formen der erotischen Bewegung. Das Hauptkriterium sind die *moralisch-psychologischen Auswirkungen* jeder Gestaltung der sexuellen Beziehung, und im Falle von Mabel und Tony waren die Auswirkungen, wenn man den Maßstab Lawrences anlegte, die denkbar besten. Die Ähnlichkeit im Denken, der Wettbewerb der Persönlichkeiten und die gefühlsmäßigen Wechselbeziehungen waren in ihrem Fall minimal. Der Mann besaß ein Maximum an Andersartigkeit, Würde und Eigenständigkeit.

Sowohl in dem Stil, in dem Ehen geführt wurden, als auch in vielen anderen Dingen waren Taos und Heidelberg Antipoden. Taos erinnerte an Ascona, denn an beiden Orten waren dieselben Kräfte am Werk. Es ist kein Zufall, daß die anarchistische Universität, die Otto Groß in Ascona zu gründen gedachte, ihr zeitgenössisches Gegenstück in Mabel Dodges New Yorker Ferrer School fand, wo die Freunde Mabels aus den Kriegsjahren »konstruktiven Anarchismus« lehrten. Emma Goldman und Alexander Berkman gaben Kurse, Robert Henri und George Bellowes lehrten Malerei. Elizabeth Gurley Flynn hielt Vorträge über den Paterson-Streik, bei dem sie verhaftet worden war. Louis Levine und André Triton lasen über Syndikalismus; Guitérrez über Mexiko; Clarence Darrow über Voltaire, Edwin Markham über Poesie. Tatsächlich hatte Lawrence, als er sich mit dem Gedanken trug, in Amerika eine Kommune zu gründen, geplant, eine Schule zu leiten, und diese Schule hätte sicher vieles gemeinsam gehabt mit der Großschen und der Ferrerschen.

Doch als die Frauen in Taos älter wurden, entwickelte sich der Ort langsam zu einem Zentrum für pensionierte Damen. Friedas Briefwechsel mit Dorothy Brett und Mabel Luhan befaßt sich viel mit Stickarbeiten, Gärtnerei, Kochrezepten und mit Klatsch, während *Männer* nur selten erwähnt werden – das gilt genauso für die Männer, welche die Männerwelt verkörpern, wie für die, die auch nach matriarchalischen Maßstäben etwas darstellten. Taos erinnerte stark an eine total überalterte Mädchenschule, und in diesem Kontext drängt sich Mary McCarthys Kommentar über ihre eigene einstige Schule auf: »Das Geklingle dieser mädchenhaften Operette mit dem Klirr-Klirr zerspringender Freundschaften, mit der Verschwörung geschmuggelter Briefe, mit Zetteln, Geheimnissen, die von Bank zu Bank gehen.« So schreibt zum Beispiel Frieda an Mabel: »Eine nette Freundin warst Du mir, Du garstiges Ding. Nie wieder kann ich Dich gern haben, und jedem sag ich's, was ich von Dir halte. Aber sie wissen alle Bescheid und halten weniger von Dir als ich.« Und Frieda an Brett: »Brett, ich bin müde unseres alten Hasses und Deiner Bosheit und Deiner melodramatischen Vorstellungen, die Du Dir von mir machst – damit und mit Dir bin ich fertig – Du wirst Dich nie ändern und erkennen, wie undankbar Du Dich meiner Großzügigkeit gegenüber verhalten hast. Aber Du warst immer schon eine dumme Eule. Frieda Lawrence.« Und später dann natürlich: »Brett, mein Liebes, nun, unsere Korrespondenz geht weiter. Ich habe nie jemandem so regelmäßig geschrieben, außer an meine Mutter oder wenn ich verliebt war.«

Das absurde Drama der Bestattung von Lawrences Asche in Taos ist das beste Beispiel für den Niedergang der Gemeinschaft. 1935 brachte Angelo Ravagli die Asche von Frankreich nach Amerika, wobei sie ihm während der Reise zweimal abhanden kam; Frieda plante eine Bestattungszeremonie, die auf der Ranch in einer von Ravagli errichteten Kapelle stattfinden sollte. Doch Mabel überzeugte einige Freunde, daß Frieda Lawrence ausbeuten wolle und daß er es vorgezogen hätte, wenn seine Asche in die Himmelswinde verstreut würde. So heckte man einen Plan aus, in der Absicht, die Asche zu stehlen und zu verstreuen. Der Plan scheiterte, aber Frieda deckte ihn auf und war empört. Jedermann ergriff leidenschaftlich Partei, und hinter dem ganzen Vorfall verbargen sich sicher auch wesentliche Probleme. Doch vor allen Dingen war er eine Herabwürdigung dieser Probleme auf das Niveau einer trivialen Komödie. Es war schwierig, in den Ereignissen, die sich von da an in Taos zutrugen, etwas von der Hoffnung herauszuspüren, daß dort eine Regeneration der Welt stattfinden könnte. Aus der Welt der *Frau* wurde eine banale Frauenwelt.

Im Winter 1939 kehrte Mabel Luhan nach New York City zurück, wo sie einen Salon eröffnete und versuchte, die glorreiche Vergangenheit zu neuem Leben zu erwecken. Ihre Stars waren jetzt Thornton Wilder und Dr. A. A. Brill, der Psychoanalytiker. Wäre dieser Salon ein Erfolg gewesen, hätte vielleicht ein neuer Lebensabschnitt für sie begonnen und wären Taos und Tony Luhan wie einst so viele andere Episoden in den Hintergrund getreten. Doch der Erfolg blieb aus, und im Frühjahr 1940 kehrte sie nach Taos zurück. Sieben Jahre später veröffentlichte sie ihr Buch ›Taos and Its Artists‹ (›Taos und seine Künstler‹), das auch von Dorothy Brett, Maurice Sterne und Angelo Ravagli handelte; gleichzeitig schrieb sie einen Roman über Taos. Sie lebte in Taos bis zu ihrem Tod 1962. Gelegentlich machte sie zwar noch Schlagzeilen, doch Zeitschriften wie ›Time‹, ›Newsweek‹ und ›The New Yorker‹ behandelten ihre Person nach dem Krieg mit bissiger Ironie. Ihr Name war ein Witz, ihre Zeit definitiv vorbei.

Frieda ähnelte immer mehr ihrer Mutter – eine Veränderung, die sich bereits vor Lawrences Tod abgezeichnet hatte. Die sporadische Art der jungen Frau, ihre heftigen Sympathiebeweise und ihre schrankenlose Sehnsucht wichen der Herzhaftigkeit, Selbstsicherheit und dem Realismus der reifen Frau. »Ich bin vom Glück gesegnet«, schrieb Frieda 1929 an Mabel, »der Herr hat mich innerlich reich gemacht.« Und in ihren Erinnerungen bemerkte sie: »Ich stehe mit dem Universum auf bestem Fuße. Wenn du eine Frau bist, kannst du denken wie du willst ... Indem wir Frauen sind, dürfen wir alles lieben.« Am bezeichnendsten war vielleicht ihre Selbstaufforderung: »Ich laß' mein Blut nicht sauer werden«, und ihre oft wiederholte Behauptung: »Ich weiß, ich kann lieben.« Es gibt Augenblicke, in denen man die Geschichte Mabel Luhans glauben möchte – ihre Geschichte, Lawrence habe ihr erzählt, niemand ahne, wie schrecklich es sei, »die Hand dieser Frau auf sich zu spüren, wenn man krank ist«. Allerdings handelt es sich hier nur um eine partielle Veränderung, denn Frieda war immer auch sie selbst, und ihr Leben war stets geistiges Abenteuer. In ihren Erinnerungen schreibt sie: »Ich glaube gehabt zu haben, was wenige Frauen ihr eigen nennen – ein echtes Schicksal.«

Die beiden Schwestern trafen sich nach dem Krieg noch einmal. Frau Jaffe reiste nach Amerika, um dort ihre Kinder zu besuchen, und flog von dort nach Albuquerque, wo sie mit Frieda verabredet war. Frau Krug, die jüngste der drei Schwestern, kam nach Taos und hielt sich dort ziemlich lange auf. Doch in einem Brief schrieb Frieda, ein langer Aufenthalt Elses sei undenkbar – »sie ist zu herrschsüchtig«. Aber sie schrieben einander herzliche Briefe und empfanden große Achtung füreinander – zumindest, wenn sie räumlich getrennt waren. In Briefen an ihre Mutter hatte Frieda Else mehr als einmal verteidigt, daß sie »schließlich auch jemand sei« und daß sie deshalb ein Recht auf die besondere Behandlung habe, die sie für sich fordere. Sie erkannten einander als Herrscherinnen rivalisierender geistiger Bereiche an.

Doch das Drama ihrer bisherigen Konflikte hielt an, so lange sie lebten. Frieda erzählte ihrer Tochter Barbara, ihre Schwester Else und Marianne Weber hätten Max Weber zwischen sich *aufgerieben.* Elses »Geistigkeit« habe die Aufopferung der realen Liebe gefordert, und ihr Geliebter habe sich zerrissen gefühlt zwischen seiner Leidenschaft für sie und der Loyalität, die ihn an Marianne band. Anläßlich des Todes von Marianne Weber schrieben die beiden Schwestern einander Briefe, in denen sie unbedachterweise das aufdeckten, was sie bislang stillschweigend für sich behalten hatten – das Wissen Friedas um Elses Liebesaffäre. Vielleicht fühlte sich Else dadurch, daß Frieda fest annahm, diese Liebe würde der Welt nie bekannt werden, dazu getrieben, die Briefe Eduard Baumgarten, Max' und Alfreds Neffen, zu überlassen, der sie nach ihrem eigenen Tod, zumindest teilweise, veröffentlichen sollte. (Max hatte ihr – halb im Ernst – erklärt, sie solle sie für die Nachwelt aufbewahren.) Die Gelegenheit, bei der Else die Briefe Eduard Baumgarten übergab, war voller ironischer Widersprüche. Alfred Weber, ein Held des geistigen Widerstands gegen den Nationalsozialismus, war noch am Leben. Und der Neffe fühlte sich beiden Onkeln verpflichtet, so daß Else und Marianne unvereinbare Anforderungen an ihn stellten, denn Loyalität gegenüber dem einen Onkel bedeutete Illoyalität gegenüber dem anderen. Darüber hinaus verkörperten Max und Alfred Weber unterschiedliche politische Entscheidungsmöglichkeiten, so daß Eduard Baumgartens Wahl auch in politischer Hinsicht von entscheidender Bedeutung war. In der Tat war die bloße Lektüre der Briefe ein wichtiges Ereignis für ihn. So aber kam es, daß sich das Drama all dieser alten oder bereits vergangenen Bindungen und ihrer politischen und historischen Zusammenhänge noch in die fünfziger und sechziger Jahre hinein erstreckte. Als Arthur Mitzman nach Heidelberg ging, um dort an seinem 1968 erschienenen Buch über Max Weber, ›The Iron Cage‹, zu arbeiten, erzählte ihm Frau Jaffe einiges, was sie noch keinem erzählt hatte, und sie gab ihm die Ausgabe von Goethes Hafisgedichten, die sie von Max Weber bekommen hatte. Doch sie wollte nicht, daß er veröffentlichte, was sie ihm anvertraut hatte. Es mußte noch vieles vor Familienmitgliedern geheim gehalten werden, eben weil es schon so lange geheim gehalten worden war. 1971, als Frau Jaffe wußte, daß ich sie besuchen würde, sagte sie zu Professor Baumgarten. »Wenn Sie ihm irgend etwas sagen, sieben Jahre Hölle.« Heidelberg war zu einem Bienenhaus voller Geheimnisse geworden, ebenso wie Taos zu einem Bienenhaus voller Skandale geworden war.

Alma Mahler-Werfel

Alma Schindler wurde 1879, im selben Jahr wie Frieda und Mabel, geboren. Allerdings kam sie in Wien zur Welt, in einer Stadt der Maler, Dichter und Komponisten, im Saatbeet der erotischen Bewegung und der modernen Kunst. Sie entwickelte sich in weit stärkerem Maße zu einer »Liebesgöttin« als Mabel Dodge. In den Hauptmerkmalen ihres Temperaments und ihrer

Entwicklung ähnelte sie Frieda auf erstaunliche Weise, nur daß sie eben die Tochter eines führenden Wiener Malers war, daß sie von hervorragenden Vertretern verschiedener Künste ausgebildet wurde und daß sie bei der Wahl ihres ersten Mannes wesentlich angemessener verfuhr – was ihr allerdings auch nicht mehr eheliches Glück einbrachte.

Auch Alma Mahler scheint erst nach ihrer Heirat ernsthaft eine erotische Entwicklung, ein erotisches Schicksal auf sich genommen zu haben. Das war auf zwei Dinge zurückzuführen: Einerseits war ihre Ehe eine Enttäuschung und andererseits wurde Alma Mahler von den Ideen der erotischen Bewegung – häufig verkörpert in den Liebeserklärungen brillanter Männer – erst in den Jahren nach 1905 entscheidend beeinflußt. In ihrer Autobiographie* zitiert sie häufig Tagebuchstellen aus dieser Zeit, die zeigen, daß sie mit dem Ideengut der erotischen Bewegung wohlvertraut war. Dort schreibt sie zum Beispiel: »Das Unterbewußtsein ist der Zusammenhang aller Materie, es ist die Unsterblichkeit der Dämonen.« (S. 64)

1902 heiratete sie Gustav Mahler, der als Direktor der Wiener Hofoper und als Komponist bereits berühmt war. Alma Mahler war fest entschlossen, ihre Karriere unter großen Künstlern zu machen, aber Gustav Mahler starb schon 1911. Im Jahr darauf begann sie ihre stürmische Affäre mit Oskar Kokoschka – ihren »dreijährigen Liebeskampf«, wie sie diese Zeit nannte –, und diese Beziehung ähnelte noch am ehesten der zwischen Frieda und Lawrence. »Du bist die Frau und ich der Künstler«, schrieb ihr Kokoschka in der Sprache der erotischen Bewegung. »Ich muß Dich bald zur Frau haben, sonst geht meine große Begabung elend zugrunde. Du mußt mich in der Nacht wie ein Zaubertrank neu beleben; ich weiß es, daß es so ist.« (S. 65) Doch schon diese Sprache läßt darauf schließen, daß er nicht geneigt war, die Magna Mater in ihr zu verehren. Er wollte, so formulierte sie es, die Oberhand über sie gewinnen, das aber wollte sie nicht dulden. Er versuchte zu bestimmen, wie Alma sich kleiden sollte, und auch ihr vornehmes Benehmen versuchte er zu beeinflussen. Ihre Beziehung war eine recht stürmische Version der Art von Beziehung, wie sie Mabel Dodge und John Reed, Frieda und Lawrence oder Fanny und Klages miteinander unterhielten. Kokoschka war sieben Jahre

---

* Alma Mahler-Werfel: Mein Leben. (Alle Seitenangaben in diesem Kapitel beziehen sich auf diese Autobiographie.)

jünger als Alma und ein Jahr jünger als Lawrence. Er porträtierte sie in seinen Lithographien zum ›Gefesselten Kolumbus‹ von 1913 und in seiner ›Windsbraut‹, seinem wichtigsten Gemälde aus diesem Jahr, einem Triumph des Expressionismus in der Malerei. Man könnte diese Kunstwerke mit Lawrences Porträts von Frieda in ›Die Schwestern‹ oder mit Maurice Sternes Porträts von Mabel Dodge vergleichen, die um dieselbe Zeit entstanden. Jeder dieser Künstler feierte seine Geliebte in ihrer ganzen Herrlichkeit, obwohl sie gleichzeitig mit allen Mitteln versuchten, aus ihren Geliebten Ehefrauen zu machen.

In den Jahren 1912 und 1913, als sich Lawrence und Frieda in Wolfratshausen aufhielten, kamen Alma und Kokoschka häufig nach München, und Lou Salomé erlebte einige Episoden ihrer Liebesaffäre mit Viktor Tausk in dieser Stadt. Die Atmosphäre Münchens muß damals emotional wie imaginativ ungemein spannungsreich gewesen sein. Aber das galt nicht nur für München, denn es gab da auch noch Wien, wo Kokoschka und Alma 1912 das dort zum ersten Mal gastierende Russische Ballett besuchten. Dieses Ballett, in dessen Rahmen sich später die Talente von Diaghilew, Strawinsky, Picasso und Cocteau entfalten sollten, verkörperte viele Aspekte der erotischen Bewegung. Dasselbe traf auf den Tanz Isadora Duncans zu. Auch war das die Zeit, daran sollten wir uns erinnern, in der Mabel Dodge ihre Affäre mit John Reed hatte.

Lawrence und Frieda, Alma und Kokoschka, Mabel und Reed, das waren alles Liebesbeziehungen, in denen die Frau Magna Mater war. Paradoxerweise entsprach sogar Almas erste Ehe bis zu einem gewissen Grad diesem Muster. Als sich Mahler einmal darüber besorgt zeigte, daß er älter war als seine Frau, meinte Sigmund Freud zu ihm, Alma liebe ihn *eben wegen* seines Alters, seiner Gebrechlichkeit und der Intensität seines Innenlebens, sie liebe ihn, weil er selbst kein erotischer oder »maskuliner« Mensch sei. Alma gab zu, daß sie sich stets zu Männern hingezogen fühlte, die ihrem Vater ähnelten, der ein kleiner, zerbrechlicher, empfindsamer und empfindlicher Mann gewesen war. »Auch ich suchte stets nach einem kleinen, zerbrechlichen Mann, der Weisheit und geistige Überlegenheit besaß, denn das war es, was mir von meinem Vater vertraut war und was ich an ihm geliebt hatte.« Ebenso wie ihr früher Geliebter Max Burckhard war auch Kokoschka zu groß und zu mächtig für sie. Burckhard war ein hervorragender Seemann und Bergsteiger, der unter den Banditen auf Sizilien gelebt hatte, ein anti-christlicher Prediger von Nietzsches Ideen, ein Richter, Dichter, Theaterdirektor, Romanautor, Stückeschreiber und Frauenliebhaber. »Aber er gefiel mir als Mann nicht ... seine Verliebtheit löste Widerwillen in mir aus ... seine starke Männlichkeit ...« (S. 21) Sie mochte Männer nicht, die allzu männlich waren. Auch Frieda mochte solche Männer nicht. Nach ihrem mißlungenen Eheexperiment mit Walter Gropius wählte Alma Franz Werfel, der eindeutig demselben »geistigen« Typus angehörte wie ihr erster Mann.

Alma Mahlers Liebesaffären ähnelten insofern denen Friedas, als ihnen die Hoffnung zugrunde lag, die Gesellschaft als Ganzes ließe sich durch ihre großen Begabungen erneuern. Alma identifizierte sich stark mit dem Leben selbst, und häufig triumphierte sie über die Männer, die sie liebten, weil diese Männer lediglich mit dem Geist identifiziert wurden. So schreibt sie über ihre kurze Liebesbeziehung zu Hans Pfitzner: »Das sind die großen Künstler. Wenn's ans Leben geht, sind sie samt und sonders Dilettanten. Alles fließt in das Werk ... Sie können im Leben kein richtiges Echo finden, weil sie falsch rufen.« (S. 70) Und 1911 schrieb sie an Joseph Fraenkel, einen ihrer jüdischen Liebhaber: »Das Schicksal, das uns trennt, ist das Auseinanderstreben unserer Seelen. Jede Faser meines Herzens zieht mich zurück ins wahre Leben, während Du nur mehr nach perfekter Dematerialisierung strebst ... Wenn's ans Leben geht, bist du ein elender Versager. Solche Männer wie Dich steckt man, wenn es hoch kommt, zwischen zwei Buchdeckel, geschlossen und zusammengepreßt, damit sie von zukünftigen Generationen in unkenntlicher Form verschlungen werden. Doch solche Männer *leben* nicht. Heute kenne ich die ewige Quelle aller Kraft. Sie liegt in der Natur, in der Erde und in Menschen, die ohne Zögern ihre Existenz um einer Idee willen wegwerfen. Sie sind diejenigen, welche *lieben* können.« Das ist das wesentliche Glaubensbekenntnis der erotischen Bewegung, verfaßt auf ihrem Höhepunkt. Sogar Kokoschka warf sie vor, nicht am *Leben* interessiert zu sein: »Wir lebten nur seiner Arbeit«, klagte sie. Das erinnert stark an Frieda, die einmal sagte, sie sei mit Lawrences Arbeit verheiratet. Und von den Gedichten eines Mannes behauptete sie, ihr Verhältnis zum Leben sei ähnlich geartet wie das Verhältnis zwischen dem Mist und der Ziege, die ihn macht. Zugleich aber widmeten Alma wie Frieda ihr Leben der Kunst und den Künstlern. Alma rechtfertigt ihr Dasein am Ende ihrer Autobiographie damit, daß sie »die Steigbügel dieser Ritter des

Lichts halten durfte« (S. 370) und daß sie die genialen Werke ihrer Zeit kannte, noch bevor sie die Hände ihrer Schöpfer verließen.

Unter ihren Tagebucheintragungen befinden sich verschiedene, die zeigen, wie unmittelbar sie eine Liebesbeziehung in eine künstlerische Partnerschaft zu verwandeln vermochte. So schreibt sie 1918: »Eine glorreiche Nacht! Werfel *war bei mir* ... Er ist eine große Auflösung meines Lebens. An mich gelehnt, erzählte er mir die Idee zu einem Stück: ›Der Spiegelmensch‹, das mir ungemein gefällt, und ich werde jetzt nicht eher ruhen, bis er es vollendet hat. Ich will ihn in mein Haus in Breitenstein einladen, alles lieb und warm für ihn herrichten.« (S. 124) (Es ist aufschlußreich, daß sich Alma gerade für ›Der Spiegelmensch‹ begeisterte, denn das ist ein weiteres Werk Werfels, in dem dieser die Ideen Otto Groß' darstellt und gleichzeitig ablehnt.) Alma und Frieda rechtfertigten ihre paradoxe Kunstauffassung – daß nämlich Kunst zugleich wichtig und unwichtig sei –, indem sie jene Art von Kunst bevorzugten, die weniger vom Geist und mehr vom Leben selbst getragen wird. Doch da auch die alltägliche Erfahrung Möglichkeiten bietet, diese Art von Leben, die bei Lawrence von Wildhütern und Zigeunern verkörpert wird, zu *verwirklichen,* muß Kunst stets die weniger bedeutende Alternative und muß sie für Leute mit solchen Prinzipien stets ein Paradox sein. In Wirklichkeit jedoch hingen diese Frauen ebensosehr an der Kunst wie am Leben selbst, nur daß sie eben diese Neigung durch ihre Prinzipien zu verschleiern wußten. Diese Prinzipien aber gereichten ihnen, das heißt ihrer erotischen Identität, zum Vorteil. Indem sie im Gegensatz zum Geist das Leben verkörperten, waren sie gegenüber ihren Künstlern und Liebhabern stets im Vorteil. Kurz nachdem sie sich kennengelernt hatten, schrieb Lawrence an Murry, wie sehr er doch die Tatsache hasse, daß ihn die meisten Menschen – außer Frieda – »für einen seltsamen Kerl hielten, der schreiben könne«. Er kämpfte sein ganzes Leben lang gegen diese Klassifizierung, die aus ihm einen schriftstellernden Automaten, eine bloße Sensibilität oder einen bloßen Geist zu machen versuchte. Es war Frieda, die ihm den Status des aus der Fülle lebenden Mannes zu- oder – wenn sie wollte – aberkennen konnte.

Alma Mahler interessiert uns ganz besonders, weil die Beziehungen, die sie zu jüdischen Intellektuellen unterhielt, ein bezeichnendes Licht auch auf ihre Schwestern im Geiste werfen.

Gustav Mahler war eines von zwölf Kindern jüdischer Eltern, er war von kleiner Statur wie Edgar Jaffe, und obwohl liebenswürdig und leidenschaftlich, war er auch – und darin ähnelte er ebenfalls Jaffe – melancholisch. »Ein christlicher Jude, sah er sich bestraft«, erklärt Alma, »ich aber, eine christliche Heidin, kam ungestraft davon.« Mahler, so erzählt sie, entdeckte Schönheit nur im Leiden, und am liebsten hätte er sie häßlich und vergrämt gehabt. Erheblich älter als sie und bereits vor ihrer Ehe erfolgreich, versuchte er sie zu beherrschen, und als sie verheiratet waren, untersagte er ihr das Komponieren. Sie schleppte die Lieder, die sie komponiert hatte, mit sich herum »wie einen Sarg«: »Ich begrub meinen Traum, und vielleicht war das gut so. Mein Privileg ist es gewesen, meine schöpferischen Gaben in Geistern, die größer waren als die meine, zu einem anderen Leben zu erwecken. Und doch war das Eisen in meine Seele gedrungen, und die Wunde ist nie verheilt.« Ihr erster jüdischer Ehemann verkörperte durch seine Askese einen Aspekt dessen, was für sie jüdische Mentalität bedeutete, während sie sich bei ihrem zweiten Mann wohler fühlte. Und mit Werfel, der zehn Jahre jünger war als sie, verwirklichte sie schließlich die volle Magna-Mater-Beziehung. Er erklärte ihr, sie sei ein Genius – dasselbe hatte Lawrence Frieda, hatte Klages Fanny zu Reventlow erklärt. Als er starb, schrieb sie: »Ich habe mein süßes Mannkind verloren.« (S. 363) In Werfel hatte sie den jugendlichen Liebhaber gefunden, der sie nicht zu beherrschen versuchte und mit dem zusammen es ihr gelang, vollkommene sexuelle Harmonie zu verwirklichen. »Wie unerhört wir ähnlich sind«, schrieb sie. »Panerotisch nannte Franz Werfel es gestern. Und das ist wahr. Mir ist das Letzte gar nicht notwendig ... alles läßt mich ja dieses Glück empfinden.« (S. 115) Genau das ist es, was Cipriano Kate in ›Die gefiederte Schlange‹ lehrt. Doch Alma wollte mehr als persönliche Befriedigung, und ihr Einfühlungsvermögen, das sie Juden gegenüber an den Tag legte, entsprang verschiedenen Ursachen.

Das Tagebuch ihrer Freundin Ida Dehmel enthält 1905 den Eintrag: »Mahler ist der erste Jude, der mich, von meinem Vater abgesehen, als Mann beeindruckt – als jemand, der mir, um es grob zu sagen, nicht impotent vorkommt. Ich bin froh, daß ihn dieses schöne, stolze, starke Christenmädchen geheiratet hat.« Auch Alma war froh, und nicht nur aus persönlichen Gründen. Wie Frieda setzte auch sie stets ihren Stolz darein, empfindliche und selbstzweiflerische Männer in ihren Möglichkeiten zu bestätigen. Und diese Männer waren ihrer Abstammung nach oder im Geiste immer Juden – das heißt: sie waren Künstler. 1929, als sie Werfel heiratete, schrieb sie: »Ich könnte ohne Juden nicht leben, lebe ja auch dauernd fast nur mit ihnen; ich bin oft aber sehr voll Groll gegen sie, daß ich mich manchmal aufbäumen möchte. Warum kann man nie glücklich sein – nie zufrieden genießen, was man hat, und immer das Andere wollen?« (S. 198)

Das sind die beiden Aspekte der jüdischen Mentalität für sie: einerseits der weiche, sensible Mann, dem sie zur Männlichkeit verhelfen kann – und damit zur künstlerischen und sexuellen Potenz, andererseits die innerlich so beunruhigte und leidenschaftliche Seele, die das Glück verwirft und zu Größe gelangt.

Vor Werfel war Alma Mahler kurz mit Walter Gropius verheiratet. Liebenswert, ehrenhaft und bewundernswert wie er war, konnte Gropius nicht die Rolle des Geliebten einer Magna Mater spielen, denn er brauchte nicht erst zum Mann gemacht zu werden. Mit seinem protestantischen Hintergrund und seiner preußischen Erziehung war er von vornherein ein Phänomen an Fleiß und Kraft, an Planungsvermögen und Leistung; sein Kunstempfinden war kollektiv und politisch. 1913 entdeckte er die Schönheit der amerikanischen Getreidesilos, und gemäß seinem Motto: »Wir wollen eine Architektur, die unserer Maschinenwelt angepaßt ist«, ging er daran, die Architektur der modernen Fabrik zu entwickeln. Solche Vorstellungen waren Alma und Frieda sicher völlig unverständlich. Dazu kam noch, daß er ein pädagogischer Organisator der Künste war, der sich von den anderen großen Architekten seiner Zeit – Mies van der Rohe, Wright, Le Corbusier – dadurch unterschied, daß er an eine kooperative Kreativität glaubte. Die Organisation des Bauhauses und der kollektive Bauhausstil sind in vieler Hinsicht typisch für seinen Werdegang und für sein Denken. Seine Leistungen führen lebhaft vor Augen, wie sich die künstlerische Begabung in der modernen Welt auch durch eine Mentalität äußern kann, für die das Erotische sekundär ist. Er ist der Künstler nichtjüdischer Prägung, der Künstler, der keiner Magna Mater bedarf. So aber ist es kein Wunder, daß sich Alma Mahler, obwohl erst seit kurzem mit Gropius verheiratet, in Werfel verliebte. Sie faßte diesen Entschluß, so erfahren wir von ihr, als sie eines Tages im Wagen auf ihren Mann wartete und Werfels ›Einander‹ las, jenen Gedichtband, der ihn zum Führer der expressionistischen Literatur in Deutschland machte. Hier war ein Talent, das ihrer bedurfte.

In politischer Hinsicht war Alma Mahler genauso konservativ wie Frieda Lawrence. Ebenso wie Harriet Somers in ›Känguruh‹ »nicht an Revolutionen glaubte – sie waren *vieux jeu*, aus der Mode«, ebenso mißbilligte Alma Mahler alle organisierten Versuche mit dem Ziel, die Gesellschaftsstruktur zu ändern. Die Revolution von 1918 in Wien war ihr widerlich, und sie bezeichnete sie zugleich als drollig und grausig. Werfel aber brachte sie von seinem revolutionären Engagement ab. Im Verlauf seines Zusammenlebens mit ihr gelangte er zu der Überzeugung, daß jeder Vorrang, den man der Politik einräumt, den Geist versklave; doch noch 1917 oder 1918 war er wegen Hochverrats verhaftet worden, und in jener Zeit hatte er sich noch eifrig an kommunistischen Komplotten beteiligt. Als Alma Mahler ihn während seiner revolutionären Phase besuchte, »fühlte (sie), daß das Zimmer vor Lastern stank« und daß »dort keine unsterblichen Werke entstehen konnten«. Es war der üble Geruch eines Otto Groß, der ihr da entgegenschlug, der üble Geruch einer zügellosen Revolution, denn Werfel war damals stark von Groß beeinflußt und glaubte an dessen Version des Kommunismus. Trotzdem nahm er an, als Alma ihm ihre eigene Person, ihr gemütliches Haus und ihre antirevolutionäre Kunstauffassung zum Angebot machte; und als er später in seinen schöngeistigen Werken über Groß schrieb, hatte er sich seinem Standpunkt tief entfremdet. Neben ›Barbara‹, ›Die schwarze Messe‹ und ›Spiegelmensch‹ verfaßte Werfel einen kurzen Roman mit dem langen Titel ›Nicht der Mörder, sondern der Ermordete ist schuldig‹ (die drei letztgenannten Werke entstanden zwischen 1918 und 1920) – und alle diese Romane behandeln Otto Groß oder seine Ideen, um den einen wie die anderen unter Almas Einfluß zu verurteilen. Alma ähnelte Frieda auch insofern, als sie auf die moderne Kunst einen konservativ-politischen Einfluß ausübte.

Und ebenso wie Frieda suchte auch Alma nach »geistigen« Alternativen zu ihrem tatsächlichen Leben, die sich jedoch nicht erfüllen sollten. Sie schrieb an Annie Besant in Indien und wollte bei ihr Sanskrit lernen; später hätte sie gern mit Gandhi gearbeitet. Und wiederum wie Frieda scheint sie dazu verurteilt gewesen zu sein, in dem, was sie schrieb, sich selbst zu karikieren. Man begegnet bei ihr so vielen Sätzen, in denen sie sich in einer Weise selbst belobigt oder in denen sie so lächerlich sentimental wird, daß man die ganze Person als unbedeutend beiseite schieben möchte; doch dann erinnert man sich, wieviel sie Männern von überragendem Geist bedeutete. Und diesen Männern bedeutete sie deshalb so viel, weil sie eine ungemein wichtige Idee erfolgreich verkörperte. Alma Mahler und Frieda Lawrence waren – zusammen mit vielen geringeren Verkörperungen derselben Idee – Kräfte, die entscheidend zur Entwicklung der modernen Kunst und des modernen Denkens beitrugen.

Isadora Duncan

Eine weitere entscheidende Kraft war Isadora Duncan. Sie kam 1878 zur Welt und wurde von einer Mutter großgezogen, die Musiklehrerin war, ihren Kindern Gedichte vorlas und diese Kinder, nachdem der Vater die Familie im Stich gelassen hatte, zu einem künstlerischen Leben erzog. Mrs. Duncan machte ihre Kinder auch mit Robert Ingersolls Essays über einen atheistischen Rationalismus vertraut, und Isadora fühlte sich diesem Autor und dem großen deutschen Entwicklungsforscher Ernst Haeckel zeit ihres Lebens verbunden, eine Tatsache, die uns an Anna Brangwens Rationalismus in religiösen Dingen erinnert, an diesen Rationalismus, der in einem verblüffenden Widerspruch zu ihrer Gefühlsbetontheit stand. Schon als Kind in ihrem matriarchalischen Zuhause war Isadora gegen die Ehe, in der sie eine Art Sklaverei erblickte, und für die Mutterschaft.

Als Kind tanzte sie Pantomimen, doch mit ihrem persönlichen Tanzstil debütierte sie 1900 in London – sie tanzte in einem Botticelli-Kostüm zur Musik von Mendelssohn-Bartholdy. Ihre Freude an der Schönheit bekundete sie durch Sequenzen »griechischer« Bewegungen, die für die streng angedrillten Tanzformen, welche damals Mode waren, eine Herausforderung darstellten. Von London reiste sie weiter nach Berlin und Budapest, doch erst in München, im München Otto Groß', in den Jahren 1902 und 1903 fand sie ernsthafte Anerkennung. München, so weiß sie zu berichten, sei damals ein Bienenstock voll künstlerischer und intellektueller Aktivität gewesen. Sie tanzte in privatem Rahmen für Erich Mühsam und seine Freunde, denn sie gehörten alle ein und derselben Befreiungsbewegung an. Isadora Duncans Erotik war voller Freude und Sieghaftigkeit, sie war Weltanschauung, Pädagogik. Ihre politische Einstellung ging aus ihrer Tanzversion der Marseillaise und des Slawischen Marsches hervor, doch eigentlich war jede ihrer getanzten Choreographien politisch. Und choreographisch gesehen war ihre ganze Arbeit ein revolutionärer Protest gegen das klassische Ballett, eine Demonstration gegen »die Tanzform der Könige«, wie sie es nannte. Vor allem aber verkörperte sie den weiblichen Flügel der Befreiungsbewegung, was zur Folge hatte, daß sie sich in München ganz besonders zu Hause fühlte. »Wenn meine Kunst irgend etwas symbolisiert«, erklärte sie häufig, »so symbolisiert sie die Freiheit der Frau und ihre Emanzipation von den sturen Konventionen ...« Es war Friedas und nicht Elses, Alma Mahlers und nicht Marianne Webers Art der Emanzipation, für die sie sich einsetzte. Ihr Tanz war eine öffentliche Manifestation jener Freiheit, die Frieda und Alma Mahler in ihrem Privatleben verwirklichten.

Die jungen Leute in München erkannten sogleich die religiöse Erotik ihres Tanzes, die dem amerikanischen Publikum entgangen war oder Verwirrung gestiftet hatte. Sie erzählt uns, wie sie ihrem amerikanischen Impresario Augustin Daly erklärte: »Ich habe die Idealgestalt des jungen Amerika über die Gipfel der Rocky Mountains tanzen sehen.« Ihr deutsches Publikum verstand das, während ihr die amerikanischen Produzenten gesagt hatten, daß ihre Art zu tanzen in die Kirche und nicht ins Theater gehöre – obwohl ihre Kostümierung ganz oder halb durchsichtig war. In Deutschland dagegen nannten sie die Studenten »die göttliche, heilige Isadora«. Deutschland wurde für sie zur geistigen Heimat, denn dieses Land barg für sie »das Heiligtum des Gedankens«. Tatsächlich hatte ihre Liebe für Griechenland und für das griechische Altertum, hatte der »museale« Charakter ihrer Kunst überhaupt etwas typisch »Deutsches« an sich. In Berlin tanzte sie die voll orchestrierte Siebte Symphonie Beethovens, in Bayreuth setzte sie Richard Wagner in Tanz um. Die Studenten, so erfahren wir von ihr, spannten sich nach der Vorstellung häufig vor ihren Wagen und zogen sie im Triumph durch die Straßen. Sie war die Galionsfigur ihrer Befreiungsbewegung.

War Isadora Duncans Karriere eine öffentliche und theatralische Darbietung der Themen, die Frieda und Alma Mahler im privaten und häuslichen Rahmen durchspielten, so war diese Darbietung doch auch eine etwas extravagante und wirklichkeitsfremde Version mit ihren Mengen tanzender Kinder, ihrer hartnäckigen Erotik, ihrer übertriebenen Herausforderung der

Öffentlichkeit, ihrer Zurschaustellung des nackten Körpers, ihrer Aufeinanderfolge junger Liebhaber und durch all diese Dinge hindurch ihrer moralischen Absicht, die Welt dadurch zu retten, daß sie als Tänzerin die Rückkehr zu einer gesunden und schönen Sinnlichkeit proklamierte. (Isadora trug sich immer mit dem Gedanken, eine *Schule* zu gründen.) Auch ihr Privatleben weist viele verblüffende Parallelen zum Leben von Frieda und Alma Mahler auf. Ihr erster Geliebter, den sie Romeo nennt, war in seiner Art zu maskulin, zu »männlich« für sie. Er hörte auf, ein Romeo zu sein, so erzählt sie, und verwandelte sich in einen Mark Anton, dem nur mehr daran lag, ein Eheweib aus ihr zu machen. Dazu kam noch, daß er sie durch die Leidenschaft seines Begehrens körperlich verletzte, so daß sie für einige Jahre die körperliche Liebe mied. Von da an bevorzugte sie als »Liebhaber« stets intellektuelle und häufig auch impotente Männer. Sie selbst beschrieb sich als »cérebrale«, als Geistesmensch. Unter den Männern, mit denen sie heftige Affären ohne sexuelle Intimitäten hatte, befanden sich zwei, die für die erotische wie ästhetische Bewegung eine gewisse Bedeutung hatten. Der eine war Hermann Bahr, der österreichische Schriftsteller und Gelehrte, ein Freund Hugo von Hofmannsthals und der Vorkämpfer Freuds und des Expressionismus, der andere Henry von Thode, der Mann Daniela von Bülows und Professor der Kunstgeschichte in Heidelberg. Edward Gordon Craig, ihre erste große Liebe war ebenfalls eine wichtige Erscheinung in diesen Bewegungen, doch wie Kokoschka lehnte auch er es ab, im Dienste dieser Venus Adonis, den jugendlichen Liebhaber, zu spielen. Ihr letzter berühmter Geliebter, der russische Dichter Sergej Jessenin, war viele Jahre jünger als sie. Bei ihrer Beschreibung von Gordon Selfridge, einer späten romantischen Neigung, erzählt sie, dies sei ihr erster Kontakt mit einem Mann der Tat gewesen. »Es war, wie wenn er einem anderen Geschlecht angehörte«, schreibt sie, »denn ich nehme an, daß all meine Geliebten eindeutig feminin gewesen waren ... Künstler und Träumer.« Das klingt ganz nach Frieda und Alma Mahler, und es gibt Dutzende kleiner Ähnlichkeiten, die an sich unbedeutend sein mögen, jedoch das Bild als Ganzes bestimmen. Wie diese beiden Frauen beklagte auch Isadora Duncan den modernen Kult der weiblichen Schlankheit; wie sie verachtete auch Isadora die hagere, hohlwangige Schönheit, deren Ursache Schmerz und Selbstverleugnung sind. Frieda tanzte – auch noch in reiferem Alter – gern nackt oder halbnackt, ein

Zug, dessen sie sich häufig in ihren Briefen auf kokette Weise rühmt und dem wir auch bei Lawrences weiblichen Gestalten Anna, Gudrun und Connie begegnen. Und in der Tat ist auch Ursulas Vision von den Pferden im ›Regenbogen‹ die belletristische Version eines Duncan-Tanzes. Auch erinnert das, was Isadora Duncan über ihren erotischen Werdegang äußert, insgesamt stark an Frieda und Alma Mahler. »Einst war ich die furchtsame Beute, dann die angriffslüsterne Bacchantin, doch heute überrolle ich meinen Geliebten, so wie die See über dem kühnen Schwimmer zusammenschlägt, und ich umschließe, umstrudle, umringe ihn mit Wellen aus Wolken und Feuer ... Nun bin ich herangewachsen zu einer voll erblühten Rose, deren fleischliche Blütenblätter sich voller Ungestüm über ihrer Beute schließen.« Das ist der Werdegang, die Wandlung Friedas, so wie sie Lawrence in der Entwicklung von Ursula zu Connie darstellte.

1912 war Gabriele D'Annunzio, Isadora Duncans Geliebter und die Konstellation D'Annunzio, Isadora Duncan und Eleonora Duse erhellt einen entscheidenden Aspekt unserer Untersuchung. D'Annunzio fordert als Dichter der Erotik und als politischer Abenteurer zum Vergleich mit Lawrence heraus. Er umwarb Isadora, so erzählt er selbst, mit Worten, in denen er sie mit der Natur selbst gleichsetzte: »Oh Isadora, nur mit dir zusammen ist es möglich, in der Natur allein zu sein. Alle anderen Frauen zerstören die Landschaft, du allein wirst Teil von ihr. Du bist ein Teil der Bäume, des Himmels, du bist die beherrschende Göttin der Natur selbst.« Diese Gleichsetzung der Frau mit der Natur, der Liebe und der Erde war ein wesentlicher Bestandteil der Rhetorik der erotischen Bewegung, obwohl nicht alle Natur Natur in diesem Sinne, obwohl nicht alle Frauen Frau in dieser Gestalt waren.

Zur Zeit ihrer Affäre mit D'Annunzio war Isadora Duncan bereits mit der großen Schauspielerin Eleonora Duse befreundet, der einstigen Geliebten D'Annunzios, die eine Frau war, welche sich *nicht* mit der Natur gleichsetzen ließ. Die Duse gibt uns eine fesselnde Vorstellung von jener *femme fatale* des 19. Jahrhunderts, die das Schicksal einer Frau der prä-erotischen Bewegung verkörpert. Wie Frieda, Alma Mahler und Isadora Duncan war auch die Duse eine Frau mit einem persönlichen *erotischen* Schicksal, doch war ihre Erotik völlig anders geartet, denn sie bestand fast ganz aus Sehnsucht, Leid und unerwiderter Liebe. Auch ihr persönlicher Stil war völlig anders. Die Tatsache, daß D'Annunzio sie verließ und sich werbend Isadora Duncan zuwandte, spiegelt eine dieser Epoche eigene Entwicklung wider. Isadora Duncan beschreibt die Duse als eine Reinkarnation von Dantes Beatrice und sieht in ihr einen Typus, der dem ihren glatt entgegengesetzt ist – diese Frau ist durch und durch Leid, Seherin und Erhabenheit. Es war dies eine Konfrontation, ähnlich der, die durch die Person Lawrences hindurch zwischen Ottoline Morell und Frieda stattfand, und ähnlich der Konfrontation zwischen Ursula Brangwen und Hermione Roddice. Nur war Hermione eine Duse auf dem privaten, auf dem häuslichen Schauplatz.

Emma Goldman

1912 gab es in New York, so wird behauptet, drei Erzsymbole der Neuen Frau – Isadora Duncan, Mabel Dodge und Emma Goldman. Letztere hatte mit Frieda Lawrence am wenigsten gemeinsam; trotzdem werden wir uns, um einiger erhellender Kontraste willen, auch mit ihrem Lebenslauf kurz beschäftigen.

Emma Goldman kam 1869 in Litauen als Kind einer jüdischen Familie zur Welt. Es war die zweite – eine unglückliche – Ehe ihrer Mutter. Vor ihrem Vater beschützt von ihren Halbschwestern, von einer Welt der Frauen also, bewahrte sich Emma stets eine gewisse Feindseligkeit gegenüber Männern. Sie bestand eine Prüfung, die zum Übertritt auf ein deutsches Gymnasium in Königsberg erforderlich war, doch verweigerte ihr der Religionslehrer das ebenfalls erforderliche »Führungszeugnis«. 1881 zog die Familie nach St. Petersburg, und nachdem Emma weitere sechs Monate zur Schule gegangen war, fing sie in einer Korsettfabrik zu arbeiten an. Sie las Nikolaj Tschernyschewskijs revolutionären Roman ›Was tun?‹ und nahm sich seine Heldin Vera Pawlowna zum Vorbild. Die Begeisterung für diesen Autor und die Identifizierung mit seiner Heldin sollten sie ihr ganzes Leben lang begleiten. Wie Vera gründete auch Emma Goldman eine Näh-Kooperative, ging eine »Genossenehe« ein und lebte das Leben eines Revolutionärs. Alexander Berkman, ihr Hauptgefährte zunächst in Amerika und später in Europa und Rußland, nahm sich Tschernyschewskijs revolutionären Helden Rachmetow zum Vorbild. Diese Fakten erhellen unmißverständlich die enormen Unterschiede, die Emma Goldman von unseren drei »Liebesgöttinnen« trennten. Emma Goldman war in erster Linie eine politisch denkende Frau, eine aktive Revolutionärin; sie partizipierte an der Männerwelt.

Sie half Berkman bei der Planung des Mordversuchs an Henry Frick, dem Präsidenten von Carnegie Steel. Sie ging auf den Strich, um das Geld für den Revolver zu beschaffen, den er benutzte. Nach der Tat erklärte der einflußreiche deutschamerikanische Anarchist Johann Most, Berkman sei ein Spinner, und Emma Goldman quittierte diese Bemerkung damit, daß sie Most verprügelte. Wenn Bomben explodierten, stand sie stets unter dem Verdacht der Polizei – so 1910 beim Anschlag auf das ›Times‹-Gebäude in Los Angeles, so 1914 beim Anschlag auf ein Wohnhaus in der Lexington Avenue, so 1916 bei der Preparedness-Day-Demonstration in San Francisco. In dieser Hinsicht besteht nicht die geringste Ähnlichkeit zwischen Emma Goldman einerseits und Frieda Lawrence, Alma Mahler und Isadora Duncan andererseits. Emma Goldmans politische Überzeugung war anarchistisch, anarchistisch im Sinne Kropotkins, und als sie 1920, aus Amerika ausgewiesen, nach Sowjetrußland ging, war sie über den Verlust an individueller Freiheit bald enttäuscht. Für sie bedeutete Revolution in erster Linie persönliche Emanzipation.

Doch betätigte sich Emma Goldman nicht nur politisch im strengen Sinne. 1916 wurde sie verhaftet, weil sie die Geburtenkontrolle propagierte; denn sie war auch eine Rebellin in sexualis, und die erotische Bewegung war auch an ihr nicht spurlos vorbeigegangen. Sie war 1895 in Wien gewesen – zur selben Zeit also, zu der sich Lou Andreas-Salomé dort aufhielt –, und sie hatte Freuds Vorlesungen gehört, Nietzsche und Ibsen gelesen. Sie selbst hielt Vorträge über Walt Whitman, dessen Bisexualität sie unterstrich. Wie Otto Groß war auch sie davon überzeugt, daß man die sexuelle Besitzergreifung überwinden könnte, und zu Liebhabern nahm sie sich Männer, die jünger und zarter waren als sie; in ihrem Privatleben war sie eine weitere Magna Mater. Außerdem war sie überzeugt, daß eine Verwirklichung des Frauenstimmrechts keine wesentliche Veränderung bewirken würde, und ebensowenig glaubte sie, daß Jane Addams oder Ida Tarbell Vorkämpferinnen *der* Freiheit der Frau waren, die ihr selbst am Herzen lag. »Der großen Bewegung der *echten* Emanzipation hat bislang keine große Rasse von Frauen entsprochen, die der Freiheit ins Auge geblickt hätte. Ihre engstirnige, puritanische Sicht verbannte den Mann als störendes Element und zweifelhaften Charakter aus ihrem Gefühlsleben«, schrieb Emma Goldman. An solchen Äußerungen ist zu ermessen, was Emma Goldman mit Frieda Lawrence, Alma Mahler und Isadora Duncan gemeinsam war und was sie an diesen Frauen vermutlich bewundert hätte; wenn diese Frauen ernsthafte politische Ansichten vertreten hätten, es wären sicherlich die Ansichten Emma Goldmans gewesen. Vielleicht waren sie dazu gar nicht in der Lage, da sie von Grund auf unpolitisch waren, doch stand ihnen Emma Goldman, was ihr Lebensziel anlangt und ungeachtet ihrer Verteidigung der Gewalt und ihres Engagements für gesellschaftliche und politische Fragen, in einer Weise nahe, wie das bei Jane Addams nicht der Fall war. Wäre sie jünger gewesen, als sie die erotische Bewegung kennenlernte, hätte ihre Ähnlichkeit mit diesen Frauen vermutlich frappiert.

In mancher Hinsicht war auch ihr Temperament ähnlich. Sie interessierte sich stark für Literatur, vor allem für das Drama, und sie propagierte die sexuelle und imaginative Befreiung, die Rebellion genauso wie die Revolution. Von Kropotkin unterschied sie sich vor allem darin, daß sie sich voller Energie mit sexuellen Problemen auseinandersetzte, die diesen kaum interessierten. Tatsächlich ähnelt ihr Standpunkt dem Otto Groß', und ihre politische Aktivität, mit der sie diesen Standpunkt verteidigte, sollte uns eigentlich veranlassen, über die unpolitische Art der anderen Frauen nachzudenken.

1906 begann sie ›Mother Earth‹ (›Mutter Erde‹), eine anarchistische Zeitschrift, herauszugeben, deren Name einen symbolischen Bezug herstellt zwischen Anarchismus und matriarchalischen Vorstellungen. Eigentlich sollte die Zeitschrift zu Ehren Walt Whitmans ›The Open Road‹ (›Die offene Straße‹) heißen; das aber erinnert uns daran, daß Lawrence, für den dieser Satz tiefe Bedeutung besaß, vieles an diesem Anarchismus schätzte. Abgesehen von der Entwicklungsphase, in der er seine »Führerromane« schrieb, war dies die politische Bewegung, die seinen Ideen am nächsten kam. Die Zeitschrift ›Mother Earth‹ erschien neun Jahre lang und zählte in dieser Zeit zwischen 3500 und 10000 Leser. In ihr erschienen Nachdrucke von Tolstoij, Dostojewskij und Gorkij, von Emerson, Whitman und Thoreau, daneben neue Arbeiten von Floyd Dell, Ben Hecht und anderen zeitgenössischen Radikalen. Doch im Gegensatz zu Margaret Andersons ›Little Review‹ befaßte sich die Zeitschrift nicht mit literarischen Experimenten, und kein großer

Dichter erlebte dort seine Erstveröffentlichung; diese Tatsache läßt erkennen, daß Emma Goldmans Engagement für die Literatur begrenzt und ihr Hauptanliegen politischer Art war. Eine aufschlußreiche Anekdote über ihre Einstellung zur Kunst einerseits und zur Politik andererseits erzählt, daß 1914 ihr Freund Ben Reitman ›Söhne und Liebhaber‹ las und darüber seine Arbeit für die Zeitschrift und für die anarchistische Sache völlig vergaß, denn der Roman warf in seinen Augen ein völlig neues Licht auf die Beziehung zu seiner Mutter, die damals gerade bei ihm und Emma wohnte. Und durch die Lektüre von Lawrences Roman begann er sich so eingehend mit seinem persönlichen Leben zu befassen und vernachlässigte er derart seine anarchistischen Pflichten, daß Emma die Geduld verlor und ihn und seine Mutter vor die Tür setzte. Denn Kunst war für die Politik gefährlich.

Im Verlauf ihrer langen Beziehung zu Reitman hatte sie stets die Mutterrolle gespielt, ein Merkmal, das alle ihre Liebesbeziehungen kennzeichnete. In dieser Hinsicht ähnelte sie Frieda Lawrence und Alma Mahler, während sie sich von den beiden Frauen darin unterschied, daß sie in ihren öffentlichen Aktivitäten stets ihre Geliebten überragte. Wenn sie öffentlich auftrat, ähnelte sie eher Isadora Duncan, und häufig bezeichnete man sie als Amerikas beste Rednerin. Ihr Leben beschränkte sich keineswegs auf die Privatsphäre und auf persönliche Beziehungen.

Lou Andreas-Salomé

Lou Andreas-Salomé ähnelte, wenn man die brillanten Männer betrachtet, die ihre Geliebten waren, eher den drei erstgenannten Frauen als Emma Goldman. Doch eigentlich verkörperte sie einen anderen Typus der Frau mit einem Schicksal. Und so wirft sie vor allem durch ihre Andersartigkeit ein bezeichnendes Licht auf diese drei Frauen.

Sie war um einiges älter als die Frauen, mit denen wir uns befaßt haben, so zum Beispiel acht Jahre älter als Emma Goldman, und der erste Abschnitt ihres Werdegangs verlief nach einem völlig anderen Muster. Als Mädchen hatte sie ein Foto von Vera Zasulitch, der revolutionären Studentin, in ihrem Schreibtisch, ihre Ambitionen waren gezwungen intellektuell und maskulin. Sie wollte, das war augenfällig, an der Welt der Männer teilhaben. Wahrscheinlich war sie echt verwirrt angesichts der stürmischen Art ihrer ersten Bewunderer Hendrik Gillot, Nietzsche und Paul Rée. Als sie geheiratet hatte, führte sie ein Eheleben ohne Geschlechtsverkehr. Ihr Mann zeugte seine Kinder mit ihrer Haushälterin Marie, die Lou sehr ergeben war, doch fuhr er fort, sie (Lou) zu lieben.

Der zweite Abschnitt ihres Lebens wurde indes von den Ideen der erotischen Bewegung geprägt und gestaltete sich folglich völlig anders. Der Erste Weltkrieg kam ihr wie auch den anderen erotischen Frauen unwirklich vor, während er in der Welt der Männer drohende Schatten warf. Auch war sie gegen die bolschewistische Revolution in Rußland und setzte, was das Wiederaufblühen des Landes anlangt, ihr ganzes Vertrauen in den Bauernstand. Sie hatte sich verändert. Ihre Kleidung, ihre Frisur, ihre innere Ausstrahlung und ihre körperliche Erscheinung waren nun wesentlich weiblicher. Denn 1895, als Frieda, Alma und Mabel sechzehn waren, verliebte sich Lou in Wien. Wahrscheinlich war diese Verliebtheit mehr ein weltanschaulicher Akt. Der Gegenstand ihrer Zuneigung, Richard Beer-Hofmann, war ein Dichter, der Mythen – vor allem jüdische – neu schaffen wollte. Beer-Hofmann gehörte einem Dichterkreis an, dem das Primitive und Irrationale am Herzen lag und dem sich Lou anzuschließen versuchte. Später wurde sie die Geliebte eines Dr. Pineles, eines Wiener Arztes, der damals bereits einer von Freuds Seminarteilnehmern war. Kurzum, Lou bewegte sich in Kreisen, in denen man sich stark für Sexualität, Erotik und Mythen interessierte und in denen Ideen kursierten, die den Vorstellungen der damals in voller Blüte stehenden »Kosmischen Runde« verwandt waren. (Vielleicht sollten wir gerade in diesem Kontext darauf hinweisen, daß vier Schlüsselfiguren in Lous erotischem Leben Juden waren – Rée, Pineles, Beer-Hofmann und Freud selbst.) Sie hatte eine Reihe von Liebesaffären, in denen sie immer nur kurz einer »kühlen« Leidenschaft frönte, das heißt, sie blieb die Magna Mater, die eine maskuline Initiative ergriff. Mit über vierzig wollte sie anscheinend ein Kind zur Welt bringen, doch schließlich änderte sie ihren Sinn und ließ eine Abtreibung vornehmen. (1902 waren fast alle von uns erwähnten Frauen schwanger – Else, Frieda und Johanna von Richthofen, sowie Mabel Luhan, Lou Andreas-Salomé und Alma Mahler.) 1897 wurde sie die Geliebte von Rainer Maria Rilke, mit dem sie in Wolfratshausen vor München lebte, dort, wo Else jenes Haus besaß, in dem Frieda und Lawrence ihre »Flitterwochen« verbrachten. Rilke war damals zweiundzwanzig, Lou sechsunddreißig. In einem seiner Briefe an sie schilderte er die Freude, die Fanny zu Reventlow an ihrem unehelichen Kind Rolf habe, und er drängte Lou, selbst ein Kind zu bekommen, damit auch sie zu solch einer heidnischen Madonna werde.

In ihrer Beziehung zu Rilke spielte Lou eindeutig dieselbe Rolle, die Frieda bei Lawrence und Alma bei Mahler spielte – die Rolle der Erdmutter oder der Liebesgöttin. Durch sie gewann er ein natürliches und direktes Verhältnis zur Außenwelt und zur Welt der Natur. Durch sie überwand er das Artifizielle seiner Kunst und die weinerliche Sentimentalität seiner frühen Gedichte. Sie disziplinierte ihn in vieler Hinsicht ähnlich, wie Frieda Lawrence disziplinieren sollte. Heiraten allerdings wollte sie ihn nicht. In diesem Punkt ähnelte sie weniger Frieda oder Alma Mahler als Mabel Luhan: sie wollte ihre Unabhängigkeit und fühlte sich gar nicht so wohl in ihrer Rolle einer Liebesgöttin. Es war eine Idee von ihr, zu der sie mit strahlend blauen Augen erklärte: »Die Empfängnis des Samens ist für mich der Höhepunkt der Ekstase.« Wie Mabel Luhan, so hatte auch sie zwar die Idee begriffen, die sie manchmal für ein paar Stunden, manchmal für ein paar Wochen auslebte, doch sich ihr so zu verschreiben, wie Frieda Lawrence oder Alma Mahler, dazu war sie nicht in der Lage. Vermutlich ist es kein Zufall, daß die intelligentesten Frauen und die besten Schriftstellerinnen unter diesen vieren Mabel und Lou waren. 1910 schrieb Lou, die damit einer Aufforderung Martin Bubers nachkam, ihr Buch ›Die Erotik‹. Es ist das Werk einer Hohenpriesterin des Eros, so erfahren wir, und sein Ton ist beschwörend, seine Diktion sibyllinisch.

Elses Schwestern im Geiste

Nicht ganz so einfach ist es, überragende Frauen zu finden, die wir mit Else Jaffe vergleichen könnten, so wie wir Mabel Luhan, Alma Mahler, Isadora Duncan, Emma Goldman und Lou Andreas-Salomé mit Frieda verglichen haben. Um mit Else verglichen werden zu können, müßten jene Frauen verschwiegen gewesen sein und sich bemüht haben, in der Öffentlichkeit nicht aufzufallen. Dazu kommt noch, daß, eben wegen Elses Diskretion, kaum etwas über sie geschrieben worden ist, so daß wir wesentlich weniger über sie als über Frieda wissen. Vielleicht werden wir sie besser einordnen können, wenn die Max-Weber-Briefe erschienen sind. Immerhin läßt sich jetzt schon einiges über Else sagen.

Ähnlich wie Lou Andreas-Salomé begann auch Else Jaffe ihren Werdegang als Aspirantin auf die männliche Welt des Geistes, um erst später auf jene neue Idee zu stoßen, die von den Frauen forderte, sie sollten eine Welt für sich, eine Frauenwelt, schaffen. Wie wir sahen, sprach sie für kurze Zeit auf die Lehren Otto Groß' an, und vielleicht war sie aufrichtig, als sie Groß erzählte, daß sie seine Ideen in die Praxis umsetzte, indem sie eine Liebesaffäre mit ihrem »demokratischen« Geliebten begann. Doch Otto Groß hatte recht, als er Frieda schrieb, daß ein Verhältnis mit einem solchen Mann von vornherein gegen all das gerichtet sei, wofür er und Frieda einträten. Else hätte nie ausschließlich der Welt der Frau angehören können; ihre Treue galt letztlich der apollinischen Welt des Mannes, dem liberalen, kritischen und reformerischen Geist, der, als sie ihn kennenlernte, in gewisser Hinsicht bereits zum Scheitern verurteilt war. Ein fremdes Kind ihrer Zeit, war sie dazu verurteilt, immer wieder auf die falsche Weltanschauung zu setzen, und so kam ihre Fehleinschätzung Otto Groß', Lawrences und Alfred Webers zustande. Die Ironie will es, daß es die flatterhafte Frieda war, die mit dem Rhythmus ihrer Zeit übereinstimmte.

Wir müssen die Gestalten, die sich mit Else vergleichen lassen, unter den Frauen suchen, die sich für soziale und intellektuelle Belange einsetzten. Beispiele wären Jane Addams und Florence Kelly in Amerika. Als Max Weber auf seiner Amerikareise nach Chicago kam, besuchte er das Hull House, und in einem Brief an seine Mutter bezeichnete er Florence Kelly als die Amerikanerin, die ihn auf dieser Reise am stärksten beeindruckt habe. Vielleicht war sie die Amerikanerin, die seiner Mutter und Else Jaffe am stärksten ähnelte. »Eine leidenschaftliche Sozialistin, offenbarte sie uns die Übel des Systems«, schrieb er.

1859 in Philadelphia geboren, graduierte Florence Kelly 1882 in Cornell. Sie wurde zum ersten weiblichen Gewerbeinspektor von Illinois ernannt und bekleidete dieses Amt von 1893 bis 1897. Von 1891 bis 1899 war sie Residentin im Hull House, dann ging sie von Chicago nach New York, wo sie das Henry

Street Settlement ins Leben rief. Ihr ganzes Leben lang stimulierte sie die Sozialgesetzgebung, und über 30 Jahre lang, von 1899 bis 1932, fungierte sie als Generalsekretärin der National Consumers League. Sie wird von Else Jaffe in ihrem Vortrag ›Die Frau in der Gewerbeinspektion‹ von 1910 voller Hochachtung zitiert.

Jane Addams, über die wir mehr wissen, lehnte die Art von Kultur, die Mabel Dodge in Florenz theatralisierte und über die Alfred Weber und Else Jaffe in Heidelberg soziologisierten, ganz bewußt ab. Sie war ihr ganz einfach zu feminin. Wie Lou Andreas-Salomé hatte auch Jane Addams ihren Vater moralisch und gefühlsmäßig verehrt, und so trat sie in die Welt der Männer ein, ohne je gegen sie zu rebellieren. Im College war Port-Royal, das geistige Zentrum der Jansenisten, wohin sich Blaise Pascal zurückgezogen hatte, ihr Ideal gewesen. Später begann sie sich für gesellschaftliche Fragen zu engagieren. Neben der Wohlfahrtseinrichtung, die sie 1889 in Chicago ins Leben rief, hatte sie an zahllosen guten Werken Anteil. In Dakota, Iowa, Oklahoma, Colorado, Kansas und Missouri führte sie eine Kampagne für die Progressive Partei durch, und 1912 spielte sie bei der Organisation dieser Partei auf ihrem Parteitag in Chicago insofern eine Rolle, als sie die Partei soweit zu bringen versuchte, sich gegen den Krieg zu erklären. 1913 reiste sie als Delegierte zur Internationalen Suffragettenallianz nach Budapest. Wie Lou Andreas-Salomé pilgerte auch sie zu Tolstoj, doch von der erotischen Bewegung blieb sie unbeeinflußt.

In der Kathedrale, die in Vachel Lindsays ›Golden Book of Springfield‹ (›Das goldene Buch von Springfield‹) von 1920 beschrieben wird, feiert man Miss Addams – neben Emerson und Lincoln – als lebende Heilige. 1931 erhielt sie den Friedensnobelpreis. Eine derartige Karriere mag kurze Zeit lang Else Jaffe vorgeschwebt haben, die solche Leistungen bewunderte, doch weist alles darauf hin, daß Else nicht nach Heiligkeit trachtete, denn zu einem welterlösenden Glauben konnte sie sich zeit ihres Lebens nicht durchringen.

Gewisse Merkmale ihres Werdegangs lassen eher einen Vergleich mit Beatrice Webb zu. Mrs. Webb wurde 1858 als Beatrice Potter geboren; sie hatte acht Schwestern und war die zweitjüngste, die intellektuellste unter ihnen. Trotz ihrer sozialen Rebellionen und der Hartnäckigkeit, mit der sie ihre eigenen Wege ging, blieb sie mit ihrer Familie, das heißt mit ihren Schwestern, gefühlsmäßig stark verbunden. Wie Else von

Richthofen mochte sie ihren Vater, während sie mit ihrer Mutter schlecht auskam. Fast jeder ihrer Bekannten wies bei irgendeinem Anlaß auf den »männlichen« Wesenszug ihrer Persönlichkeit hin. Sie ähnelte Else von Richthofen auch insofern, als sie eine schöne Frau war, eine edle, fast asketisch wirkende Schönheit von schlankem, geradem und stolzem Wuchs. Sie blieb unverheiratet, bis alle ihre Schwestern unter die Haube gekommen waren. Doch 1892 – sie hatte sich bereits einen Namen als Soziologin gemacht – heiratete sie Sidney Webb, der ebenso klein und dick war wie sie groß und schlank. Es ist die Ehe der Webbs, die am stärksten an Else Jaffe erinnert.

Sidney Webb ähnelte Edgar Jaffe insofern, als er mit seinen dicken Augengläsern, seinem ausdruckslosen Gesicht, seiner ungesunden Haut und seiner heiser flüsternden Stimme eine mehr als unscheinbare Person abgab. Beide Männer trugen Kneifer, gestutzte Schnurrbärte, hatten unverhältnismäßig große Schädel und ausgeprägte Nasen. Mit seiner Art zu sprechen und seinem Benehmen wirkte Webb unter Beatrices Freunden wie ein Cockney. Er und Edgar Jaffe scheinen so manche Tugend und Begabung gemeinsam gehabt zu haben – vor allem den ungewöhnlichen Fleiß und die intellektuelle Leistungskraft, die sich bei ihnen verband mit einer ungewöhnlichen Selbstlosigkeit und mit der Unterdrückung ihrer eigenen egoistischen Gefühlsansprüche. Man erzählte sich von Sidney Webb, er habe bei einmaligem Lesen eine ganze Seite behalten können. Shaw hielt ihn für den perfekten Mitarbeiter, die vollkommene Ergänzung seiner eigenen, etwas brillanteren Qualitäten. Das war übrigens auch Beatrice Potters Meinung. Doch wenn es um gesellschaftliche oder sexuelle Kriterien ging, war Sidney im selben Maße wie Edgar eine verachtungswürdige Gestalt – eine Tatsache, die Beatrice nicht verschleierte.

Die Webbs und die Jaffes waren »partnerschaftliche« Paare, und die sich ergänzende Ähnlichkeit ihrer geistigen Begabung und ihrer gesellschaftlichen Funktion mußte die augenfällige Unvereinbarkeit von Persönlichkeit und äußerer Erscheinung ausgleichen. (Lawrences und Friedas Beurteilung der Jaffes, der wir in ›Die Töchter des Pfarrers‹ begegnen, trifft genauso auf die Webbs zu.) Die Ähnlichkeit zwischen den Webbs und den Jaffes wird noch dadurch verstärkt, daß sich beide Paare für die Soziologie interessierten, doch während die Webbs mit großem Erfolg und überaus wirkungsvoll zusammenarbeiteten, scheinen die Jaffes nichts gemeinsam geschrieben zu haben. Die Webbs verfaßten zusammen, um nur einige ihrer berühmteren Werke zu nennen, kurz nach ihrer Heirat eine Geschichte des Gewerkschaftswesens, ›Das Problem der Armut‹ (1911), ›The Constitution for the Socialist Commonwealth of Great Britain‹ (›Die Konstitution für das Sozialistische Commonwealth Großbritannien‹, 1920) und ›Soviet Communism‹ (›Sowjet-Kommunismus‹, 1924).

Auch übten sie großen Einfluß im London County Council aus, in der Labour Party, in der Fabian Society und im ›New Statesman‹. Sie übten einen spürbaren Druck aus, der eine wesentliche Veränderung sowohl der Struktur der britischen Zivilisation als auch der Standpunkte der britischen Kultur bewirkte. Die stärkere Durchschlagskraft der Webbs hatte wahrscheinlich mit ihrer ausgeprägteren »menschlichen« Exzentrizität zu tun. Beatrice taucht in vielen Memoiren als eine Art Monstrum auf, während Else nur an versteckter Stelle und auf diskrete Weise erwähnt wird. Trotzdem scheinen die beiden Frauen einen Zug gemeinsam gehabt zu haben – ein grundlegend melancholisches Temperament und als Konsequenz den Wunsch nach Bücherwissen und Klarheit des Gedankens und Ausdrucks. Doch scheint sich Beatrice, von Kindheit an extremer geartet als Else, schließlich damit begnügt zu haben, auf Kosten aller anderen Dinge »die soziale Leidenschaft«, wie Lawrence sie nannte, zu befriedigen. Sie brachte keine Kinder zur Welt – Kinder spielten in Else Jaffes Leben eine wichtige Rolle –, und sie nahm sich keinen Geliebten. Und als sie heiratete, gab sie sogar ihre Interessen am Theater, an der Musik und an der Kunst auf, um nun nur mehr auf einem einzigen Gebiet zu arbeiten. Vor ihrer Ehe hatten Beziehungen mit brillanten Männern – darunter Herbert Spencer und Joseph Chamberlain – einen wichtigen Teil ihres Lebens ausgemacht; zwar war sie auch später noch mit derartigen Männern – zum Beispiel Shaw und H. G. Wells – bekannt, doch waren die Beziehungen, die sie zu ihnen unterhielt, gesellschaftlich wie sexuell exzentrisch. Sie behandelte sie, als verkörperte sie, Beatrice, allein »die Webbs«. Beatrice Webb war, verglichen mit Else Jaffe, das, was Isadora Duncan im Vergleich zu Frieda Lawrence war – ein Plakat, ja vielleicht sogar eine Karikatur, im Vergleich zu einem sehr persönlichen Porträt.

Die Gruppe, an die einen Else am ehesten erinnert und die sie sich möglicherweise zum Vorbild nahm, war jene Gruppe überragender deutscher Frauen, um die herum sich Anfang des 19. Jahrhunderts die romantische Bewegung entwickelte und Form gewann. Ich meine Dorothea und Karoline Schlegel, Rahel Levin und Henriette Herz, alles Frauen, die sich zum Mittelpunkt schöngeistiger Zirkel machten und die, von Karoline Schlegel abgesehen, alle Jüdinnen und Berlinerinnen waren. Ihr Verzicht auf ihr jüdisches Erbe und ihre späten Liebesbeziehungen mit glänzenden nichtjüdischen Männern gestalteten ihre Konversion zum apollinischen Denken und zum Stil der Athene zu einem nicht undramatischen Ereignis. Für Frauen war dies damals ein riskanter Glaubensübertritt, doch sie führten ihn umsichtig durch, lehnten es ab, sich zu Blaustrümpfen zu entwickeln, und sie weigerten sich, Vorlesungen zu halten und sich mit bedeutenderen schriftstellerischen Plänen zu tragen. Sie dienten, obgleich nicht in aller Demut, den Werten des Geistes. Sie lasen, notierten, kritisierten, sie schrieben kurze Artikel über die verschiedensten Themen der Literatur, Kunst, Philosophie und Politik. Doch die öffentliche Anerkennung für ihre Ideen ließen sie ihre Freunde einheimsen.

Sie setzten sich mit der Lage der Frau in ihrem kulturellen Bereich auseinander und bekämpften den »männlichen Chauvinismus«; doch die Art, wie sie kämpften, war weder militant wie die der Suffragetten noch im individualistischen Magna-Mater-Stil einer Frieda Lawrence oder Alma Mahler. Sie verkörperten einen Mittelweg, reformerisch und liberal, den Stil der Athene. Obwohl sie die krassen Formen patriarchalischer Autorität ablehnten und bekämpften, unterstützten sie begeistert die höchsten Werte der Welt der Männer – die Werte jenes geistigen und imaginativen Bereichs, der unter dem Zeichen von Apoll steht.

Es ist bezeichnend für sie und durch sie auch für Else Jaffe, daß sie sich schon früh für das Werk Goethes begeisterten. Manchmal ist es Karoline Schlegel und manchmal Rahel Levin, der man das Verdienst zuschreibt, als erste den überragenden Rang Goethes und seine gewaltige Überlegenheit über Schiller erkannt zu haben. Diese beiden Frauen und Dorothea Schlegel begründeten diese neue ästhetische Doktrin in ihren Kreisen, und da sich diese Kreise aus einflußreichen Männern zusammensetzten, wurde die Stellung dieser Frauen zu einem wesentlichen Angelpunkt sowohl für Goethe als auch für die Geschichte der deutschen Literatur insgesamt. Diese Zusammenhänge sind wichtig zum Verständnis dieser Frauen und zum

Verständnis Elses, denn die Verehrung Goethes ist immer auch Verehrung des apollinischen Geistes.

Am besten ist es wohl, wenn wir Else mit dieser Gruppe als Ganzes vergleichen, denn in diesem oder jenem Wesenszug unterscheidet sie sich von jeder der genannten Frauen. Doch am stärksten ähnelt sie wohl Dorothea Schlegel. Dorothea wurde 1764 geboren. Ihr Vater war Moses Mendelssohn, der jüdische Philosoph und Freund Lessings, einer jener vorbildhaften Juden, der für sich und sein Volk Toleranz und Achtung gewann, indem er selbst jede christliche Tugend verkörperte. So wuchs Dorothea in einer sehr geistigen Umgebung mit starken ethischen Grundsätzen heran. Obwohl ihrem Vater sehr ergeben, ehelichte sie doch in jungen Jahren den Bankier Simon Veit, den sie zwar nicht liebte, bei dem sie jedoch ausharrte, bis sie Friedrich Schlegel in Henriette Herz' Salon kennenlernte. Sie war älter als Schlegel und auch keine Schönheit, aber sie brachte ihm ein so leidenschaftliches Verständnis und eine so selbstlose Zärtlichkeit entgegen, daß er sich in sie verliebte. Sie aber verließ ihren Mann und ging als Geliebte mit ihm, seinem Bruder Wilhelm, dessen Frau Karoline und den anderen Romantikern nach Jena.

Karoline, von den beiden Frauen intellektuell und gesellschaftlich vielleicht die brillantere, übte sich gern in den Künsten der Haushaltsführung und des Salons. Auch sie konkurrierte nicht mit Männern in der Öffentlichkeit, und so wurde ihrem Mann die Anerkennung zuteil für ihre Ideen, ihre kritischen Urteile und ihre Gelehrsamkeit. Beide Frauen widmeten sich dem Geistesleben, allerdings nur im privaten Bereich. Dorothea jedoch war melancholischer und moralischer veranlagt als Karoline, so daß es sie schockierte, als sie bemerkte, wie Karoline sich mehr und mehr Schelling zuwandte. Dorotheas Liebe für Schlegel war um so fraulicher, als sie nicht mit ihm verheiratet war, und sie umsorgte ihn auf mütterliche, wenn nicht gar servile Weise. Er war ein schwieriger und unbefriedigender Mann, und sie mußte sich selbst stark vernachlässigen, obwohl er gleichzeitig geistig stets ermutigt werden wollte. Offenbar war sie die Ursache, daß sein mehr imaginatives und ästhetisches Interesse am Katholizismus den Punkt erreichte, an dem beide zu konvertieren und zu heiraten beschlossen. So aber beeinflußte sie ihn sehr stark von ihrem bescheidenen und »fraulichen« Standpunkt aus.

Die Ähnlichkeit zwischen ihr und Else Jaffe liegt nicht in

ihren Ehen oder in ihrer beider Leben – Elses »Schlegel« hieß Otto Groß, und sie *weigerte sich,* mit ihm auf und davon zu gehen –, sondern in ihrer geistigen Entwicklung. Wie andere Frauen, die der Gruppe der Romantiker angehörten, kam Dorothea Schlegel hauptsächlich im Gespräch mit berühmteren Persönlichkeiten zu Wort. Wie Frau Jaffe veröffentlichte auch sie nichts unter eigenem Namen. Sie verfaßte den Roman ›Florentin‹, der jedoch unter dem Namen ihres Mannes erschien. Ihre geistige Leistung bestand in erster Linie im Übersetzen – auch hierin ähnelte sie Frau Jaffe. Dorothea übersetzte altfranzösische und -deutsche Romanzen und Madame de Staëls ›Corinne‹. Diese letzte Arbeit war eine Ironie des Schicksals, denn während die Gebrüder Schlegel Monate am »Hof« der berühmten Französin zubrachten, mußte sich Dorothea in Köln mit praktischen Problemen herumschlagen. Wie Else Jaffe mit Alfred Weber, so diskutierte auch Dorothea mit Friedrich Schlegel alle religiösen, philosophischen und poetischen Ideen durch, die ihn beschäftigten, ohne daß es ihm gelang, sie klar zu formulieren. Vor allem aber verwirklichte sie sich im Familienleben, wo sie große Sorgfalt auf die Erziehung der Söhne ihres ersten Mannes verwandte. Im Grunde war sie eine sehr mütterliche Frau, beileibe keine Magna Mater. Dorothea zeichnete sich durch die Mutterschaft der Selbstaufopferung aus.

Der Vergleich zwischen Else Jaffe und Dorothea ist auch insofern interessant, als es Dorothea Schlegel gewesen sein muß, die George Eliot vorschwebte, als sie Dorothea Brooke, die Heldin von ›Middlemarch‹, schuf. Natürlich dachte die Autorin bei ihrer Heldin in erster Linie an sich selbst, doch dürfte zumindest der Name Dorothea, in dem die ganze Großherzigkeit und Selbstaufopferung von Dorothea Schlegels Leben mitschwang, genau richtig geklungen haben. Diese Eliotsche Dorothea aber ist die überragende belletristische Verkörperung all jener viktorianischen Einstellungen zur Liebe und Ehe, zum Frausein und zum Geistesleben, die Lawrence bekämpfte. Ursula Brangwen war seine Antwort auf Dorothea Brooke. Das aber heißt, daß Frieda die lebende Antithese war zu jener viktorianischen Vorstellung von der Frau, zu jenem liberalen Gedanken, dem sich Dorothea Schlegel und Else Jaffe verschrieben hatten. Noch einmal begegnen wir der Antithese, dem weltanschaulichen Antagonismus der beiden Schwestern. Doch es gibt auch wesentliche Unterschiede zwischen Else und den beiden Dorotheas; denn Else war eine trockenere, strengere und

»schrumpffestere« Persönlichkeit, die sich weniger gern in Szene setzte. Doch kraft ihrer Lebenssicht gehört sie zu jenen Schwestern im Geiste, gegen die nicht nur Frieda, sondern auch Alma Mahler, Isadora Duncan und Mabel Luhan rebellierten.

Viertes Kapitel

Weber und Lawrence:
Überlieferung und Verwandlung ihrer Lebensgeschichten

Weber und Lawrence sind grundsätzlich als Gegner zu betrachten. Zwischen ihnen spielte sich ein Krieg der Weltanschauungen ab, der ungleich heftiger war als der zwischen den beiden Schwestern. Lawrence hat ein Gedicht mit dem Titel ›Der Revolutionär‹ verfaßt, eine Kriegserklärung an seine Feinde, bei der man sich vorstellen könnte, daß sie Heidelberg und der Person Max Webers selbst hätte gelten können. Dieses Gedicht beginnt folgendermaßen:

> Seht sie an, wie sie da stehn
> In voller Autorität,
> Die Bleichgesichter.
> Wie wenn da noch was auszurichten wäre.
>
> Bleichgesicht'ge Obrigkeit,
> Karyatiden,
> Bronzesäulen, weiß und starr vor Angst,
> Die Himmel könnten stürzen.
>
> Was für ein Los so auszuharren.
> Das Gebälk des Himmels
> Mit den nackten Kapitellen
> Ihrer armen, idealistischen Stirnen zu tragen.

Dieses Gedicht wurde im Januar 1921 veröffentlicht, entstand also vermutlich um die Zeit, als Weber starb – gewiß aber nach der Nachkriegsrevolution. Lawrence greift den bleichgesichtigen Idealismus im Namen der Dunkelheit an.

> Dunkel sind mir alle Gesichter
> Dämmrig höhlenartig alle Lippen ...
>
> Doch ihr, Bleichgesichter,
> Seid schmerzhafte, rauh geflächte Säulen

Die nur die Starre kennen
Und ich, ich stoße mich an euch, wenn ich mich rühre
Denn ihr seid überall und ich bin blind
Blind bin ich inmitten eures Sehvermögens,
Ihr starrenden Karyatiden.

Seht zu, ob ich euch nicht herunterhole
Mit einem Krachen
Von eurer Erektion, überdacht
So gewichtig mit Falsch und Richtig,
Von euren ach so besonderen Himmeln.

Dieses Gedicht ist ein Kampflied voller Angriffslust, eine Prahlerei – Lawrence wird seinen Feind zerstören. Es endet folgendermaßen:

Seht zu, ob ich nicht Herr der Dunkelheit
Herr einherziehender Heerscharen bin
Bevor ich sterbe.

Doch als Lawrence 1930 starb, war er nichts von alledem. Zwar hatte er sein Versprechen gehalten, und in gewisser Hinsicht war er auch siegreich gewesen. Doch »Herr der Heerscharen« war er nicht. Der Widerspruch zwischen ihm und Weber war nicht gelöst, der Konflikt mußte noch ausgefochten werden.

Aber Lawrence und Weber waren nicht bloß Gegner. Ihr Erbe ließ sich in viele verschiedene Richtungen entwickeln, und manchmal fanden sich Webers Erben als die Verbündeten der Erben Lawrences wieder. Doch eine grundlegende Gegnerschaft war immer latent vorhanden, und offenkundig wurde sie gegen Ende des Zeitraums von 100 Jahren, auf den wir uns in diesem Buch beschränkt haben. Das beweisen die Personen, die das Erbe der beiden Männer antraten.

Das Ansehen der beiden Männer

Als Max Weber 1920 starb, war sein Tod ein großes nationales Ereignis. Die Deutschen empfanden sein Ableben als nationale Tragödie. Lujo Brentano schrieb: »... ein Aufschrei des Schmerzes ging nicht nur durch die Reihen der Schüler ... [Man hatte] die Empfindung, daß Deutschland einen seiner besten Männer verloren hatte, und dies in einem Augenblick, wo es ihn am nötigsten brauchte.«* Und Ernst Troeltsch erklärte: »Max Weber war einer der wenigen großen Menschen des heutigen Deutschland, eine der ganz wenigen wirklich genialen Persönlichkeiten, die mir im Leben begegnet sind.«** Gertrud Bäumer sprach von »dem dumpfen Gefühl, daß unsere Götter uns verlassen haben«.*** Friedrich Meinecke verglich seine Erscheinung in späten Jahren mit den letzten Selbstporträts Rembrandts, und Joseph A. Schumpeter bezeichnete ihn als *den* Lehrer der Freiheit, einer kraftvollen Freiheit, im deutschen Kulturbereich.

All dieses Lob stammte von erfolgreichen und erfahrenen Zeitgenossen Max Webers, in einigen Fällen sogar von seinen Gegnern. Die jüngeren Leute unterstrichen die dämonische Seite des Mannes. So leitete Theodor Heuss, der zukünftige Bundespräsident, seinen Nachruf auf Max Weber mit folgenden Worten ein: »Seine Alters- und Fachgenossen ... mögen ihn im Rahmen der nationalökonomischen, der soziologischen Wissenschaft unserer Tage erblicken; für uns Jüngere bedeutete die Begegnung mit ihm das Erlebnis der dämonischen Persönlichkeit ... Er besaß die Gewalt über Menschen, die Gewalt umstürzenden Zornes, sachlicher Klarheit, liebenswürdiger Grazie, in allen seinen Äußerungen suggestiv, ausgestattet mit dem ›Charisma‹, mit der Gnadengabe des angeborenen Führertums. Und zugleich war eine asketische Strenge in ihm, eine tragische Entsagung, eine Herbheit, die die Leidenschaft subjektiven Wollens und Empfindens unter das Gesetz des Verbindlichen stellte.«**** Ungefähr ein Dutzend weiterer »Nachrufe« von jüngeren Leuten, die sich in kürzlich veröffentlichten Büchern befinden, bestätigen das, was Heuss sagte. Ich möchte hier nur Karl Loewenstein zitieren, der von der dämonischen Kraft einer Persönlichkeit sprach, die mit einem übermenschlichen Maßstab zu messen sei: »In der Dimension seines Wesens teilte er mit Bismarck die Klasse. Hierin liegt eine ihm vielleicht selbst verborgen gebliebene Tragik, daß er es sein mußte, der ... mit starker Hand von Bismarcks Werk den Schleier riß ...«, schrieb Loewenstein im Juni 1920 in seinem Nachruf im ›Berliner Tag-

* Lujo Brentano: Professor Max Weber, S. 40
** Ernst Troeltsch: Max Weber, S. 43
*** Gertrud Bäumer: Max Weber, S. 47
**** Theodor Heuss: Zu Max Webers Gedächtnis, S. 61

blatt«. 44 Jahre später hielt er anläßlich der Hundertjahrfeier des Geburtstages von Max Weber an der Münchner Universität eine Ansprache. Er beschrieb seine erste Begegnung mit Weber zu der Zeit, als dieser das ganze Gebiet der Musik in eine soziologische Perspektive gerückt hatte. »Es war ein Wendepunkt meines Lebens«, erklärte Loewenstein, »ich war ihm von diesem Augenblick an verfallen, ich war sein Vasall geworden.«* Dann präsentierte er einige Tagebuchnotizen, die ebenfalls aus jener Zeit stammten: »Wenn er nachdenklich wird, zieht sich das Gesicht zusammen wie der Himmel vor einem Gewitter. Das Angesicht ist männlich, es geht von ihm etwas Elementares, manchmal geradezu Titanisches aus. Er spricht frei mit seiner metallischen Stimme in einem prachtvoll beherrschten Deutsch, jedes Wort in der richtigen Proportion zum Zusammenhang und doch klang alles improvisiert. Sein vulkanisches Temperament bricht immer wieder durch.«**

Es ist augenfällig, daß dieser junge Mensch von Max Weber den Eindruck eines äußerst vitalen und maskulinen Mannes bekam. Fast ein halbes Jahrhundert später, als Professor Loewensteins Laufbahn selbst fast zu Ende war, erwies sich dieser Eindruck als immer noch genauso mächtig. Er beschrieb den toten, den hoheitsvoll verklärten Weber, und er erzählte, die Fotografie des Gesichts des Toten habe all diese Jahrzehnte lang über seinem Schreibtisch gehangen. Auch Professor Baumgarten erzählte mir, Weber sei der einzige unter den Männern gewesen, die ihm immer älter vorgekommen seien als er selbst; und obwohl Baumgarten heute älter ist, als Weber je wurde, hat er nach wie vor das Gefühl, jünger zu sein, als sein Onkel damals war, weil er, Baumgarten, nie die ungewöhnliche männliche Reife Max Webers aufzuholen vermochte. Das aber ist es, was wir meinen, wenn wir von Weber als einem Heros des patriarchalischen Geistes sprechen – eine Vorstellung, die sowohl für sein politisches als auch sein privates Leben kennzeichnend war.

In seiner Arbeit ›Max Webers staatspolitische Auffassung aus der Sicht unserer Zeit‹ geht Loewenstein den Beziehungen zwischen Webers Ideen und der späteren politischen Entwicklung Deutschlands nach. Max Weber, so meint der Autor, habe Deutschland eine Chance gegeben, sich von dem »deutschen« Gedanken, der sich als derart gefährlich erwiesen hatte, zu lö-

---

* Karl Loewenstein: Persönliche Erinnerungen an Max Weber, S. 29
** a. a. O., S. 33

sen. Tragisch sei nur gewesen, daß diese Chance erst nach 1945 wirklich genutzt wurde. Weber hatte zum Beispiel auf der Notwendigkeit bestanden, die Vorherrschaft Preußens zu brechen, doch wurde im Rahmen der Weimarer Verfassung dieser Bruch nur teilweise vollzogen. Nach dem Krieg sei dieser Gedanke in Westdeutschland endlich vollständig verwirklicht worden. Dazu kommt noch, daß Weber, obwohl er die Schwierigkeiten des Föderalismus voraussah, eine föderalistische Struktur empfahl, und auch sie wurde schließlich verwirklicht. So aber erweisen sich Max Webers Ideen durch die spätere Geschichte Deutschlands als *richtig*. Obwohl der Ton von Professor Loewensteins Ausführungen akademisch ist, laufen sie doch auf die Auslegung eines Propheten hinaus. Fast fünfzig Jahre nach Webers Tod sind es nur einige unbedeutende Punkte, in denen Loewenstein anderer Meinung ist – so tadelt er zum Beispiel Weber, weil dieser Bismarck (ein Mann, »aus ähnlichem Metall gegossen« wie Weber selbst) in die Kategorie »Cäsarismus« einordnete, anstatt diese Bezeichnung auf die beiden Napoleons zu beschränken. Loewenstein impliziert, daß Weber, sogar posthum noch, der eigentliche Bismarck im Deutschland des 20. Jahrhunderts gewesen sei. Kraft seiner Ideen und seiner Persönlichkeit sei er Deutschlands geistiger Lehrmeister und Führer gewesen. Das ist die implizite Botschaft, die Loewensteins 1966 veröffentlichte Untersuchung vermittelt.

Lawrences Tod dagegen war zwar in gewisser Hinsicht ein weltweit beachtetes Ereignis, doch stellte er zugleich kaum mehr dar als eine Neuigkeit, deren sich die Presse bemächtigte. Janet Flanner, die im ›New Yorker‹ darüber schrieb, vermischte Fehlinformationen und falsche Herablassung in einer Weise, wie sie bei Max Weber undenkbar gewesen wären: »Unter anderen Überspanntheiten«, so schrieb sie zum Beispiel, »hatte er die Schrulle, sich seiner Kleidung zu entledigen und auf Maulbeerbäume zu klettern.« (In diesem Stil sprach man auch über Otto Groß und seine Ideen.) Webers und Lawrences Erfolge unterschieden sich in ihrer Qualität; man erinnere sich an die Unterscheidung, die Sir Clifford Chatterley trifft, wenn er über seinen bloß literarischen Erfolg nachdenkt: Es sind nur die Männer der Tat, die wirklich ernst genommen werden.

Aber es gab auch ernst zu nehmende Beiträge, darunter vor allem die Verteidigung Lawrences durch E. M. Forster, die am 29. März 1930 in ›The Nation‹ und ›Athenaeum‹ erschien. Und im selben Jahr schrieb Richard Aldington in ›Everyman‹, Lawrence sei ein Genius, der »uns in direkten Kontakt bringt mit seinem Geist und mit der Erde und mit dem menschlichen Leben; doch zu unserer ewigen Schande riefen wir die Polizeispitzel und das Militär und die Anwälte auf den Plan, und wir sorgten für seine Erbitterung und dafür, daß er ins Exil und in den bitteren Zorn gehetzt wurde. Ich glaube, England sollte Lawrence Abbitte leisten.« (Noch einmal werden wir stark an Otto Groß erinnert, und die Frage drängt sich auf, welche Abbitte ihm wohl zu leisten wäre. Polizei, Militär und Anwälte rückten Groß wesentlich stärker auf den Leib als Lawrence, denn er hatte sie alle drei in seinem Vater verkörpert.)

Murry schrieb in ›The Times Literary Supplement‹: »Lawrence war der bemerkenswerteste und liebenswerteste Mensch, den ich je kannte. Der Kontakt zu ihm war unmittelbar, eng und bereichernd. Er hatte eine Ausstrahlung voll warmen Lebens. Wenn er vergnügt war, und er war häufig vergnügt – ich erinnere mich an ihn vor allem als an einen heiteren und glücklichen Menschen –, schien er einen sinnlichen Zauber um sich zu verbreiten.« Rolf Gardiner führte Lawrences Macht zurück auf die »dunklen, fruchtbaren Kräfte von Nottinghamshire«, während Frieda ihn schließlich mit dem Mittelmeer in Verbindung setzte. Hier aber wurde der wesentliche Ton angeschlagen: Während Weber Führung und Ordnung versprochen hatte, versprach Lawrence Leben, Sinnenfreude und die Verbindung zur Erde – das aber war die Antithese zur Ordnung und zur Führung.

Es gab einige junge Männer und Frauen, die Lawrence in seinen letzten Lebensjahren kannten und sich durch ihn auf ebenso persönliche Weise inspirieren ließen, wie Professor Loewenstein und Professor Baumgarten durch Max Weber inspiriert wurden – junge Männer und Frauen wie Gardiner, Rhys Jones, Brewster Ghiselin und Barbara Weekley. Die Äquivalente für Heuss und Jaspers waren vermutlich Aldous Huxley und John Middleton Murry, Männer, die versprachen, in der zweiten Hälfte ihres Werdegangs aus Lawrence »etwas zu machen«, ebenso wie Heuss und Jaspers versprachen, etwas aus dem Erbe Max Webers zu machen. Und alle vier taten das, wenn auch auf unterschiedliche Weise.

Weber wie Lawrence starben vorzeitig, und in beiden Fällen folgte dem Tod eine plötzliche Flut von Veröffentlichungen – Bücher von ihnen und Bücher über sie. Das dauerte sechs oder sieben Jahre, dann ließ das ernsthafte Interesse an beiden nach und wich dem frommen Kult einiger weniger – bemerkenswerte Ausnahmen waren Jaspers und Leavis, deren Werke eine Intensität ausstrahlen, die es kaum gestattet, sie jener frommen Kategorie zuzuordnen. Mit der Machtergreifung der Nazis in Deutschland und mit dem Kriegseintritt Englands verblaßte das Ansehen unserer beiden Gestalten zur »Irrelevanz«. Tatsächlich wurde Lawrence bisweilen die Schuld am Aufstieg der Nazis in die Schuhe geschoben. Eric Bentleys ›A Century of Hero-Worship‹ (›Ein Jahrhundert der Heldenverehrung‹, 1944) und William York Tindalls ›D. H. Lawrence and Susan His Cow‹ (›D. H. Lawrence und Susan, seine Kuh‹, 1939) markieren den Tiefpunkt seines Ansehens – beide Autoren glauben sich faktische Ungenauigkeit und einen herablassenden Ton leisten zu können, und ihre Angriffe gegen Lawrence sind äußerst heftig. Die Beurteilung, die Max Weber während des Krieges durch J. P. Mayer erfuhr, war wesentlich respektvoller.

Doch als der Krieg zu Ende war, entwickelte sich der Einfluß beider Männer nach und nach und ihre Werke wurden – ungefähr zur selben Zeit – zur wesentlichen Grundlage umfangreicher Ideen- und Gefühlsstrukturen, die jeweils eine ganze akademische Disziplin kennzeichnen sollten; tatsächlich ist es nicht zuviel gesagt, wenn man behauptet, daß jeder von ihnen eine ganze Region der nationalen Kultur zu beherrschen begann. Lawrence in England und Weber in Amerika – das waren dort Namen, die sich mit ganzen Ideenkomplexen verbanden, und diese Ideenkomplexe formten das Denken und den intellektuellen Stil einer ganzen Generation von Literatur- bzw. Soziologiestudenten.

1945 beauftragte Marianne Weber Eduard Baumgarten, eine neue Generation, der Max Weber (sogar in Deutschland) unbekannt war, mit dessen Denken vertraut zu machen. Und 19 Jahre später konnte Baumgarten schreiben, Max Webers Einfluß in Amerika sei nunmehr so groß, daß er neben Marx, Freud und Nietzsche zum Weltklassiker aufgerückt sei. Die Zeit von 1950 bis 1960 erlebte die stärkste Nachahmung und das stärkste Interesse an Werk und Person unserer beiden Helden, obwohl dazu gesagt werden muß, daß sich Lawrence seither unter Studenten einer immer noch zunehmenden Beliebtheit erfreute. Doch in den sechziger Jahren war es um die beiden Männer schlecht bestellt, und noch schlechter bestellt war es um ihre Schüler, die sich in ihren Werken die von mir behandelten »Ideen« dieser Männer zu eigen machten.

Als Ereignisse, die den Höhepunkt ihres Ansehens und die kommenden Schwierigkeiten markieren, könnten wir die Centenarfeiern für Max Weber in Heidelberg (Anlaß auch für das 15. Treffen der Deutschen Soziologenvereinigung) und das Lawrence-Festival von 1970 in Taos nehmen. Beide Veranstaltungen lösten heftige Gefühle und Denkprozesse aus, die in beiden Fällen nicht ausschließlich akademisch und voller Bewunderung waren.

In Heidelberg trafen sich 1000 Teilnehmer, die drei Tage lang diskutierten, sich bitter befehdeten und mit unbefriedigenden Schlußfolgerungen von dannen zogen. Zuerst sprach Talcott Parsons, der Max Weber als den Begründer einer objektiven Soziologie pries. Ihm antwortete Jürgen Habermas, der – unter dem Beifall der Studenten – Parsons um die Leichtigkeit »beneidete«, mit der dieser Max Weber bescheinigte, den ideologischen Konflikt transzendiert zu haben. In Deutschland, so erklärte Habermas, müsse Weber ideologisch betrachtet werden. Er müsse als einer derjenigen betrachtet werden, die den Staat des Führers herbeigeführt hätten, und er müsse betrachtet werden als ein Vorläufer des Nazi-Ideologen Carl Schmitt. Dann ergriff Raymond Aron das Wort, der Weber im Kontext von Politik und Soziologie als eine machtorientierte Persönlichkeit darstellte. Wolfgang Mommsen zielte in dieselbe Richtung, benutzte Begriffe wie »chauvinistisch« und »imperialistisch« und Namen wie Nietzsche, Hobbes und Machiavelli. Herbert Marcuse, von den Studenten enthusiastisch begrüßt, bezweifelte sogar den Wert von Webers Hauptkategorien und lieferte als Alternativen marxistische Analysen. Andere etablierte Gelehrte, unter ihnen vor allem die Amerikaner, verteidigten Weber natürlich, doch im großen und ganzen waren die Angriffe häufiger als die Verteidigungsreden.

Das Lawrence-Festival in Taos fand von Anfang an in einem kleineren Rahmen statt, es erschienen aber Vertreter aus verschiedenen Ländern, die ein ganzes Spektrum von Einstellungen gegenüber Lawrence verkörperten. F. R. Leavis war zwar nicht erschienen, doch wurde sein geistiger Standpunkt von Keith Sagar vertreten. Die entscheidende Opposition gegen Leavis kam nicht nur von David Garnett und Emile Delavenay, sondern auch von Robert Bly, der Lawrence »benutzen« und »relevant« machen wollte, sowie von Taylor Stoehr, der von Lawrence, wie er selbst ausdrücklich erklärte, unbeeindruckt war und der diesen Autor »in sexuellen Dingen für verkrampft hielt«. Diese beiden Männer repräsentierten für die Jüngeren neue Richtungen – für den einen war Lawrence eine wichtige, für den anderen eine unwichtige Gestalt, doch einig waren sie sich darin, daß der traditionelle Standpunkt Leavis' nicht mehr zählte. Die jungen Leute mit ihren jungen Ideen vermochten Lawrence höchstens als »den ersten Hippie« zu begreifen – eine Vorstellung, die sich, das war klar, mit dem, was Lawrence geschrieben hatte, nicht allzulange würde vereinen lassen.

In Taos hatte es, wie vorher schon in Heidelberg, den Anschein, als würde Lawrence in verstaubte Regale wandern, als würde er zum Klassiker erklärt und unter die berühmten Toten eingeordnet werden. Doch trotz dieses abnehmenden Interesses in den sechziger Jahren können wir sagen, daß Lawrence und Weber alles in allem ein intensives Nachleben hatten, von dem wir alle nach wie vor beeinflußt werden.

In diesem Teil unseres Buches möchten wir uns mit diesem Nachleben näher auseinandersetzen, und wir werden uns in Lawrences wie in Webers Fall mit je zwei »Schülern« befassen, einerseits mit John Middleton Murry und F. R. Leavis, andererseits mit Karl Jaspers und Talcott Parsons. Von unserem heutigen Standpunkt aus gesehen ist es augenfällig, daß Talcott Parsons und F. R. Leavis von größerer Wichtigkeit waren, doch waren es in den ersten Jahrzehnten nach dem Tod von Weber und Lawrence eben doch Jaspers und Murry, die – da sie die beiden Männer persönlich gekannt hatten – den Witwen nun beistanden, wobei sie sich ausdrücklich erboten, die *Persönlichkeit* dieser beiden Männer in ihre eigene Ideenwelt zu integrieren. In gewisser – wenn auch sehr unterschiedlicher – Weise »sentimentalisierten« und »mythifizierten« Jaspers und Murry ihre Helden.

Es ist kein bloßer Zufall, daß in den sechziger Jahren, während Weber und Lawrence an Ansehen einbüßten, ein neues Interesse am Dadaismus und Expressionismus erwachte und daß die Werke Jean Genets, Norman O. Browns, R. D. Laings und Thimothy Learys eine starke Reaktion auslösten. Dieses Interesse und diese Reaktion kündigten eine Renaissance der »Ideen« Otto Groß' an. (Leary und Laing bilden, das gilt für ihren Werdegang wie für ihre Weltanschauung, zeitgenössische Äquivalente für Otto Groß.) Und das starke Interesse für Wilhelm Reichs Sexualtheorien wies ebenfalls auf Otto Groß zurück. Nichts weist darauf hin, daß Wilhelm Reich Otto Groß kannte, doch war die Aufgabe, die Reich in späteren Jahrzehnten unseres Jahrhunderts zu verwirklichen suchte, in vielen Punkten der Otto Groß' verwandt, denn für beide bedingte psychische Gesundheit politische Revolution und vice versa. Wilhelm Reich begann aktiv zu werden, als Otto Groß gezwungenermaßen verstummte. Wilhelm Reichs Orgasmus- und Charaktertheorie und seine Theorie der Charakteranalyse stellen Ideen dar, deren Äquivalenten wir bereits bei Otto Groß begegnen, während seine Theorie zum Matriarchat (die eine entscheidende Rolle in seinen Werken ›Massenpsychologie des Faschismus‹ und ›Die sexuelle Revolution‹ spielt) mit der Großschen Theorie völlig übereinstimmt. Wie Otto Groß glaubte auch er, daß dem privaten und gesellschaftlichen Leben des Menschen eine wirklich ursprüngliche, originäre Form zugrunde liegen *müsse,* eine Form, die den Konflikt nicht kennt und zu der wir zurückkehren *können.* Es ist dies ein a-priori-Grundsatz der beiden, der zweifellos mit ihrem naiven Wissenschaftsglauben zusammenhängt. Und wie Otto Groß wurde auch Wilhelm Reich von den orthodoxen Freudianern und Marxisten abgelehnt, als er versuchte, ihre Standpunkte auf einen Nenner zu bringen. Zwischen 1929 und 1935 verfaßte er sechs Bücher, in denen er versuchte, den Gehalt beider Weltanschauungen zu verschmelzen und jede von ihnen durch die andere umzugestalten. Doch 1932 erklärte Freud, Wilhelm Reich habe seine Abhandlung ›Der masochistische Charakter‹ im Auftrag der Kommunistischen Partei geschrieben, und 1933 wurde seine ›Massenpsychologie des Faschismus‹ zur Gefahr für die psychoanalytische Bewegung erklärt. Die Folge war, daß man Wilhelm Reich ausstieß – und dies trotz der Tatsache, daß die Kommunistische Partei Österreichs 1930 Reichs sexualhygienische Kliniken schließen ließ und die Kommunistische Partei Deutschlands 1932 die Verbreitung von Büchern aus seinem Verlag unterband. Das war wohl auch der Grund, weswegen Wilhelm Reich zunächst Deutschland, dann Europa und schließlich auch der Politik den Rücken kehrte. Wie Otto Groß war auch er zu idealistisch, um politisch wirksam agieren zu können. 1939 ging er nach Amerika, 1942 gründete er in Maine sein privates Institut und 1957, ein Jahr nach dem Tod von Frieda Lawrence, starb er im Gefängnis. Wie Frieda fand auch Reich Amerika wesentlich sympathischer und verständnisvoller als Europa (und man kann sich gut vorstellen, daß Groß ähnlich empfunden hätte). In den sechziger Jahren wurden seine Ideen durch Paul Goodman, Norman Mailer und Susan Sontag sozusagen amerikanisiert. In gewisser Hinsicht hat also auch Otto Groß bis in unsere Zeit überlebt. Doch da dieses Überleben nicht auf irgendeinen bestimmten Einfluß, sondern auf ein zufälliges Zusammentreffen kultureller Faktoren zurückzuführen ist, brauchen wir nicht näher darauf einzugehen.

Obwohl wir unsere Strukturen aus dem Denken unserer Hauptgestalten gewonnen haben, sind wir uns durchaus bewußt, daß wir auch andere Strukturen hätten entwickeln können. So könnten wir zum Beispiel fragen, wer als Romanautor Lawrences Erbe antrat (unserer Meinung nach Doris Lessing) und wer als Politiker Max Webers Erbe antrat (unsere Antwort wäre Heuss, wenn wir in Betracht ziehen, wer von Weber gelernt hat; eine zweite Antwort hieße de Gaulle, wenn wir in Betracht ziehen, wer Bemerkenswertes im Stil Webers geleistet hat.* Doch wenn wir solche Strukturen entwickelten, würden wir uns der Möglichkeit berauben, Parallelen zu ziehen und Kontraste zu schaffen. Daher werden wir uns auf die intellektuellen Erben beschränken.

Wir wollen indes nicht nur Parallelen ziehen, sondern auch versuchen, die Kurve des Nachlebens der beiden Männer zu zeichnen. Wir wagen diesen Versuch anhand ihres Einflusses auf andere, anhand dessen, was sie als Idee in unserer Zeit verkörpern und anhand eines bestimmten Archetypus der Geistestätigkeit. Für viele meiner Generation bedeutete Lawrence eine Art zu denken und zu fühlen, die sie mit ihrer Zeit und mit England versöhnte. Indem ich selbst mich mit ihm identifizierte, stellte ich die richtige Beziehung her zwischen mir, meinem Land und meiner Kultur. Das befähigte mich, bedrückende Ansprüche auf Bewunderung und Loyalität (gegenüber gewissen Autoren, Institutionen, Lebens- und Verhaltensweisen) abzulehnen und meiner Bewunderung und Loyalität dort nachzugeben, wo ich es *aus freien Stücken* und mir selbst gemäß tun konnte. So schuf ich mir Helden und Feinde, auf die ich stolz sein konnte. Ich schuf sie mir dank Lawrence oder, besser gesagt, dank Lawrence und Leavis. Und ähnlich scheinen auch einige Deutsche durch Max Weber die Möglichkeit gefunden zu haben, *sich selbst* zugleich im persönlichen und außerpersönlichen Bereich zu verwirklichen. Doch Weber lieferte durch Parsons' Vermittlung auch ein Prinzip des reinen Verstehens, der

* Sowohl Wolfgang Mommsen als auch Raymond Aron verknüpfen Max Webers Erscheinung mit der de Gaulles.

Klärung an sich, die jedem Handeln in bezug auf jegliches Problem vorausgehen kann – es ist dies ein Prinzip nicht der Selbstverwirklichung, sondern der Flucht vor dem Selbst. Weber wie Lawrence hatten einer ganzen Generation von Intellektuellen, die nach dem Zweiten Weltkrieg zum Bewußtsein ihres Selbst gelangte, Wesentliches anzubieten. Ein oder zwei Jahrzehnte früher waren sie lediglich große Männer der Vergangenheit gewesen, und es gibt Anzeichen dafür, daß sie das auch wieder werden.

Karl Jaspers

Befassen wir uns zunächst ein wenig mit Jaspers' Werdegang und Persönlichkeit, ohne Bezüge zu Webers Person herauszuarbeiten. (Allerdings drängen sich diese Bezüge von alleine auf, denn sie sind in mannigfacher Hinsicht für die Gestalt Jaspers' von entscheidender Bedeutung gewesen.) Jaspers bewunderte Weber enorm und setzte sich mit ihm schon sehr früh leidenschaftlich auseinander.

Der 1883 geborene Karl Jaspers machte seinen Doktor der Medizin mit sechsundzwanzig Jahren – also 1909 – in Heidelberg. Es muß um diese Zeit gewesen sein, daß er die *jours* zu besuchen begann, die bei den Webers jeden Sonntagnachmittag stattfanden. Er war neunzehn Jahre jünger als Weber, gehörte also der nächsten Generation an. Später wurde er psychiatrischer Assistent in Heidelberg, und seine ersten Publikationen basierten auf seiner medizinischen Praxis. Obwohl er allmählich zur Grenze zwischen Psychiatrie und Philosophie vorstieß, die er schließlich auch überschritt, sind seine frühen Werke später nicht ohne einen gewissen Einfluß geblieben. Seine ›Allgemeine Psychopathologie‹ aus dem Jahr 1913 wurde zum Beispiel 1959 zum siebten Mal aufgelegt.

Im Laufe der Zeit begann Jaspers der Wissenschaft und dem Wissenschaftsglauben zu mißtrauen. Er glaubte, daß sowohl die Freudsche Psychologie als auch der »wissenschaftliche Sozialismus« Marx' ein Zurückweichen bedeuteten vor der vollen Freiheit und Verantwortlichkeit des Menschen. Doch auch der Vernunft oder zumindest dem Rationalismus mißtraute er; und so behauptete er, daß die Philosophie dort beginne, wo die Vernunft endet. Wir müßten Philosophie *leben,* so meinte er, denn alle philosophischen Probleme seien persönliche Probleme. Zugleich befaßte er sich mit der Politik seiner Zeit und mit der Bedrohung der Ethik und Kultur durch die Institutionen, welche die Zivilisation des 20. Jahrhunderts hervorgebracht hatte. All diese Fragen inspirierten ihn schließlich zu seiner Spielart des Existentialismus. Und ungeachtet seines Sprach- und Denkstils, den seine Gegner als weitschweifig, melodramatisch und ungenau bezeichneten, machte sich zumindest eine deutsche Generation seinen Existentialismus als Moralphilosophie zu eigen.

Von seiner Kindheit an litt Jaspers an Bronchiektase mit Herzbeschwerden, und er fürchtete stets, wie er selbst erzählt, Anfang der Dreißig an Pyämie zu sterben. Angesichts dieser Verfassung, die jede Anspannung und damit jede Erschöpfung als gefährlich für seine Gesundheit erscheinen ließ, führte er ein zurückgezogenes Leben. Das aber bewirkte, daß ihn andere für zurückhaltend, ja für desinteressiert hielten. Bis zu der Zeit, als er mit vierundzwanzig Ernst Mayer und dann dessen Schwester Gertrud (die er 1910 heiratete) kennenlernte, hatte er nur wenige Freunde. Diese Geschwister stammten aus einer jüdischen Familie, deren Stil fleißig, lebensernst, fromm und verinnerlicht war. Ernst Mayer, Arzt wie Jaspers auch, neigte zu Depressionen, ja zur Geisteskrankheit (eine seiner Schwestern kam in eine Heilanstalt, und Gertrud wurde Krankenschwester in einer Nervenklinik). Doch Ernst Mayer entwickelte sich zum begeisterten Anhänger von Jaspers' Philosophie und trug zu des letzteren großem Werk ›Philosophie‹ bis hin zur Veröffentlichung mit detaillierter Kritik und Ratschlägen bei. Dasselbe gilt für Gertrud. Die hingebungsvolle, sich selbst unterordnende Aufmerksamkeit, die Bruder und Schwester Jaspers zuteil werden ließen, fand ihr Pendant in Jaspers' Verhältnis zu Max Weber. Sie liebten alle die Größe, die für sie nur moralische Größe sein konnte, eine Größe, die mehr mit Krankheit denn mit Gesundheit zu tun hatte.

Jaspers' Persönlichkeit wird lebendig, aber auch kritisch in Herrmann Glockners ›Heidelberger Bilderbuch‹ von 1969 beschrieben. Glockner begegnete Jaspers zum ersten Mal 1919, als dieser groß, mager, scheinbar arrogant und niemanden beachtend auf das Podium schritt, um seine Vorlesung zu halten. Sein schmales Gesicht, so schreibt Glockner, hing wie in Scharnieren; die abfallenden Schultern und die vorgebeugte Haltung gaben dem noch jugendlichen Körper ein schlaksiges Aussehen, das an ein halbgeöffnetes Taschenmesser erinnerte. Er trug einen äußerst sauberen Anzug, sein langes dunkles Haar hatte er aus dem langen blassen Gesicht direkt nach hinten gekämmt; die kleinen müden Augen waren weit weg, konzentrierten sich nicht auf die Leute um ihn herum; ihn zeichnete eine mächtige Stirn aus, doch die untere Gesichtspartie war schwach ausgeprägt; alles in allem also ein ungemein ernster Lektor, dem sich kein Lächeln über die Lippen stahl. Er vermischte Philosophie mit Psychiatrie, und die großen Augenblicke der Verschmelzung beider Wissensbereiche verkörperten für ihn Männer wie Sören Kierkegaard.

Wenn er in Seminaren die Rede auf Hegel brachte, räumte Jaspers ein, daß er das Hegelsche System nicht voll verstünde, was ihn jedoch nicht weiter kümmere. Die konventionelle Philosophie ließ ihn kalt. Er erblickte in Hegels ›Phänomenologie des Geistes‹ eine Fundgrube des Geistes, aus der er die Weltanschauungen gewinnen konnte, die ihn fesselten, die lebendigen Ideen, durch die sich lebendige Menschen auszeichneten. Er griff die »moderne Engstirnigkeit«, das tote Bücherwissen an, dieses Merkmal der akademischen Philosophie in Deutschland. Kritisch und streng äußerte er sich stets aus einer moralischen Unzufriedenheit heraus. Es waren die Tiefen des menschlichen Bösen, die, das erfahren wir von Glockner, Jaspers' ständige Aufmerksamkeit erregten – Dinge, die sich hinter dem verbergen, womit sich die meisten Philosophen befassen. Er selbst lebe in den »Grenzsituationen« des Lebens, erklärte Jaspers. Sogar sein körperliches Dasein war vom Schmerz geprägt. Er konnte damals einem Gesprächspartner nur flüchtig in die Augen sehen; zunächst pflegte er die Augenbrauen zusammenzuziehen, dann öffnete er die Augen weit, um sein Gegenüber anzustarren. Später überwand er dieses Gesichtszucken, mit dem Nachteil allerdings, daß seine Gesichtszüge nun ständig starr und maskenartig wirkten.

Gertrud Jaspers, die Glockner ebenfalls kennenlernte, war ein farbloses Geschöpf, so lange sie schwieg; doch wenn sie sprach, war sie in ihrem Eifer und ihrer Intensität nicht zu bremsen; auch liebte sie es offenbar, andere auszufragen. Sie war auf augenfälligere Weise moralistisch als ihr Mann, eine ungewöhnlich reinliche, beschlagene und sparsame Hausfrau, die auf starke, ja kämpferische Weise auch am geistigen Werdegang ihres Mannes teilhatte. Diese beiden und Gertruds Bruder Ernst bildeten eine Gesellschaft und erwiesen sich als hingebungsvolle Diener einer

Sache, die ihre ganze Zeit, ihre ganze Kraft in Anspruch nahm. Sie saßen ständig zu Gericht, sezierten die Personen um sich herum und verurteilten die meisten (darunter auch Glockner) als »Ästheten«, als »frivol« oder »weltlich«. All diese Dinge stachen von dem, was andere Professoren in Heidelberg zu bieten hatten, scharf ab. Um 1929 und noch einmal in den fünfziger Jahren war Jaspers, zusammen mit Heidegger, in Deutschland der Philosoph der Stunde.

Jaspers übernahm 1922, kurz nach Max Webers Tod, den Heidelberger Lehrstuhl für Philosophie, ein Ereignis, das – so berichtet er selbst – die zukünftige Richtung seines Lebenswerkes bestimmte. In seiner ›Philosophischen Autobiographie‹ von 1956 schreibt er: »Meine Aufgabe wurde mir klar. Max Weber war tot. Es schien mir, als sei die Philosophie der Akademiker eigentlich gar keine Philosophie ... [Meine Aufgabe war es] für die Philosophie Zeugnis abzulegen, die Aufmerksamkeit auf die großen Philosophen zu lenken, der Verwirrung Einhalt zu gebieten und in unserer Jugend das Interesse für die echte Philosophie zu wecken.« Das war die Aufgabe, die sich der Jaspers-Kreis zum Ziel setzte, ein Unternehmen, das Glockner als Außenstehender beschrieb und in dem Max Weber die Rolle des beispielhaften Helden spielte. (Man braucht in dem eben angeführten Zitat »Philosophie« nur durch »Literatur« zu ersetzen und aus »Max Weber« »D. H. Lawrence« zu machen, und schon hat man das Ziel F. R. Leavies' umrissen.)

Ernst Moritz Manasse meinte, Jaspers' Denken habe sich aus seinem persönlichen Austausch mit Max Weber entwickelt, und dieser Austausch sei bereichert worden durch sein intellektuelles Verhältnis zu den Werken Kants, Kierkegaards und Nietzsches. Diese drei Persönlichkeiten lieferten ihm das begriffliche Instrumentarium, mit dem er seine Beziehung zu Max Weber analysierte; doch Weber hatte das Leben dieser Männer in seinem eigenen Sein, Handeln und Dulden »wiederholt«. Manasse behauptet, Jaspers habe sein ganzes Leben lang zu Webers Sokrates den Platon gespielt. Diesen Schluß zieht Manasse in seinem Essay ›Jaspers Beziehung zu Max Weber‹, einer Arbeit, die offenbar von Jaspers selbst gebilligt wurde – zumindest nahm er sie sehr gnädig auf. Manasse fährt mit der Behauptung fort, Weber sei bei Jaspers auch dort anzutreffen, wo sein Name gar nicht erwähnt werde; er habe das Vorbild abgegeben für jenen »neuen Typus«, der in der ›Psychologie der Weltanschauungen‹ dargestellt wird – der dämonische und enthusiastische Typus, der in Grenzsituationen lebt und einen Sinn für das Unendliche besitzt, der Typus, welcher die Objektivität verkörpert und durch Akte des eigenen Engagements transzendiert. Und im zweiten Band von Jaspers' ›Philosophie‹, fährt Manasse fort, befinde sich der geheime Maßstab, mit dessen Hilfe Jaspers alle Möglichkeiten beurteilt – dieser Maßstab aber sei Max Webers Existenz. Und im dritten Band stoße man noch einmal auf einige allgemeine philosophische Prinzipien, die verknüpft seien mit Jaspers' Vorstellung von Max Webers »absoluter Negation« und seinem »Scheitern« – die Art von Scheitern, die aller Transzendenz unerläßlich sei.

Jaspers hielt seine erste Rede anläßlich der Trauerfeier, die am 17. Juli 1920 von den Heidelberger Studenten veranstaltet wurde. Bei dieser Rede handelt es sich eigentlich um einen bemerkenswerten philosophischen Essay. Jaspers hatte Weber bereits in seiner ›Allgemeinen Psychopathologie‹ als großen modernen Denker erwähnt; und 1916 hatte Marianne Weber ihrem Mann geschrieben, Jaspers habe eine Theorie über ihn entwickkelt – die Theorie eines neuen Typus, der (trotz seiner völligen Desillusionierung) die Kraft besitze, die gewaltigen Spannungen in sich selbst und die Widersprüche der Außenwelt zu zügeln und auf ihnen aufzubauen. Diese Rede war in einem streng moralistischen Ton gehalten. Die einzige Möglichkeit, einen Mann wie Max Weber wirklich zu würdigen, so erklärte Jaspers, bestehe darin, daß man sich selbst einsetze für »die Aktualisierung dessen, was er möglich gemacht hat, und daß jeder an seinem eigenen kleinen Teil arbeite«. Max Weber sei *der* Philosoph ihrer Zeit, und ihn als solchen zu sehen, sei eben eine der Aufgaben, die er hinterlassen habe. Sowohl in seinen Veröffentlichungen als auch im politischen Handeln sei er fragmentarisch gewesen. Er habe keine Synthese geschaffen. Ja, er habe sogar Wissen und Werte gespalten. Doch seine Leidenschaft *für* Werte sei unvergleichlich lebendig in ihm gewesen. Er habe der Vorstellung vom Philosophen ihren zeitgemäßen Sinn gegeben: »Der Philosoph ist repräsentativ; was die Epoche ist, ist er in wesentlicher Form ... Wir haben in Max Weber einen existentiellen Philosophen im Fleische erlebt ... Er inszenierte in seinem breit angelegten Geist das Los unserer Zeit ... Der Makroanthropos unserer Welt war in ihm persönlich verkörpert.« Weber habe sich allen philosophischen Systemen von Hegel bis Windelband widersetzt, da er überzeugt gewesen sei, daß der Mensch das Ganze oder ein Absolutes nicht erfassen könne.

Doch dadurch, daß er enthusiastisch Fragmente erfaßte, habe er anderen *philosophische Existenz* handgreiflich vor Augen geführt. »Es war nicht die Heftigkeit bloß eines Temperaments, sondern die Heftigkeit einer Idee ... der *Geist* war in ihm ... unbändiges Leben ... dämonisch.«

Doch Weber, so fährt Jaspers fort, war gegen jegliche Suche nach Individualität. Freiheit war für ihn lediglich ein Element, in dem das Überpersonale wachsen kann. Um nicht die Pose eines Propheten einzunehmen, erforschte er aktiv seine eigenen Grenzen. Er selbst erkannte keine Propheten an, und auch anderen empfahl er keine. Er empfahl einzig und allein rigorose Ehrlichkeit. »Alles ist nichtig vor Gott, doch liegt es in unserer Natur, Bedeutungen zu bilden, Aufgaben zu erfüllen, denn sonst sind wir nichts wert.« Heute würden viele die Gegenwart fliehen als etwas Entheiligtes oder zumindest Entweihtes, doch Max Weber gebe sie uns zurück, mit all ihrer Größe zum Guten und Bösen, die wir sonst nur der Vergangenheit zuschreiben könnten.

Jaspers' Rede war eine bemerkenswerte Darlegung, die den Leser auch heute noch fasziniert. Jean Paumen griff noch 1955 auf sie zurück und interpretierte sie als einen wesentlichen Text des Existentialismus. Doch hatte sie natürlich bereits zu dem Zeitpunkt, als sie gehalten wurde, Aufsehen erregt. Heinrich Rickert, Professor der Philosophie in Heidelberg, nahm allerdings Anstoß an Jaspers' Rede. Jaspers selbst berichtet in seiner ›Philosophischen Autobiographie‹, Rickert habe ihm erklärt, seine Rede sei philosophischer Unsinn und stehe im Widerspruch zu Webers Geist; Weber selbst sei zwar in vieler Hinsicht ein großer Geist gewesen, doch in philosophischen Dingen ein Kind. Hierauf stellte Rickert, so Jaspers, Weber als einen Mann dar, der in philosophischer Hinsicht bis an sein Lebensende einer von seinen, Rickerts, Schülern gewesen sei. Vermutlich ist Jaspers' Darstellung übertrieben, denn er war zeit seines Lebens ein Mythenmacher; allerdings gab es *wirklich* einen heftigen, lebenslangen Streit zwischen Rickert und ihm, und Ursache und Symbol dieses Streits war Max Weber. Rickert war ein ungewöhnlich qualifizierter Neokantianer, der letzte in einer Reihe großer gelehrter Philosophen in Heidelberg. Er war ein Freund, ja Bewunderer von Max Weber gewesen, wollte aber nicht dulden, daß alle seine eigenen Wertvorstellungen durch die Errichtung eines neuen Götzenbildes beiseite gefegt werden sollten. Ein antiakademischer Akademiker und ein Philosoph, der gegen ein philosophisches System war, galten Jaspers' tiefste Sympathien dem kranken Genie – Strindberg und Nietzsche, van Gogh und Kierkegaard. Das waren seine Propheten, und ihre Verkörperung in seiner eigenen Zeit und seiner eigenen Umgebung war für ihn Max Weber.

Rickert scheint entschlossen gewesen zu sein, sich in seinem persönlichen Leben behaglich einzurichten und seine Zeit und Umwelt als annehmbar zu deuten. Seine Strenge entfaltete er im Bereich der Philosophie, in dem er sich wie in einer anderen Welt bewegte. Indem er zur selben Zeit in verschiedenen Welten lebte, ähnelte er mehr Max Weber als Jaspers, denn Jaspers versuchte, alles und jedes mit derselben moralischen und geistigen Strenge zu durchdringen. Doch natürlich hatte Jaspers recht, wenn er den gewaltigen Unterschied zwischen Weber und Rickert herausstellte; die Trennung verschiedener Welten war für Weber keineswegs angenehm, sondern eher ein Drama, ein Kampf, der schmerzhafte Selbstverwirklichung einschloß. Jaspers hatte auch recht, wenn er nicht nur auf besagten Unterschied hinwies, sondern diesen Unterschied als entscheidend bezeichnete. Seine Art, Weber zu behandeln, machte diesen auf einzigartige Weise »relevant« (unsere heutige Verwendung dieses Begriffes trifft ins Schwarze), während Rickert zur Irrelevanz herabsank, zu einer Gestalt wilhelminischen Akademikertums, die im Nachkriegsdeutschland nichts mehr zu sagen hatte. Rickert unternahm alles, was in seiner Macht stand – er war ein geschickter Hochschulpolitiker –, um zu verhindern, daß Jaspers den zweiten Lehrstuhl für Philosophie in Heidelberg bekam; er widersetzte sich stets Jaspers' Kandidaten in seinem Lehrbereich und ließ immer wieder verlauten, Jaspers sei nie ein Philosoph gewesen und würde nie einer werden; er sei lediglich ein zu spät gekommener Romantiker. Sogar in Rickerts gelegentlichen Freundlichkeiten verriet sich dieselbe Feindseligkeit. Er beglückwünschte Jaspers zu dessen ›Nietzsche‹ und bezeichnete das Werk als ein, »wenn Sie nichts dagegen haben, gelehrtes Buch«.

1932 veröffentlichte Jaspers den Essay ›Max Weber: Deutsches Wesen im politischen Denken, im Forschen und Philosophieren‹, den er verfaßt hatte, um Deutschland in dieser Zeit der Krise an seinen wahren Propheten zu gemahnen. »Webers Pessimismus wird nie Mutlosigkeit ... sondern ist die Wahrhaftigkeit, um an alles zu denken, was den Gang der Ereignisse günstig lenken könnte.« (S. 7) Und an einer anderen Stelle erklärt er (S. 18): »In Deutschland haben in den Jahren vor dem Weltkrieg und während dieses Krieges viele in Max Weber den Mann gesehen, der ihnen menschliche Größe verkörperte, dem sie glaubten, an dem sie sich orientierten, den vor allem sie liebten mit jener Liebe, die hinaufzieht und das Eigentliche in uns zum Wachsen bringt.« Aus diesen Zeilen wird klar ersichtlich, wie unwohl sich Jaspers im wilhelminischen Deutschland gefühlt haben und wie dankbar er Weber gewesen sein mußte, daß er sich mit ihm auseinandersetzen durfte. Jaspers war, wenn auch auf unkomplizertere Weise als Weber, ein Geist, der im Widerspruch zu seiner Zeit stand. In seiner 1931 erschienen Arbeit ›Die geistige Situation der Zeit‹ beklagte er die allgemeine herabwürdigende Nivellierung der Kultur und rief zu einer Kampagne auf, um die Minderheit der Besten zu retten. Und er bekannte sich zu seiner Feindseligkeit gegenüber dem Fortschritt, den Maschinen und den Massen. Sein ganzer Enthusiasmus galt den Dingen, denen hier und jetzt kein Gelingen beschieden war. Jede spießbürgerliche Selbstzufriedenheit und Selbstgefälligkeit verabscheute er. Weber, so behauptete Jaspers, sei ein überragendes Symbol für die Bedeutung des Scheiterns in unserer Zeit – und eine Aura des Scheiterns umgab auch seine Person. Solches Scheitern aber ist zugleich Triumph. Mit der Hellsichtigkeit des vorbehaltlosen Menschen vermochte Weber andere Leute darin zu unterstützen, daß sie Besitz von sich selbst ergriffen.

1932 erschien auch Jaspers' dreibändiges magnum opus, ›Philosphie‹, das systematisch seinen Existentialismus entwickelte. Er definierte *Existenz* als die Erfahrung von *Grenzsituationen* des Lebens, als die Erfahrung auch von Leid, Schuld, Kampf und Tod. Diese Grenzsituationen aber bringen die Freiheit der Wahl und die Möglichkeit des kommunikativen Austausches mit sich. Was das im tatsächlichen Leben bedeutet, veranschaulichte natürlich Max Weber. 1937 wurde Jaspers von den Nazis seines Lehramtes enthoben – sowohl wegen seiner politischen Überzeugungen als auch deshalb, weil seine Frau Jüdin war. So lange die Nazis an der Macht waren, führten die Jaspers in Heidelberg ein sehr zurückgezogenes Leben. In diesen Jahren widmete er sich dem Studium der Bibel, ähnlich wie sich Alfred Weber der griechischen Tragödie widmete. 1945 wurde er von den Alliierten wieder in sein Amt eingesetzt und hielt die Rede anläßlich der Wiedereröffnung der medizinischen Fakultät in Heidelberg. Er verfaßte Beiträge für die Zeitschrift ›Die Wandlung‹, in der Alfred Weber und andere eine neue Nachkriegspolitik für Deutschland zu entwickeln versuchten, Jaspers ging es vor allem darum, daß die Deutschen ihre Schuld an diesem Krieg zugeben und wiedergutmachen sollten.

1946 veröffentlichte er ›Die Schuldfrage‹ und wurde zum Ehrensenator der Universität ernannt. Zwei Jahre später bekam er einen Lehrstuhl in Basel angeboten, wo er sein restliches Leben verbrachte. Er hörte nicht auf, Max Weber als den Helden unserer Zeit und insbesondere als den Helden mit einer Botschaft für Deutschland zu bezeichnen. Wie Alfred Weber schrieb auch er über die philosophisch-moralischen Themen der Geschichte und der Tragödie, doch verfaßte er auch Artikel und Rundfunksendungen über tagespolitische Themen. Er kritisierte die Bonner Bundesrepublik aus der Heidelberger Sicht und löste dadurch mannigfache Kontroversen aus. Er lebte immer noch im Geiste von Max Weber.

1956 erklärte Jaspers in seiner ›Philosophischen Autobiographie‹: »Als Max Weber starb, war es für mich, als hätte sich die Welt geändert. Der große Mann, der die Welt meines Bewußtseins gerechtfertigt und befruchtet hatte, war nicht mehr ... Max Weber war die Autorität gewesen, die nie ein Urteil sprach, einen nie von Verantwortung freisprach, aber Mut gab ... Nun war es, wie wenn sich das Berufungsgericht aufgelöst hätte, in dem die absolut verläßliche, nicht direkt ausdrückbare Autorität der vernünftigen Diskussion sich befunden hatte.« Und als er seinen Essay von 1932 im Jahr 1958 neu auflegen ließ, schrieb Jaspers: »Er war der größte Deutsche unseres Zeitalters. In dieser Überzeugung habe ich fast ein halbes Jahrhundert gelebt.«

Und in diesem Jahr 1958 bekam Jaspers als Krönung seines Schaffens den Friedenspreis des Deutschen Buchhandels verliehen. Es war dasselbe Jahr, in dem Max Webers ›Gesammelte Politische Schriften‹ erschienen. Theodor Heuss, der damalige Bundespräsident, verfaßte ein Vorwort, das Jaspers veranlaßte, Heuss einen strengen Brief zu schreiben. Doch hatte dieses Vorwort noch eine Reihe anderer Briefe zur Folge, so von Adorno, der die Doktrin der Wertfreiheit und damit natürlich auch Max Weber angriff. Weber war nun kein Geistesheld mehr für die Avantgarde. Doch Jaspers, leidenschaftlich loyal wie eh und je, vertrat die Ansicht, Heuss hätte Weber nicht mit gewöhnlichen Politikern, sondern mit Männern wie Cromwell, Bismarck und Caesar in einem Atem nennen sollen. Denn für ihn sei Max Weber ein vom Schicksal Gesandter, an dem sich deutsche Politiker messen und durch den sie sich ihrer eigenen Fähigkeiten bewußt werden könnten. Das aber hätten die Deutschen nicht erkannt. Sogar heute noch, insistierte Jaspers, sei Weber der deutsche Mentor, und nur er könne das Gefühl der Deutschen für den Ernst der Macht und für die Ethik des politischen Denkens wecken. Jaspers geht mit Theodor Heuss ins Gericht, weil dieser in seiner Weber-Darstellung das heutige Deutschland nicht hart genug herausgefordert habe.

Jaspers hat Max Weber eindeutig hochstilisiert, und es überrascht nicht, daß er ihn auch in anderer Hinsicht mythifizierte. So riet er zum Beispiel Marianne Weber, Informationen, die seinem Bild hätten Abbruch tun können, zurückzuhalten. Einer der letzten Briefe Max Webers handelte von den Juden in der Reichstagskommission, welche die Kriegsprotokolle der Armee überprüfen sollte. Weber hielt es für unklug, daß dieser Kommission so viele Juden angehörten, weil er eine entsprechende Reaktion der Rechten befürchtete, und die Sprache, in der er diese Befürchtung zum Ausdruck brachte, war eindeutig antisemitisch. Auch versicherte Jaspers Marianne Weber, daß ihr Mann ihr mit Frau Jaffe gewiß nicht untreu gewesen sei, obwohl Webers Verhältnis mit Else nicht seine einzige Untreue gewesen war. Aber am erstaunlichsten ist wohl, daß Jaspers Marianne riet, die von Weber selbst verfaßte Darstellung seiner neurotischen Symptome, die für eine psychiatrische Untersuchung entstanden war, zu vernichten. Der Teil dieser offensichtlich bemerkenswerten Darstellung, der dokumentiert ist, erläutert, daß Webers Schlaflosigkeit mit seiner Angst vor unkontrollierten Ergüssen zu tun hatte, eine Angst, die – wenn wir uns an seine Impotenz bei Marianne erinnern – äußerst bezeichnend ist. Immer und überall ein Moralist, hatte Jaspers in diesem Fall auch einen politischen Beweggrund – er befürchtete, die Nazis könnten in den Besitz dieser Dokumente kommen.

Ludwig Curtius' Bericht über den in Heidelberg lebenden und lehrenden Jaspers bestätigt Glockners Bericht. Er bezeichnet Jaspers' intellektuellen Stil als klinisch und sein persönliches Leben mit seiner genauen Einteilung als mönchisch. Gertrud Jaspers, so erzählt er, sei wegen ihres Eifers als »das Flämmchen« bekannt gewesen. Curtius war der Ansicht, Jaspers sei ein moderner Heiliger gewesen; doch hätten seine Ideen den Menschen logischerweise einem zweiten Genf und einem zweiten Calvinismus in die Arme getrieben – das aber behagte Curtius nicht. Alfred Weber, der mit Curtius befreundet war, dürfte denselben Standpunkt in schärferer Form vertreten haben. Er scheint für Jaspers keine persönliche Sympathie empfunden zu haben, obwohl beide nach dem Krieg die geistigen Führer Heidelbergs waren. Alfred Weber hielt nach wie vor an einigen seiner Lebensphilosophie-Ideen fest, und natürlich war es undenkbar, daß er der Priester einer Religion hätte werden können, in der sein Bruder Max den Haupttheiligen darstellte.

Trotzdem arbeiteten Alfred Weber und Karl Jaspers zusammen, um Deutschland von seinen Wurzeln her zu erneuern, um seine schreckliche Vergangenheit wiedergutzumachen und um jene Züge des Nationalcharakters – natürlich waren das die »Heidelberger Züge« – zum Tragen zu bringen, die lange vernachlässigt worden waren. Es macht einen betroffen, wenn man daran denkt, daß diese vier Menschen in Heidelberg – Alfred und Marianne Weber, Else Jaffe und Karl Jaspers – das Naziregime, den Krieg, den Wiederaufbau Deutschlands, die fünfziger und (in Jaspers' und Elses Fall) auch noch die sechziger Jahre erlebten, stets mit dem Bild von Max Weber vor Augen. In diesen 40 oder 50 Jahren nach Max Webers Tod setzten sie sich für Deutschland und seine kulturellen Werte ein. Jaspers erzählt, in Krisenzeiten hätten sich seine Frau und er stets gefragt: »Was hätte Max Weber dazu gesagt?« Gewiß waren Alfreds *Gefühle* völlig anders geartet als die Jaspers', doch hinderte dies nicht, daß Max Webers Geist in ihrem Einsatz für Deutschland und für die Zivilisation unsichtbar zugegen war. Ihr Werk aber zählte, denn sie verkörperten Heidelberg.

Wenn wir als Vergleich Lawrence heranziehen, begegnen wir in den Frauen, die weiter in Taos lebten – es waren Mabel Luhan, Dorothy Brett und Frieda –, einer Art Äquivalent, denn in gewisser Hinsicht liebten sie alle Lawrence immer noch. Doch keine dieser Frauen tat etwas für Amerika. Leavis und Murry dagegen setzten sich im Sinne dessen, was Lawrence gesagt und verkörpert hatte, für England ein, während Eliot und Russell denselben Standpunkt bekämpften. Doch lebten diese vier Männer nicht im dramatisch konzentrierten Fokus ein und derselben Stadt. Es gab kein englisches Heidelberg.

Es ist augenfällig, daß Jaspers sich auf vielfältige Weise durch Max Weber inspirieren ließ und daß er sich seiner in mancher Hinsicht bediente – so ganz anders als Talcott Parsons zum Beispiel. Und vielleicht ist dem Leser bereits aufgefallen, wie sehr Jaspers und sein Kreis in ihrer moralischen Auffassung

F. R. Leavis ähnelten. Leavis bezog seine Lebensaufgabe von Lawrence, und in seinem Namen führte er einen erbitterten Streit mit seinen Akademikerkollegen in Cambridge. Und ähnlich wie Jaspers mit Max Weber verfuhr, entwickelte Leavis aus Lawrences Leben und Werk ein moralisches Weltbild, das Generationen von Studenten beflügelte. Und so begegnen wir in beiden Gestalten einer calvinistischen Intensität und einer unakademischen Akademikerlaufbahn, die einander stark ähneln. Leavis erinnert wesentlich stärker an Jaspers als an Murry.

John Middleton Murry

Trotzdem dürfte es uns weiterhelfen, wenn wir in Jaspers eine Gestalt sehen, die im selben Maße Max Weber anhing, wie John Middleton Murry D. H. Lawrence anhing – es ist dies ein Vergleich zwischen der Gestalt des Judas und der des Johannes von Patmos. Dazu kommt noch, daß Murrys Werk dem Werk Jaspers' chronologisch parallel läuft. Sein Hauptwerk über Lawrence erschien 1931, kurz nach Lawrences Tod, ähnlich wie Jaspers seine Trauerfeierrede kurz nach dem Tod Max Webers hielt. Obgleich völlig anders geartet, war Murrys Darstellung ebenso bemerkenswert. Murrys ›Son of Woman‹ erzählt Lawrences Lebensgeschichte und bedient sich vieler Parallelen aus dem Neuen Testament. Murry erzählt diese Geschichte mit tiefer Anteilnahme und großem Ernst. Doch ist ein Hauptpunkt seiner Diagnose Lawrences sexuelle Anomalität – seine fast vollständige Impotenz, seine fast vollständige Homosexualität und sein verzweifeltes Bedürfnis, die Welt und sich selbst über seine Neigungen hinwegzutäuschen. »Dieser Mann, wir spüren das, hat mit Sex nichts zu tun. Er war von Geburt an zum Heiligen bestimmt ... Was es in Lawrences Leben vor dem Tod seiner Mutter an echter, unmittelbarer Leidenschaft gab, galt einem Mann und nicht einer Frau.« Tatsächlich impliziert dieses Buch stillschweigend, daß Lawrence in Murry selbst verliebt gewesen sein müsse. (Ähnlichen Ansichten über andere Leute begegnen wir in anderen Büchern Murrys. Offenbar war er ein begehrtes Objekt auf dem Liebesmarkt der englischen Literatur.) Lawrence aber, so interpretiert ihn Murry, rebellierte gegen sein eigenes Los und machte aus sich selbst auf perverse Weise einen »Gegen-Jesus«. Daher gipfelt Murrys Interpretation von Lawrences Werk in dem Kurzroman ›Der Mann, der gestorben war‹, da sich Lawrence in dieser Geschichte endlich in die Lage Jesu versetzt und eine neue Auslegung der Auferstehung entwickelt hatte. Obwohl Murry Lawrences Überzeugungen später nicht mehr als Perversion abtat, wiederholte er dieselbe Diagnose 1954 in seinem neuen Vorwort zu ›Son of Woman‹. Trotzdem war Lawrence für Murry (in Worten übrigens, die Jaspers über Max Weber hätte äußern können) *das* Genie unserer Zeit: »Durch Lawrence lernen wir uns selbst so kennen, wie sich Menschen noch nie zuvor kennengelernt haben.«

Die Art, wie Murry in seinen Artikeln und in seinem Buch seinen Erinnerungen an Lawrence nachging, löste unter den Freunden und Anhängern des Dichters großen Ärger aus. Catherine Carswell veröffentlichte unter dem Titel ›The Savage Pilgrimage‹ (›Die wilde Pilgerfahrt‹) ihre eigenen Erinnerungen an Lawrence, in denen sie Murry zum Bösewicht stempelte. Sie hatte viele Dinge an ›Reminiscences of D. H. Lawrence‹ auszusetzen, die Murry im ›Adelphi‹ veröffentlichte, und sie beschuldigte ihn sogar der Entstellung von Tatsachen. Murry erhob gegen sie dieselbe Beschuldigung und konnte seine Behauptungen beweisen. Die Verleger zogen ›The Savage Pilgrimage‹, nachdem bereits 2000 Exemplare verkauft worden waren, zurück, und Murry veröffentlichte seine ›Reminiscences of D. H. Lawrence‹ in Buchform. Dieses Buch enthielt die ›Adelphi‹-Artikel, eine Widerlegung der Einwände Mrs. Carswells gegen diese Artikel (sie war so umfangreich wie alle Artikel zusammen), einen sehr emotionalen Essay, der sich mit der Frage auseinandersetzte, wieso er (Murry) Lawrence in ›Son of Woman‹ zerstören mußte, schließlich alle seine Lawrence-Besprechungen (um zu belegen, daß er Lawrence zu dessen Lebzeiten nicht angegriffen hatte.) Der Effekt bestand natürlich darin, daß die oberflächliche und klatschsüchtige Erregung über Lawrence in einer Weise zunahm, die T. S. Eliots mißbilligende, ja angewiderte Haltung rechtfertigte. Um diese Zeit bezog Murry von der University of Liverpool ein Stipendium, um ein Buch über Blake zu schreiben, und gleichzeitig saß er an einem Buch über Keats. Seine Karriere als Kritiker und Gelehrter schien gesichert. Doch in einem tieferen Bereich hatte sein Werdegang durch die Begegnung mit Lawrence einen Bruch erfahren, so daß er nun seine Experimente mit Kommunen und geistiger Führerschaft begann. Nach Lawrence konnte sich Murry auch mit der Rolle des besten Literaturkritikers nicht zufrieden geben. Er mußte einen Helden aus sich machen.

Vielleicht sollte man hier einfügen, daß Murry durch seine Begegnung mit Dostojewskij schon seit langem nicht nur mehr der Kritik lebte. Sein 1916 erschienenes Buch über den russischen Dichter war seinem Stil nach hinreichend »bilderstürmerisch« und »religiös«. Doch er war von diesem Abenteuer zurückgekehrt. Seine Untersuchung ›The Problem of Style‹ von 1921 bedeutete seine Rückkehr zur klassischen Essayistik und hatte eine ganze Menge Eliots ›The Sacred Wood‹ zu verdanken. Murry wurde wieder zum *homme de lettres,* und zwar im neuen Stil einer strengen Intellektualität. Doch nach 1931 verwendete er seine wesentlichen Energien nicht mehr auf die Literaturkritik, sondern darauf, die Formen des *Lebens selbst* zu verändern. Dostojewskij sieht sich durch Lawrence ersetzt und spielt von nun an in den Arbeiten von Murry als Repräsentant eines Mehr-als-Literatur nur mehr eine untergeordnete Rolle. Murry entwickelte einen Lebensstil à la Lawrence. Er heiratete keine schwindsüchtigen Wesen mehr, lebte auf einem Bauernhof und predigte Eros und Ehe. Die Rolle des Judas hatte er, was seine Mitmenschen angeht, abgelegt. In seinen ›Reminiscences‹ behauptete er zu Recht, daß er durch die Abfassung von ›Son of Woman‹ seine alte Identität zerstört und jene Wahrheit empfangen habe, die Lawrence ihm hinterlassen hatte.

Auch wenn man die doppeldeutige Natur dieser Judas-Beziehung als gegeben nimmt, verblüffen einen doch die Absonderlichkeiten und Abschweifungen, die Murrys frühe Lawrence-Kritiken kennzeichnen. Weder Lawrence noch Dostojewskij behandelte Murry als Autoren, das heißt als Prosaschriftsteller oder Dichter. Das erstaunt um so mehr, da er über Katherine Mansfield als vorbildliche Stilistin, Romanautorin, Briefeschreiberin und Persönlichkeit zu schreiben wußte. Er schrieb über sie im gleichen Stil wie über Keats, ja er setzte die beiden sogar einander gleich. Bereits 1921, als sie noch am Leben war, führte er Passagen aus ihrem Werk als Vorbilder an. Doch nicht so bei Lawrence. Lawrence behandelte er ausschließlich als spirituellen Forscher, und so kam es, daß er ihn zwar hochschätzte, jedoch zugleich gewisse Konfrontationen mit ihm vermied und ihn von Gebieten ausschloß, die Murry schon von seinem Beruf her ernst nahm – dazu gehörte das Gebiet der Literaturkritik. (In dem 1929 erschienenen Buch ›God‹ (›Gott‹) bezeichnete Murry Lawrence als »einen Mann von tief empfundener religiöser Genialität«. Das Buch selbst, so erklärte er, »hätte von Lawrence geschrieben werden sollen«, doch sei es dazu nicht gekommen, weil Lawrence sich weigere, seine Jesus-Ähnlichkeit und seine tief Dostojewskijsche Auseinandersetzung mit Christus einzugestehn.) Murrys literarische Abhandlung der Werke Lawrences weist einige Parallelen zum persönlichen Umgang der beiden Männer miteinander auf. Murry selbst zeigte sich häufig verblüfft und erstaunt über das, was Lawrence zum Beispiel über seine (Murrys) Beziehungen zu Katherine äußerte. Lawrence, so weiß Murry zu berichten, habe sich durch Intuitionen und moralische Prinzipien ausgezeichnet, die ihm (Murry) völlig unverständlich gewesen seien; das aber sagt Murry über Äußerungen Lawrences, die uns so gar nicht unverständlich vorkommen. Wir können lediglich annehmen, daß Murry viele Dinge, die ihm Lawrence sagte, einfach nicht verstehen *wollte*. Und als Ersatz dafür offerierte er ihm diese extravagante Art von Ehrerbietung.

Es gab viele Züge an Lawrence, die Murry nicht sah und nicht sehen konnte, weil er die erotische Bewegung nie verstanden und weil er sich selbst der Erotik nie richtig gestellt hatte. Weil er sich eine Liebesreligion für den Privatgebrauch zusammenbastelte, berührte und erregte ihn das, was Lawrence und Frieda sagten, taten und waren, ungemein stark. Doch bestätigte er selbst oft, daß er sie nie verstand – nicht wegen der Schwierigkeit, ihre Doktrin intellektuell zu begreifen, sondern wegen der Tatsache, daß seine eigenen imaginativen Kräfte ein entgegengesetztes Ziel verfolgten. Sogar später noch wehrte er Lawrence ab. So erklärt er 1944 in ›Adam und Eva‹: »Durch die Jahre hindurch erschien es mir, als hätte Lawrence, so weit sich das belegen ließ, recht und ich unrecht gehabt. Und doch konnte ich irgendwo in der Tiefe meiner Seele nicht nachgeben. Wenn ich hätte zugeben sollen, was Lawrence und die Umstände mir in einer gemeinsamen Verschwörung abzupressen versuchten, mein innerster Kern an Lauterkeit hätte sich aufgelöst.« Selbstvernichtung ja, Selbstvergewaltigung nein. Seine Wahrheiten und die Lawrences bildeten nach wie vor Antipoden.

Doch Murrys Texte und Vorträge bildeten eine hervorragende Reklame für Lawrence. Er war ein beliebter und ernst zu nehmender Autor. Eine ganze Menge Leute, die nicht zum Kulturestablishment gehörten – Arbeiter und vor allem Nonkonformisten und Katholiken aus Nordengland – sprachen an auf seine religiöse Offenheit und seine anti-intellektuelle und antiästhetische Emotionalität. Sein Aufruf im ›Adelphi‹ von 1923 lautete: »Wir haben die ›Kunst‹ satt, und wir versprechen, daß die Zeitschrift keine Rezensionen und nichts ›Schöngeistiges‹ bringen wird.« Sogar während des Zweiten Weltkrieges, als sein Ansehen beim offiziellen Establishment und bei der Avantgarde einen Tiefpunkt erreicht hatte, verkauften sich seine Bücher zu Tausenden. Er hatte nie eine Position inne, die der Jaspers' gleichwertig gewesen wäre, und so konnte er Lawrence auch nicht in dem Maße unterstützen, wie Jaspers Max Weber unterstützte, auch wenn zum Beispiel 1934 Rayner Heppenstall mit seinem Essay ›Middleton Murry: A Study in Excellent Normality‹ (›Middleton Murry: Eine Studie in vortrefflicher Normalität‹) den Versuch unternahm, ihn zum geistigen Führer Englands zu machen. Doch Heppenstall ist ein weniger bedeutender Schüler als etwa Jaspers' Schülerin Hannah Arendt. Trotzdem aber *hatte* Murry Einfluß: Seine Artikel und Bücher machten aus Lawrence eine große Gestalt der britischen Kultur, während eine ähnliche Rezeption in den Vereinigten Staaten nicht stattfand. Hier haben wir in gewisser Hinsicht einen Maßstab für Murrys Leistung.

Ich selbst lernte Lawrence durch Murry, nicht durch Leavis kennen. So stieß ich auf Lawrence, die Legende, auf Lawrence, den Freund Murrys. Es blieb Leavis vorbehalten, eine disziplinierte Konfrontation mit Lawrences Werk herbeizuführen. Doch bereits Murry vermittelte mir den Eindruck, daß Lawrence ein bemerkenswerter *Geist* war, den man etwa mit Blake vergleichen konnte. Murry entwickelte seine Theorie der Ehe mit Hilfe von Zitaten Blakes und Lawrences. Murry machte Lawrence anderen zugänglich, indem er diesen auf sein eigenes Leben einwirken ließ, und ähnlich setzte sich Jaspers, wenn auch auf strengere, bedingungslosere Weise, dem Einfluß Max Webers aus.

Ebenso wie Max Weber Jaspers' Leben veränderte, indem er ihn zwang, Machtpolitik und Nationalismus ernst zu nehmen – Jaspers' Familie hatte Preußen und das Reich Bismarcks gehaßt, so daß Jaspers selbst unpolitisch aufwuchs –, ebenso veränderte Lawrence Murry, indem er ihn zwang, Sexualität und sinnliche Liebe ernst zu nehmen. Diese Reaktionen waren insofern typisch, als Weber dieselbe Wirkung auf Friedrich Naumann wie Lawrence auf Aldous Huxley ausübte. Am Ende verknüpfte Jaspers Webers neue Lehre mit anderen, orthodoxeren Doktrinen, und Murry verfuhr in Lawrences Fall ähnlich. Gegen Ende seines langen Lebens, das doch relativ frei gewesen war von inneren Konflikten, entwickelte Jaspers eine synoptische Art von Weisheit. Das meinte zumindest Eduard Baumgarten in einem interessanten Essay aus dem Jahr 1956, in dem er Jaspers, von eben diesem Standpunkt ausgehend, beschuldigte, seine erklärte Loyalität gegenüber Max Weber zu verraten. Eduard Baumgarten ist Webers Neffe und ein weiterer seiner geistigen Erben, so daß dieser Jaspers geltende Vorwurf doch auch seine Entsprechungen findet in den Vorwürfen, die sich Murry und Huxley gegenseitig im Hinblick auf Lawrences Erbe machten. Baumgarten behauptet, ein geheimer Mittelpunkt von Jaspers' Denken sei der Zwiespalt zwischen Kant und Goethe, entschieden zugunsten Kants, denn Kant glaubte, wie Jaspers, an das radikal Böse. Doch die Auseinandersetzung mit dem radikal Bösen, insistiert Baumgarten, sei dem Geist Max Webers, der nie einfach bloß Kant bevorzugt hätte, fremd gewesen.

Selbstverständlich gab es aber einen Unterschied zwischen den beiden Schülern. Anders als Jaspers interessierte sich Murry in seinem eigenen Leben nie für strenge Aufrichtigkeit, ebensowenig wie er eine derartige Aufrichtigkeit oder irgendein Äquivalent solcher Aufrichtigkeit seinem Helden zuschrieb. Es ist typisch, daß, während Jaspers Max Webers sexuelle Probleme zu vertuschen versuchte, Murry die entsprechenden Probleme Lawrences herausstellte. Murrys ›Son of Woman‹, dieses Äquivalent für Jaspers' Rede anläßlich Webers Trauerfeier, war für die meisten Leser ein *Angriff* gegen Lawrence. Das Opfer und das Opfermesser passen zueinander, sagte T. S. Eliot, und Murry selbst räumte ein, daß die Veröffentlichung seines Buches sein Judasakt war. Tatsächlich war seine Haltung gegenüber Lawrence im wesentlichen zweideutig. Doch er lebte ebenso in einer Krise wie Jaspers, denn er war ganz geistig-moralische Intensität. Und er war Lawrence und dessen Ideen treu – allerdings auf eine dialektische Weise. Man könnte auf sein Verhältnis zu Lawrence die Formulierung anwenden, die Ernst Manasse für das Verhältnis Jaspers' zu Weber fand, und sagen, daß sich zumindest sein späteres Denken durchwegs von seiner »Begegnung« mit Lawrence herleitete.

Ein Teil des Unterschieds zwischen Murry und Jaspers war einfach auf die unterschiedliche Lebensweise ihrer Vorbilder zurückzuführen. Max Weber hatte das Ethos des Staatsbürgers verkörpert, das Ethos des öffentlichen Lebens, obwohl er natürlich diesem Ethos bis in den Kern seines Gewissens und

Begreifens hinein nachspürte. Lawrence dagegen hatte das Ethos des liebenden Mannes verkörpert, das Ethos des privaten Lebens, obwohl er diesem Ethos bis in den Bereich des Geistes und des Gewissens hinein nachspürte. Murrys Aufrichtigkeit, auch gegenüber Lawrences Ideen, war die eines Liebenden, während Jaspers' Aufrichtigkeit die eines Priesters war.

Seine Persönlichkeit als Kritiker und Liebender bezog Murry weniger von Lawrence als von seinen russischen Vorbildern. Ich habe bereits darauf hingewiesen, daß sein ›Dostojewskij‹ jener deutenden Essayistik zuzuordnen war, die um 1890 mit Rozanovs ›Dostojewskij und seine Legende vom Großinquisitor‹ einsetzte, und daß sich Lawrences heftigste Angriffe gegen den »russischen« Geist und seinen Judas-Mystizismus in seinen Essays über Rozanov finden. Doppelt interessant wird dieser Sachverhalt, wenn wir Rozanovs persönliche Beziehung zu Dostojewskij durchleuchten, denn wie Murry war auch Rozanov sowohl ein Kritiker als auch ein Liebender. Er bewunderte Dostojewskij und identifizierte sich mit ihm ungewöhnlich stark. Tatsächlich heiratete er die einstige Geliebte des älteren Mannes, um, wie er selbst sagte, mit dessen Geist vertraut zu werden. Diese Frau aber, sie hieß Apollinaria Suslowa, war nicht nur Dostojewskijs Geliebte, sondern auch sein Vorbild bei der Beschreibung seiner hochmütigen, ungebärdigen und zerstörerischen Frauen gewesen – Polina aus ›Der Spieler‹, Aglaja aus ›Der Idiot‹ und Gruschenka aus ›Die Brüder Karamasow‹. Sie bekleidet in Dostojewskijs Werk den Rang, den Frieda im Werk Lawrences bekleidet. Rozanov heiratete sie 1880, ein Jahr bevor Dostojewskij starb. Er war jünger und eine wesentlich schwächere Persönlichkeit, und sie nützte ihn aus. Die Ähnlichkeit zwischen Rozanovs und Murrys Verhalten muß Lawrence aufgefallen sein – zumindest nach 1923, als er bemerkte, daß sich Frieda zu Murry hingezogen fühlte. Wir dürfen die Erzählungen Lawrences, die von Murry handeln (›Die Grenze‹ und ›Jimmy und die Frau aus dem Volke‹), als Beweis nehmen für Lawrences Auseinandersetzung mit der Möglichkeit einer zukünftigen Beziehung zwischen Murry und Frieda. Obwohl Lawrence die Rolle des Jesus ablehnte, stellte er sich nun doch vor, wie Murry ihn mit Frieda betrog, und diese Vorstellung entsprach natürlich – zumal Murry zugleich seine Ergebenheit Lawrence gegenüber beteuerte – der Vorstellung von einem dürftig chargierenden Judas, der sich seinen eigenen Verrat »zurechtlegte« und beim Gedanken an seine geistige Niedertracht ganz aufgeregt wurde. Doch in Lawrences Augen war dieser Judas wie jeder andere auch. Und diese Sicht bestärkte Murry nur in seinem Entschluß, Lawrence in der Rolle des Jesus, des verratenen Heiligen zu sehen und aus ihm einen zweiten gequälten und gedemütigten Dostojewskij zu machen, nicht aber den bärtigen, lachenden Zentaur, als den sich Lawrence selbst gern darstellte.

Lawrence so zu sehen, war für Murry zugleich Verrat und Verherrlichung, denn nun offenbarte sich die innerste Gespaltenheit Lawrences, die ihn den Russen so ähnlich machte, nun offenbarte sich Lawrences Größe. (Für Murry, darauf sollten wir hier hinweisen, war der wahre Held von ›Schuld und Sühne‹ Swidrigailow. Alle großen Seelen waren tief gespalten und litten stark; notgedrungen opferten sie ihre Normalität und wurden verraten.) Um die Jahrhundertwende hatte das Judas-Thema und die Aufforderung Jesu an Judas, ihn doch zu verraten, Intellektuelle in allen Ländern Europas fasziniert. Nietzsche und Ibsen hatten solche Themen schon früher behandelt, und in der französischen und deutschen Literatur der ersten Dekade unseres Jahrhunderts begegnet man ihnen immer wieder. Doch war jenes Thema, darauf hatte Nietzsche bereits in ›Der Antichrist‹ hingewiesen, insofern ein spezifisch »russisches« Thema, als es so viele Themen aus dem Werk Dostojewskijs und dem seiner dekadenten Erben in sich barg – vor allem aber das Wechselspiel zwischen Geistigkeit und Sinnlichkeit, Hochmut und Demut, Bewunderung und Verrat. Andreevs ›Judas Ischariot und die anderen‹ aus dem Jahr 1907 war eine der großartigsten Behandlungen des Themas. Murry machte sich selbst zum »Russen« Englands. Jaspers dagegen spielte im Leben selbst nie eine »russische« Rolle, obwohl sein Einfühlungsvermögen in mancher Hinsicht sicherlich an Dostojewskij erinnerte.

Durch sein »russisches« Gebaren fühlte sich Murry, wenn auch zu Unrecht, mit Lawrence verbunden. Das änderte sich 1931 nicht völlig, als er zu Lawrence »überwechselte«, obwohl sich um diese Zeit seine Ansichten und der Inhalt seiner Bücher wandelten. In dieser Hinsicht scheint sich Murry von Jaspers unterschieden zu haben, dessen Verehrung für Max Weber sich gewissermaßen gleichförmig fortentwickelte und sich im Laufe der Zeit noch vertiefte, während in Murrys Fall das Verhältnis zu Lawrence 1931 einen Wendepunkt erlebte. Doch war die Veränderung, die mit Murry vorging, keine gleichbleibende, denn in der Art und Weise, wie er sich mit Keats auseinandersetzte, kam auch noch nach 1931 der einstige Murry zum Ausdruck – indem er über Keats schrieb, fuhr er fort, die Liebe zu feiern.

Er identifizierte sich selbst, seine Bedeutung, sein Äußeres, seine gesellschaftliche Herkunft und seine Lebensgeschichte mit Keats. Der erstaunliche Geist, der in Rom starb, wurde 80 Jahre später in London wiedergeboren. Doch was noch mehr war, Murry ergriff von Keats und seiner Lebensgeschichte Besitz. Er identifizierte Keats auch mit Katherine Mansfield (und in geringerem Maße mit seiner zweiten Frau Violet le Maistre), zum einen wegen ihrer Tuberkulose und zum anderen wegen ihres schriftstellerischen Erfolges. In dem folgenden Zitat, das dem ›Fanny Brawne‹-Essay von *Keats* entnommen ist, spielt er in einer Weise, die dem eingeweihten Leser alles sagt, nicht nur auf seine eigenen Erfahrungen des Verlusts geliebter Menschen an, sondern auch auf seine sich unmittelbar anschließenden Wiederverheiratungen:

»Nichts bereitet die triebhafte und unbewußte Natur eines Mannes tiefgreifender vor auf die leidenschaftliche Liebe als die anhaltende Berührung mit der hoffnungslosen Krankheit eines geliebten Menschen. Unser tief Unbewußtes schreckt zurück vor dem drohenden Tod und dem Schmerz, ihn sich nähern zu sehen. Das Bewußtsein mag versuchen, diese Gefühlsbewegung als verhärtet und herzlos zu unterdrücken, doch bestehen bleibt sie doch. Die triebhafte Natur wendet sich ab vom körperlichen Tod und versucht sich zu erneuern, indem sie in jenem triebhaften Leben untertaucht, das sich in der leidenschaftlichen körperlichen Liebe erfüllt, und indem sie sich angesichts ihres äußersten Mitleids für den Sterbenden am verzweifeltsten nach dieser Erneuerung sehnt. Die vergebliche geistige Liebe, die von der Natur des Mannes so unmäßig gefordert wird, erzeugt in seinem Wesen insgesamt eine Leere, die sich nach der Erfüllung in der Liebe einer Frau sehnt.«

Dieser letzte Satz erinnert uns an Lawrence und an den starken Eindruck, den Lawrences ›Aarons Stab‹ und ›Spiel des Unbewußten‹ 1921 und 1923 auf Murry machten. Durch Reaktionen dieser Art räumte Murry ein, daß er von Lawrence in solchen Dingen viel lernen konnte. Doch Murrys vorherrschende Strategie bestand darin, daß er sich der Herausforderung durch die Erotik entzog, indem er Lawrence als *spirituellen* Lehrmeister mit Dostojewskij-Jesus gleichsetzte, während er selbst die Rolle des Liebenden spielte. Lawrences Verachtung für die

»Liebe« und der Nachdruck, den er auf die Konflikte innerhalb der erotischen Beziehung legte, auf die Grausamkeit und den Zorn, auf die nackte Sinnlichkeit und vor allem auf die Unpersönlichkeit der Leidenschaft, all diese Dinge nahm Murry als Beweis dafür, daß Lawrence von der »gewöhnlichen Liebe«, wenn auch in entgegengesetzter Richtung, genausoweit entfernt war wie Jesus. Sie beide verdienten alle Hochachtung, doch war er, Murry, der »normale Mann«, der sein Geschick anhand der Liebe zu gestalten hatte und ihre Doktrin, insoweit er sie für nützlich erachtete, anwenden würde. Über diesen Punkt hinaus war Murry, von gelegentlichen begeisterten Anwandlungen abgesehen, nicht bereit, Lawrence nachzugeben.

Doch nach 1931 nahm Murry – wenn auch nicht beständig oder ausnahmslos – die Ideen ernst, die Lawrences Lebensauffassung ausgemacht hatten. In seiner Zeitschrift ›The Wanderer‹, die er ab 1933 herausgab, veröffentlichte er von der zweiten Nummer an drei Essays über die Ehe (›On Marriage‹), die Lawrences Lehre mit großer Klugheit und voller Sympathie wiedergeben. »Das Werk Lawrences ist ohne seine Ehe nicht vorstellbar«, schreibt er. »Von seinem schöpferischen Genius getrieben, trat er ein in die Ehe, und getrieben von demselben Genius, offenbarte er seine Ehe der Welt. Wir waren unmittelbarer Zeuge ... Niemand kann etwas über die Ehe heutzutage sagen, wenn er nichts über Lawrence weiß; und niemand kann heute etwas über Lawrence sagen, wenn er nichts über die Ehe weiß.« Murry weist darauf hin, daß Frieda es ablehnte, »die Welt des Mannes« anzuerkennen, und daß sie aufgrund ihres Frauseins von Lawrence geachtet werden wollte. Zweifelsohne war Murry mit Lawrences Einstellung zur matriarchalischen Weltanschauung vertraut.

Er führte diese Gedankengänge in seinem 1944 veröffentlichten ›Adam und Eva‹ fort. Dieser »Essay, der auf eine neue und bessere Gesellschaft hinzielt«, stellt möglicherweise Murrys wichtigsten Versuch dar, Lawrences Werk gesellschaftlich zu verwerten. Er kann mit Jaspers' Essay über Max Weber aus dem Jahr 1932 verglichen werden. Den zweiten Teil seines Essays, ›On the Religion of the Individual‹, leitet Murry mit einer Gegenüberstellung von Lawrence und Huxley ein, die für ihn Alternativen bei der Erforschung geistigen Neulands darstellen. Er arbeitet die Gegensätze heraus zwischen Lawrences ›Spiel des Unbewußten‹ und Huxleys ›Die graue Eminenz‹, zwischen individueller sexueller Erfüllung und individueller Selbstvernichtung, zwischen der Mystik des Fleisches und der Mystik des Geistes. Er lehnt die zweite Alternative in jedem Fall glatt-weg ab und bestätigt damit indirekt seine Loslösung von Dosto-jewskij. »Ich habe nie versucht, nach Huxley zu leben ... In einem Punkt – und dieser Punkt bildet das wesentliche Thema dieses Buches – bin ich mir immer sicher gewesen, daß ich besser Bescheid wußte als er: ich meine die Natur der Liebe. Bei Lawrence liegt die Sache ganz anders. Nach ihm habe ich versucht zu leben und von ihm habe ich tatsächlich eine ganze Menge gelernt, und zwar insofern, als ein wesentlicher Teil mei-nes Lebensmusters und meines Lebensgefüges von ihm her-rührt.« Murry erzählt, daß er, als er den Sprung in die sinnliche Liebe tat, Lawrence gefolgt sei. »Doch durch meine Impulse entdeckte ich, daß er unrecht hatte.« Unrecht deshalb, weil man sexuelle Erfüllung *verbinden* müsse mit so christlichen Tugen-den wie der Güte oder der Sanftmut. Nur durch eine *umfas-sende* Zärtlichkeit könnten wir die Zivilisation retten. Und er behauptete, er könne die Wahrheiten der Erotik verknüpfen mit jenen geistig-religiösen Wahrheiten, die Lawrence für unverein-bar gehalten hatte.

Das ist eine gröbere Version von Jaspers' Versuch, Max We-ber und Kant (das behauptet zumindest Eduard Baumgarten) miteinander zu verbinden. Beide Schüler nahmen sich gegen-über dem Erbe ihrer Meister, obwohl sie diese tief verehrten, schließlich doch einige Freiheiten heraus. Murry und Jaspers bewirkten, der eine in England, der andere in Deutschland, daß ihre Meister als Geistesgrößen fortlebten. Um diesen Vergleich noch auszuweiten, sollten wir darauf hinweisen, daß Murry wie Jaspers bei ihrem Vorhaben auf Gegner stießen, wobei es sich in beiden Fällen um einstige Freunde von Lawrence beziehungs-weise Weber handelte. Georg Lukács war vor dem Kriege mit Max Weber befreundet gewesen und verfeindete sich später mit ihm wie mit Jaspers. Während des Krieges entwickelte sich Lu-kács zum Marxisten und Kommunisten; 1918 wurde er in seiner Heimat Ungarn zum Kommissar für das Erziehungswesen er-nannt. Von nun an spielte sich seine Karriere innerhalb der kommunistischen Bewegung ab, deren führender Theoretiker und Litaraturkritiker er bis zu seinem Tod 1972 war. In dieser Funktion mußte er über Max Weber und Jaspers sein Urteil abgeben.

1934 bekannte er sich in Moskau zu den Sünden des Revisio-nismus und beschuldigte Max Weber, Georg Simmel und Max

Scheler, ihn vom rechten Weg abgebracht zu haben. In seinem 1954 erschienenen Werk ›Die Zerstörung der Vernunft‹ setzte er Jaspers und Heidegger gleich mit »dem Aschermittwoch eines parasitären Subjektivismus«; mit Max Weber befaßte er sich in der Schrift ›Die deutsche Soziologie der imperialistischen Periode‹. Er warf Weber Verrat an der Vernunft vor und beschuldigte ihn, er habe den Kapitalismus fäschlicherweise gerechtfertigt, indem er ihn mit Rationalität gleichgesetzt habe, und zugleich habe er kausale durch Analogerklärungen ersetzt – zum Beispiel habe er eine Analogie hergestellt zwischen dem modernen Staat und dem kapitalistischen Unternehmen, anstatt die Beziehung aus Ursache und Wirkung zwischen den beiden abzuleiten. Der Grund aber sei der gewesen, daß Weber gegen Marx und gegen die Vernunft selbst gewesen sei und daß sein Standpunkt anti-rational ausfallen mußte. Folglich seien in seiner Soziologie alle Elemente des antisozialistischen Denkens vereinigt, und daraus habe Weber ein System gemacht. (Noch geringschätziger behandelte Lukács Alfred Weber, einen weiteren einstigen Freund.)

Das marxistische Denken blieb Max Weber weiterhin feindlich gesinnt. So wurde Weber interessanterweise sowohl von einem äußerst rationalistischen als auch vom vitalistischen oder »matriarchalistischen« Standpunkt aus kritisiert. (Erich von Kahler startete seinen Angriff gegen Max Weber von der entgegengesetzten Seite her bereits 1920 mit seinem Buch ›Der Beruf der Wissenschaft‹, das eine Ablehnung all dessen darstellte, was Weber an Ideen zur Wissenschaft und zum wissenschaftlichen Denken entwickelt hatte.) In Lawrences Fall könnte man als weltanschauliches Äquivalent zum marxistischen Angriff gegen Weber unter Umständen den »Anti-Lawrencianismus« von Norman O. Brown nehmen. Doch einem noch umfassenderen Äquivalent, in dem sogar biographische Züge mit enthalten sind, begegnen wir in der Gestalt Bertrand Russells, der zu Beginn des Krieges ein Bewunderer, ja in gewisser Hinsicht sogar ein Anhänger von Lawrence war, ebenso wie Lukács ein Anhänger von Max Weber war. 1916 trieb ein anklagender Brief von Lawrence Russell fast zum Selbstmord. Allerdings wandte sich Russell später voller Verachtung gegen Lawrence, indem er von ihm behauptete, er sei »eine positive Kraft zum Bösen«. Seine »mystische ›Blutphilosophie‹« war Russell immer schon als »dummes Zeug« erschienen, das »ich vehement ablehnte, obwohl ich damals nicht wußte, daß sie direkt zu Auschwitz führen sollte«. Rückblickend sprach Russell Lawrences Ideen jeglichen Wert ab. »Die Welt zwischen den Kriegen fühlte sich zum Wahnsinn hingezogen. Am stärksten äußerte sich diese Anziehung im Nationalsozialismus. Lawrence war ein geeigneter Exponent dieses geisteskranken Kults.« Man darf behaupten, daß Russell jenen »Bloomsbury-Rationalisten« der britischen Kultur angehörte, die Lawrence genauso unentwegt ihre Feindseligkeit bezeugten wie die Marxisten der Person und dem Werk Max Webers. Bertrand Russell und T. S. Eliot waren gegen Lawrence, so wie Lukács und George gegen Max Weber waren.

Murry und Jaspers waren zwei sehr ungleichartige Persönlichkeiten, und die zufälligen Übereinstimmungen zwischen ihrer Entwicklung als Anhänger von Lawrence beziehungsweise Max Weber sind nicht von allzu tiefer Bedeutung. Die Tatsache, daß sie über Lawrence und Weber bis 1932 Arbeiten veröffentlichten, daß sie sich später bis nach dem Kriege mehr und mehr anderen Problemen zuwandten, die Tatsache, daß Murry 1946 den Briefwechsel mit Frieda Lawrence wieder aufnahm und daß Jaspers 1945 in Heidelberg wieder Vorlesungen zu halten begann, und die Tatsache, daß beide in den Jahren 1957 und 1958 über ihre Helden wieder Arbeiten veröffentlichten – all dies zeichnete die beiden Männer nicht besonders aus; es sind Zufälligkeiten, in denen sich ein allgemeiner Zug der Zeit spiegelte. Murrys letztes Buch, ›Love, Freedom and Society‹ (›Liebe, Freiheit und Gesellschaft‹), handelt halb von Lawrence, halb von Albert Schweitzer. Zu diesem Buch ließ er sich zum Teil von Jaspers inspirieren, den er in Genf kennengelernt hatte und den er bewunderte. Jaspers' ›Das Tragische genügt nicht‹ hatte sein Interesse am Existentialismus geweckt. Dieses neue Interesse projizierte er auf Lawrence, so daß er in seinem Lawrence-Essay von 1954 erklären konnte, England brauche nicht nach dem Kontinent zu blicken, um sich im existentialistischen Denken unterweisen zu lassen: »Lawrence ist die Sache selbst.« Murrys Lawrence war *tatsächlich* ein Existentialist, und das war er in einiger Hinsicht immer schon gewesen. Murrys schmerzlichst geistiger und am stärksten an Jaspers erinnernder Wesenszug war immer schon Lawrence zugewandt gewesen. Es war dieser »russische« Zug beider Schüler, der die Vermittlung von Persönlichkeit und Lehre ihrer Meister am stärksten geprägt hatte.

Obwohl Murry in diesem seinem letzten Buch im Verlauf

seiner Gegenüberstellung von Lawrence und Schweitzer Jaspers (und übrigens auch Simone Weil) zitiert, erinnert er uns im selben Maße an Alfred Weber wie an Jaspers – vor allem wegen seiner starken Befürchtung, Europa könne (durch die Atombombe) vernichtet werden, und wegen seiner Sicht des Kommunismus als der neuen, mächtigen und gesellschaftlich unheilvollen Glaubensüberzeugung, doch auch wegen seiner allgemeinen, verschwommenen »Lebensphilosophie«. So aber gelangte Lawrences erster Anhänger schließlich zu einem Standpunkt, der nicht allzuweit entfernt war von Jaspers' und Alfred Webers Haltung. Doch zu einem Krieg, wie ihn Lawrence in seinem Gedicht ›Der Revolutionär‹ ankündigte, kam es nicht. Trotzdem trennte die ersten und die nachfolgenden Anhänger vieles voneinander. Diesen nachfolgenden Anhängern müssen wir uns nun zuwenden.

In seinem letzten Buch führte Murry eine Menge Argumente gegen Leavis ins Feld, denn Leavis war es, der ihn um 1957 aus seiner Position als Lawrences wesentlicher Verfechter und Deuter völlig verdrängt hatte. Er wandte sich vor allem gegen Leavis' Vergleich zwischen Lawrences ›Der Hengst St. Mawr‹ und T. S. Eliots ›Die Cocktail-Party‹, mit dem Leavis versuchte, Eliots Werk einen vernichtenden Schlag zu versetzen. Zu dieser Zeit stand Murry weltanschaulich wie persönlich T. S. Eliot sehr nahe. Mit seiner Theorie über die Ehe hatte er sich zwar auf die Seite von Lawrence und gegen T. S. Eliot gestellt, doch im Gegensatz zu Leavis' Haltung war seine Gegnerschaft liebenswürdiger Art. T. S. Eliots Einstellung zu Lawrence war stets bescheiden: »Wir einfachen Menschen ... ein Mensch mit gewöhnlichen Fähigkeiten kann nicht ...« Doch erklärte er glatt, Lawrence sei der Liebe unfähig, und genau das war die Kraft, auf die Murry schließlich all seine Hoffnungen baute. Vor allem aber befaßte er sich nach wie vor nicht mit dem Schriftsteller Lawrence, und so konnte er sich mit Leavis nicht auf dessen Fachgebiet auseinandersetzen. Wie Jaspers befaßte er sich nicht mit dem Werk, sondern mit der Bedeutung oder Essenz seines Helden. Es sollte Leavis überlassen bleiben, Lawrence aufgrund seiner Leistung als Schriftsteller, seines Beitrages zur Literatur also, zu interpretieren, genauso wie es Parsons überlassen blieb, Max Weber aufgrund seiner Leistung als Soziologe, seines Beitrags zur Soziologie, zu interpretieren.

Hand in Hand mit Leavis' und Parsons' Konzentration auf das *Werk* ihrer Helden ging eine ideologische Klärung. Die zweite Schülergeneration dachte distanzierter und verhielt sich gegenüber Lawrence beziehungsweise Weber klarer und objektiver. Jaspers' Weber war weniger »apollinisch« als Parsons'. Jaspers' Weber war ein geistig Ringender, dem es gerade noch gelang, seinen inneren Zwiespalt einzudämmen, und der trotz dieses Zwiespalts Führerqualitäten anbieten konnte – er war eine Art Gladstonescher Kierkegaard. Ähnlich war auch Murrys Lawrence weniger »demeterhaft« als Leavis'. Denn auch Murrys Lawrence war ein geistig Ringender, der jedoch auf verstockte Weise seine eigene Geistigkeit verleugnete – er war eine Art verhinderter Jesus. Die zweite Generation mußte sich von diesem »russischen« Romantizismus ablösen, um den wahren Geist der beiden großen Männer herauszuarbeiten. Bei Parsons verkörperte Max Weber vollständiger als zuvor das männliche Prinzip, die patriarchalische Welt der Herrschaft und Ordnung, während bei Leavis Lawrence vollständiger als zuvor die matriarchalische Welt der Lebenswerte, der Fruchtbarkeit und Gesundheit verkörperte.

Obwohl also Jaspers und Murry in den fünfziger Jahren ein hinreichend großes Publikum vorfanden, das bereit war, den Botschaften ihrer beiden großen Vorbilder über die geistige Krise in England, Deutschland, ja ganz Europa ein Ohr zu leihen, sorgten Parsons und Leavis für kompetentere Interpretationen. Die Entwicklung des geistigen Erbes von Weber und Lawrence von ihrem Tod bis heute nahm im allgemeinen diese Richtung, und sie bewirkte, daß die beiden Männer die einander entgegengesetzten Lebensprinzipien, nämlich das männliche und das weibliche Prinzip, auf umfassendere und reinere Weise verkörperten. Dasselbe gilt natürlich auch für die entsprechenden antithetischen Prinzipien des Geistes, verkörpert in den Symbolgestalten Apollo und Demeter. Und eben weil wir unter dem Bann Apollos und Demeters gestanden haben, ohne uns dessen bewußt zu sein, kommt uns Bachofens Ideenwelt nun so durchsichtig vor.

Natürlich geriet nicht jeder in diesen Bann. Wir brauchen uns nur an die Autobiographie von Franz Jung zu erinnern, der als wichtigster Anhänger von Otto Groß eine Position einnahm, die sich grob mit der von Jaspers und Murry vergleichen läßt. Seine Autobiographie trägt den Titel ›Der Torpedokäfer‹ (früher: ›Der Weg nach unten‹) und wurde in ›Times Literary Supplement‹ unter der Überschrift ›Das entfremdete Ich‹ (›The Alienated Self‹) besprochen. Der Rezensent bezeichnete das Buch als bedeutsam und den Autor als maßgeblich, und abschließend meinte er, dieses Werk sei die Biographie eines Lebens voll unverbesserlicher Vereinsamung, Bitterkeit und Fehlanpassung. Franz Jung »hätte ein deutscher Céline werden können«, nur daß eben sogar seine nihilistische Überzeugung zunichte gemacht worden sei. Um die Zeit, als Otto Groß starb, war Jung ein erfolgreicher spartakistischer Redner und Agent in der deutschen Revolution von 1918; einmal nahm er für seine Partei sogar ein Telegrafenamt ein. 1920 schmuggelte man ihn auf ein Schiff, das wenig später Hamburg verließ, und auf offener See überredete er die Mannschaft, das Schiff nach Murmansk zu bringen und es dort den Sowjetrussen zu übergeben. 1921 kehrte er nach Rußland zurück, wo er drei Jahre arbeitete – im Traktorengeschäft, als Leiter einer Streichholzfabrik, dann einer Maschinen- und Werkzeugfabrik. Er verließ Rußland als blinder Passagier und verbrachte die nächsten Jahre in Deutschland, wo er Theaterstücke schrieb und im Rahmen seines Korrespondenz-Verlages internationale Wechsel-Transaktionen abwickelte. Irgendwann in den zwanziger Jahren stellte er eine Reihe später Groß-Essays zusammen, denen er einen eigenen Essay über Otto Groß hinzufügte; dem so entstandenen Buch gab er den Titel ›Von Geschlechternot zur sozialen Katastrophe‹. Vergeblich versuchte er einen Verleger zu finden. Außerdem half er Brechts ›Aufstieg und Fall der Stadt Mahagonny‹ finanzieren. Überall hinterließ er seine Spuren, doch nichts, was er unternahm, stellte ihn zufrieden. Trotz seines tatkräftigen Engagements für die Sache der Revolution beschloß er sein Leben – er starb 1963 – mit »abgestorbenen Energien«, in »der Agonie der Gleichgültigkeit«. Er selbst sagte, der isolierte Einzelne könne sich nicht verteidigen gegen eine korrupte und feindselige Gesellschaft, ja er könne nicht einmal genügend Widerstand entwickeln, um sich mit anderen Opfern solidarisch zu fühlen. Wir haben es hier mit einem solchen Grad an Entfremdung zu tun, daß einem ein Jaspers oder Murry erstaunlich angepaßt vorkommt. Und dies ist wohl auch der Kontext, in dem noch einmal kurz an Wilhelm Reich erinnert werden sollte, der 1957 in einem amerikanischen Gefängnis starb.

1930 veröffentlichte Leavis eine Art Kampfschrift, bei der es sich angeblich um einen *kritischen* Essay handelte. Es ist ein Essay, dessen Ton so ganz anders ist als der, den wir von Leavis, wenn er über Lawrence schreibt, gewöhnt sind. Der Essay beginnt mit der Behauptung, Lawrence sei ein Genie gewesen, doch definiert Leavis diesen Begriff mit Hilfe von Eliots Essay über Blake. Außerdem lobt Leavis zwar E. M. Forsters edelmütigen Brief an ›The Nation‹, in dem dieser Lawrence verteidigte, doch gibt er gleichzeitig zu – »auf die Gefahr hin, unter Mr. Forsters Schöngeistern eingereiht zu werden«-, daß es ihm schwer falle, Lawrences spätere Romane und Erzählungen zu Ende zu lesen. In dieser Kampfschrift bezeichnete Leavis ›The Lost Girl‹ als Lawrences besten Roman und ›Lady Chatterley‹ als einen artistischen Erfolg: »Insoweit ein artistischer Erfolg seine Lehre erhärten kann, tut das ›Lady Chatterley‹.« Am meisten überrascht jedoch, daß Leavis die Überlegung anstellt, man müsse, um ›Lady Chatterley‹ akzeptieren zu können, sowohl Jane Austen als auch E. M. Forsters ›Auf der Suche nach Indien‹ aufgeben, wobei impliziert zu sein scheint, daß ein solches Opfer zu groß wäre. Anders ausgedrückt identifiziert sich Leavis mit der literarischen Intelligenzia seiner Zeit und ihrem »klassischen« Empfindungsvermögen; er bezeichnet Lawrence als einen Romantiker und läßt erkennen, daß ihm romantischer Geist und romantischer Typus fremd seien. Von da an bis 1970 hat sich seine Einstellung um 180 Grad gewendet. Diese Selbstumkehrung, diese intellektuelle Reise ist ein Ergebnis der Erziehung, die er von Lawrence annahm, um sie seinerseits England aufzuzwingen.

Im Verlauf des Prozesses, in dem er viele Aspekte T. S. Eliots ablehnte, obwohl er diesen zu Beginn für maßgeblich hielt, erkannte er Lawrence immer mehr an. Diese beiden Veränderungen geschahen zunächst wahrscheinlich unabhängig voneinander, doch dürften sie sich mit der Zeit wechselseitig verstärkt haben. Leavis erzählt, Eliot habe ihm schriftlich zu seinem Werk ›Mass Civilization and Minority Culture‹ (›Massenzivilisation und Minderheitenkultur‹, 1930) gratuliert und ihn gebeten, für ›Criterion‹ ein Pamphlet zu verfassen; doch da Leavis' Arbeit ein heftiger Angriff gegen die Prozeduren des Rezensionswesens seiner Zeit und gegen Literaturcliquen war, lehnte T. S. Eliot seinen Artikel ab. Leavis nahm Eliots Ablehnung als einen Beweis dafür, daß dieser zu feige war, wesentliche Angriffe gegen das Establishment zu billigen, und daß dieser willens war, mit Dummköpfen und mit den Burschen an der Macht in Frieden zusammenzuleben. Lawrences »romantische Einstellung« hat Leavis sicher auch deshalb gefallen, weil sie von dieser klassischen Gelassenheit abstach.

Noch 1932, als Leavis seine kritische Vierteljahreszeitschrift ›Scrutiny‹ herauszugeben begann, machte er im ersten Essay der ersten Nummer eine »klassische« Bemerkung über Lawrence: »Lawrence war ein ›Prophet‹, doch seine Prophetie ist nur deshalb von Belang, weil er ein genialer Künstler war ... Seine Gabe lag nicht im Denken, sondern im Erfahren ...« Dieser Punkt sollte natürlich einige Behauptungen Murrys über Lawrence sowie Murry in seiner Rolle als Kritiker entkräften. »›Son of Woman‹ ist ein weiteres Buch über Mr. Middleton Murry«, erklärte Leavis und brachte seine Entschlossenheit zum Ausdruck, sich von Murry und seiner autobiographischen Essayistik zu lösen, die auf liederliche Weise Ideen, Erfahrungen und das eigentliche Anliegen des Literaturkritikers zusammenwirft.

Doch bereits in der zweiten Nummer ändert Leavis, als er auf Lawrences Briefe zu sprechen kommt, seinen Ton. Er erklärt, der Mensch Lawrence sei größer gewesen als seine Kunst – eine Feststellung, die im Widerspruch steht zu seiner Bemerkung, seine (Lawrences) Prophetie sei nur deshalb von Belang, weil sich dahinter ein großer Künstler verberge. Und in der dritten Nummer, in der er Lawrence gegen T. S. Eliots Angriffe verteidigt, unterstreicht Leavis vor allem Lawrences innere *Gesundheit*. In seinen Briefen sei Lawrence »normal, wesentlich und auf fast geniale Weise vernünftig«, er sei »auf empfindliche und doch auch sichere Weise innerlich ausgeglichen, begabt mit der seltenen Fähigkeit, mit anderen umgehen zu können«. Diese Verlagerung eines Schwerpunkts ist auf ein Paradox oder auf einen Widerspruch zwischen zwei verschiedenen Zielen in Leavis' Essayistik überhaupt zurückzuführen. Er ist nach wie vor entschlossen, Autoren nicht wegen dem, »was sie ihrer Zeit zu sagen haben«, zu diskutieren, ebensowenig wie ihn das akademische Äquivalent, nämlich ihr Platz in der Geistesgeschichte, interessiert. Er verdankt Eliot (der ihn vor Murrys schlampigem Denken bewahrte), eine ganze Menge und gibt das auch zu. Doch zugleich ist er nun entschlossen, Schriftsteller, im Gegensatz zu Eliot, nicht bloß anhand der rein formalen Aspekte ihrer Werke zu beurteilen, und genauso wenig möchte er den Künstler entpersönlichen. Lawrence wurde zum Testfall dieser Betrachtungsweise. Und den entscheidenden Text lieferten Lawrences Briefe, die dem Leser Einblick verschafften in jene Art von innerer Gesundheit, die Leavis so hoch schätzte. Die wichtigste Auswirkung dieser modifizierten Einstellung des Kritikers ist in Leavis' neuer Lawrence-Bewertung zu suchen, den er nun nicht nur für einen großen Schriftsteller hielt, sondern auch für einen Wertmaßstab des »Normalen« und für einen Prüfstein aller anderen Möglichkeiten kritischer Beurteilung – der Prüfstein einer großen Tradition. Lawrence war insofern ein Testfall, als sein künstlerisches Werk Stärken besaß, die Eliots kreativem Werk abgingen und die Eliot – auch als Kritiker – von sich wies und verwarf.

Vielleicht kann man sagen, daß Lawrence – und Leavis – aus ihrem »Demetertum« heraus ein moralisches Rückgrat entwickelten, das Eliot fehlte. Sie hatten viele Feinde gemeinsam, die den einen oder anderen Aspekt des damaligen Kulturlebens vertraten, doch glaubte Leavis, daß sich Eliot mit einigen Richtungen unserer Zivilisation zu leicht abfinde. Wie manche anderen intellektuellen Literaten, zum Beispiel Charles William, C. S. Lewis, T. E. Lawrence und Joyce Cary, war Eliot zu »Oxonian«, allzu geneigt, die Spielchen der akademischen Kreise, der High Society und der arroganten Elite mitzumachen. Diese Schwäche war auf seine unbewußte Unfähigkeit zurückzuführen, im Hinblick auf seine Umgebung, die eine Männerwelt war, an eine Alternative zu glauben. Lawrences Briefe überzeugten Leavis, daß Lawrence eine solche Alternative nicht nur entdeckt, sondern auch weiterentwickelt und verwirklicht hatte – in seiner »seltenen Fähigkeit zum Umgang mit anderen«. Nur ein »demetrischer« oder matriarchalischer Glaube konnte zu einer derartigen Sicht führen und einen befähigen, für sich selbst eine Welt voller Leben und Liebe zu schaffen, anstelle einer Welt aus Recht und Ordnung. Lawrence und Leavis glaubten – Leavis zum Teil dank Lawrence – ein Lebenselement gefunden zu haben, in dem sie Wurzeln schlagen konnten, ein Element, das außerhalb dieser Welt war und doch nicht vor ihr zurückwich, einen Standort, welcher der patriarchalischen Welt voraus war und diese heftig befehdete. Doch Eliot glaubte einfach nicht an diesen Standort.

In seiner Besprechung von Murrys ›Son of Woman‹ in ›Criterion‹ vom Juli 1931 hatte Eliot von Lawrences »schrecklicher Erzählkunst, durchdrungen von geistigem Hochmut« gesprochen, »der sich von Unwissenheit nährt ... Solch selbstgefälliges Geltungsbedürfnis kann nur von einem schwerkranken Gemüt stammen ...« Er fährt fort und stellt einen – allerdings indirekten Zusammenhang – zwischen Lawrence und Leavis her. »Wäre er Universitätslehrer in Cambridge geworden, hätte seine Unwissenheit – ›verdorben und andere verderbend‹ – möglicherweise schreckliche Folgen für ihn und für die Welt gehabt.« Doch wesentlich in diesem Kontext war andererseits, daß sich Leavis auch mit Eliot identifizierte oder zumindest bei diesem in die Lehre ging, so daß er mit einer Eliotschen Strenge vorging, als er Lawrence analysierte und interpretierte. Indem er die Doktrin anerkannte, wonach sich die Literaturkritik, wolle sie zeitgemäß sein, »klassischer« Strenge befleißigen müsse, entschied sich Leavis für einen Ansatz, der ein kritisches Äquivalent darstellt zu Eliots Poetik und Henry James' professionellem Schriftstellertum. Im Gegensatz dazu definierte sich Murry (großenteils aufgrund Lawrences Einfluß) als »Romantiker«, und er lehnte es ab, ebenso leidenschaftlich und viel in eine »Wissenschaft« der Kritik und Essayistik zu investieren wie Eliot und Leavis. So erklärte er am Schluß von ›Countries of the Mind‹ (›Länder des Geistes‹): »Die Funktion der Kritik ist daher in erster Linie identisch mit der Funktion der Literatur selbst – dem Kritiker ein Mittel zum Selbstausdruck zu geben.« Und obwohl er der Kritik eine moralische Funktion zuschrieb, bezeichnete er sie auch als eine Kunst, deren Aufgabe es ist, zu erfreuen. Diese lockere Auffassung ist es, zu der Leavis eine Alternative finden mußte. Und so entwickelte er eine kritische Methode, die – im Gegensatz zu Murrys fragwürdiger Lawrence-Dostojewskij-Jesus Christus-Interpretation – entscheidend dazu beitrug, daß Lawrence als *der* moderne britische Autor anerkannt wurde.

Der ungezügelte Romantizismus, durch den sich Murry selbst dramatisierte, stieß Leavis ab. Doch da er mehr und mehr die Größe und Bedeutung von Lawrences Leistung erkannte, wurde ihm bewußt, daß er auch seinen eigenen »Klassizismus« würde modifizieren müssen. Der entscheidendste Vertreter des englischen »Klassizismus« war T. S. Eliot, der Lawrence persönlich nicht nur nicht leiden konnte, sondern sogar ein entgegengesetztes Lebensprinzip verkörperte, das Prinzip, das wir als »apollinisch« bezeichnet haben. Eliot fand seinen Weg zu jener apollinischen Denkweise, die für unser Jahrhundert charakteristisch ist – es war dies auch Max Webers Spielart – und bediente sich ihrer in der Literatur und Literaturkritik mit überragender Meisterschaft. In seinem 1920 erschienenen ›The Sacred Wood‹ entwickelt er dieselbe Doktrin wie Max Weber in ›Politik und Beruf‹ und ›Wissenschaft als Beruf‹, und alle drei Arbeiten richten sich gegen ähnliche geistige Gegner. Der berühmteste Essay in diesem Eliot-Band trägt den Titel ›Traditon and the Individual Talent‹ (›Tradition und individuelles Talent‹), doch hätte durchaus auch der Titel ›Dichtung als Beruf‹ gepaßt, denn alle drei Essays sprechen von der Notwendigkeit, daß sich der Dichter beziehungsweise der Politiker und Wissenschaftler ihrer eigenen Persönlichkeit und Emotionalität entziehen müßten. »Der Fortschritt des Künstlers ist eine fortwährende Selbstopferung, eine fortwährende Auslöschung der Persönlichkeit«, schrieb Eliot. »Je vollkommener der Künstler, desto abgeschnittener in ihm der Mensch, der leidet, und der Geist, der schöpferisch tätig ist ... Dichtung ist nicht die Freisetzung von, sondern die Flucht vor Gefühlen; sie ist nicht Ausdruck der Persönlichkeit, sondern Flucht vor der Persönlichkeit ... Die Gefühle der Kunst sind unpersönlich. Diese Unpersönlichkeit aber erlangt der Dichter nur dann, wenn er sich dem zu leistenden Werk völlig hingibt.«

Das war im wesentlichen apollinisches, war Webersches Denken. T. S. Eliot möchte, daß wir den dichterischen Geist so sehen, als sei er eine chemische Retorte, in der »Empfindungen« neue Verbindungen »mit sich selbst« eingehen. Das Lebensabenteuer des Dichters ist ohne Bedeutung – wichtig ist einzig und allein sein künstlerischer Werdegang. Eine derartige Sicht war natürlich allem, was Lawrence verkörperte, diametral entgegengesetzt und schloß jegliche begeisterte Reaktion auf sein Werk von vornherein aus. So aber sah sich Leavis zu Entscheidungen in bezug auf seine Loyalitätsgefühle gezwungen und herausgefordert, eine Form der Kritik zu entwickeln, die ehrlich behaupten konnte, daß sie beiden Männern gerecht würde. Leavis nahm seine Loyalität, gegen wen auch immer, ernst und entwickelte diese Form der Kritik, nur brauchte er eben Zeit. Die Entwicklung dieser Form aber war sein Lebenswerk.

Leavis fuhr in den dreißiger und vierziger Jahren fort, sich mit Lawrence auseinanderzusetzen, doch benutzte er Lawrence in all diesen Jahren als Prüfstein, um festzustellen, was bei Eliot, Wyndham Lewis, Bloomsbury, Murry und anderen nicht stimmte. Es ist nicht übertrieben zu behaupten, daß Leavis die zeitgenössische Schriftstellerei, das heißt sowohl die frei schöpferische als auch die kritische Art des Schreibens, stets in ihrem Verhältnis zu Lawrence maß, ohne daß er dessen Romane je einzeln und eingehend besprochen hätte. Erst in den fünfziger Jahren begann er Essays zu publizieren, die im breiten Rahmen Lawrences Romane analysierten und 1955 schließlich zur Veröffentlichung seines Werkes ›D. H. Lawrence: Novelist‹ (›D. H. Lawrence: Der Romanschriftsteller‹) führten. Doch er bediente sich weiterhin Lawrences als Prüfstein. Noch 1969 widmete er in einem seiner Bücher (›The State of English Literature Now and the University‹, ›Der Zustand der englischen Literatur heute und die Universität‹) der Auseinandersetzung mit Lawrences ›Hamlet‹-Kritik (sie befindet sich in seiner ›Italienischen Dämmerung‹) mehrere Seiten, wobei er diese Art von Kritik als Musterbeispiel für eine wirklich wertvolle Kritik anführte und sie mit T. S. Eliots ›Hamlet‹-Kritik verglich. Die entsprechende Kapitelüberschrift lautet ›The Necessary Opposite: Lawrence‹ (›Das unerläßliche Gegenteil: Lawrence‹) und bezieht sich auf Lawrences Gegensätzlichkeit nicht nur zu T. S. Eliot, sondern zum professionellen literarischen Denken überhaupt. Dieser kurze Satz könnte als Motto über Leavis' eigenem Werdegang stehen. Er und Lawrence sind in unserem Denken als Kräfte und Ideen untrennbar miteinander verquickt.

Talcott Parsons

In Max Webers Rezeptionsgeschichte nimmt Talcott Parsons denselben Rang ein wie Leavis in der Rezeptionsgeschichte Lawrences. Der 1902 geborene Parsons war der Sohn eines kongregationalistischen Geistlichen, der zugleich Englischprofessor und College-Präsident war. Talcott Parsons graduierte 1924 in Amherst, studierte zwei Jahre lang in London und Heidelberg, wo er Webers Arbeit kennenlernte, dann kehrte er nach Amerika zurück, wo er zunächst in Amherst und später in Harvard lehrte. Von 1927 an (grob gesehen von der Zeit an, als Leavis' akademische Laufbahn begann) lehrte Parsons ununterbrochen in Harvard. Und während vom englischen Cambridge aus »Lawrencianer« in die Welt gingen und das Wort des großen Schriftstellers verbreiteten, verbreiteten von Harvard aus »Weberianer« das Wort des großen Soziologen. Die Schüler Leavis' und die Schüler Parsons' wurden zu wichtigen Persönlichkeiten ihrer Fachwelt und der kulturellen Szene überhaupt.

Doch Parsons' akademische Laufbahn verlief reibungsloser als die Leavis'. Obwohl er schon bald auf Widerspruch stieß, wurde Parsons 1944 zum Vorsitzenden der Abteilung für Soziologie und 1946 zum ersten Vorsitzenden der Abteilung für soziale Beziehungen ernannt. Doch was noch mehr ist, er stand den Quellen der Macht unserer Gesellschaft stets näher. So holte man zum Beispiel nach dem Krieg offiziell Rat bei ihm über die zukünftige Politik Amerikas gegenüber Deutschland ein. Er bekleidete eine bedeutende Position in der American Sociological Association, und seine Mitstreiter und einstigen Schüler haben in diesem Verband jahrelang Kontrollfunktionen innegehabt. Man kann von ihm sagen, daß er das amerikanische soziologische Establishment vertrat oder verkörperte, und in dieser Position wurde er zu einem Repräsentanten all jener Sozialwissenschaftler, die Noam Chomsky als die »Neuen Mandarine« bezeichnete und die er des Komplicentums beim Mißbrauch amerikanischer Macht in Vietnam und anderswo bezichtigte. Zwar nennt Chomsky Parsons nicht beim Namen, doch für die radikalen Vertreter der Sozialwissenschaften ist Parsons der Mandarin *par excellence*. So aber kam auch er in den Verruf, am »Project Camelot«, dem Skandal der Sozialwissenschaften von 1965, beteiligt gewesen zu sein. (Das durch die U.S.-Armee subventionierte Special Operations Research Office bot fürs erste 4,6 Millionen Dollar für die soziologische Erforschung der linksgerichteten Aufstände in Chile, ihrer Ursachen und der Möglichkeiten, sie niederzuschlagen. Das ist der Prototyp eines Skandals, in dem sich die Soziologie als »Komplice« der Machtpolitik mißbrauchen läßt.) Es besteht kein Grund, Parsons persönlich mit diesem Projekt in Verbindung zu bringen; doch als einer der Hauptrepräsentanten einer ganzen Generation von Sozialwissenschaftlern (insbesondere aber der Funktionalisten) war er schuldig aufgrund seiner Verbindungen – so, glaube ich, sieht das Bild aus, das sich junge Radikale heute von ihm machen.

Parsons wurde 38 Jahre nach Weber in einem anderen Land geboren, und von Weber hörte er erst nach dessen Tod, während Leavis nur 10 Jahre jünger als Lawrence war und viele Leute kannte, die auch Lawrence als Freunde oder Feinde gekannt hatte. Die Art und Weise, wie sich Parsons mit Max Weber auseinandersetzte oder seine, soweit wir das beurteilen können, Gefühlshaltung gegenüber Weber erinnert nicht im entferntesten daran, wie sich Leavis mit Lawrence identifizierte. Eine Ähnlichkeit in dieser Richtung hätte man auch dann nicht erwarten dürfen, wenn Parsons ebenso alt gewesen wäre und demselben Volk angehört hätte wie Max Weber, denn Parsons war seiner persönlichen und intellektuellen Mentalität nach ein kühler, objektiver und apollinischer Geist – alles Eigenschaften, die er durch seine Auseinandersetzung mit Max Weber erworben hatte.

Tatsächlich aber behauptete Parsons, er fühle sich Weber *weniger* verwandt als seinen anderen Lehrern, da Webers Werk für ihn eine Art Durchbruch bedeutete, der auf einen Zusammenbruch hin erfolgte. Parsons erklärte, Durkheim und Freud, deren Werk eine »logischere«, schrittweise Entwicklung kennzeichne, stünden ihm näher. Sie waren seine »größten Rollenmodelle«, während Weber »vom Schlage Luthers« war. Ich möchte behaupten, daß in Freuds geistiger Entwicklung Evolution und Revolution gleichermaßen vertreten waren, während sich Webers Entwicklung aus einer enormen Arbeitsleistung und einem gewaltigen Aufwand an Selbstdisziplin zusammensetzte. So aber kann ich den Gegensatz, den Parsons zu sehen meint, nicht bestätigen. Doch entscheidend an Parsons Feststellung ist wohl sein ausgeprägt Erasmisches Ichgefühl, seine Ablehnung alles Faustischen, seine *Sachlichkeit* – das aber war letztlich die Tugend, die Max Weber seinen Schülern am meisten einschärfte und die er auf seine Weise beispielhaft verkörperte.

Wie Leavis änderte auch Parsons im Lauf der Jahrzehnte seinen Standpunkt. Seine 1935 publizierte Abhandlung ›The Place of Ultimate Values in Sociology‹ (›Der Standort der letzten Werte in der Soziologie‹) ist ein gegen den Behaviorismus gerichteter Angriff, und der Schlüsselbegriff seines Werkes ›The Structure of Social Action‹ (›Die Struktur der sozialen Aktion‹) heißt »Aktion« – mit diesem Begriff wollte Parsons die Komponente der Willensfreiheit herausarbeiten und seine Theorie vom Behaviorismus unterscheiden. Später meinte er allerdings, seine Theorie habe die Erkenntnisse der Psychoanalyse und Anthropologie unberücksichtigt gelassen. Sein bedeutender Einfluß auf die amerikanische Soziologie datiert, so wird häufig behauptet, von 1951 an, als er sein Werk ›The Social System‹ (›Das soziale System‹) veröffentlichte, dessen Schlüsselbegriff »System« war. Obwohl Parsons im selben Jahr ›Towards a General Theory of

Action‹ (›Einer allgemeinen Theorie der Aktion entgegen‹) und zwei Jahre später seine ›Working Papers in the Theory of Action‹ (›Arbeitspapiere zu einer Theorie der Aktion‹) publizierte, bildete nun nicht mehr die »Aktion«, sondern das »System« die dominierende Modellvorstellung von Parsons' Soziologie. Darüber hinaus gab Parsons in den fünfziger Jahren allmählich Webers soziologisches Prinzip des »Verstehens« auf, da dieses Prinzip im Hinblick auf den Forschungsgegenstand nur solches Handeln erlaubte, das »verstanden« werden konnte, und er entwickelte statt dessen seine Gesetze des »Gleichgewichts« (»Equilibrum«), die für humanes wie subhumanes Handeln galten.

Das Stichwort »System« dürfte damals eine magische Wirkung erzielt haben, da auch auf den Gebieten der Kybernetik und der Computertechnik entscheidende Entwicklungen stattfanden. So aber wurde die »System«-Theorie zum integralen Bestandteil der Theorien, mit denen sich die amerikanischen Soziologiestudenten auseinandersetzen mußten. Das behauptet zumindest Robert W. Friedrichs in seinem 1970 erschienenen Werk ›A Sociology of Sociology‹ (›Eine Soziologie der Soziologie‹). Andere beliebte Ideen dieser Zeit unterstrichen ebenfalls die Begriffe »Gleichgewicht« und »System«, und Parsons arbeitete Webers Vorstellungen allmählich in eine mehr und mehr »apollinische« Gesellschaftstheorie ein. 1970 verfaßte er für ›Daedalus‹ eine persönliche Biographie, in der er zwei seiner kürzlich erschienenen Bücher als »im Geiste von Max Weber« bezeichnete, während er 1968 in seinem Vorwort zu ›Structure of Social Action‹ erklärte, seine Theorie sei in ihrer Entwicklung nunmehr an einem Punkt angelangt, an dem sie mehr Durkheim als Weber verdanke. Der Grund dafür ist darin zu suchen, daß Durkheim sich eingehender mit dem integrierten soziokulturellen *System* auseinandersetzte.

In den dreißiger Jahren studierte Parsons bei Edgar Salin in Heidelberg, wo er bei Jaspers ein Seminar über Kant belegte. Seine in Heidelberg verfaßte Dissertation handelt von Webers, Marx', Brentanos und Sombarts Theorien zum Kapitalismus. Und Parsons' erstes großes Buch, ›The Structure of Social Action‹ (1937), untersuchte Zusammenhänge zwischen Max Weber, Durkheim, Vilfredo Pareto und Alfred Marshall, um zu belegen, daß die Theorien dieser vier Männer in einer einzigen Theorie des sozialen Handelns konvergieren. Dieser Ansatz charakterisiert auch sein späteres Werk, in dem er zwischen

Weber und anderen Persönlichkeiten Querverbindungen herstellte. (Leavis dagegen arbeitete den Gegensatz zwischen Lawrence und anderen heraus, wobei er die überragende Bedeutung Lawrences betonte.) Parsons hat Weber nie zu seinem Besitztum erklärt oder sich in seinem Lichte selbst herausgestellt. Es ist keineswegs belanglos, daß sich Parsons für Weber in Amerika unter anderem auch dadurch einsetzte, daß er Übersetzungen anfertigte – ein überaus selbstloser Dienst; und ebensowenig belanglos ist die Tatsache, daß er mehrere Bücher zusammen mit anderen verfaßte. Tatsächlich verbinden ihn seine Übersetzungen und Einleitungen ebenso mit Weber wie seine theoretische Weiterentwicklung der Ideen Webers: er hat seinen Namen mit dem Webers eng verknüpft.

Im Gegensatz zu Leavis lag Parsons weniger daran, sich mit Webers oder seinen eigenen Feinden herumzuschlagen, obgleich er doch einen Artikel schrieb, der seine Entgegnung auf H. M. Robertsons Kritik an Webers Theorie des Kapitalismus darstellt. Parsons ist kein Angreifer. Im Gegenteil, man hat ihn angegriffen – in den letzten zehn Jahren mit zunehmender Häufigkeit. Diese Angriffe kamen großenteils von radikalen Soziologiestudenten. Doch 1964 wurde er auf der Tagung in Heidelberg mit Herbert Marcuse konfrontiert. Der Titel des Referats von Talcott Parsons lautete: ›Wertgebundenheit und Objektivität in den Sozialwissenschaften. Eine Interpretation der Beiträge Max Webers.‹ Er verteidigte Webers Doktrin der Wertfreiheit, die für ihn die Freiheit des Wissenschaftlers bedeutete, sich an jene Werte zu halten, denen er als Wissenschaftler verpflichtet zu sein glaubt. Diese Abweichung der Wertvorstellungen des Wissenschaftlers von denen anderer Menschen resultiert daraus, daß sich die Wissenschaft als soziales Subsystem entwickelt hat. Wissenschaft kann und muß objektiv sein, und das sogar bei der Untersuchung stark subjektiv empfundener Werte. Weber setzte sich zunächst mit der Jurisprudenz auseinander – ein Bereich, in dem sich, so glaubte er, Marx' Kategorien als unzureichend erwiesen hatten –, dann wandte er sich Schritt um Schritt der Politik, der Volkswirtschaft und schließlich auch der Religion zu. Denn Weber hatte erkannt, daß das wesentliche Anliegen der Soziologie die normative Kontrolle von Interessen sein müsse, die Bedingung, die zum Gelingen einer derartigen Kontrolle nötig ist. Wie lassen sich die Leidenschaften und Triebe der Menschen in gesellschaftlich nützliche Motivationen umwandeln? Webers Leistung, so faßte Parsons zusammen, habe darin bestanden, daß er aus dem Erbe humanistischer historischer Gelehrsamkeit die Maßstäbe einer analytischen und empirischen Sozialwissenschaft entwickelt habe, und das auf einem Niveau, wie es noch nicht dagewesen sei.

Marcuse betitelte sein Referat ›Industrialisierung und Kapitalismus im Werk Max Webers‹. Er erhob den Vorwurf, Weber habe den Industrialismus und Kapitalismus so behandelt, als stellten sie das historische Los des Abendlandes und das Los des damaligen Deutschland dar. *Etwas in dieser Art* sei unvermeidlich, schien Weber zu sagen, und so wurde eine Herrschaftsform zu einer entscheidenden Realität erklärt. Wer herrschen wird, war die einzige Frage, die es zu beantworten galt. Doch Webers »Los« (wir zitieren immer noch Marcuse) ist lediglich die Anerkennung des Vorhandenen. Weber hatte sein Werk mit der historischen Aufgabe der Bourgeoisie identifiziert und das Bündnis mit den Kräften der Repression anerkannt. Die Rationalität seines »Rationalismus« sei höchst verdächtig: »Die ›formalrationalste‹ Gestalt der Kapitalrechnung ist die, in die der Mensch und seine ›Zwecke‹ nur als variable Größe in der Kalkulierung von Erwerbs- und Profitchancen eingehen« (S. 169), erklärte Marcuse. Politisch »terminiert der Webersche Vernunftbegriff im irrationalen *Charisma*« (S. 174), behauptete er. Wertfreiheit aber bedeute, daß die Wissenschaft frei ist, jegliche Werte, die ihr von außen auferlegt werden, anzuerkennen, obwohl die Aufgabe der Wissenschaft in Wirklichkeit darin bestehe, eben diese Werte anzuzweifeln und zu untersuchen: »Anklage ist die Funktion der wahren Wissenschaft.« Marcuse erntete vom Studentenpublikum am meisten Beifall – und wurde von Teilnehmern auf der Tribüne am stärksten angegriffen. Er und Parsons verkörperten die beiden ideologischen Extreme dieser Tagung.

Eine öffentliche Gegenüberstellung, die in ihrem Niveau der Heidelberger Konfrontation nicht unähnlich war, fand für Leavis in den sechziger Jahren statt. Doch es war nicht T. S. Eliot, mit dem sich Leavis auseinandersetzen mußte.

Das geistige Erbe

Wie war das wesentliche Erbe Leavis' beschaffen? Wir können es in dem Schlagwort »Lebenswerte« zusammenfassen. Leavis fand bei Lawrence jene Achtung vor dem Leben, die in moralischer und imaginativer Hinsicht völlig echt war und sich auf unterschiedlichste Weise äußerte – mal ästhetisch, mal moralisch, mal im privaten, mal im öffentlichen Leben und so weiter. Darüber hinaus hatte diese Achtung vor dem Leben die Authentizität einer genialen Begabung hinter sich. Lawrence war eindeutig – zumindest für Leavis' kritisches Empfinden – ein großer moderner Romanschriftsteller mit einer imaginativen Kühnheit und Originalität, die ihn vor anderen großen Modernen auszeichnet. Doch er war auch auf eigenartige Weise gesund und normal: auf geniale Weise gesund, wie Leavis sagte. Diese Gedankenverbindung zwischen »genial« und »normal« ist an sich schon äußerst aufschlußreich. Und in seinen Kommentaren zu Lawrences Briefen sagte er, Lawrence »ermögliche ein gewisses Vertrauen in die Zukunft der Menschheit«. Im gleichen Zusammenhang stellt er Lawrence dem Surrealismus gegenüber und zitiert ihn: »Gottseidank bin ich nicht frei, ebensowenig wie ein verwurzelter Baum frei ist.« Wenn wir den Surrealismus als literarische Äußerung im Geiste Otto Groß' nehmen, stellt Lawrences Ausspruch eine Art Vorwurf dar, den der demetrische dem aphrodisischen Geiste macht. Leavis' Lawrence ist der Mann, der sich gegen Otto Groß wendete und großenteils auch gegen das radikale Experimentieren und den radikalen Anspruch auf individuelle Freiheit, denen man damals in den Künsten begegnete. Und Eliot war, bis zu einem gewissen Grad, wesentlich experimentierfreudiger als Lawrence oder Otto Groß. Kurzum, jene Normalität, Zentralität und Gesundheit, die Leavis mit solcher Erleichterung in den Briefen dieses genialen Mannes entdeckte, waren die Normalität, Zentralität und Gesundheit matriarchalischer und demetrischer Prägung.

Diese Qualitäten standen im Widerstreit sowohl zum Hetärismus Otto Groß' als auch zur apollinischen Einstellung eines »klassizistischen« Eliot. Tatsächlich bezeichnet Leavis in seinem Essay über die Briefe Lawrence als den größten Kritiker des »Klassizismus«. Selbstverständlich erblicken Apollo und seine Götterbrüder in der ganzen Struktur der Politik, des Militarismus und all dessen, was Leavis als »Zivilisation« bezeichnet, eine unselige Äußerung, die mit »Klassizismus« wenig zu tun hat. Leavis war überzeugt, daß die beiden Bereiche Kultur und Zivilisation einander feind sind. Mit anderen Worten, für ihn ist Zivilisation patriarchalisch, während Kultur, wenn sie diesen Namen wirklich verdient, matriarchalisch ist.

Leavis hatte eindeutig recht mit der Entdeckung, daß Lawrence auf eindringliche Art diese matriarchalische Seite verkörperte. Doch gibt es noch andere Lawrences. Es ist sogar eine gültige, wenn auch triviale Kritik an Leavis, wenn man von ihm behauptet, daß er diese anderen Aspekte Lawrences kaum beachtete. Doch es ist wichtiger, in diesem Zusammenhang ohne Ressentiment zu erkennen, daß Leavis sich nicht mit Lawrence, dem kranken Mann, mit Lawrence, dem »Modernisten«, mit Lawrence, dem politischen Theoretiker oder mit Lawrence, dem Neo-Nietzscheaner befaßte. Wir können Leavis diese beschränkte Sicht deshalb nicht übelnehmen, weil es für ihn, um den einen spezifischen Wert Lawrences herauszuarbeiten, zumindest natürlich, wenn nicht gar unerläßlich war, diese anderen Aspekte *nicht* näher zu untersuchen.

Und was bedeutete das Erbe Webers für Parsons? Die Antwort ist: eine Lösung des Problems, bei dem es um die Ordnung geht. Das war für ihn immer schon das Schlüsselproblem der Theorie der Gesellschaft und des sozialen Handelns gewesen. Hobbes hat als erster die Frage aufgeworfen, wie dem natürlichen Zustand des Krieges eines jeden gegen alle so gesteuert werden könnte, daß sich die Nutzung seiner wirksamsten Mittel – Gewalt und Betrug – einschränken ließe. Aus dieser Fragestellung ging die Theorie des Gesellschaftsvertrags hervor. Locke und seine Anhänger entwickelten diese Theorie in die eine Richtung, Marx und seine Anhänger strebten in eine andere Richtung. Webers und Parsons' Werk stellt eine »wissenschaftliche« und »wertfreie« Untersuchung dieses Problems dar. Sie mag wertfrei sein und ist doch im wesentlichen wertorientiert. Sie konzentriert sich auf jene sozialen Normen, die Ordnung erzeugen. Die utilitaristisch-positivistische Tradition der Theorie des sozialen Handelns fand mit Herbert Spencer ihr Ende. Das Werk ›The Structure of Social Action‹ versuchte diese Tradition mit Hilfe der von Parsons so bezeichneten voluntaristischen Theorie des Handelns fortzusetzen, wobei die Vorstellungen von Weber, Durkheim, Pareto und Marshall zusammenmündeten.

Bei Parsons ist es noch augenfälliger als bei Leavis, daß er wesentliche Aspekte des Gesamtphänomens »Weber« vernachlässigte. Er berücksichtigte weder Weber, den politischen Kommentator und Kritiker, noch Weber, den potentiellen politischen Führer. Auch die Persönlichkeit Webers, die durch die Bedingungen der deutschen Kultur geformt wurde und diese selbst mitformte, ließ Parsons außer acht. Und ebensowenig befaßte er sich mit Jaspers' Weber, dem existentialistischen Helden. Wie Leavis hatte auch Parsons unumstritten das Recht, diese Aspekte Webers nicht zu beachten, doch sollten wir uns die Art seiner Auslese der für ihn entscheidenden Aspekte vor Augen führen. Denn wenn sie uns klar geworden ist, können wir den Prozeß, aus dem Weber als Held von Parsons' apollinischer Soziologie hervorging, verstehen und bewerten.

Um zu begreifen, was Leavis von Lawrence und Parsons von Weber übernahmen, müssen wir zunächst in Erfahrung bringen, was jeder von ihnen von vergleichbaren Persönlichkeiten angeboten bekam, um dann die Aspekte herauszuarbeiten, die Leavis' und Parsons' Zeitgenossen als »Erbe« antraten und die sich von deren Sicht unterschieden.

In Leavis' Fall scheint es klar zu sein, daß er von sich aus auf eine Reihe anderer Schriftsteller ansprach, die kulturell Ähnliches wie Lawrence zu bieten hatten – so zum Beispiel Thomas Hardy und George Eliot, John Bunyan, Richard Jefferies und George Bourne; und im selben Maße sprach er auf ähnlich gelagerte kulturelle Erscheinungen an, die vom Volkstanz und der Erhaltung ortsgebundener handwerklicher Fertigkeiten im ländlichen England bis zu den Künsten und den Gesellschaftsformen in primitiven Gesellschaften reichten. All diese Phänomene repräsentieren die Welt der Frau. Doch Leavis sprach im selben Maße auf die ihrem Wesen nach fast entgegengesetzte, ausgefeilte »Bewußtseinskunst« des Neuen England an, die ihren Ausdruck in den Werken von Henry James, T. S. Eliot und in der wesensverwandten Ironie Joseph Conrads fand. Sehr grob gesehen, könnte man sagen, daß die Weltanschauung, die unter seinen verschiedenen Vorlieben so stark fühlbar wird, mehr dem zuerst erwähnten kulturellen Umfeld zu verdanken hat, während seine kritisch-analytische Methode stärker durch das zweite Umfeld beeinflußt wurde, obwohl ein ungemein charakteristischer Prosastil einem Seil vergleichbar ist, dessen Stränge untrennbar verflochten sind.

Nach ihren schöpferisch-imaginativen Leistungen zu urteilen, sprachen Leavis' Zeitgenossen in Bloomsbury damals stärker auf Gide und Proust an als auf Lawrence oder irgendeinen anderen modernen Schriftsteller. Man kann ihren Geschmack und Stil locker und verallgemeinernd als »französisch« bezeichnen – wenn es einem um die Stil- und Geschmacksmerkmale geht, durch die sie sich von Leavis unterscheiden. Leavis blieb dabei, Richardson über Proust, George Eliot über Flaubert und Arnold über Sainte-Beuve zu stellen. (Bloomsbury hatte so manches mit Leavis gemeinsam, so daß dort seine Mitstreiter saßen, die sich zusammen mit ihm und doch auch widerspruchsvoll für dieselbe Unternehmung engagierten. Leavis hat tatsächlich bewiesen, daß er Virgina Woolf, Forster, Eliot und Joyce zu schätzen wußte, obwohl seine Haltung diesen Schriftstellern gegenüber nicht großzügig genannt werden konnte.) Auch auf Hemingway, Faulkner und Fitzgerald sprach er nicht sonderlich an. Die Amerikaner wie die Franzosen, das war die verbreitete Ansicht, fielen gegenüber Lawrence kaum ins Gewicht. Und obwohl Leavis die russischen Romanciers, unter ihnen vor allem Tolstoj, mit großer Aufmerksamkeit und Empfänglichkeit las, vermied er es, eingehend über sie zu diskutieren.

Das von Leavis und Denys Thompson 1933 veröffentlichte Buch ›Culture and Environment: The Training of Critical Awareness‹ (›Kultur und Umwelt: Die Schulung kritischen Bewußtseins‹) veranschaulicht nach wie vor ausgezeichnet den kulturellen Geschmack, den Leavis repräsentierte. Dieses Werk, das 1962 zum neunten Mal aufgelegt wurde, stellt den Versuch dar, den Leser intellektuell so zu wappnen, daß er seine alte Kultur gegen die Übergriffe der Zivilisation verteidigen kann. In diesem Werk geht es häufig um »Standardisierung« und »Nivellierung nach unten«, es enthält Kapitel wie ›Der Verlust der organisch gewachsenen Gemeinschaft‹, während die »Tradition« dem »Ersatzleben« gegenübergestellt wird. Diese Formulierungen stimmen überein mit dem moralischen Ernst und dem verzweifelten geschichtlichen Bewußtsein, das andere an Leavis als »puritanisch« bezeichnen. Und wir erfahren, daß der Mensch heute »der konkurrierenden Ausbeutung der billigsten Gefühlsreaktionen ausgesetzt ist«, meist durch Filme, Zeitungen, Inserate, Reklame und billige Unterhaltungsliteratur, die »auf der niedrigsten Ebene Befriedigung bieten … die unmittelbarsten Genüsse, verbunden mit der geringsten Anstrengung«. Erziehung muß also zum Bewußtsein über den allgemeinen Zivilisationsprozeß verhelfen, der immer weiter um sich greift, sowie über die unmittelbare kulturelle Umgebung.

In einer gesunden Kultur wäre nichts dagegen einzuwenden, daß sich der Bürger unbewußt durch seine Umgebung formen läßt, doch angesichts der Kultur, in der wir leben, so argumentiert Leavis, muß kritisches Bewußtsein systematisch entwickelt werden. Die entscheidende Bedeutung von Leavis' Werk liegt genau in diesem Versuch, einen bewußten Ersatz zu schaffen für etwas unwiederbringlich Verlorenes, das im wesentlichen unbewußt war: »... es ist die Aufgabe der literarischen Tradition, die Kontinuität aufrechtzuerhalten. Doch ist die literarische Bildung, das dürfen wir nicht vergessen, in hohem Maße Ersatz. Was wir verloren haben, ist die organische Gemeinschaft zusammen mit der lebendigen Kultur, die sie verkörperte.« Volkslieder und -tänze, Fachwerkbauten und handwerkliche Erzeugnisse seien durchwegs Äußerungen einer Lebenskunst, »einer aus unvordenklicher Erfahrung hervorgegangenen Anpassung an die natürliche Umgebung und den Rhythmus des Jahres«. Der literarische Geschmack, der aus diesem allgemeinen Einfühlungsvermögen hervorgeht, spiegelt sich in Leavis' Behauptung, wonach Bunyans ›Pilgrim's Progress‹ (›Des Pilgers Reise von dieser zur zukünftigen Welt‹) die überragendste Äußerung des einstigen England sein soll und wonach Bournes ›Wheelwright's Shop‹ eines Tages als englischer Klassiker anerkannt werden wird. Doch hatte Leavis auch eine Neigung für alles, was T. S. Eliot als Dichter darstellte, nur daß eben auf diesem Höhepunkt des kühnen ästhetischen Experiments einzig und allein D. H. Lawrence jene »natürlichen« und »organischen« Werte zugleich zum Ausdruck brachte und verkörperte.

Was nun Talcott Parsons angeht, so haben wir die drei Männer, deren Theorien er in ›The Structure of Social Action‹ mit der Sicht Max Webers verknüpfte, bereits erwähnt. Unter diesen Männern galt Marshall am wenigsten, und wenn man seinen Namen durch den Freuds ersetzte, könnte man eine wesentlich lebendigere Zusammenfassung von Parsons' *Weltanschauung* geben, die in ihren markantesten Zügen tatsächlich auf Weber, Durkheim, Pareto und Freud aufbaute. In der zweiten Auflage seines Werkes von 1949 bedauerte Parsons jene Auslassung. Er war mit Freuds Werk zu spät vertraut geworden, um diese Konfrontation in seinem Buch zu verwerten, doch sei Freuds Denken, so erklärt er, »eine Entwicklung, die, ungeachtet der verschiedenen Ausgangspunkte und empirischen Belange, als ein lebenswichtiger Teil derselben generellen Geistesentwicklung betrachtet werden muß«. Sie lieferte eine andere Art von Rationalität, Normen, welche die von der modernen Soziologie untersuchten religiösen, politischen und sonstigen Arten von Rationalität ergänzten. (Wie Leavis hatte sich auch Parsons immer schon für Werte oder Normen interessiert, doch hatte sein Interesse nicht der Propagierung der »richtigen« Werte, sondern dem Prozeß der Verinnerlichung von Werten gegolten.) Als Parsons in einem Krankenhaus arbeitete, um eine Untersuchung des Medizinerberufs durchzuführen, riet ihm Elton Mayo, sich mit Freud zu befassen. (Parsons beschloß, eine soziologische Studie im Kontext eines bestimmten Berufes durchzuführen, aus dem charakteristischen Grund, daß sich die Sozialstruktur der Berufe der marxistischen »Klassen«-Analyse zu entziehen schien.) 1946 begann er im Boston Psychoanalytic Institute seine psychoanalytische Ausbildung, und so wurde Freud zu einem der wesentlichen geistigen Einflüsse in seinem Leben, den er mit Max Webers Einfluß verband.

Die allgemeine Position oder der Komplex an Loyalitäten, durch die Parsons mit der amerikanischen Geisteskultur verbunden ist – ich meine das Äquivalent dessen, was ich in Leavis' Fall grob als »Merrie England« bezeichnete –, könnte man als »Germanisierung der Soziologie« und als »nachchristliches soziales Management« bezeichnen. Wenn wir uns dem zweiten Aspekt zuerst zuwenden, so stoßen wir auf das Ergebnis einer von Alvin Gouldner 1964 durchgeführten Meinungsumfrage, wonach sich 27 Prozent der amerikanischen Soziologen zu irgendeinem Zeitpunkt ihrer Karriere ernsthaft mit dem Gedanken getragen hatten, den Beruf des Geistlichen zu ergreifen; am höchsten war der prozentuale Anteil unter den Funktionalisten – den Anhängern von Parsons' Theorien also. Und viele unter den Personen, die selbst nicht Geistliche waren, stammten aus Pastorenfamilien. Bei Parsons war der Vater eine Art Arbeiterpriester gewesen, Albion Small war selbst Geistlicher gewesen, und Deweys Tätigkeit in Hull House und sein Schulunterricht hatten ebenfalls ihre »geistlichen« Aspekte.

Parsons selbst, der einer späteren Generation als Small und Dewey und einer Harvard-Welt angehört, die den beiden stets verschlossen blieb, verkörpert für uns weniger die Welt des Geistlichen als die akademischen Berufe – doch auch die Akademiker besorgen einen Teil des »Managements« der Gesellschaft. William Mitchell hat darauf hingewiesen, daß Parsons über die akademischen Berufe, nicht jedoch über Büroangestellte und Fabrikarbeiter schrieb, über Führer, nicht jedoch über die Geführten, über Propagandisten, nicht jedoch über die Opfer der Propaganda, über Ärzte, nicht jedoch über ihre Patienten.

Viele seiner Meinungen sind von einem konservativen und herrischen Pessimismus durchsetzt: »Doch der Möglichkeit (der Gleichheit) ist man in keinem uns bekannten umfangreichen Sozialsystem je sehr nahe gekommen ... So mancher Gruppe von Normen, die Beziehungen der Überlegenheit beherrschen, entspricht ein inhärentes Bedürfnis nach stabilen Sozialsystemen ... Disziplin und Autorität müssen eine wesentliche Rolle spielen ...« Seine politischen Ansichten, so erzählt Mitchell, seien geformt worden durch seine Verbindungen mit und durch seine Bewunderung für die Elite der Achesons, Harrimans und Roosevelts des amerikanischen Ostens, wobei die jeweilige politische Partei keine Rolle gespielt habe. Diese Sympathie, die er der Herrschaft, dem Management an sich entgegenbrachte, ist auf sein Interesse für die normative Ordnung zurückzuführen. Wie Durkheim bekundete auch Parsons immer schon eine besondere Sympathie für die Religion, weil sie ihrer Funktion nach eine Quelle sozialer Ordnung ist. Tatsächlich hat er auf die enge Verbindung zwischen Soziologie und Geistlichkeit in Amerika selbst hingewiesen, als er bemerkte, daß sich Arbeiterpriester für das soziale Wohl allgemein und folglich auch für die Soziologie zu interessieren begannen.

Zusätzlich zu diesem aktivistischen Zug der deutschen Soziologie begegnete man dem Phänomen, daß Begriff und Vorstellung von *Wissenschaft* mit besonderem Nachdruck betont wurden. Deutschland hatte so vielseitige Begabungen wie Max Weber hervorgebracht, die amerikanische Soziologie folgte dieser Vielseitigkeit und entwickelte sich im Stil der deutschen Gelehrsamkeit zu einer Wissenschaft, die vollgepfropft mit methodologischen Verfahrensweisen war. Die St. Louis Fair Conference von 1904, an der Weber und Troeltsch teilnahmen, veranschaulicht, wie der deutsche Einfluß in der amerikanischen Wissenschaft zunahm. Auf dieser Konferenz präsentierten nicht weniger als 308 Wissenschaftler Abhandlungen, von denen 202 Amerikaner, 49 Deutsche, 21 Engländer und 17 Franzosen waren; von den Nichtdeutschen aber hatten 106 eine deutsche Ausbildung. Unter den Professoren für Chemie waren 80 Prozent Deutsche oder mit deutscher Ausbildung; unter den Professoren für Geschichte waren es 53 Prozent, in der damaligen Sozialwissenschaft 50 Prozent. Im Rahmen der jungen Wissenschaft der Soziologie gab es keine bedeutenden britischen Modelle als Alternative zum deutschen Ansatz. Es war dies ein Ansatz, der sich durch die Durchführung umfangreicher »Forschungs«-Arbeiten und durch den »wissenschaftlichen« Charakter der Universitätstätigkeit auszeichnete.

Dieser deutsche Stil der Soziologie setzte sich zuerst an der University of Chicago durch. Im Mittelwesten riefen Sozialprobleme neuer Größenordnung nach einer Lösung, die Traditionen des althergebrachten Humanismus waren weniger eingefleischt, es herrschte eine größere Bereitschaft, die Gesellschaft wissenschaftlich zu erforschen, es gab keine demokratischere Geisteshaltung, die auch alltägliche Erscheinungen einer wissenschaftlichen Untersuchung für wert erachtete, und es lebten dort viele deutschstämmige Amerikaner oder deutsche Emigranten.

Das ist der Hintergrund, vor dem wir Parsons sehen sollten, ein Hintergrund, der – obwohl demokratisch – im selben Maße apollinisch wie der Leavis' demetrisch war. Natürlich gehörte Parsons, der selbst nicht aus dem Mittelwesten stammte, einer späteren Generation an als Dewey, Small, Ely und Park. Die Einflüsse, durch die sich Parsons von diesen Männern jedoch etwas unterschied, lassen sich am besten veranschaulichen anhand der Gestalt von L. J. Henderson, der zur Entstehung von ›The Structure of Social Action‹ entscheidend beitrug und der ein bemerkenswert patriarchalischer, aber auch »aristokratischer« Geist war. Henderson (1878–1942) besuchte die Harvard Medical School, erhielt in Straßburg seine Ausbildung als Biochemiker und kehrte nach Harvard zurück, um dort zu lehren. Er und Walter Cannon, ein weiterer Naturwissenschaftler, der von Sozialwissenschaftlern gern gelesen wurde, entwickelten die Idee, wonach der Körper eine innere Umwelt besitzen soll, und die Idee von einem dynamischen Gleichgewicht, das die Grundbedingung allen Lebens sein soll. Dieses dynamische Gleichgewicht entsprach jenem Gleichgewicht, das für den Ingenieur so wesentlich ist. Es manifestiert sich in der Art, wie ein Organismus auf eine Gefahr mittels kompensatorischer Anpassung reagiert – ein Beispiel ist das Blut, das rascher gerinnt, sind die Blutgefäße, die sich zusammenziehen. In diesem Sinne erhält der Organismus sein Gesamtgleichgewicht aufrecht, indem er das Gleichgewicht seiner Teile verändert.

Henderson war ein mächtiger Mann in Harvard, ein Freund Präsident Eliots und ein enger Freund Präsident Lowells. In intellektueller wie politischer Hinsicht war er ein pragmatisch denkender Konservativer. Sein großes medizinisches Vorbild war Hippokrates, dessen *vix mediatrix naturae* einen Komplex aus homöostatischen Kräften darstellte. Er ordnete Hippokrates in dieselbe Kategorie ein wie Walpole, Bismarck, Richelieu und Cavour, der er Hegel, Mill und Marx gegenüberstellte: »Ich fürchte die ›Intellektuellen‹, die Gefühlsdusler und Weltverbesserer – für mich sind sie alle eins – genauso wie die Politiker und Profitmacher.« In der National Academy of Science wie in der Geschäftswelt verkehrte er stets mit Männern der Macht. Es war sein Einfall, daß die Sozialwissenschaften Geschäftsleuten und Weltmännern von Nutzen sein könnten. Er war ein echter Bürger der Männerwelt. 1927 wurde er der erste Direktor des Fatigue Laboratory der Harvard Business School, und er beeinflußte das berühmte soziologische Projekt, das man in der Hawthorne Plant der Western Electric durchführte.

Durch Henderson lernte Parsons Pareto kennen, und zusammen mit Henderson ging er Kapitel um Kapitel seines Werkes ›The Structure of Social Action‹ durch. Diese Zusammenarbeit, die sich über drei Monate hinzog, bezeichnete Parsons später als eine der wichtigsten Erfahrungen seines Lebens. Ihre politischen Standpunkte waren verschieden – wahrscheinlich so verschieden, daß man hätte sagen können, Parsons sei, mit Henderson verglichen, ein Liberaler –, doch was sie gemeinsam hatten, war wesentlich wichtiger: es war ihr apollinisches Interesse für die Probleme des sozialen Managements. Henderson meinte, Willard Gibbs habe gezeigt, daß wir in einer Welt der Systeme leben, bei denen es sich in erster Linie um physikalisch-chemische Strukturen handle, und daß bessere Erklärungen für alle Phänomene nicht durch Kausalitätstheorien, sondern durch Systemkonzepte wie »wechselseitige Abhängigkeit«, »Gleichgewichtseffekte« und so weiter gefunden werden könnten. Erklärungen mittels Faktoren wie »wechselseitige Abhängigkeit« und »Gleichgewichtseffekte« implizierten, daß alle Systeme dazu neigen, stabile Aktivitäts- und Interaktivitätsmuster als eine Art dynamisches Gleichgewicht aufrechtzuerhalten, zu dem sie – aus eigenem Antrieb – zurückkehren, wenn sie einen Schock (im Falle der menschlichen Gesellschaft, etwa eine Revolution) erlitten haben.

Dieser Ansatz liegt auch dem Werk Parsons und dem anderer funktionalistischer Sozialwissenschaftler zugrunde. Auch George C. Homans, William F. Whyte und Crane Brinton haben anscheinend Henderson eine ganze Menge zu verdanken. Und immer heißt der Schlüsselbegriff »Gleichgewicht« oder »Equilibrium«. Marshalls Volkswirtschaftslehre fußte zum Teil auf dem Gleichgewichtsmodell, Dewey definierte Wissen als einen Gleichgewichtszustand, der erzielt wird durch die Funktion Zweifel-Nachforschung, die wir als Denken bezeichnen; auch Freuds Persönlichkeitstheorie ist, darauf weist Cynthia Russett hin, im wesentlichen homöostatisch.

Die Verwendung des Gleichgewichtsmodells, fügt Russett hinzu, unterbinde ein Denken in Begriffen eines revolutionären Wandels, und die gesellschaftsbezogenen Äußerungen Parsons' und Cannons', von Pareto und Henderson ganz zu schweigen, bestätigen diese Feststellung. Parsons war der große ideologische Gegner von C. Wright Mills, dem radikalen Vertreter der Soziologie, und 1956 rezensierte er voller Feindseligkeit Mills' ›Die amerikanische Elite‹ (›The Power Elite‹). Sein Konservatismus ist eigenwillig, in seinem Temperament begründet. Man erzählt sich die Anekdote, Parsons habe 1964 in Heidelberg erklärt, er schätze sich glücklich, nach Moskau weiterzureisen, denn dort wüßten die Leute, wie das Leben wirklich ist. Er hatte sich die utopistischen Angriffe gegen Max Weber angehört, darunter auch die Stellungnahme Marcuses, und meinte schließlich angewidert, all dieses Geschwätz sei völlig unrealistisch – wüßten denn diese Leute nicht, daß das Leben immer unglücklich sei und die Dinge nie *viel* besser sein könnten, als sie sind? Mag diese Anekdote auch übertrieben sein, ihr Geist entspricht gewiß seinem »Realismus« voller Selbstdisziplin, der in Parsons' Denken eine zentrale Rolle spielte. Dieser Realismus ist es, der Parsons zu einem wahren Schüler Max Webers, ja sogar Paretos macht – ungeachtet seines echten Liberalismus und seines »amerikanischen« Optimismus, der einen zunächst beeindruckt.

Durch Henderson und Pareto, der stark von Machiavelli beeinflußt war, eignete sich Parsons jenen sehr unamerikanischen Konservatismus an, jene höchst »männliche« Amoral, die ebenso im Zeichen von Apollo wie von Ares steht. Doch hat diese patriarchalische Männlichkeit im Denken Parsons' einen Großteil ihrer Virulenz durch anders geartete Einflüsse eingebüßt. Mit Durkheim, der sich in der dekadenten Dritten Republik um die Errichtung einer dynamischen moralischen Ordnung und um *solidarité* bemühte, läßt sich Parsons am besten vergleichen. Tatsächlich besteht das Merkmal, durch das sich Parsons am stärksten von seinen Zeitgenossen und Landsleuten innerhalb seiner ideologischen Gruppe unterscheidet – ebenso wie sich Leavis durch seine Reaktion auf Lawrence von dem ganzen Bloomsbury-Kreis unterschied – vor allem darin, daß er von vier Nichtamerikanern aus vier verschiedenen Ländern lernte, nämlich von Marshall, Pareto, Durkheim und Weber, und dieses Merkmal macht ihn zum Weltbürger. Wo Leavis das Geistesleben seines Landes auf einer nationalen Ebene nach innen wandte, wandte sich Parsons als Weltbürger nach außen. Doch ist er nicht im geringsten ein »Weltmann«, denn sein Weltbürgertum war zum großen Teil lediglich das augenfälligste Merkmal seiner apollinischen Art.

Konfrontationen

Gouldners ›The Coming Crisis of Western Sociology‹ (›Die kommende Krise der westlichen Soziologie‹) erschien 1970, also im letzten Jahr des Jahrhunderts, mit dem wir uns befaßt haben. In diesem Buch kündigte Gouldner eine Rebellion gegen Parsons und die Funktionalisten an. Gouldner bewundert Max Weber und erblickt in ihm eine romantische Erscheinung, doch sein Buch selbst ist eine Rebellion gegen alles, was die »klassische« Soziologie des Westens heute darstellt. (Ähnlich sieht auch Dennis Wrong, ebenfalls ein Gegner von Parsons, Max Weber als eine Gestalt, die Parsons sehr unähnlich ist. Wrong bezeichnet Weber als »den einzigen großen Mann, bei dem wir Soziologen eindeutig das Recht haben, ihn als einen der unseren zu beanspruchen«; doch reiht er ihn unter seinen Geistesgrößen in eine Kategorie ein mit Freud und Orwell, wobei diese drei Männer tatsächlich wesentliche Dinge gemeinsam haben. Parsons erscheint dem Autor als eine viel beschränktere Persönlichkeit, auch in ihren Auswirkungen.) Gouldners Rebellion ist auf seine Überzeugung zurückzuführen, daß die funktionalistische Soziologie die kontrollierende Macht der Bundesregierung vermehre. Die »klassischen« Soziologen seien unter der Führung der Funktionalisten zu den Marktforschern des Wohlfahrtsstaates und zu den Vertretern des neuen Managertums geworden. Da Gouldner im Wohlfahrtsstaat lediglich die heimatliche Front des Kriegsstaates erblickt, kommen ihm alle Versuche, dem einen und nicht dem anderen zu dienen, als Selbstbetrug vor. Voller Sympathie beschreibt er die Geheimtreffen der aus radikalen Studenten bestehenden Sociological Liberation Front, die 1968 im Rahmen der Versammlung der American Sociological Association stattfanden. Diese Treffen gipfelten in einer Protestrede während der Plenarsitzung, in der sich der Secretary of Health, Education and Welfare, der wichtigste Redner des Abends, Angriffen ausgesetzt sah, in deren Verlauf er als Offizier bezeichnet wurde, der den Krieg gegen das Volk koordiniere, während man alle »klassischen« Soziologen öffentlich als Onkel Toms, Kollaborateure und Quislings brandmarkte. Im selben Jahr sah sich der deutsche Soziologe Jürgen Habermas, der noch 1964, als er Parsons in Heidelberg kritisiert hatte, der Held der Studenten gewesen war, in Frankfurt von demonstrierenden Studenten angegriffen. Der Radikalismus hatte sich verschärft. Aus den Studenten sprach manchmal die Stimme Marx' und manchmal die von Otto Groß, doch wessen Stimme es auch sein mochte, sie richtete sich in jedem Fall gegen die klassische Soziologie und gegen alles, was nur ein bißchen nach Klassik und Objektivität aussah. Bei diesen Menschen geriet auch der Politiker Weber in Verruf. Seine Feinde wurden die Helden des Tages und umgekehrt. 1969 erschien Sebastian Haffners Buch über die Münchner Revolution von 1918 – Edgar Jaffes Revolution also, die von Max Weber und seiner Nachwelt als dumm, wenn nicht gar bösartig verurteilt worden war –, und dieses Buch machte aus Kurt Eisner einen Revolutionshelden der deutschen Geschichte. Sebastian Haffner erklärte, Deutschland sei auch heute noch krank, weil es immer noch unter dem Verrat an dieser Revolution leide – ›Die Verratene Revolution‹ heißt denn auch das Buch. Diese Geschichtsdeutung impliziert, daß 1918 nicht Max Weber, sondern Edgar Jaffe wußte, was Deutschland brauchte. Den maßgeblichen Eindruck vermittelt heute *prima facie* der Revolutionär, während der Etablierte verdächtig erscheint. Gouldners Prophezeiung, daß die russische Soziologie nunmehr bereit sei, den Funktionalismus zu assimilieren, und daß Parsons heute hinter dem Eisernen Vorhang größtes Interesse und größten Respekt erweckt, bestätigt lediglich die Überzeugungen der Studenten.

In Leavis' Fall gab es keine derartigen Demonstrationen, keinen Studentenzorn und, soweit ich mich erinnere, kein Buch, das sich mit dem Gouldners vergleichen ließe. Leavis hat sich selbst nie als apollinischen Geist, sondern immer als einen Mann dargestellt, der leidenschaftlich gegen das Establishment protestierte. In gewisser Weise erinnert er an C. Wright Mills, Parsons' erbitterten Gegner. Leavis war im selben Maße ein demetrischer Radikaler, wie Weber ein apollinischer Radikaler war.

Die in jüngerer Zeit geübte Kritik an Leavis, die man mit Gouldners Angriffen vergleichen könnte – zum Beispiel John Gross' ›Rise and Fall of the Man of Letters‹ (›Aufstieg und Fall des Literaten‹) –, war lediglich eine Fortsetzung der alten Fehden. Unter der Studentenschaft wird Leavis allerdings immer weniger geschätzt, und man unterzieht ihn einer feindseligen Analyse, die – wie in Parsons' Fall – in zwei Richtungen zielen kann: entweder in die doktrinär marxistische oder in die indeterministische eines Otto Groß.

Der Unterschied zwischen Leavis und Parsons kommt sogar in ihrem Äußeren zum Ausdruck. Leavis ist spannungsgeladen, salopp gekleidet und hohlwangig; er hat einen brennenden Blick, eine rauhe Tenorstimme und verzehrt sich innerlich; körperliche Nahrung bedeutet ihm nichts. Parsons dagegen ist stämmig und fest gebaut, seine Gesichtszüge sind etwas nichtssagend; mit seiner Stirnglatze, seinem Lippenbärtchen und seiner gleichmäßigen Expertenstimme wirkt er wie ein Major in Zivil, wie der Spezialist und Hinterzimmerboß der »Neuen Mandarine«. Paradoxerweise ist es jedoch Parsons, der so freimütig über sich selbst und seinen geistigen Werdegang schreibt, während Leavis eine rein persönliche Rolle streng von sich weist.

Die große Herausforderung, der sich Leavis in diesem Jahrzehnt stellte, hatte nur unmittelbar etwas mit Lawrence zu tun, veranschaulichte jedoch zugleich beispielhaft die Kategorien, die wir in diesem Buch zu entwickeln versuchten. Wir meinen jenen berühmten Streit zwischen Leavis und C. P. Snow, bei dem es um die Wissenschaft und die beiden Kulturen ging. Snow ist im wesentlichen ein Repräsentant des patriarchalischen und autoritären Bereichs unserer Gesellschaft. Er steht für Wissenschaft, Technik, Industrie, Politik und Institutionen, und alle seine Romane handeln denn auch von Institutionen, vom Leben und von moralischen Problemen in Institutionen. Hier liegt einer der wesentlichen Gründe dafür, daß Leavis den Romancier Snow für einen schreienden Skandal hält. Denn Leavis vertritt den Standpunkt, daß Kultur im allgemeinen und die Künste im besonderen, da sie matriarchalisch seien, sich immer in irgendeiner Weise gegen die patriarchalische Zivilisation wenden sollten. Die Tatsache, daß Snow Literaten ihre Wissenschaftsfeindlichkeit und ihre wissenschaftliche Unwissenheit vorwarf und in diesem Zusammenhang ihre mangelnde Partizipation an der heutigen Zivilisation – diese Tatsache war für

Leavis eine typische Absurdität, aus der ein unheilvoller Zynismus sprach.

Leavis führte Lawrence in seiner Argumentation mehrmals an – als den großen Romancier, den Snow unfähig war anzuerkennen, geschweige denn zu übertreffen. Aufschlußreicher noch ist jedoch die Tatsache, daß Leavis Snow als Persönlichkeit in Verbindung brachte mit Sir Joshua Mattheson, einer Gestalt aus ›Liebende Frauen‹, mit Bertrand Russell, der Lawrence bei der Darstellung dieser Gestalt als Vorwurf diente, sowie mit H. G. Wells. Leavis behauptete, keiner dieser Männer lebe, um Lawrence zu zitieren, »dort, wo sie gerade sind«. Sie leben nach Snows Worten »in der sozialen Hoffnung«. Diese beiden Formulierungen, die Leavis in einem spannungsreichen Kontext einander gegenüberstellt, vermitteln eine prägnante Vorstellung von dem Unterschied zwischen demetrischer und apollinischer Moral. Die demetrische Moral beurteilt den Menschen nach seinen individuellen Bestrebungen und den Lebenswerten, die diese im Unbewußten verkörpern, während die apollinische Moral den Menschen nach seinen sozialen Unternehmungen beurteilt, in die er bewußt einen Teil seiner Tatkraft investiert. Die Unbedingtheit, mit der Leavis die Literatur dem demetrischen Geist zuordnet, ist erstaunlich. Snow, so wiederholt Leavis – und er bittet, diese Äußerung wörtlich zu nehmen –, »weiß nicht, was Literatur ist«. Denn für Leavis ist Literatur ein Mittel, das einem bestimmten Zweck und einer bestimmten Reihe von Werten dient, nicht mehr und nicht weniger.* Leavis schreibt:

»Haben wir die Bedingungen der großen Literatur einmal angenommen, entdecken wir, was wir im Grunde glauben. Wofür – letztlich wofür? Wodurch lebt der Mensch? All diese Fragen erweisen sich als brauchbar und vermitteln uns, ich kann es nur so ausdrücken, eine religiöse Tiefe des Denkens und Fühlens. Bei diesem Adjektiv verweilend, darf ich Sie vielleicht an Tom Brangwen erinnern, der, in Betrachtung versunken, unter

---

* Ich habe selbst in die Kontroverse um die beiden Kulturen eingegriffen, wobei die Mängel meiner Analyse, die mir damals nur dunkel bewußt waren, darauf zurückzuführen sind, daß ich unbewußt Kunst und Literatur, ähnlich wie Leavis, mit matriarchalischer Kultur gleichsetzte. Wie er, so entdeckte auch ich überrascht, daß es tatsächlich Romanschriftsteller wie Snow gibt, welche die patriarchalische Welt der »Zivilisation« repräsentieren. Dieser Sachverhalt erschien mir als Anomalie, doch im Gegensatz zu Leavis interessierte mich eben deshalb dieses Phänomen, interessierten mich diese Schriftsteller. Ich benutzte damals noch nicht den Begriff »matriarchalische Kultur«, und auch die entsprechende Idee hatte ich noch nicht ganz begriffen.

dem Nachthimmel steht: ›Er wußte, er gehörte nicht sich selbst.‹«

Es ist in der Tat ein echt religiöser Glaube – der Glaube Lawrences und Demeters –, den Leavis in diesen Sätzen als Perspektive aufreißt.

Bemerkenswert ist übrigens die Ähnlichkeit zwischen dem Lawrence-Bild, das Leavis hier vermittelt, und der folgenden Stelle aus Alfred Webers Werk ›Abschied von der bisherigen Geschichte‹, in dem der Autor die Kräfte anruft, die im »Unsichtbaren und Unörtlichen« herrschen (S. 265):

»Und wenn sich in sternklarer Nacht unser sichtbarer Kosmos vor uns entschleiert, dann bilden wir uns ein, in seiner Art und Gestalt einen Erhabenheitswillen verspürend, dies, unser Milchstraßensystem sei noch durch etwas anderes mit aufgebaut als bloß durch die mathematisch zugänglichen Kraftquellen, Bewegungslinien und Lichtgeschwindigkeiten oder elektromagnetischen Felder und Weltlinien, die die Physik darin konstatiert. Dies andere vermag nur wie ein Glockenton in uns anzuklingen.«

Lawrence war von derselben lebensphilosophischen Idee ergriffen, obwohl sich bei ihm ein anderes Temperament dahinter verbarg. Bei solchen Äußerungen hat man das Gefühl, als konvergierten plötzlich auch die Lebenslinien der beiden Schwestern, und dabei stoßen wir auf einen gewissen Konservatismus, der alle Ideen, die wir mit ihnen verknüpfen, auszeichnet.

Snow erinnert in keiner Weise an Max Weber, eher schon an Parsons – in anderen Lebensbereichen repräsentiert er dieselben Qualitäten. »Der zufriedene Moralist« ist eine Formulierung, mit der Gouldner Parsons charakterisierte, und diese Formulierung könnte, was Snow betrifft, ebenso aus dem Munde von Leavis stammen. Wir können beide, Snow wie Parsons, mit der Welt des Industriemanagements in Verbindung bringen, denn beide haben eine Vorstellung von der modernen Welt, die geprägt ist von solchen Problemen, denen man im Industriemanagement begegnet, und beide befürworten dieselbe Art, diese Probleme zu lösen. Im Gegensatz dazu verwerfen andere Soziologen die funktionalistischen Lösungen, und Leute wie Leavis lehnen sogar die Problemstellung ab oder übersehen zumindest die Bedeutung, die solchen Problemen beigemessen wird.

Veranschaulichen wir diese Probleme an einem Beispiel. Die Subdisziplin der funktionalistischen Soziologie, die am meisten Empörung ausgelöst hat, ist vermutlich die Betriebssoziologie, die Lehre also von den sozialen Erscheinungen im Betrieb. Der Betriebssoziologe, so erfahren wir, sieht im Fabrikdirektor zum Beispiel nicht den Klassenfeind des Arbeiters, sondern einen Mann, der ein stabiles soziales Gefüge auf die Beine stellt. Der Betriebssoziologe nimmt an, das Individuum sei stets ein integraler Bestandteil eines sozialen Ganzen auf einer vorbewußten Gefühlsebene – dadurch aber »entpolitisiert« er den Bereich der Politik, der Bewußtseinsbildung und der Wahlfreiheit. Clark Kerr und Lloyd H. Fisher behaupten, die Betriebssoziologie setze die Vorstellung einer nach »Stämmen« gegliederten Gesellschaft einem universalistischen Rationalismus entgegen, sie führe die Verschiedenartigkeit der Kulturen gegen die Solidarität der Menschen ins Feld, bringe organische Analogien in Widerspruch zu mechanischen Modellen und spiele Funktion gegen Zweck aus. Sie untersuche, wie eine Gruppe arbeitet, nicht woran sie arbeitet. Der Betrieb gelte als neue soziale Einheit, welche die Kirche, die Zunft und die Kommune ersetze, alles Einrichtungen, die durch den Industrialismus zersetzt worden sind. Dieser Standpunkt beinhalte, daß der Arbeiter durch »Gefühle« und nicht durch Vernunft zur Arbeit motiviert werde. Dergestalt aber untergrabe die Soziologie »auf wissenschaftlichem Wege« die politischen Leidenschaften.

Die drei Soziologen, die sich am meisten mit Betriebssoziologie beschäftigen, sind Elton Mayo, William F. Whyte und George C. Homans. Doch ist Mayo ein Funktionalist, der seine stärksten Anregungen von Pareto und Durkheim bezog. Auch wird allgemein anerkannt, daß Parsons' Prinzipien, würde man sie auf solche Probleme anwenden, ähnliche Ergebnisse zeitigen würden. Das aber berechtigt uns, in der Betriebssoziologie einen Parsonsschen Sprößling zu erblicken. 1958, ein Jahr nach der Veröffentlichung des eben referierten Essays von Kerr und Fisher, griff auch Ralf Dahrendorf Parsons' »Platonismus« an; gleichzeitig forderte er eine Soziologie, der ein gesellschaftliches Konfliktmodell zugrunde liegen sollte, eine Soziologie, die die Ursache für den Zusammenhalt von Gesellschaften nicht in der Übereinstimmung, sondern im Zwang sucht.* Dahrendorf ver-

---

* Auch Leavis, darauf sollten wir hier hinweisen, bedient sich organischer Gesellschaftsmodelle, wobei er jedoch impliziert, daß die heutigen Gesellschaften oder Kommunen – zum Beispiel sein eigenes Cambridge – durch Zwänge zusammengehalten werden. So aber erweckt seine organizistische Auffassung, die sich nur auf die ideale Vergangenheit bezieht, nicht den Eindruck, wirkungsvoll konservativ zu sein.

trat die Ansicht, daß Parsons – und Max Weber – verantwortlich gemacht werden könnten für den repressiven politischen Neutralismus unserer Manager.

Wichtig dabei ist natürlich, daß man die Eigenart des Funktionalismus im Kontext der Soziologie und den kulturellen Charakter der gesamten Soziologie im Verhältnis zur Literatur erkennt. Es ist dies ein Charakter, mit dem wir Parsons wie Snow in Verbindung bringen können. Die Kontroverse um die beiden Kulturen darf daher als der wichtigste Zusammenstoß aus jüngerer Zeit zwischen der apollinischen und der demetrischen Auffassung angesehen werden. (Und die Anhänger der Auffassung Otto Groß' standen dabei und verachteten beide Gegner.) Ich glaube, daß man heutzutage nicht nur in England, sondern in den meisten Ländern solche Zusammenstöße erlebt – Zusammenstöße nicht zwischen zwei, sondern zwischen drei Prinzipien, denn auch Otto Groß' Erbe wird heute geistig (zum Beispiel von Norman O. Brown und, praxisbezogener noch, von R. D. Laing) aufgearbeitet. Die »Institutionalisierung« dieses Erbes findet durch Hippie-Gruppen statt, die darin enthaltenen Herausforderungen gelten nach wie vor der Polizei.

Doch sollten wir uns – ich meine vor allem die Leser, die sich gegen die patriarchalische Möglichkeit entscheiden – daran erinnern, daß Max Webers Prinzipien Anlaß geben, sich für Gandhi zu interessieren, während Lawrence nichts dergleichen anzubieten hat. Nicht die Anhänger Lawrences, sondern die Schüler Max Webers dürften am ehesten dazu neigen, solche Phänomene mit Sympathie zu untersuchen. 1950 verfaßte Professor Wilhelm E. Mühlmann, der Autor des Werkes ›Max Weber und die rationale Soziologie‹, ein Buch, dem er den Titel ›Gandhi‹ gab und von dem er erzählte, er hätte es nur mit Hilfe von Webers Kategorien zustande gebracht. Der patriarchalische Geist interessiert sich für und sympathisiert tatsächlich mit solchen moralischen und religiösen Phänomenen wie Gandhi – oder auch Tolstoj –, während der matriarchalische Geist durch solche Phänomene zutiefst verwirrt wird. Während des Ersten Weltkrieges schrieb Max Weber in seinem Aufsatz ›Zwischen zwei Gesetzen‹ (1916):

»Wer auch nur einen Pfennig Renten bezieht, die andere direkt oder indirekt zahlen müssen, wer irgendein Gebrauchsgut besitzt oder ein Verzehrsgut verbraucht, an dem der Schweiß fremder, nicht eigener Arbeit klebt, der speist seine Existenz aus dem Getriebe jenes liebeleeren und erbarmungsfremden ökonomischen Kampfes ums Dasein, den die bürgerliche Phraseologie als ›friedliche Kulturarbeit‹ bezeichnet ... Die Stellung der Evangelien dazu ist in den entscheidenden Punkten von absoluter Eindeutigkeit. Sie stehen im Gegensatz nicht etwa gerade nur zum Krieg – den sie gar nicht besonders erwähnen –, sondern letztlich zu allen und jeden Gesetzlichkeiten der sozialen Welt, wenn diese eine Welt der diesseitigen ›Kultur‹, also der Schönheit, Würde, Ehre und Größe der ›Kreatur‹ sein will.«*

Interessant ist die außerordentliche Sympathie, die Max Weber der Askese entgegenbringt, zumindest genauso interessant aber ist die Tatsache, daß Lawrence Sympathie in dieser Richtung fremd war. (Natürlich ist das etwas übertrieben, denn es gibt einige Hinweise, daß Lawrence auch für diesen Lebensbereich ein gewisses Interesse und eine gewisse Sympathie aufbrachte – wie denn auch nicht? möchte man sich fragen –, doch stützt sich das Werk Lawrences nicht auf dieses Interesse und auf diese Sympathie, die den vorbestimmten Ansichten seines demetrischen Ichs fremd gewesen sein müssen. Der apollinische Geist vermag eben kraft seiner Selbstentfremdung leichter in fremde Geisteswelten einzudringen.) In diesen Kontext gehört auch das Buch über Hitler, an dem Professor Baumgarten gerade schreibt, wobei er sich ebenfalls der Kategorien Webers bedient. Diese Duplizität der Fälle zwingt einen zur Reflexion und zur Erkenntnis darüber, daß Lawrences Kategorien *in diesem Bereich* zu keiner Lösung, ja nicht einmal zu einer Auseinandersetzung mit dem Problem geführt hätten.

All diese Überlegungen, das muß ich einräumen, sind weit davon entfernt, einen weiteren Eindruck von Lawrences oder Webers persönlicher Ausstrahlung zu vermitteln. Falls sich die beiden Parteiungen und Prinzipien, die ich in diesem Buch untersucht habe, tatsächlich von den beiden Männern »herleiten«, so ist das Verhältnis zwischen diesen sicherlich nicht unentschieden. Lawrence zum Beispiel legte gegenüber den matriarchalischen Werten eine ausgesprochene Ambivalenz an den Tag, während Weber, wollen wir ihn als Gesamtpersönlichkeit begreifen, neben dem patriarchalischen Zug eine ganze Menge anderer Aspekte aufzuweisen hat, die wir begreifen müssen. Gewiß dürfen wir nicht die *Persönlichkeiten* von Leavis und Parsons als matriarchalisch oder patriarchalisch bezeichnen;

---

* In: Max Weber: Gesammelte politische Schriften, Bd. VIII, S. 62f.

diese Bezeichnungen gelten für sie nur als Führer der beiden Parteiungen und als Repräsentanten dieser beiden Kategorien. Darüber hinaus ist es wohl typisch, daß Leavis in seine Äußerungen über Frieda eine gewisse Abneigung einfließen ließ und daß er sie sicherlich nicht für den Ursprung all dessen hielt, was er an Lawrence als wertvoll schätzte. In seinem Essay ›Anna Karenina‹ bezeichnet er Frieda als »amoralische deutsche Aristokratin«. Er schreibt ein gewisses mangelndes Verständnis für ein häusliches Leben, dem man in Lawrences späteren Werken begegnet, der wurzellosen Lebensweise des Autors zu. Insgeheim gibt er Frieda die Schuld an den Schwächen des Lawrenceschen Werkes, anstatt sie wegen seiner Stärken zu loben. Doch Frieda aus solchen Gründen anzugreifen, bedeutet letzten Endes nur, daß das demetrische Prinzip um so mehr verherrlicht wird – für Leavis war Frieda eine unwürdige Repräsentantin dieses Prinzips. Und ebenso findet Leavis ›Lady Chatterley‹ Lawrences unwürdig, weil dieses Werk weder Verständnis für noch Glauben an die Ehe aufbringt. Leavis sieht in Frieda die Frau oder Freundin Otto Groß', und es ist das Hetärenprinzip, das er in ihr angreift. Wir haben es hier mit einer Abneigung zu tun – ein Äquivalent wäre Parsons' Zurückscheuen vor den mehr faustischen Manifestationen des männlichen Geistes Max Webers –, die uns helfen kann, die mannigfachen Qualifikationen, Konzessionen und Gegenargumente zu veranschaulichen, die man ins Spiel bringen müßte, sollten unsere allgemeinen Kategorien den verschiedenen Persönlichkeiten völlig gerecht werden. Ich habe es als selbstverständlich vorausgesetzt, daß dem Leser von Anfang an klar war, inwieweit die Person eines Parsons oder Leavis – und natürlich auch eines Lawrence oder Weber – diese Prinzipien nur begrenzt verkörpern.

Doch als Repräsentanten ihrer Schüler und ihrer essayistischen beziehungsweise soziologischen Disziplin *muß* man Leavis und Parsons als matriarchalische respektive patriarchalische Erscheinungen betrachten. Von Leavis' Schülern darf man mit hoher Wahrscheinlichkeit annehmen, daß sie stärker als andere Literaturkritiker stillschweigend an den demetrischen Werten des Wachstums, der Fruchtbarkeit und an der Authentizität der persönlichen Beziehung und Empfindung festhalten. Doch sind wahrscheinlich Literaturstudenten insgesamt geneigter, sich an diese Wertvorstellungen zu halten. Umgekehrt glauben Parsons' Schüler vermutlich stärker als andere Soziologen an die Werte der Objektivität und der »administrativen« Gerechtigkeit sowie an die Tugenden und Fertigkeiten, die zum Funktionieren einer großen Institution erforderlich sind. Von diesem Ansatz her würde ich heute die »beiden Kulturen« und ihren wechselseitigen Konflikt definieren. Es ist ein Konflikt, so könnte man sagen, zwischen Lawrence und Weber – zwischen zwei Arten zu denken.

Andererseits würde ich mich heute vielleicht nicht mehr genötigt fühlen, ein Buch über dieses Thema zu schreiben. Das Jahrzehnt, in dessen Verlauf ich diese Arbeit durchführte, hat sich dadurch ausgezeichnet, daß gewisse dringliche Fragen beantwortet worden sind, daß sich gewisse Richtungen verwischt haben und daß gewisse Loyalitäten verblaßt sind. Ein Jahrhundert ist an uns vorübergezogen. Weber und Lawrence sind gestorben und vorbei ist auch das posthume Leben, das sie durch die Doktrinen ihrer Anhänger geführt haben. Ihr überdimensionales Bild schrumpft zusammen zur Dimension der Gefährten Friedas und Elses. Ihre Erscheinung kommt uns nun weniger mythisch, kommt uns menschlicher vor, weit entfernt von der Institutionalisierung und der doktrinären Strenge, deren man sich in ihrem Namen befleißigte.

Angesichts dieser Meinungsstreite und Besitzansprüche kommen uns die beiden Interviews mit Frieda Lawrence und Else Jaffe, die ich an den Anfang dieses Buches stellte, sicher etwas merkwürdig vor. Doch der Zusammenhang, die Verbindung existiert. Friedas Gesicht war wie ein unsichtbares Vorsatzblatt zu Hunderten von Werken, die in der modernen irrationalen Tradition stehen, und von Elses reinen und klassischen Gesichtszügen (oder auch von denen ihrer Schwestern im Geiste) dürfen wir sagen, daß sie zu ebenso vielen Werken der Vernunft und der Gelehrsamkeit inspirierten – man sollte sich Frau Jaffe auf dem Ehrenplatz der Max-Weber-Feier von 1964 in Heidelberg vorstellen. Frieda und Else – zwei Gesichter, die ganze Welten in Bewegung setzten.

Danksagungen

Vor allen Dingen möchte ich Philip Rosenberg für seine redaktionelle Unterstützung danken, die darin bestand, daß er verschiedene Abschnitte umschrieb und das ganze Manuskript im Sinne meiner Verleger überwachte. Ebenso zu Dank verpflichtet bin ich Carol Vance, die mit unermüdlicher Energie und Freude das Photomaterial zusammenstellte.

Zu Dankbarkeit verpflichtet bin ich auch der American Philosophical Society, die meine Forschungsbemühungen finanziell unterstützte. Ebenfalls dankbar bin ich Professor Roeming und dem Center for Twentieth Century Studies an der University of Wisconsin in Milwaukee, wo ich den wesentlichen Teil der Forschungsarbeit für dieses Buch durchführte. Danken möchte ich auch Professor Roberts und dem Center for Humanities Research an der University of Texas, die freundlich auf mich eingingen und mich in bezug auf Manuskripte und Fotografien unterstützten. Dasselbe gilt für die Manuskriptsammlungen der Harvard College Library, der Beinecke Rare Book und der Manuscript Library der Yale University, die mir gestatteten, aus Material, das sich in ihrem Besitz befindet, zu zitieren. Dank sagen möchte ich auch Mr. McGuire und der Princeton University Press, die mir die Otto-Groß-Referenzen in der Freud-Jung-Korrespondenz einzusehen erlaubten, als diese noch im Druck war. Bedanken möchte ich mich auch bei Claire Oehring in Ostberlin, die mir einen Mikrofilm von Franz Jungs unveröffentlichtem Essay über Otto Groß schickte. Auch Loi Madison Hoffman sei hier gedankt, die mich nicht nur ihre Übersetzung der Groß-Briefe benutzen ließ, sondern mir auch Einblick gab in ein schriftlich festgehaltenes Interview mit Frau Jaffe aus dem Jahr 1967 und mir aus Deutschland brieflich weitere große Hilfe zuteil werden ließ. Dank sagen möchte ich auch Frau Ellen von Krafft-Delp und Schwester Camilla Ullmann für das Foto von Otto Groß beziehungsweise für Informationen über Regina Ullmann. Danken müßte ich noch vielen anderen Personen in verschiedenen Ländern, was aus Platzgründen nur in unzureichendem Maße geschehen kann.

Mein ganz besonderer Dank gebührt Frau von Eckardt, die mir mit ihren Erinnerungen an das Leben ihrer Mutter und dadurch weiterhalf, daß sie mir die Briefe ihrer Mutter zugänglich machte; auch Professor Baumgarten sei hier gedankt, der mich aus anderen Briefen zitieren ließ, die seiner Obhut anvertraut sind. (Professor Baumgarten veröffentlicht im Hoffmann und Campe Verlag, Hamburg, dreihundert Briefe, die von oder an Max Weber geschrieben wurden.)

Und schließlich muß ich noch Frau Jaffe danken, die sich im Frühjahr 1973 entschloß, mir Papiere zugänglich zu machen, die sie nicht veröffentlichen lassen wollte.

Bibliographie

Bachofen, Johann Jakob: Das Mutterrecht. Stuttgart 1862.
- Mutterrecht und Urreligion. Eine Auswahl. Hrsg. v. R. Marx. Leipzig 1927.
- Urreligion und antike Symbole. Band II. Leipzig 1926.
Bäumer, Gertrud: Max Weber. In: R. König und J. Winckelmann (Hrsg.): Max Weber zum Gedächtnis. Köln 1963.
Baumgarten, Eduard: Max Weber, Werk und Person. Tübingen 1964.
Baumgarten, Otto: Meine Lebensgeschichte. Tübingen 1929.
Becher, Johannes R.: Abschied. Berlin 1960.
Bonn, Moritz Julius: Wandering Scholar. London 1949.
Brentano, Lujo: Professor Max Weber. In: R. König und J. Winckelmann (Hrsg.): Max Weber zum Gedächtnis. Köln 1963.
Brod, Max: Streitbares Leben. München 1960.
Cleve, Theodor: Wege einer Freundschaft: Briefwechsel Peter Wust – Marianne Weber. Heidelberg 1951.
Corke, Helen: D. H. Lawrence's Princess. London 1951.
Curtius, Ludwig: Deutsche und antike Welt. Stuttgart 1950.
Drinnan, Richard: Rebel in Paradise. Chicago 1961.
Duncan, Isadora: My Life. New York 1927.
Eliot, T. S.: Beiträge zum Begriff der Kultur. Frankfurt/M. 1949.
Frank, Leonhard: Links, wo das Herz ist. München 1952.
Gay, Peter: Weimar Culture. London 1969.
Glockner, Hermann: Heidelberger Bilderbuch. Bonn 1969.
Groß, Hans: Die Erforschung des Sachverhalts strafbarer Handlungen. München 1938.
Groß, Otto: Die Affektlage der Ablehnung. In: Monatsschrift für Psychiatrie und Neurologie XII, 1902.
- Anmerkungen zu einer neuen Ethik. In: Aktion, 1913.
- Beitrag zur Pathologie des Negativismus. In: Psychiatrische Wochenschrift V, 1903.
- Brief. In: Die Zukunft, 28. Februar 1914.
- Die Einwirkung der Allgemeinheit auf das Individuum. In: Aktion, 1913.
- Elterngewalt. In: Die Zukunft, Berlin 1908.
- Die kommunistische Grundidee in der Paradiessymbolik. In: Sowjet, 1919.
- Notiz über Beziehungen. In: Aktion, 1913.
- Orientierung des Geistigen. In: Sowjet, 1919.
- Paralyse. In: Neurologisches Centralblatt XXII, 1903.
- Protest und Moral im Unterbewußten. In: Die Erde, 1919.
- Die Psychoanalyse oder wir Kliniker. In: Aktion, 1913.

- Über Bewußtseinszerfall. In: Monatsschrift für Psychiatrie und Neurologie XV, 1904.
- Über Destruktionspolitik. In: Zentralblatt für Psychoanalyse und Psychotherapie IV, 1914.
- Über den inneren Konflikt. In: Abhandlungen aus dem Gebiet der Sexualforschung II, 1919.
- Über Vorstellungszerfall. In: Monatsschrift für Psychiatrie und Neurologie VI, 1902.
- Vom Konflikt des Eigenen und Fremden. Berlin 1916.
- Zur Differentialdiagnostik. In: Psychiatrische Wochenschrift VI, 1904.
- Zur Nomenclatur der Dementia Conjunctiva. In: Neurologisches Centralblatt XXVIII, 1904.
- Zum Parlamentarismus. In: Die Erde, 1919.
- Zur Phylogenese der Ethik. In: Archiv für Kriminalistik und Archäologie IX, 1902.
- Zur Überwindung der kulturellen Krise. In: Aktion, 1913.

Heuss, Theodor: Zu Max Webers Gedächtnis. In: R. König und J. Winckelmann (Hrsg.): Max Weber zum Gedächtnis. Köln 1963.

Jaspers, Karl: Existenzphilosophie. Berlin 1956.
- Max Weber. Heidelberg 1920.
- Max Weber zum Gedächtnis. Berlin 1966.
- Max Weber: Deutsches Wesen im politischen Denken, im Forschen und Philosophieren. Oldenburg 1932.
- Werke und Wirkung. München 1963. (Darin enthalten ist die ›Philosophische Autobiographie‹.)

Jones, Ernest: Free Associations. London 1959.

Jung, Franz: Sophie. Berlin 1915.
- Der Torpedokäfer (Der Weg nach unten). Neuwied 1972.

Keller, Gottfried: Der grüne Heinrich. Stuttgart 1917.

Klages, Ludwig: Der Geist als Widersacher der Seele. München 1954.
- Goethe als Seelenforscher. München 1932.
- Der Mensch und das Leben. Jena 1937.
- Rhythmen und Runen aus dem Nachlaß. Leipzig 1944.
- Vom kosmologischen Eros. München 1922.

König, R. u. J. Winckelmann (Hrsg.): Max Weber zum Gedächtnis. Köln 1963.

Kyklos (Internationale Zeitschrift für Sozialwissenschaften) XI: Alfred Weber zum Gedächtnis. Bern 1958.

Lawrence, David Herbert: Briefe an Frauen und Freunde. Berlin 1938.
- Söhne und Liebhaber. Leipzig 1925.
- Spiel des Unbewußten. München 1929.

(Darüberhinaus sind die folgenden Erzählungen und Kurzromane von D. H. Lawrence 1975 beim Diogenes Verlag in Zürich erschienen: Der Fuchs; Die Hauptmannspuppe; Neue Eva und Alter Adam; Der preußische Offizier; Wirrsal des Irdischen; Dorn im Fleisch; England, mein

England; Der Hengst St. Mawr; Liebe im Heu; Das Mädchen und der Zigeuner; Der Mann, der gestorben war; Die Frau, die davonritt; Die Grenze; Jimmy und die Frau aus dem Volke.)

Lawrence, Frieda: Memoires and Correspondence. New York 1964.

– Nur der Wind. Berlin 1936.

Loewenstein, Karl: Persönliche Erinnerungen an Max Weber. In: Max Weber, Gedächtnisschrift der Ludwig-Maximilians-Universität, Berlin 1966.

Löwith, Karl: Max Weber und Karl Marx. In: Achriv für Sozialwissenschaft und Sozialpolitik. Heidelberg 1932.

Lucas, Robert: Frieda von Richthofen. München 1972.

Luhan, Mabel: Intimate Memories. London 1935 ff. (4 Bände).

– Lorenzo in Taos. London 1933.

Mahler, Alma: And the Bridge is love. New York 1958.

– Gustav Mahler. New York 1946.

– Mein Leben. Frankfurt 1960.

Mann, Thomas: Beim Propheten. In: Die Erzählungen I, Frankfurt/M. 1975.

Marcuse, Herbert: Industrialisierung und Kapitalismus im Werk Max Webers. In: O. Stammer (Hrsg.): Max Weber und die Soziologie heute. Tübingen 1965.

Mitzmann, Arthur: The Iron Cage. New York 1970.

Mommsen, Wolfgang: Max Weber und die deutsche Politik 1890–1920. Tübingen 1959.

Moore, Harry T.: The Intelligent Heart. London 1955.

Mühsam, Erich: Namen und Menschen. Leipzig 1949.

Murry, John Middleton: Between Two Worlds. London 1935.

Nehls, Edward (Hrsg.): The Composite Biography of D. H. Lawrence. University of Wisconsin Press 1957–1959.

Otten, Karl: Ego und Eros. Stuttgart 1963.

– Prüfung zur Reife. Leipzig 1928.

– Wurzeln. Darmstadt 1963.

Parsons, Talcott: Beiträge zur soziologischen Theorie. Neuwied 1964.

– On Building Social Science Theory: A Personal History. In: Daedalus, 1970.

– Democracy and Social Structure in Pre-Nazi Germany. In: Essays in Sociological Theory. Free Press 1954.

– Unity and Diversity in Modern Intellectual Disciplines. In: Daedalus, 1965.

– Wertgebundenheit und Objektivität in den Sozialwissenschaften. Eine Interpretation der Beiträge Max Webers. In: O. Stammer (Hrsg.): Max Weber und die Soziologie heute. Tübingen 1965.

Peters, H. F.: Lou Andreas-Salomé. Das Leben einer außergewöhnlichen Frau. München 1964.

Radbruch, Gustav: Der innere Weg. Stuttgart 1951.

Reventlow, Fanny zu: Briefe 1890–1917. München 1975.

- Ellen Olenstjerne. München 1903.
- Herrn Dames Aufzeichnungen. München 1903.
Rheinstein, Max: Max Weber on Law in Economy and Society. Harvard 1954.
Riess, Curt: Ascona. Zürich 1964.
Russett, C. E.: The Concept of Equilibrium in American Social Thought. New Haven 1966.
Salin, Edgar: Um Stefan George. Küpper 1948.
Schröder, H. E.: Klages: Die Jugend. Bonn 1966.
Schuler, Alfred: Dichtungen. Hamburg 1930.
- Fragmente und Vorträge aus dem Nachlaß. Leipzig 1940.
Shils, Edward: Tradition, Ecology, and Insitution in the History of Sociology. In: Daedalus, 1970.
Sidgwick, M.: Caroline and Her Friends. London 1889.
Stammer, Otto (Hrsg.): Max Weber und die Soziologie heute. Tübingen 1965.
Stekel, Wilhelm: In Memoriam. In: Psyche und Eros, New York 1920.
Tawney R. H.: Einführung in Max Webers ›Protestantism and the Spirit of Capitalism‹ (ins Englische übertragen von Talcott Parsons). London 1930.
Taylor, A. J. P.: Bismarck. London 1955.
Tillyard, E. M. W.: The Muse Unchained. London 1958.
Troeltsch, Ernst: Max Weber. In: R. König und J. Winckelmann (Hrsg.): Max Weber zum Gedächtnis. Köln 1963.
Weber, Alfred: Abschied von der bisherigen Geschichte. Hamburg 1946.
- Deutschland und die europäische Kulturkrise. Berlin 1924.
- Einführung in die Soziologie. München 1955.
- Gedanken zur deutschen Sendung. Berlin 1915.
- Ideen zur Staats- und Kultursoziologie. Karlsruhe 1927.
- Die Jugend und das deutsche Schicksal. In: Wegweiser, München 1955.
Weber, Marianne: Die Frauen und die Liebe. Leipzig 1936.
- Max Weber. Ein Lebensbild. Heidelberg 1927.
Weber, Max: Gesammelte Aufsätze zur Religionssoziologie. Tübingen 1947.
- Gesammelte politische Schriften. München 1921. (Enthält u. a. den Aufsatz ›Politik als Beruf‹.)
- Jugendbriefe. Tübingen 1936.
- Die protestantische Ethik. Tübingen 1934.
- Der Sinn der Wertfreiheit der soziologischen und ökonomischen Wissenschaften. In: Logos, Band VII, Tübingen 1917/1918.

Kindlers literarische Portraits

Hans Scholz
Theodor Fontane

340 Seiten mit einem Bildteil von 110 Seiten.
Bibliophile Ausstattung: Balacron-Einband mit Schutzumschlag
und zusätzlichem Cellophanumschlag und zwei Lesebändern.

Diese feuilletonistisch-essayistische Studie mit ihrer
umfassenden Bilddokumentation bietet eine
Zusammenschau der menschlichen, künstlerischen und
politischen Kontinuität in Fontanes Entwicklung und ist
ein Stück persönliche Rezeptionsgeschichte.

Adolf Muschg
Gottfried Keller

412 Seiten mit einem Bildteil von 140 Seiten.
Bibliophile Ausstattung: Balacron-Einband mit Schutzumschlag
und zusätzlichem Cellophanumschlag und zwei Lesebändern.

»Der Biograph ist selber Figur seiner Biographie geworden
und zieht uns alle, weil wir alle sterblich sind, von der Kanzel
seines säkularisierten Münsters in seine Arbeits- und
Bekenntnisprozesse hinein. Das bildet Wirbel, Mäander,
Untiefen, und ich lege dieses Buch, fast erschöpft von
so viel Zustimmung, Abwehr, Rührung und Widerspruch
aus der Hand. So gelesen hab' ich schon lange nicht.«

Peter Demetz in Frankfurter Allgemeine Zeitung

Eva Hesse
Ezra Pound

420 Seiten mit einem Bildteil von 80 Seiten.
Bibliophile Ausstattung: Balacron-Einband mit Schutzumschlag
und zusätzlichem Cellophanumschlag und zwei Lesebändern.

Sinn und Wahnsinn, analytische und dialektische Formen
von Erfahrung, Unvernunft im Zeitalter der technischen
Rationalität – zwischen diesen Polen siedelt Eva Hesse die
»Cantos« von Ezra Pound an, ein Lebenswerk, das, wenn
auch politisch lange für reaktionär gehalten, der studentischen Jugend Amerikas in ihrem Kampf gegen den
Vietnamkrieg doch die nachhaltigsten Impulse gab.

verlegt bei Kindler